D1541655

BIBLIOTECA

DE

AUTORES ESPAÑOLES

(CONTINUACION)

TOMO CENTESIMOVIGESIMOSEGUNDO

BENEMÉRITO DE LAS LETRAS PATRIAS

DON MANUEL RIVADENEIRA

BIBLIOTECA DE AUTORES ESPAÑOLES
Continuación de la
COLECCIÓN RIVADENEIRA
publicada con autorización de la
REAL ACADEMIA ESPAÑOLA

BIBLIOTECA

DE

AUTORES ESPAÑOLES

DESDE LA FORMACION DEL LENGUAJE HASTA NUESTROS DIAS

(CONTINUACION)

Relaciones histórico-literarias de la América meridional

LUIS CAPOCHE
RELACION GENERAL
DE
LA VILLA IMPERIAL DE POTOSI

EDICION Y ESTUDIO PRELIMINAR POR LEWIS HANKE

CONCOLORCORVO
EL LAZARILLO DE CIEGOS CAMINANTES

ESTUDIO PRELIMINAR DE JOSE J. REAL DIAZ
EDICION DE JUAN PEREZ DE TUDELA

EDICIONES

ATLAS

MADRID
1959

Depósito Legal: M. 12.456-1959

Gráficas Yagües, S. L.—Plaza Conde Barajas, 3.—Madrid.

LUIS CAPOCHE

RELACION GENERAL
DE
LA VILLA IMPERIAL DE POTOSI

UN CAPITULO INEDITO EN LA HISTORIA
DEL NUEVO MUNDO

PROLOGO Y NOTAS
DE
LEWIS HANKE

Esta obra ha sido preparada con la generosa ayuda de
la Sociedad Filosófica Americana, de Filadelfia, y el
Instituto de Investigación de la Universidad de Texas.

DEDICACION Y TESTIMONIO DE AGRADECIMIENTO

A todos los historiadores de la Villa Imperial
de Potosí: los del pasado y los del futuro.

¡Dichoso el historiador a quien no defraude el tema en que ha gastado su tiempo y su energía! Y doblemente feliz será si su colaboración con los compañeros de la misma rama ha dado lugar a un experiencia fecunda. Tal ha sido mi venturosa relación con Manuel Giménez Fernández, de Sevilla, al trabajar juntos sobre la vida de Bartolomé de Las Casas. Y ahora la historia se repite, pues, mi circunscrita investigación sobre el pasado de la Villa Imperial de Potosí ha alumbrado ya incitantes problemas históricos de importancia, y la ayuda y el estímulo de otros labradores de la misma viña han alentado mi empresa. Vicenta Cortés, Marie Helmer, Victoria Hernández, Jerry E. Patterson, José de la Peña, Clara L. Penney y Ona Kay Stephenson han trabajado bien en favor de este tomo.

Quiero rendir especial tributo de gratitud a mi amigo Gunnar Mendoza, de Sucre, coeditor de este libro. Descendiente de una larga línea de graduados en la antigua Universidad de Charcas e hijo de un distinguido escritor boliviano, el doctor Mendoza mostró su temprano interés por la Historia; en efecto, cuando apenas tenía ocho años de edad, su inclinación al estudio del pasado tuvo que ser «moderada» por su familia (1). Su primer ensayo impreso se tituló «Año en que fué fundada la Villa de La Plata»; en él hizo ya gala de su aguda capacidad crítica para el manejo de los datos y el pesaje de las conclusiones (2). Fué un entusiasta y asiduo compañero de su padre en la busca de documentos en los archivos y en la realización de las operaciones necesarias para transformar el material bruto de los manuscritos en académica obra histórica. Su padre le dedicó al joven hijo dos libros (3), en reconocimiento de la ayuda que le prestó y en un emotivo pasaje le exhortó a continuar sus estudios históricos (4). Gunnar Mendoza ha seguido

---

(1) JAIME MENDOZA: *Chuquisaca* (Sucre, 1939), pág. 121.
(2) *Ibid.*, págs. 29-64.
(3) *La Universidad de Charcas y la idea revolucionaria* (Sucre, 1924) y *La tragedia del Chaco* (Sucre, 1933).
(4) «Quiera Dios que entonces tus manos listas y ágiles, bajo la inspiración de tu alma buena y de tu cerebro selecto, acaben de trazar en el papel las páginas que yo dejo en blanco. Sé mi prolongación también en esto. Hónrame. Hazme vivir.» JAIME MENDOZA: *Chuquisaca*, pág. 123.

sus investigaciones y asimismo ha organizado *tan* bien el *Archivo Nacional de Sucre* que todos los exploradores de esta rica colección encuentran el camino allanado por su paciente y cuidadosa labor.

En la edición de la *Relación* de Luis Capoche, su ayuda ha sido a la vez ilimitada e inestimable. Ha evitado que incurra yo en algunos errores, ha traducido con pericia los estudios preliminares, ha enriquecido el libro con muchas notas y apéndices sustanciales y ha realizado el penoso trabajo de revisar toda la obra Y ha hecho todo esto con un buen humor y una perseverancia poco comunes. ¡Ojalá que todos los demás historiadores de la Villa Imperial sean tan afortunados como lo he sido yo con los colaboradores!

LEWIS HANKE.

Austin, Texas
Noviembre, 1958.

I

POTOSI: SUPREMA CIUDAD DEL AUGE (1)

Ninguna ciudad sobre la vasta haz de las Indias Occidentales ganada para el rey de España—excepto México, acaso—ha tenido un curso más sugestivo o más importante que Potosí, en el virreinato del Perú. La colorida historia de esta ingente montaña de plata comienza cuando el inca Huayna Cápaj quiere excavarla, casi un siglo antes que lleguen los españoles. Cuenta la leyenda que un ruido terrorífico lo paralizó y que una voz misteriosa le ordenó en quechua: «No saquéis la plata de este cerro, que está destinada para otros dueños» (2). Los conquistadores no escucharon en 1545 un mandato semejante, al tener noticias sobre el rico mineral argentífero por unos indios que lo habían descubierto accidentalmente, y es indudable que aun escuchándolo no habrían vacilado en reputarse dueños absolutos en derecho. Comenzaron, pues, a trabajar de inmediato al Potosí, que iba a ser uno de los centros mineros más celebrados en la historia del mundo.

Buscadores de tesoros llovieron desde España y otras muchas partes, sobre este yermo e inhóspito paraje peraltado sobre los Andes para extraer la plata de el *Cerro*, montaña en forma de pan de azúcar, que se yergue majestuosamente a una altura de 4.890 metros sobre el nivel del mar. El primer censo, hecho por el virrey don Francisco de Toledo unos veinticinco años después que la nueva de la veta relumbrara por vez primera en el mundo, sumó el monto increíble de 120.000 habitantes. Hacia 1650 la población había subido a 160.000 almas, se dice, y Potosí era sin disputa la ciudad mayor en América del Sur. Cuando las colonias de Virginia y Massachusetts Bay Colony eran apenas unas criaturas balbuceantes, insconscientes de su medro futuro, Potosí había prodigado ya tal cantidad de plata, que su solo nombre constituía un símbolo universal de riqueza inaudita, según advierte Don Quijote a Sancho Panza (3). Lo decían los españoles: «Vale un Potosí». La frase *as rich as Potosí* se hizo corriente en la literatura inglesa. Al cabo de una generación después de su descubrimiento, las astronómicas cantidades

---

(1) Quiero testimoniar aquí mi sentimiento de viva gratitud al doctor Gunnar Mendoza L., de la Biblioteca y Archivo Nacional de Bolivia, y a mi colega, profesor Ramón Martínez-López de la Universidad de Texas, por su valiosa ayuda en la preparación de este estudio. Esta Introducción ha sido basada en un estudio con el mismo título publicado en 1954 por la Universidad de San Francisco Xavier, en Sucre, Bolivia.

(2) Esta tradición consta en la *Historia de la Villa Imperial de Potosí* (siglo XVIII), de Bartolomé Orsúa y Vela, de la que tan sólo se han publicado parte de los capítulos iniciales. Mayor información sobre esta obra, *infra*, notas 20 y 24. Vicente G. Quesada, entre otros, utilizó el manuscrito y divulgó la tradición en sus *Crónicas potosinas. Costumbres de la edad medieval hispano-americana*, I (París, 1890), pág. 5.

(3) Ver Francisco Rodríguez Marín, ed.: *Cervantes el ingenioso hidalgo Don Quijote*, 2.ª ed., VIII, págs. 282, para el proverbio «Vale un Potosí». Potosí, como sinónimo de gran riqueza puede encontrarse en obras manuales como *Roget's International Thesaurus of English Words and Phrases* (Nueva York, 1925), núm. 803.

de plata extraídas de allí eran conocidas por los enemigos de España y otros pueblos en rincones alejados del mundo. Los portugueses, rivales siempre alerta de España, marcaron pronto a Potosí en sus cartas geográficas, y hasta en el mapamundi chino del padre Ricci figura en su posición correcta con el nombre de Monte Pei-tu-hsi (4).

La prosperidad duró unos dos siglos. En su transcurso, la Villa Imperial—tal el título que oficialmente le impuso el emperador Carlos V—fué habitada por una sociedad tan rica y desordenada como el mundo apenas había visto antes. El vicio, la piedad, el crimen, las fiestas de los potosinos, todo asumía allí proporciones enormes. En 1556, por ejemplo, a los once años de su fundación, la villa celebró la coronación de Felipe II con un festejo que duró veinticuatro días y costó ocho millones de pesos. En 1577 se invirtieron tres millones de pesos en formidables obras hidráulicas, progreso que anunció una era de prosperidad aún mayor. Hacia el fin del siglo XVI, los mineros ganosos de esparcimiento podían elegir entre catorce escuelas de baile y treinta y seis casas de juego, y tenían un teatro cuyos asientos costaban de cuarenta a cincuenta pesos (5). Poco después, celebrando un acaecimiento eclesiástico, uno de los gobernadores organizó una «grandiosa fiesta4, en la que exhibió un jardín hecho exprofeso, «encerrando en su clausura cuantos animales fieros tuvo el arca de Noé [...]. Hubo cañas que manaban vino, chicha y agua a un tiempo» (6). El cronista agustino del siglo XVII, fray Antonio de la Calancha, declara: «Predominan en Potosí [...] los Signos de Libra i Venus, i casi son los mas que inclinan a los que allí abitan a ser codiciosos, amigos de musica i festines, i trabajadores por adquirir riquezas, i algo dados a gustos venereos.» (7) Las escasas noticias hoy a mano destacan en forma parecida los placeres carnales que brindaba el rico asiento argéntifero, así como los raros, admirables y milagrosos sucesos de su tumultuosa historia. Puede decirse que nuestro conocimiento sobre Potosí yace aún en el estadio folklórico.

Por muchos años Potosí fué la suprema ciudad del auge y de la turbulencia. La traición, el homicidio y la guerra civil florecieron como fruto natural del juego, la intriga, la enemistad entre españoles peninsulares y criollos americanos y la rivalidad por el favor de las mujeres. La riña cruenta llegó a ser un pasatiempo, una actividad social reconocida. Hasta los cabildantes concurrían a los acuerdos armados con espadas y pistoletas y protegidos con petos y cotas. El dominico fray Rodrigo de Loaysa caracterizó «aquel maldito cerro de Potosí» como una zahurda de iniquidad (8), mas el virrey García Hurtado de Mendoza declaró por su parte que el asiento era «el nervio principal de aquel reino» (9).

No muy entrado aún el siglo XVII había en la villa, a un tiempo, de setecientos a ochocientos tahures profesionales y ciento veinte célebres prostitutas, entre éstas la temible cortesana Doña Clara, cuya belleza y riqueza fueron impares, según

---

(4) Lionel Giles menciona la ubicación de Potosí en esos mapas primitivos en su artículo «Translations from the Chinese world map of Father Ricci», *Geographical Journal*, LIII (Londres, 1919), pág. 27.
Los libros de LAVINO APOLONIO, *De Peruviae Regionis* (Amberes, 1567) y GERÓNIMO CARDAN, *De Rerum Varietate* (Basilea, 1557) muestran cuán rápidamente Europa sabía de Potosí.
(5) Muchos curiosos detalles sobre la vida fastuosa de los mineros se encontrarán en la historia ms. de Orsúa y Vela citada, *supra*, nota 2.
(6) RAÚL MOGLIA, ed.: «Representación escénica en Potosí en 1663), *Revista de Filosofía Hispanica*, V (Buenos Aires-Nueva York, abril-junio, 1943), núm 2, págs. 166-167. Cítase aquí una rara «Relación de la grandiosa fiesta que el señor gobernador don Luis de Andrade y Sotomayor, alcalde ordinario de la imperial villa de Potosí, hizo a la renovación del Santísimo Sacramento, a 4 de marzo de 1663».
(7) *Coronica moralizada del orden de San Agustín en el Perú*, I (Barcelona, 1638), pág. 747.
(8) «Memorial de las cosas del Pirú tocantes a los Indios», *Colección de documentos inéditos relativos a la historia de España*, XCIV (Madrid, 1889), págs. 550-556.
(9) LUIS CABRERA DE CÓRDOBA: *Felipe Segundo, Rey de España*, IV (Madrid, 1877), pág. 359.

certifican los cronistas. Mujer la más fastuosa de Potosí, sabía adornar su mansión con el lujo de Oriente y de Europa, pues sus salones eran frecuentados por los mineros más ricos, que competían ardorosamente por sus favores. Pululaban los vagabundos, y los oficiales reales informaban indignados que esta gente perdida no hacía otra cosa que vestir con lujo y comer y beber con exceso. Sus pretensiones subieron tanto, que un Juan Fernández se atrevió, en 1583, a tramar una conspiración, por medio de la cual esperaba proclamarse rey de Potosí. Planeó apoderarse con sus hermanos de la villa y «aunque era casado Fernández había elegido a una viuda, María Alvarez, para que compartiese el trono de su futuro reino» (10). Sabedor de la trama, el Gobierno aprisionó a Fernández antes de que pusiese sus designios en obra, pero no fué la última vez que la riqueza de Potosí engendró una fiebre de ambición sin límite y un deseo devastador en los temerarios ánimos atraídos al helado y ventoso asiento. Entre estos disturbios, que podrían dar materia para compilar un grueso volumen, uno de los más notables e incógnitos parece ser la conspiración de don Gonzalo Luis de Cabrera y el relator de la Audiencia de La Plata, Juan Díaz Ortiz, quienes, entre otras cosas, pretendían internar por el Río de la Plata a Charcas, en 1599, unos centenares de ingleses para ayudarse con ellos en sus fines subversivos (11).

Al descubrirse otros minerales, particularmente después de 1640, la producción comenzó a languidecer. La declinación prosiguió tenaz a lo largo del siglo XVIII, pese a los desesperados esfuerzos por mejorar los métodos de beneficio. Finalmente la gloria se consumió. Un factor decisivo en la decadencia irremediable de Potosí fué la guerra de Independencia. Durante este lapso pararon casi del todo los trabajos del Cerro y la ribera, porque los indios ya no acudían y la provisión de materiales se hizo muy difícil. Hasta 1816 Potosí estuvo por tres veces alternativamente en manos realistas y patriotas. A partir de entonces, ocupado por un fuerte ejército regular realista, el Alto Perú sólo pudo hacer la guerra de guerrillas, pero Potosí no se restauró más. Cuando la llegada de Bolívar (5 octubre de 1825), en la villa no quedaban sino sombras de su antiguo esplendor. Celosa, empero, de sus tradiciones, se sobrepujó a sí misma, con un recibimiento rimbombante de los que gustaban al Libertador. Miles de indios fueron reunidos con sus polícromos trajes, para saludarlo en las goteras de la ciudad, hacia la cual avanzaba pasando bajo series de arcos de triunfo junto a los que otros indios, vistosamente emplumados, danzaban una suerte de *ballets*. Cuando se aproximaba hacia el arco triunfal mayor, en el centro de la ciudad, dos niños, que figuraban sendos ángeles, bajaron desde el arco y cada uno lo saludó con un breve discurso.

Durante las siete semanas de su estancia en Potosí, Bolívar fué objeto de muchos otros discursos. En un solo día correspondió con «contestaciones elocuentes y adecuadas» en diecisiete ocasiones diferentes, y sus días y noches se llenaron de corridas de toros, banquetes, bailes, fuegos de artificio, iluminaciones y «otros mil signos de regocijo público». El 26 de octubre subió al Cerro, montaña llamada así por antonomasia, acompañado por el general Antonio José de Sucre «y todas las personas de distinción existentes en Potosí». Otro de sus acompañantes en la ascensión por los desolados taludes del Cerro fué su viejo mentor, don Simón Rodríguez, una de las figuras más peregrinas en la historia pedagógica de América Latina. Ante el propio Rodríguez y en la cima de otro monte—el hoy lejano Monte

(10) GWENDOLIN BALLANTINE COBB: «Potosí and Huancavelica Economic Bases of Peru, 1545 to 1640», págs. 226-227. Deseo expresar mi gratitud a la doctora Cobb por permitirme utilizar su valiosa tesis doctoral, inédita, presentada en la Universidad de California, Berkeley El capítulo intitulado «Potosí 1573-1640» (págs. 213-234) ha sido mi fuente para algunas de las noticias sobre la sociedad de Potosí. La doctora Cobb ha publicado otros dos artículos, citados *infra*, nota 15.

(11) ROBERTO LEVILLIER, ed.: *Audiencia de Charcas. Correspondencia de Presidentes y Oidores*, III (Madrid, 1922), pág. 451.

Sacro de Roma—, Bolívar había jurado solemnemente consagrar su vida a la liberación de su patria, hacía tres lustros.

Ahora, por fin, Potosí, uno de los últimos reductos del poder realista en América, había caído y el Libertador podía muy bien ver en este triunfo final el cumplimiento del voto hecho años atrás en Roma. La simbólica ascensión se llevó a cabo al terminar el invierno, cuando vientos desapacibles azotan todavía la cumbre de la montaña y reinan temperaturas glaciales; mas la ceremonia se desenvolvió con pompa y elocuencia. Descrita por el general Miller, el pintoresco veterano inglés de la Independencia peruana, que a la sazón era presidente, o prefecto, de Potosí, el espectacular episodio incluyó una «especie de almuerzo en lo alto; hubo varios brindis patrióticos» (12). Con las banderas de los países no ha mucho liberados—Argentina, Colombia, Chile y Perú—flameando al viento, Bolívar declamó: «Venimos venciendo desde las costas del Atlántico, y en quince años de una lucha de gigantes hemos derrocado el edificio de la tiranía, formado tranquilamente en tres siglos de usurpación y de violencia. Las míseras reliquias de los señores de este mundo estaban destinadas a la más degradante esclavitud. ¡Cuánto no debe ser nuestro gozo al ver tantos millones de hombres restituidos a sus derechos por nuestra perseverancia y nuestro esfuerzo! En cuanto a mí, de pie sobre esta mole de plata que se llama Potosí y cuyas venas riquísimas fueron trescientos años el erario de España, yo estimo en nada esta opulencia cuando la comparo con la gloria de haber traído victorioso el estandarte de la libertad desde las playas ardientes del Orinoco para fijarlo aquí, en el pico de esta montaña, cuyo seno es el asombro y la envidia del universo.» (13)

Si bien estas frases tienen la grandilocuencia propia del Libertador, ¿quién podría asegurar que el juicio formulado en la cima del Potosí fuese erróneo?

II

CARESTIA DE HISTORIAS IMPRESAS SOBRE POTOSI

Pese al hecho generalmente reconocido de que tan largo y turbulento pasado es un segmento significativo en el de toda América hispana, ninguna obra substancial fundada en los copiosos manuscritos a mano se ha publicado jamás sobre la historia de Potosí. Pedro de Angelis lamentaba hace más de un siglo: «Potosí, cuyas minas han enriquecido al mundo, no ha encontrado quien se encargara de publicar su historia.» (14)

Nuestro conocimiento actual sobre la historia de Potosi no es mucho mayor, no obstante el notable incremento cualitativo y cuantitativo en el campo de la historia latinoamericana (15). Al parecer, sólo dos tesis doctorales existen sobre

---

(12) JOHN MILLER: *Memorias del general Miller al servicio de la República del Perú*, traducción del general Torrijos, II (Londres, 1829), pág. 275. Los capítulos 29 y 30 contienen abundantes detalles sobre la visita de Bolívar y el estado coetáneo de Potosí.

(13) *Proclamas y discursos del Libertador*, ed. de Vicente Lecuna (Caracas, 1939), pág. 314. Ver también GERHARD MASUR, *Simón Bolívar* (Albuquerque, 1948), pág. 551, y LUIS SUBIETA SAGÁRNAGA, *Bolívar en Potosí* (Potosí, 1925), quien cita esta palabras del Libertador: «El Potosí tiene para mí tres recuerdos: allí me quité el bigote y allí usé vestido de baile y allí tuve un hijo» (pág. 97). Charles Arnade ofrece mucha información sobre Potosí durante la guerra de independencia en su monografía titulada *The Emergence of the Republic of Bolivia* (University of Florida Press, Gainesville, 1957).

(14) *Colección de obras y documentos relativos a la historia antigua y moterna de las provincias del Río de la Plata*, II (Buenos Aires, 1836), pág. 1

(15) Gwendolin Ballantine Cobb da una valiosa descripción bibliográfica de los principales elementos impresos en su artículo «Potosí, a South American Mining Frontier»,

Potosí, una en la Universidad de California y otra en la Universidad de Madrid; ninguna de ellas se ha impreso (16). En el registro bibliográfico más completo que hay sobre la obra de España en América apenas unas cuantas entradas corresponden a Potosí (17). Esta inopia resalta aún más junto a la próvida cosecha histórica sobre la ciudad de México, tan profusa que sólo de sus cronista ha debido compilarse una bibliografía especial (18), al paso que para la mina de azogue de Huancavelica, estrechamente vinculada a Potosí, contamos con los provechosos estudios de Guillermo Lohmann Villena y Arthur P. Whitaker (19).

Ninguna bibliografía ha recopilado los pocos artículos dispersos sobre Potosí, bien que el espléndido libro de Eugenio Maffei y Ramón Rúa Figueroa sigue siendo una eficaz ayuda para todos los estudiosos de la historia mineralógica española (20). Tampoco se han impreso colecciones de documentos que brinden una base de hechos primordiales y apenas una pequeña parte de la grande e importante historia escrita en el siglo XVIII por el leal potosino Bartolomé Orsúa y Vela se ha publicado (21).

Vientos mejores empiezan a soplar, empero, y varios casos recientes inducen a esperanza, por una nueva consagración a la gran empresa de preparar una historia digna de Potosí. La Sociedad Geográfica y de Historia «Potosí», cuya oficina y planta editora ocupa la Casa de Moneda restaurada, ha editado hace poco, por primera vez, la *Guía histórica geográfica, física, política, civil y legal del gobierno e intendencia de la provincia de Potosí* (1787), por Pedro Vicente Cañete y Domínguez, editada por Armando Alba (22). Gunnar Mendoza L., el hábil director de la Biblioteca Nacional y del Archivo Nacional de Bolivia, acaba de completar un estudio enjundioso sobre Cañete, el funcionario más notable quizá de Potosí en el siglo XVIII (23). Otro substancioso estudio de Mendoza es su guía a la rica do-

---

Greater America. Essays in honor of Herbert Eugene Bolton (Berkeley y Los Angeles, 1943), págs. 39-58. Sobre un aspecto especial de la historia potosina, la doctora Cobb ha publicado también «Supply and Transportation for the Potosí Mines, 1545-1640», *Hispanic American Historical Review*, XXIX (1949), págs. 25-45.

(16) Sobre la tesis de la doctora Cobb ver *supra*, nota 10. La otra tesis es de Antonio Artola y Guardiola, *Notas para una historia de la imperial villa de Potosí* (Madrid, 1909), 187 págs. Expreso mi reconocimiento al profesor Francis M. Rogers, de la Universidad de Harvard, por haber llamado mi atención sobre esta tesis española, y a Mr Frederick Cromwell, del Servicio de Información de Estados Unidos en Sevilla, por un provechoso informe sobre la obra. Parece que la tesis de Artola y Guardiola es breve y más bien general, basada grandemente en fuentes impresas manuales, aunque no dejó de consultar algunos manuscritos en el Archivo General de Indias, inclusas las ordenanzas promulgadas por el virrey don Luis de Velasco.

(17) BENITO SÁNCHEZ ALONSO: *Fuentes de la historia española e hispano-americana* (Madrid, 1952), 3 vols. El resumen bibliográfico y descriptivo intitulado *Contribuciones a la historia municipal de América* (México, 1951) no contiene nada sobre Potosí.

(18) MANUEL ROMERO DE TERREROS: *Bibliografías de cronistas de la ciudad de México* (México, 1926).

(19) ARTHUR P. WHITAKER: *The Huancavelica Mercury Mine* (Cambridge, 1941); GUILLERMO LOHMAN VILLENA: *Las minas de Huancavelica en los siglos XVI y XVII* (Sevilla, 1949).

(20) *Apuntes para una bibliografía española de libros, folletos y artículos, impresos y manuscritos relativos al conocimiento y explotación de las riquezas minerales y a las ciencias auxiliares* (Madrid, 1871-1872), 2 vols.

(21) El manuscrito original, en la Biblioteca de Palacio (Madrid), en dos volúmenes: su título, *Historia de la villa imperial de Potosí, riquezas incomparables de su famoso cerro, grandezas de su población, sus guerras civiles y casos memorables*. Abarca el lapso 1545-1736. Su autor ha sido muy discutido en años recientes. Por mi parte, he seguido la relación del Archivo General de Indias, Lima, 644, según la describe FRANCISCO MATEOS, *Historia de la Compañía de Jesús en la provincia del Paraguay*, VIII, primera parte, pág. 265. Gonzalo Gumucio cita otro informe del mismo Archivo, Charcas 563, de junio 27, 1756, del arzobispo Alfonso del Pozo y Silva al gobernador Ventura de Santelices, de Potosí, donde se da el mismo nombre para el autor. Ver *infra*, nota 40.

(22) Potosí, 1952.

(23) *El doctor don Pedro Vicente Cañete y su historia física y política de Potosí* (Sucre, 1954). Este valioso estudio comprende 140 páginas, con referencias bibliográficas copiosas y su edición ha sido patrocinada por la Universidad de San Francisco Xavier.

cumentación colegida por él en el Archivo Nacional (Sucre) sobre aquel curioso disturbio, sociológicamente revelador, de los años 1623-1626, conocido con el nombre de guerras entre vicuñas y vascongados (24). En Madrid, Gonzalo Gumucio ha iniciado, con el patrocinio del Instituto de Cultura Hispánica, la tremenda empresa de sacar a luz la crónica de Orsúa y Vela, vasto acervo de información sobre los fantásticos y emocionantes acontecimientos de los primreos dos siglos de la historia potosina (25). Orsúa y Vela basó su obra en algunas de las historias manuscritas y otros documentos manuscritos coetáneos y así pudo producir un gran texto, que sigue siendo la mayor fuente, única conocida, de información orgánica sobre Potosí. No incluye cuadros estadísticos exactos sobre la producción metalífera, pero da muchas referencias sobre hechos, tales como las guerras de españoles contra indios, las de españoles entre sí, las luchas por las elecciones y el gobierno del cabildo, las plagas, sequías, inundaciones y temporales de frío glacial que Potosí sufrió frecuentemente.

Quienes se interesen por el proceso de la minería en el Nuevo Mundo, encontrarán también datos provechosos en esta historia, pues el autor describe maquinarias, relata la introducción y el uso del azogue en la amalgamación, así como el establecimiento y las actividades del gremio de mineros. La tumultuosa y deslumbrante civilización que floreció en Potosí descansaba sobre el trabajo de los indios; los repetidos esfuerzos, férvidamente apoyados por los religiosos, para suprimir la mita (servicio forzado de los indios en el trabajo minero) se traen asimismo a cuento, no menos que las reiteradas y victoriosas acometidas de los mineros contra esos conatos de privarles del derecho de explotar a los indios.

La crónica de Orsúa y Vela encierra también material de interés para la historia económica. Relata las luchas de los mercaderes para reducir las alcabalas asignadas a sus géneros, para combatir la plaga de la moneda envilecida y para introducir en la villa géneros prohibidos o restringidos por severas leyes reales.

De cuando en cuando, dedica algún capítulo, o parte de él, a referir la vida y los padecimientos apostólicos de diversos religiosos, lo cual representa una valiosa contribución en el estudio de la historia eclesiástica (26). Registra, asimismo, la fundación de monasterios, iglesias e instituciones filantrópicas, por ricos mineros piadosos. Ni olvida manifestar las escandalosas contiendas eclesiásticas, que no trajeron bien para la cristiandad en la villa. Describe, por otra parte, la justicia que España hacía con los traidores, sodomitas y brujas. Ofrece, en fin, algunos pintorescos bocados, como los capítulos sobre «la muerte de un avariento y el extraño testamento que hizo», «Intenta el capitán Francisco de la Rocha dar veneno al Presidente» y «las grandes penitencias, rogativas y procesiones que se hicieron en esta Villa por las noticias de la ruina que hizo un terrible terremoto en la ciudad de los Reyes».

Existen muchas otras historias y relatos sobre Potosí. Desde que se propagó la nueva de su descubrimiento, en 1545, españoles y extranjeros a porfía pugnaron

---

(24) *Guerra civil entre vascongados y otras naciones en Potosí. Documentos del Archivo Nacional de Bolivia 1622-1641*, Cuadernos de la Colección de la Cultura Boliviana (Potosí, 1954). Publicado también en *Sur*, revista de la Sociedad Geográfica y de Historia (Potosí, 1954), núm. 2. La extensa y fascinante documentación del repositorio boliviano ha sido certeramente compendiada por Mendoza, que acompaña además un excelente y bien escrito estudio sobre este pugnante episodio como introducción al catálogo donde se describe cuidadosamente cada documento.

(25) Unos pocos capítulos iniciales fueron publicados por Luis Subieta Sagárnaga en 1925 en Potosí, y en 1945 la Fundación Universitaria Simón I. Patiño editó en Buenos Aires un volumen, con prefacio de Gustavo Adolfo Otero, que también contiene una pequeña parte de esta extensa crónica.

(26) José de Mesa y Teresa Gisbert de Mesa han recopilado una buena parte de la información de Orsúa y Vela sobre el arte religioso, en su artículo «Noticias para la historia del arte en Potosí», *Anuario de Estudios Americanos*, VII (Sevilla, 1951), págs 471-503.

por llegar a esta remota ciudad, brotada en las desoladas altitudes andinas, maravillarse ante sus increíbles riquezas y escribir relaciones sobre ellas. Pocas de esas historias se han impreso. El autor del estudio presente publica ahora la primera historia conocida (27) de Potosí, escrita por el minero Luis Capoche en 1585, que ha estado esperando un editor en el Archivo General de Indias (Sevilla), por casi cuatrocientos años, y proyecta la edición de las leyes de minas elaboradas por Pedro Vicente Cañete y Domínguez con el nombre de *Código carolino* (28).

Constituye otro motivo de estímulo el creciente interés de los historiadores de arte (29) por los templos, cuadros, monumentos civiles y otras manifestaciones artísticas que la riqueza de Potosí trajo al mundo. Mario Buschiazzo, Enrique Marco Dorta, Pál Kelemen, José de Mesa y Teresa Gisbert de Mesa, Juan Giuria, Martín Noel, Harold Wethey, Pedro Juan Vignale y otros, han publicados trabajos importantes, mientras otros, como Martín Soria, están en plena obra. En el campo de la numismática, Humberto F. Burzio (30), de Buenos Aires, ha dado un gran primer paso, y el joven estudioso boliviano, Gastón Bejarano, ha comenzado a investigar y producir.

III

MATERIAL MANUSCRITO ACCESIBLE

En el frente archivístico, la cantidad y calidad de los tan dispersos manuscritos accesibles representa una seria exigencia para el investigador. Los documentos de Potosí, como su misma plata, se han desparramado por los repositorios de muchos

---

(27) *Relación general del asiento y villa imperial de Potosí y de las cosas más importantes de su gobierno, dirigida al Excelentísimo señor Don Hernando de Torres y Portugal, conde del Villar y Visorrey del Perú,* Archivo General de Indias, Charcas 275. Se encontrara otro ejemplar en el mismo Archivo, Charcas 134. Poco se sabe de Capoche; su firma y un juicio de minas en que fué implicado en 1592-1594 se hallarán en Archivo Nacional (Sucre), Minas, núm. 18.

(28) Copias del manuscrito se hallarán en la Academia de la Historia (Madrid) y en el Archivo General de Indias.

(29) El manual *Guide to the Art of Latin American* (Wáshington, 1948) de ROBERT C. SMITH y ELIZABETH WILDER contiene algunas entradas (núms. 915-940) sobre Bolivia, publicadas hasta 1942; ninguna puede decirse que constituya una contribución estimable sobre Potosí. Desde entonces, la Academia Nacional de Bellas Artes de Buenos Aires ha editado dos bien ilustrados volúmenes en sus series «Documentos de Arte Colonial Sudamericano»: I, *La Villa Imperial de Potosí* (1943), y III, *Las iglesias de Potosí* (1945). Para un discernimiento cabal de nuestros conocimientos actuales, con referencias completas a la literatura reciente, pueden verse los artículos de HAROLD E. WETHEY, «Hisoanic colonial architecture in Peru», *Gazette des Beaux-Arts* (Nueva York, 1952), págs. 47-60, 193-208; «Mestizo Architecture in Bolivia», *The Art Quarterly* (Nueva York, invierno 1951), págs. 283-308, y su obra básica *Colonial Architecture and Sculpture in Perú* (Cambridge, 1949). Provechosa también, como comprensión general e información bibliográfica, es la obra de PÁL KELEMEN, *Baroque and Rococo in Latin America* (Nueva York, 1951). En pintura puede citarse «Un pintor colonial boliviano: Melchor Pérez Holguín», por los jóvenes arquitectos bolivianos JOSÉ DE MESA y TERESA GISBERT DE MESA, trabajo publicado por el Laboratorio de Arte, Universidad de Sevilla, en *Arte en América y Filipinas,* II (Sevilla, 1952), cuaderno 4, págs. 149-216. Reproducciones de pinturas potosinas se encontrarán en la *Exposición de arte religioso retrospectivo,* edición del Museo Histórico Provincial de Rosario, Argentina, 1941 Otras piezas apreciables son PEDRO JUAN VIGNALE, *La casa real de moneda de Potosí* (Buenos Aires, 1944); JUAN GIURIA, «Organización estructural de las iglesias coloniales de La Paz, Sucre y Potosí», *Anales del Instituto de Arte Americano e Investigaciones Estéticas,* (Buenos Aires, 1949), núm. 2, págs. 97-103, y MARIO J. BUSCHIAZZO, «La arquitectura de Mojos y Chiquitos», *ibíd.* (1952), núm. 5, págs. 23-40. En este último artículo se hace la interesante sugerencia de que los extraños elementos decorativos animales y vegetales de las iglesias de Potosí puedan proceder de Mojos y Chiquitos.

(30) *La ceca de la Villa Imperial de Potosí y la moneda colonial* (Buenos Aires, 1945). Publicaciones del Instituto de Investigaciones Estéticas, núm. 88

países. Junto a otros doce centros menores, los depósitos principales son: el Archivo General de Indias (Sevilla); la Biblioteca Nacional y el Archivo Nacional de Bolivia; el Archivo General de la Nación Argentina; el Museo Británico; la Biblioteca Nacional, la Academia de la Historia y otros centros de Madrid, y Potosí mismo.

Aunque los manuscritos relativos al mineral salieron de Potosí en gran parte, el doctor Domingo Flores, presidente de la Sociedad Geográfica, y el doctor Armando Alba, hacen enérgicos esfuerzos por preservar y organizar cualesquiera manuscritos aún existentes (31). Otro signo propicio es la creciente atención que se consagra a catalogar documentos en Potosí, y particularmente en Sucre, donde Gunnar Mendoza prepara una serie de cuidadosos índices, relativos a los manuscritos bajo su jurisdicción (32). Estos y el monumental catálogo (33) compuesto por el malogrado José Vázquez-Machicado, sobre los materiales altoperuanos en el Archivo General de Indias, dotan de guías indispensables a los dos depósitos más ricos en documentos manuscritos sobre Potosí. Infortunadamente, ninguna de estas valiosas obras ha sido aún publicada.

Pese a los esfuerzos de algunas personas intrépidas, la gran masa de papeles relativos a la historia de Potosí permanece incógnita, no catalogada y, por consiguiente, inaprovechada. Sólo en Buenos Aires, el Archivo General de la Nación tiene unos doscientos cincuenta legajos manuscritos, con un cúmulo tan denso de datos económicos que para dominarlo se requerirían varios estudiosos con la energía y la experiencia sin límites de un Earl J. Hamilton, que devotamente dedicó miles de horas a los papeles sobre el tesoro indiano y el alza de precios en España (34). Aunque es accesible ya una nutrida documentación, perduran impor-

---

(31) ARMANDO ALBA: «Archivo de documentos de la Casa Real de Moneda. Indice analítico. Parte primera: siglo XVII», *Boletín de la Sociedad Geográfica y de Historia «Potosí»*, año 39 (Potosí, 1951), núm. 11, págs. 156-159. Fundado en 1913 este Boletín, ha ofrecido diversos artículos sobre Potosí. Para los más bien escasos documentos del Archivo Municipal de Potosí existe el «Indice general del Archivo Municipal. Primera parte: el Colonia]e», *Boletín de Estadística Municipal de la ciudad de Potosí*, II (Potosí, 1929).

(32) MENDOZA tiene ya colegida y compilada una valiosa guía mecanografiada, *Archivo Nacional de Bolivia. Audiencia de Charcas: Documentos de minas, 1561-1825* (Sucre, 1946), que sobre la Villa de Potosí comprende unas 700 entradas correspondientes a las secciones de «Minas e ingenios», «Azogue y otros materiales de laboreo». «Procedimientos de beneficio», «Condiciones del trabajo», «Compraventa y envío del metal a España», «Casa de Moneda», «Banco de Rescates», «Falsa amonedación», «Extravíos y defraudación de metales». Dos artículos de valor general son: RUBÉN VARGAS UGARTE, S. J., «Los archivos de la antigua Chuquisaca, *Boletín del Instituto de Investigaciones Históricas*, IV (Buenos Aires, 1929), págs. 298-315, y JUAN DE ZENCOTITA, «The National Archive and the National Library of Bolivia at Sucre», *Hispanic American Historical Review*, XXIX (1949). págs 649-676. El mejor guía que para el Archivo Nacional, en Sucre, he encontrado es el señor Mendoza, que siempre generosamente pone su conocimiento amplio y experto a disposición de los investigadores.

(33) *Catálogo descriptivo del material del Archivo de Indias referentes a la historia de Bolivia*, Sevilla, 1933, 3 tomos. Mecanografiado, en poder de Humberto Vázquez-Machicado. hermano del autor (Universidad Mayor de San Andrés, La Paz, Bolivia), que gentilmen.e me permitió consultar esta preciosa guía, organizada como sigue: tomo I, Audiencia de Charcas, 537 págs, 3,334 ítems; tomo II, Audiencia de Buenos Aires, 210 págs., 1,118 ítems; tomo III, Audiencia de Lima, 106 págs., 528 ítems. En breve resumen descriptivo se acompaña para muchos de los documentos inscritos, de suerte que el substancioso conjunto de material sobre Potosí puede ser encontrado fácilmente. No se expresa el número de hojas de cada documento.

(34) Sólo en la División Colonia, sección Contaduría, hay 124 legajos sobre Potosí que cubren el período 1640-1810. Cada legajo incluye por lo común varios libros, con apartados individuales intitulados: «Manual de diezmos», «Manual de caja», «Manual de alcabalas» o «Manual de azogues». A partir del legajo núm. 25 figuran muchos «Manuales del Banco de Rescates», «Manual de gastos y reglamento del Socabón del Cerro», «Diarios. del Banco de San Carlos» y «Manuales del Banco de San Carlos». En el libro 3 del legajo núm. 1 se hallará una relación, en inglés, «Negro slaves sent to Peru, 1726»

El doctor Domingo Flores, de Potosí, me presentó generosamente un ejemplar de la elocuente «Carta a los intelectuales potosinos», escrita en mayo, 1950, en Buenos Aires, por

tantes y lamentables lagunas. Los libros de acuerdos capitulares potosinos anteriores a 1585 se han perdido sin dejar ningún rastro (35); los juicios de residencia no parece que abundan tanto como podría esperarse (36). La documentación es además despareja. Mientras sabemos pormenorizadamente sobre los vidrios destrozados en la Casa de Moneda por una tormenta de granizo en 1795 (37), la primera relación gubernativa formal sobre Potosí, hecha en 1572, como parte de un informe general sobre el Imperio, no ha sido aún localizada (38). Una laguna muy importante en la documentación inédita potosina es la ausencia casi absoluta de protocolos notariales, desde que se establece el asiento hasta el decenio 1560-1570. Se puede apreciar la riqueza de ese perdido material pensando que en una época tan formalista como la de la Colonia, en que todo se hacía mediante contrato escrito, los documentos notariales debían contener profusa información sobre mineros y beneficiadores, avío de materiales para el beneficio, nombres de minas y vetas, construcción de ingenios, fábrica de monumentos públicos, etc.

Con todo, aunque se constaten nuevas lagunas, el simple amontonamiento de material conocido sobre Potosí es de suyo impresionante. Una referencia historiográfica ilustrará este punto. Los potosinos eran tan orgullosos como los tejanos de hoy y muchas historias compusiéronse con el propósito de justificar su orgullo (39). Nadie sabe cuántas fueron escritas, aunque un autor boliviano ha publicado recientemente un artículo titulado «Las mil y una historias de la Villa Imperial de Potosí» (40). Por lo menos uno de estos libros era en verso, varios

---

el boliviano Carlos Morales Avila, incitando a sus compatriotas a interesarse en el rico material manuscrito sobre la historia de Bolivia y especialmente de Potosí, en el Archivo General de la Nación Argentina.

(35) Los libros subsistentes se encuentran en la Colección Rück, Biblioteca Nacional (Sucre) y comienzan con el año 1585. Aún en los años posteriores se notan lagunas importantes, como en la época de las guerras entre vicuñas y vascongados, pero así y todo los grandes volúmenes contienen una montaña de material sobre la vida comunal en conjunto Existen treinta de ellos, infolio, correspondientes a los años 1585-1611, 1614-1622, 1626-1628, 1634-1636, 1649-1651, 1658-1661, 1674-1681, 1719-1748, 1754-1755, 1762-1779, 1804-1819. El señor Mendoza me informó que, pese a sus esfuerzos, no ha podido localizar los volúmenes que faltan, y que presume se hayan perdido.

(36) Tres residencias de fines del siglo XVII sobre los gobiernos de don Pedro Luis Enríquez, don Juan Velarde Treviño y don Fernando de Noriega y Ribera existen en el Archivo General de Indias, Escribanía de Cámara, legajos 680, 865, 867; debe de haber muchas más. Mi amigo Guillermo Lohman Villena me informó que en el Archivo Histórico Nacional (Madrid) hay material complementario. Está registrado por Angel González Palencia en su Extracto del catálogo de los documentos del Consejo de Indias (Madrid, 1920).

(37) «Casa de Moneda de Potosí, 1795. Sobre reposición de los vidrios rotos por un granizo», Archivo General de la Nación (Buenos Aires), Guerra y Marina, legajo 24, expediente 30.

(38) MARCOS JIMÉNEZ DE LA ESPADA, ed.: Relaciones geográficas de Indias, II (Madrid. 1885), pág. 95.

(39) Jiménez de la Espada incluye varios documentos demostrativos de este interés, ibid. II, págs. 88-136, 240-253, Apéndice III, págs. xxix-xxxvi, cxx-cxliv. El virrey Toledo, manifestando un deseo especial por conocer la historia de Potosí, estimuló al clérigo Rodrigo de la Fuente a esclarecer el descubrimiento del Cerro y pidió al florentino Nicolás del Benino escribiese una relación atañedera. Jiménez de la Espada publicó ambos documentos, así como otras cartas e informes sobre el asunto.

(40) GONZALO GUMUCIO: «Las mil y una historias de la Villa Imperial», La Razón (La Paz, Bolivia), ediciones de diciembre 17, 1950, y enero 7, 1951. El señor Gumucio impugna aquí los proyectos publicitarios de la Editorial Potosí e incidentalmente proporciona buena información bibliográfica. No existe una relación completa, ni siquiera una lista, de las piezas históricas sobre Potosí, aunque Pedro Juan Vignale da alguna información en sus «Historiadores y cronistas de la Villa Imperial», Boletín del Instituto de Investigaciones Históricas, XXVII (Buenos Aires, 1942-1943), págs. 114-130. Brocha Gorda (Julio L. Jaimes) menciona algunas historias en La Villa Imperial de Potosí (Buenos Aires, 1905), vi-vii, fundándose principalmente en la crónica de Orsúa y Vela (ver supra, nota 20). El librero H. P. Kraus, de Nueva York, vendió recientemente una historia de La Plata, con información sobre Potosí, por Pedro Ramírez del Aguila, Noticias políticas de Indias y Relación Descriptiva de la Ciudad de La Plata (La Plata, 1639). Existen, además, muchas relaciones en bibliotecas y archivos diversos, que enumeraremos y describiremos oportunamente.

consagrados a las iniquidades y guerras de Potosí y uno intitulado *Historia semi-fantástica de Potosí*. Hoy es imposible dar con muchas de estas historias y pudiera ser que nunca hayan sido escritas. La primera historia particular de Potosí editada, correspondería a un portugués, Antonio de Acosta, impresa en Lisboa en 1672, traducida al español por un Juan Pasquier y publicada así en Sevilla, cosa de un año después. Pesquisas diligentes en bibliotecas portuguesas y españolas no han revelado un solo ejemplar de este libro, que acaso constituye un fiasco bibliográfico, si bien el erudito bibliotecario de la Universidad de Coimbra, doctor Manuel Lopes de Almeida, cree que él puede localizarla. Nadie ha visto tampoco la *Historia de la Villa Imperial de Potosí, descubrimiento y grandeza de su cerro rico* del notable y sabio funcionario real del siglo XVII, *Antonio de León Pinelo* (41) Dice éste que esperaba recibir de las Indias algunos documentos finales para completar su obra, dentro de la consabida tradición del historiador exigente. Por lo que se ve, los documentos no llegaron nunca, o el autor descubrió que además necesitaba otros para dar cima a su obra. Con todo han sobrevivido suficientes documentos para formar un gran cuerpo de historia, escrita por potosinos ansiosos de que su rey y la posteridad conociesen y admirasen las excelencias de la villa.

IV

EL HISTORIADOR ANTE EL POTOSI ACTUAL

El historiador que hoy visita a Potosí—pocos lo hacen, a causa del costo y del frío—encuentra allí «un ambiente de grandeza ausente, único en América» (42).

Los mineros horadaron la montaña con socavones durante cuatro centurias y prácticamente la volvieron de adentro para afuera, por llegar hasta la plata y el estaño; pero el Cerro se yergue aún, imponente y sereno. Quizá por los grandes montones de rocas desparramados sobre su superficie en el curso de la explotación, los colores que pinta allí el sol al caer tras los Andes occidentales son sugestivos en su variedad: rosado, lila, púrpura, pardo, gris, dorado. No es sorprendente, pues, que al paso de los años, pese al clima hostil, cuya temperatura en el día veraniego más cálido no pasa nunca de 15°, haya florecido allí toda una escuela de pintores y todavía subsista a la sombra del gran Cerro.

La Casa Real de Moneda, edificio del siglo XVIII, es también imponente a su modo. Asiento actual de la Sociedad Geográfica y de Historia, que ha encabezado su restauración, el tamaño de la enorme fábrica de granito gris es un testimonio mudo de la importancia administrativa del mineral. Los techos macizos de cedro están incólumes, como hace doscientos años, cuando, a costa de trabajos ímprobos, fueron traídos, atravesando cordilleras desde los lejanos bosques del Chaco. Las condiciones de trabajo coetáneas se coligen por los cuarteles de guardillas minúsculas, donde los indios y negros eran confinados mientras no se ocupaban en el caluroso y expuesto proceso de amonedación, en habitaciones tan pequeñas que ni un desnutrido indio podía mantenerse erguido» (43). Las iglesias, que alguna vez fueron hasta dieciocho y ofrecían a una ortodoxa sociedad colonial la espléndida oportunidad de gastar sus riquezas muníficamente, hoy están todas olvidadas, mas

---

(41) León Pinelo hace referencia a esta obra en su *Epítome de la biblioteca oriental y occidental, náutica y geográfica* (Madrid, 1737-1738), 3 vols., editada por A. González de Barcia. Algún material sobre Potosí figura en su *Paraíso en el Nuevo Mundo* (Lima, 1943) y pudiera, en efecto, ser la historia citada en el texto.

(42) HIRAM BINGHAM: «Potosí», *Bulletin of the American Geographical Society*, XLIII (1911), pág. 1.

(43) *Ibid.*, pág. 12.

aun en medio de su decadencia, son prueba elocuente de una rica y ostentosa caridad.

Junto a estos signos patentes de la gloria fenecida, las tradiciones y el folklore (44), adjuntos casi a cada frase del trabajo y la vida de los mineros, son un campo fecundo que aguarda al estudioso. Permítasenos ilustrar lo dicho con el ejemplo de los *cajchas*, que basta para el caso. John Miller, escribiendo sobre la época correspondiente a la famosa visita de Bolívar, describe esta práctica singular, fundada quizá en la indulgencia de los primeros dueños de minas y que todavía prevalece: «Desde la noche del Sábado hasta la mañana del Lunes, queda el Cerro hecho absolutamente la propiedad de los que quieran trabajar las minas á su cuenta»; y durante aquel tiempo el propietario de ellas más atrevido no osaría ir á visitar las suyas. Los trabajadores que han tomado posesión de este derecho los llaman *Caxchas*, y generalmente venden el producto del Domingo á sus amos; pero ademas del mineral que extraen de esta manera, los Caxchas producen perjuicios considerables descuidando las precauciones debidas cuando excavan; y si encuentran en el curso de la semana con una veta más rica de lo ordinario, pasan sin trabajar en ella y la reservan para el Domingo inmediato. En su consecuencia se adoptaron medidas fuertes para cortar este abuso; pero cuanto hicieron fue inutil» (45).

¿Cuándo y por qué los *cajchas* lograron este privilegio y cómo lo perdieron? ¿Cuánta plata extrajeron? Nadie sabría responder a estas preguntas, aunque en Sucre y quizá en otras partes hay documentos correlativos.

La falta de monografías y la superabundancia de manuscritos accesibles no son el obstáculo principal para el historiador de hoy. Su peor perplejidad consiste en no saber dónde comenzar a cavar, dónde hacer los primeros cateos. Porque la historia de Potosí es tan vasta y tan magnífica como el Cerro mismo. Los españoles iniciaron el primer socavón cerca de la cumbre, allí donde la plata se encontró primero y donde se mostraron los depósitos más ricos y fáciles de trabajar. Pero dondequiera comience, es incuestionable que el investigador descubrirá temas interesantes; y no es menos cierto que pasará por alto otras ricas posibilidades y aun que descartará material valioso, que estudiosos posteriores hallarán, así como el estaño y el wolfran se encuentran hoy a veces en parajes abandonados por impracticables o improductivos, cuando la plata sola se consideraba importante. Ténganse, pues, las proposiciones que hacemos en seguida sobre los problemas de la historia potosina como meros barrenos preliminares, como una explotación de tanteo en un gran asunto, la cual será puesta a prueba a medida que se alcancen profundidad y experiencia mayores.

Cabe en este punto aventurar una conclusión general. Nadie, por sí solo, puede esperar escribir la historia—la historia completa—de Potosí. El ejemplo de Juan Bautista Muñoz basta para orientarnos. Habiendo trabajado fervorosamente en las postrimerías del siglo XVIII, para localizar y clasificar la muchedumbre de manuscritos relativos a la obra de España en América, antes de morir produjo apenas un pequeño volumen que no alcanza sino al año 1500 (46). El historiador escocés

(44) En la crónica de Orsúa y Vela descrita, *supra;* nota 21, se incluyen muchas leyendas. Algunas han sido impresas por Guillermo Prieto-Yeme, «The Legends of Potosí», *Pan-American Magazine,* XXV (1917), págs. 125-133. Dos obras ya clásicas son: MODESTO OMISTE, *Crónicas potosinas* (La Paz, s. f.), 2 vols., y VICENTE QUESADA, *Crónicas potosinas, costumbres de la edad medieval hispano-americana* (París, 1890), 2 vols. Otro libro conocido es ABEL ALARCÓN, *Era una vez. Historia novelada de la villa imperial de Potosí* (Buenos Aires, s. f.). y tenemos una muestra reciente en JOSÉ ENRIQUE VIAÑA, *Cuando vibraba la entraña de plata* (s. l.). 1948).

(45) MILLER: *Memorias del general Miller,* II, pág. 251.

(46) *Historia de América* (Madrid, 1793). Antonio Ballesteros Beretta hace referencias interesantes sobre la busca exhaustiva de manuscritos por Muñoz, su laboriosidad asombrosa y sus trabajos para el establecimiento del gran archivo en Sevilla, en «Don Juan Bautista Muñoz: Dos facetas científicas», *Revista de Indias,* año 2 (1941), núm 3, págs. 5-37, y «Don

William Robertson, autor de la primera historia moderna de América española en el período colonial, se acercó al tema con más modestia. Consultó muchos libros y algunos manuscritos, pero no se dejó seducir por las toneladas de material accesible, y cautelosamente limitó el alcance de su obra. Su *Historia de la América* es todavía digna de leerse, aunque los estudiosos subsiguientes lo sobrepujaron con mucho en el conocimiento detallado del período (47). El problema de Potosí es, sin duda, menor. mas los historiadores que se ocupan en él se enfrentan, esencialmente, con la misma situación que Robertson hace doscientos años. Debemos reconocer la inmensidad de la empresa, propornernos trabajar las vetas más grandes y ricas y resignarnos al hecho de que ninguno de nosotros podrá dar cima a todo el trabajo.

V

PROBLEMAS EN LA HISTORIA DE POTOSI

a) *Prehistoria*

¿Cuándo comienza, en verdad, la historia de Potosí? Si se adopta el año 1545, porque en su curso iniciaron los españoles la explotación, debemos reconocer que una interesante prehistoria se prolongaría hasta las primitivas exploraciones a través de los territorios del Río de la Plata y desde el Perú, cuando los capitanes españoles buscaban ansiosamente la legendaria Sierra de la Plata (48). La invasión guaraní contra el Imperio incaico fué determinada quizá por idéntico propósito. El semi-legendario portugués Alejo García, en 1522, alcanzó, al parecer, el sitio actual de Sucre, en una de aquellas expediciones; pudo saber, pues, algo de Potosí (49). Antes aún de 1545 la montaña de plata escondida en lo alto de los Andes habría actuado así como un poderoso imán, atrayendo a los hombres por apartadas rutas desde remotos lugares.

La historia de estos primeros avances hacia Potosí desde la costa oriental de América del Sur está llena de grandes fracasos. Los salvajes que encontraban los conquistadores en su marcha hacia la vislumbre argéntica, a lo largo de 2.000 desolados kilómetros, los combatían con fiera y brutal tenacidad. La ruta misma era peligrosa por otra razón. Los españoles debían cruzar el mortífero Chaco boreal, que el historiador paraguayo Manuel Domínguez compara tan acertadamente con un gigantesco dragón tendido al oeste del río Paraguay, custodiando los depósitos de plata. Sólo pocos entre los más bravos y afortunados lograron dominar

---

Juan Bautista Muñoz y la fundación del Archivo de Indias, *ibid.*, año 2, núm. 4, págs. 55-95. Apenas recientemente la Academia de la Historia ha comenzado a publicar un catálogo de esta rica colección, *Catálogo de la colección de Don Juan Bautista Muñoz*, 3 tomos (Madrid, 1954-195?).

(47) R. A. HUMPHREYS: *William Robertson and his «History of America»* (Londres, 1954). págs. 24-25.

(48) JAIME MENDOZA, en *La ruta atlántica* (Sucre, 1927) y otros libros, muestra cómo la Sierra de la Plata, que sería precisamente la formación montañosa a la que pertenecen Potosí, Porco y otros famosos yacimientos argentíferos, desde «los albores de la conquista», y aún sin ser conocida todavía «ejerce poderosas influencias sobre los conquistadores españoles» (*op. cit.*, pág. 43). ENRIQUE DE GANDÍA ha escrito, asimismo sobre el tema, y quizá su *Historia crítica de los mitos y leyendas de la conquista americana*, segunda edición (Buenos Aires, 1943) es lo mejor que hay al respeto.

(49) BARÓN ERLAND NORDENSKIÖLD: «The Guaraní invasion of the Inca Empire in the sixteenth century: An historical Indian migration», *Geographical Review*, 4 (Nueva York, 1917, págs. 103-121.

a ese vasto y arduo territorio (50). Aún hoy, aquella extensión es un obstáculo formidable, como lo probaron a sus propias expensas bolivianos y paraguayos en la guerra del Chaco. A poco que los españoles comenzaron a explotar el mineral, la historia de su descubrimiento ya los fascinaba. El virrey don Francisco de Toledo, durante su visita oficial a Potosí, en 1572, ordenó levantar una información que demostrase la verdad, pues un indio pidió ser recompensado porque su padre, Diego Huallpa, había sido el descubridor (51). Actualmente esta «literatura del descubrimiento» ha medrado profusamente (52). Aquella temprana prehistoria está cubierta por una bruma, que probablemente nunca se esfumará del todo.

b) *Cálculos sobre la saca de plata y la población*

La Corona, los virreyes de Lima, los oficiales reales de Potosí y, desde luego, los propios mineros, fueron siempre conscientes de ese barómetro vital de sus fortunas: las estadísticas sobre la saca de plata. C. H. Haring (53) se interesó en este aspecto cuando comenzaba su carrera; más recientemente, Bailey W. Diffie aportó un estudio intitulado «Estimates of Potosí mineral production 1545-1555» (54). Casi todos los autores que mencionan a Potosí brindan cifras de producción, aunque con discrepancias notables. Se ignora, desde luego, la cantidad del metal extraído por esos curiosos trabajadores de fin de semana ya mencionados, los *cajchas*, así como de la plata beneficiada sin el pago del quinto real. Los oficiales reales encargados de cobrar los reales quintos eran celosos en la represión de las actividades ilegales, dentro de lo posible, pero los mineros se ingeniaban para burlar la ley, de suerte que el contrabando, en todas sus formas, alcanzó un alto nivel y llegó a ser un arte consumado. Un documento oficial de archivo, tan antiguo que está fechado en 1558, registra uno de los primeros intentos para obtener el pago de los derechos reales por cada libra de plata producida (55); la tensión consiguiente entre los mineros y los oficiales reales no cesó jamás. La tradición del contrabando nació ya en esos días remotos y todavía persiste hoy; el superintendente de minas en 1953, informaba que casi todos los mineros trafican metal ilegalmente, pero son tan diestros que es imposible pillarlos.

Abundante información sobre la saca de plata se hallará en las relaciones de los oficiales reales; uno, Juan de Echavarría, compiló un cuadro estadístico que cubre el período de febrero 4, 1556 a 1640 (56). Un informe aún más completo, trazado en junio 16, 1784, por Lamberto de Sierra, como tesorero de Potosí, abarca cifras de producción de enero 1, 1556, a diciembre, 31, 1783 (57). Según

(50) John While ha popularizado en forma interesante estos intentos en «The Great Silver Legend», en *Argentina. The Life Story of a Nation* (Nueva York, 1942), págs. 23-31.
(51) «Relación del cerro de Potosí y su descubrimiento», en Jiménez de la Espada, *Relaciones geográficas de Indias*, II, págs. 88-89.
(52) Manuel Ballesteros Gaibrois recopila mucho de esta literatura en *Descubrimiento y fundación del Potosí* (Zaragoza, 1950). Un útil resumen de las versiones más corrientes puede verse en Ricardo Beltrán y Rózpide, ed., *Colección de las memorias o relaciones que escribieron los virreyes del Perú*, I (Madrid, 1921), págs. 95-98.
(53) «American gold and silver production in the first half of the sixteenth century», *Quarterly Journal of Economics*, XXIX (1915), págs. 433-479.
(54) *Hispanic American Historical Review*, XX (1940), págs. 275-282. De aplicación general en este respecto es el documento que editó Engel Sluiter, «Francisco López de Caravantes, historical sketch of fiscal administration in colonial Perú, 1533-1618», *íbid.*, XXV (1945), páginas 224-256.
(55) «Autos. El fiscal con Juan Catalina, vecino de la villa de Potosí, sobre el comiso de cantidad de plata que trajo fuera de registro», Archivo General de Indias, Justicia 1132, número 3.
(56) Museo Británico, «Papeles varios de Indias», vol. X, fs. 405-414.
(57) Un extracto publicóse en *Colección de documentos inéditos para la historia de España*, V, uágs. 170-184. Otros datos sobre la producción compendiados por Maffei-Rúa Figueroa, *Apuntes para una bibliografía española.*

esta constancia oficial la Corona recibió 151.722.647 pesos en ese lapso y los mineros 820.513.893 pesos. Será necesario el análisis detenido y escrupuloso de un historiador economista de todos los datos existentes, para concentrar y evaluar las cifras de producción y calcular el valor de la plata extraída hasta el momento en que Bolívar proclamó dramáticamente que las riquezas de Potosí eran poca cosa claro, no obstante, que el período culminante se alcanzó en el medio siglo inmediato comparadas con las hazañas llevadas a cabo por la libertad en América. Parece a la visita del virrey Toledo, en 1572, y que al expirar el siglo XVII, Potosí se empobrecía para bien de la moral, a estar con un cronista, según el cual, los vecinos iban aprendiendo a quemar cirios en las iglesias al paso que ya no podían quemar dinero en el mundo (58). El siglo XVIII ofreció a los potosinos aún mejores oportunidades de practicar la austeridad, pues su pobreza crecía pertinazmente. Al concluir el período de la independencia, el Potosí no era sino un cascarón.

Las cifras requieren un estudio igualmente cuidadoso y toda la revisión posible Los potosinos tenían un temperamento exaltado y algunas de esas cifras reflejan quizá el optimismo de la ciudad en auge. Varias veces levantáronse censos, así llamados, mas es difícil comprobar sus números y debe desplegarse un gran discernimiento sobre las pruebas a mano, antes de lograr una certeza relativa. Los datos sobre el número de indios empleados en la mita parecen ser más completos y exactos que sobre los españoles residentes en Potosí.

c) *Desarrollo técnico*

La saca de plata era la vena yugular del organismo hispánico en el virreinato del Perú; cualquier amenaza contra ella era al punto encarada por el Gobierno. Durante las dos primeras décadas siguientes al descubrimiento de los minerales tenían ley tan alta que bastaban hornos rudimentarios para beneficiarlos. Hacia 1566 los minerales de alta ley se habían consumido; hubieron de buscarse métodos nuevos para beneficiar otros menos ricos, a fin de satisfacer las demandas de la Corona y de los moneros. Así iniciado el proceso técnico se prolongó por dos siglos y esclarecido satisfactoriamente puede constituir uno de los capítulos más valiosos en la historia de Potosí. Robertson, el historiador escocés del siglo XVIII, mencionado arriba, creía que ese estudio técnico no concierne al historiador: «La descripción de la naturaleza de los distintos metales, la manera de sacarlos de las entrañas de la tierra, y la aplicación de las operaciones particulares, mediante las cuales llegan a separarse los metales de las sustancias con que están mezclados, sea por la acción del fuego, o sea por la potencia atractiva del mercurio, son objetos más bien de la inspección de un naturalista o de un químico, que de la de un historiador» (59).

Umberto Giulio Paoli, investigador italiano residente de antiguo en Argentina y fallecido hace poco, parece ser el único que ha hecho trabajos substanciales (60) en este campo, si bien la bibliografía de Maffei-Rúa Figueroa (61) contenía ya una buena información sobre documentos a mano, con notas biográficas provechosas sobre personalidades como Fernando Montesinos y Gerónimo de Ayanz.

---

(58) HELENE DOUGLAS-IRVINE: «All the wealth of Potosí», *Pan-American Magazine*, XLIII (1930), págs. 157-162 .

(59) WILLIAM ROBERTSON: *Historia de la América*, trad. de Bernardino de Amati, IV (Burdeos, 1827), pág. 153. Un excelente ensayo sobre este historiador es el de Humphreys, *William Robertson and his «History of América»*.

(60) *L'etá aurea della metallurgia ispano-coloniale* (Roma, 1927), Quaderni di storia della scienza, núm. 10; originalmente publicada en *Archivo di storie della scienza*, VII (1926), págs. 9-115, 226-234; VIII (1927), págs. 83-94, 200-213, 364-376, 496-498. Información general en José Rodríguez Carracido, *Los metalúrgicos españoles en América* (Madrid, 1892).

(61) *Apuntes para una bibliografía española*, I, págs. 52-53, 482-483.

La figura más destacada en la historia de la metalurgia potosina es probablemente el presbítero Alvaro Alonso Barba, cuyo *Arte de los metales* (Madrid, 1640) fué consagrado como uno de los libros sobresalientes en el tema, pero acerca de cuya obra nuevas investigaciones esclarecedoras deben realizarse (62).

El amenazante decrecimiento en los embarques de plata urgió al gran virrey don Francisco de Toledo a visitar Potosí en 1572; allí formó una junta de mineros para tratar sobre la construcción de ingenios operados por energía hidráulica Cuatro ricos mineros ofrecieron fabricar a sus expensas una laguna para recolectar el agua de las lluvias estivales, de suerte que ella no faltase en todo el año. Hacia 1621 estaba construído un sistema de treinta y dos represas, con capacidad para 6.000.000 de toneladas métricas quizá. La provisión regular de agua para mover los ingenios inauguró la era más gloriosa de Potosí. En los próximos años las fortunas se multiplicaron e hinchieron con las lagunas, cuya construcción ha sido calificada por un ingeniero de nuestros días, William E. Rudolph, como «una notable hazaña de ingeniería» (63). Cierto aciago día de marzo de 1626 la gran represa de San Ildefonso reventó y en menos de dos horas sus aguas habían arrasado la prosperidad de cincuenta años. Siguió un lento y penoso período de reedificación, mas las primeras construcciones de técnica hidráulica no fueron sobrepujadas.

El virrey Toledo se preocupó también por los métodos de beneficio. En 1572 patrocinó la adopción del tratamiento por azogue de Fernández de Velasco, «no sin fuerte resistencia de los mineros» (64). La busca de minas nuevas en la comarca circundante y de beneficios nuevos no cesó jamás; los archivos rebasan de planes y proyectos para hacer rendir más plata (65). El virrey y la corona vigilaban constantemente este decisivo frente; pero, si bien se han publicado descripciones de algunos métodos, lo más de la documentación aún manuscrita espera al historiador dotado de suficiente idoneidad científica que la estudie. La oportunidad de enriquecerse con un beneficio nuevo excitó la ambición de incontables personas en Potosí, sin exclusión de los eclesiásticos: el dominico Miguel Monsalve recibió una licencia exclusiva por veinte años para tratar los metales negrillos con un sistema secreto a base de azogue, de su invención (66). Mencionemos también entre otros casos de eclesiásticos beneficiadores el del jesuíta Gonzalo Carrillo, en 1674 (67). Sabemos que los libros del cabildo de Potosí contienen una no escasa información sobre procedimientos para el beneficio.

El siglo XVIII presenció la verdadera crisis minera del Perú. Caída la producción de mercurio en Huancavelica, según lo muestra Whitaker (68), el aprovisionamiento debió hacerse desde Europa y aun desde China (69). La falla en un

---

(62) Valiosos datos bibliográficos y otros en Umberto Giulio Paoli, «Il metallurgista spagrolo Alvaro Alonso Barba de Villa Lepe (1569-1662)», *Archivo di storia della scienza*, III (1922), págs. 150-168. Muchos detalles sobre el *Arte de los metales* en José Toribio Medina, *Biblioteca hispano-americana*, II, págs. 412-422. Según José Vázquez-Machicado, *Catálogo*, número 1.412, en el Archivo General de Indias, Charcas 130, se hallarán documentos de 1662 intitulados «Memoriales impresos del doctor Alonso Barba de Carfias, Chantre de la Catedral de Charcas, representa lo que ha obrado desde que vino de las Indias, acerca del descubrimiento y reconocimiento de diferentes minerales y metales en Andalucía, aplicando sus experiencias obtenidas en Charcas. Se acompaña también un memorial impreso de Agustín Núñez y Zamora, beneficiador de metales. Se habla de los minerales de Río Tinto, en relación con los del Perú». Humberto Vázquez-Machicado estudia otro aspetco interesante del padre Barba en su artículo «En torno a la alquimia del Padre Barba», *Universidad de San Francisco Xavier*, XVII (Sucre, julio-diciembre 1951), págs. 362-381.

(63) «The lakes of Potosí», *The Geographical Review*, XXVI (1936), págs. 529-554.

(64) *Ibid.*, pág. 534.

(65) Maffei-Rúa Figueroa: *Apuntes para una bibliografía española*, II, págs. 193 y ss.

(66) *Disposiciones complementarias de las leyes de Indias*, III (Madrid, 1930), págs. 261-262.

(67) Archivo Nacional de Bolivia, Minas, núm. 1.060.

(68) *The Huancavelica Mercury Mine*, caps. 5-6.

(69) Archivo General de la Nación (Buenos Aires), Comunicaciones y Resoluciones Reales, libro VI, f. 167. Comunicación real del 30 de enero de 1790.

renglón tan vital afectó también a Potosí desfavorablemente, pues el mercurio significaba tanto en el beneficio que el nivel de la producción argentífera se computaba «no sobre la base de la plata que los mineros decían haber producido, sino sobre la cantidad de mercurio que los libros de la administración mostraban haberse vendido (70). Subrayamos que aun bajo tan estrictas disposiciones prosiguió el contrabando de plata.

La busca de minas nuevas, la rehabilitación de yacimientos hacía tiempo olvidados, la reparación de las lagunas para mantener el abastecimiento de agua y los enérgicos esfuerzos para mejorar las técnicas de extracción y beneficio prisiguieron simultáneamente con vigoroso apoyo oficial. El gobernador don Jorge Escobedo estableció en Potosí una Academia y Escuela Teórico-práctica de Metalurgia o Arte de Beneficiar Metales; en su apertura oficial (febrero 3, 1779) pronunció un discurso de veinticuatro páginas y promulgó unas ordenanzas en diecisiete páginas (71), debidamente aprobadas por la Corona en enero 14, 1780 (72). Esta escuela de minería es un interesante ejemplo inlustrativo sobre el renacimiento borbónico en el Imperio español y puede ser bien estudiada, pues hay documentación. La Academia no mejoró substancialmente las técnicas mineras, pero estimuló la preparación de tratados científicos por dos vecinos de Potosí, Antonio Olier y su director, doctor José de Suero González y Andrade. Que el plantel no fué sino un conato frustrado lo demuestra que el gobernador don Juan del Pino Manrique—enviado a Potosí para implantar el nuevo sistema de las intendencias—informaba poco tiempo después al ministro José Gálvez que los mineros no tenían ni la menor formación técnica. «El asiento más importante de la América, es el más abandonado por no haber los conocimientos necesarios ni para labrar minas ni para beneficiar metales.» Como no encontrara en Potosí «libros ni cursos adecuados», proponía que se impusiese una contribución especial al azogue empleado en el beneficio para traer desde Europa tres profesores competentes. El enérgico e ilustrado gobernador llegó incluso a especificar los tratados técnicos que serían más adecuados para impartir la instrucción conveniente a los mineros. Tampoco desdeñó la oportunidad para lamentar lo elevado de los precios y lo bajo de los salarios reconocidos a los funcionarios potosinos, hasta el punto de que el gobernador de aquel apartado y frío asiento «debe considerarse como un Ministro desterrado a la Siberia, pues la destemplada región de esta Villa dista poco del rigor de aquel país» (73).

Así no es de extrañar que algunos años más tarde, el barón Tadeo von Nordenflicht y una misión de científicos alemanes fueran enviados a Potosí, donde permanecieron estudiando y experimentando por un buen tiempo. Uno de los expertos, Antonio Zacarías Helms, refiere que «todas las operaciones mineras en

---

(70) WHITAKER: *The Huancavelica Mercury Mine*, págs. 6-7.
(71) Archivo General de Indias, Charcas 425, según José Vázquez-Machicado, *Catálogo*, núm. 2.331. También en la Biblioteca Nacional (Buenos Aires).
(72) JOSÉ VÁZQUEZ-MACHICADO: *Catálogo*, núm. 2.332.
(73) «Informe reservado del gobernador intendente de Potosí, sobre la nueva real ordenanza de intendentes del virreinato del Río de la Plata», Potosí, febrero 16, 1783. *Revista chilena*, VII (Santiago de Chile, 1877), págs. 207-234. La parte relativa a Potosí corre en las págs. 224-225. Sobre la Academia de Escobedo Jesús Domínguez Bordona, *Manuscritos de América* (Madrid, 1935), ms. 318, inscribe la pieza de Olier, «Discurso físico-químico sobre la metalurgia formado a favor de la Escuela establecida en Potosí para el beneficio de minerales en el año de 1779». Sobre el otro tratado, JOSÉ VÁZQUEZ-MACHICADO, *Catálogo*, núm. 2.333, tiene este ítem, año 1782: «Carta del Gobernador de Potosí Jorge Escobedo, manifestando que a consecuencia de haberse aprobado las Ordenanzas para la Academia metalúrgica de Potosí, se van experimentando progresos. Acompaña dos obras para la más fácil enseñanza de esta Facultad; su autor es don José de Suero González y Andrade, director, doctor en ambos derechos, Cura decano del Arzobispado de Charcas y actual de la Parroquia de San Bernardo de Potosí y Censor de la Academia Metalúrgica. Pide el gobernador permiso para la impresión, para la cual remite 1.000 pesos a don Nicolás Fernández de Rivera. Hay una nota que dice haber llegado la obra bastante estropeada a causa de la lluvia; que se espere el duplicado.»

Potosí—molienda, cernido, lavado, amalgamación, calcinación—se ejecutan desaliñada, despilfarrada y anticientíficamente» (74). Helms abrió un laboratorio, donde ofrecía explicaciones diarias «para disipar la barbarie e ignorancia increíbles que prevalecían en las secciones de mineraje y amonedación». Los peritos extranjeros se detuvieron tanto en Potosí que el virrey Croix se quejó por su retardo en proseguir a Lima y los mineros en Potosí comenzaron a resentirse por su presencia, aunque la copiosa documentación de archivos sugiere que sus conocimientos hacían allí una gran falta (75).

Aún así, la producción siguió declinando. En la época de las guerras de Independencia Potosí estaba nuevamente en un punto muerto, si bien participó activamente en la lucha desde el bando realista y sufrió invasiones por parte de los rebeldes de Buenos Aires (76).

Durante cerca de 250 años Potosí había procurado vigorosamente incrementar su tecnología. La historia de estos esfuerzos, una vez conocida, será importante para comprender el desarrollo científico de América española. El rasgo más notable en el orden técnico reside, sin duda, en que durante siglos, la extracción y el beneficio de uno de los minerales más importantes de la tierra estuvieron librados a la rutina. Lo prueba el que la misión Nordentlicht pudiese acrecentar enormemente el rendimiento, aplicando métodos sistemáticos y el que este esfuerzo resultase totalmente perdido, porque no logró modificar la mentalidad tradicionalista de la mayor parte de los mineros.

d) *Trabajo indígena.*

Los indios soportaban el peso aplastante del trabajo en Potosí, fuesen o no apropiados métodos y leyes de minería. A sólo cinco años de la primera excavación los españoles habían batido cientos de millas a la redonda en busca de indios para las minas. Los naturales, traídos desde las comarcas más bajas, morían fácilmente en el clima crudo de Potosí, muchos caían en el camino, y las terribles condiciones del trabajo en el Cerro mataban a un número aún mayor, de suerte que pronto cundía por dondequiera el pánico. Fray Domingo de Santo Tomás, dominico, amigo y discípulo de Bartolomé de Las Casas, refería todo esto al Consejo de Indias en julio 1, 1550, en expresivas y escalofriantes frases (77). Para Santo Tomás Potosí era «una boca del infierno», que se tragaba anualmente miles de inocentes y pacíficos indios. Acusaba a los rapaces españoles de tratar a los naturales como a «animales sin dueño» y de precipitarlos impíamente en las minas, donde perecían tantos. Otro abogado de los indios describe la situación en el siglo XVII terminantemente: «No es Plata lo que se lleva a España, sino Sudor y Sangre de Indios» (78).

(74)   *Travels from Buenos Aires, by Potosí to Lima,* 2.ª ed. (Londres, 1807), págs. iv, 50.

(75)   Importante material sobre la misión Nordenflicht, localizada por José Vázquez-Machicado, *Catálogo,* núms. 448-450, 456-458, 461, 464, 2.513. Otros datos sobre Nordenflicht en el Archivo General de la Nación (Buenos Aires), Museo Británico, Archivo General de Indias y Academia de la Historia (Madrid).

(76)   Sobre Potosí durante la guerra de Independencia ver ENRIQUE VIDAURRE: *Potosí cuartel general de los guerreros de la independencia* (La Paz, 1952). Un material correlativo que no he visto es CHARLES W. ARNADE, «Una bibliografía selecta de la guerra de la emancipación en el Alto Perú», *Boletín de la Sociedad Geográfica y de Historia de Potosí,* XL (Potosí, 1953), págs. 159-169.

(77)   La carta está publicada en JOSÉ MARÍA VARGAS, O. P., *Fr. Domingo de Santo Tomás* (Quito, 1937), Escritos, págs. 15-21. Una protesta semejante de los mercedarios se encontrará en el documento fechado en Potosí, mayo 31, 1550, intitulado «Información del trabajo y tratamiento que se da a los indios en las minas de Potosí, declaran los Padres Fr. Miguel Segura, Fr. Juan Cáceres y Fr. Esteban Telles a petición de Alonso de Montemayor y Pedro Fernández Paniagua», VÍCTOR M. BARRIAGA, ed., *Los mercedarios en el Perú en el siglo XVI,* IV, pág. 26.

(78)   Jorge Basadre cita esta frase en su *El Conde de Lemos y su tiempo,* 2.ª ed. (Lima, 1948)

Así comenzó el conflicto inevitable entre los protectores y los explotadores de los indios. Teóricamente éstos gozaban de considerable libertad (79), pero, de hecho, las urgencias por más plata imponían la constante e imperiosa necesidad de echar más gente a las minas. El trabajo en el clima cruel del lejano y apartado Potosí era tan temido por los indios que se recurrió a varios expedientes para proveer brazos, incluso una provisión del virrey Hurtado de Mendoza, en 1559, para que a todo indio condenado a muerte o destierro se le conmutase la pena por el trabajo en Potosí (80). Esta medida no podía resolver ni mucho menos el problema y la busca de indios con destino a las pesadas y peligrosas labores mineras prosiguió. Tan agotadoras eran éstas que concluían con la neumoconiosis, caracterizada como la «primera enfermedad profesional en América» (81).

El virrey Toledo, cuyo gobierno fué tan importante para Potosí, hizo el primer repartimiento general de indios, según el cual, una porción de cada parcialidad debía servir en las minas por un período fijo. Este sistema de trabajo se denominó *mita* y en redor a él arremolinóse una encarnizada controversia durante todo el período de la Colonia. El virrey don Luis de Velasco se quejaba en 1579 porque la mayor dificultad en las minas consistía en la falta de indios, a causa de la constante oposición de letrados y eclesiásticos (82) Juan de la Padilla y Pastrana, gran amigo de los indios, dentro de la tradición de Las Casas, obtuvo una prohibición precaria de la mita en la primera mitad del siglo XVII (83).

Ninguna otra institución hizo amontonar tantas resmas de correspondencia ni promovió discusiones tan vehementes ante el rey, el Consejo de Indias y los virreyes; ningún cuerpo documental provee mayor información sobre el número y la distribución de indios de todo el Perú como los padrones, parecidos a censos, correspondientes a la mita (84). Los legajos abundan en peticiones de indios, opiniones coincidentes de eclesiásticos y juristas, y memoriales impresos de agentes de los mineros en la corte que supieron mantenerse en poderosa y organizada antesala para defender allá sus intereses (85). Al expirar el siglo XVIII se desencadenó una de las más estridentes y famosas controversias de la mita, entre el criollo Pedro Vicente Cañete y Domínguez, que la defendía vigorosamente, y el peninsular Victorián de Villava (86), que erudita y enconadamente la impugnaba. Una sola colección de documentos sobre la mita en el Archivo General de Indias incluye once

---

(79) «Cumplimiento e diligencias que la justicia de la villa de La Plata hizo acerca de la libertad que los indios que están en las minas de Potosí tienen de irse a sus tierras sin que nadie se lo impida», Archivo General de Indias, Justicia 667, n. 1

(80) MAFFEI-RÚA FIGUEROA: *Apuntes para una biblioteca española.* II, pág. 194.

(81) JUAN B. LASTRES: *Historia de la medicina peruana*, II (Lima, 1951), pág. 72.

(82) Archivo Nacional (Sucre), Minas, complemento, «Tanto simple de carta de don Luis de Velasco, virrey del Perú, a la Audiencia de Charcas, 1957, agosto 6».

(83) BASADRE: *El Conde de Lemos*, págs. 112-145.

(84) El Archivo General de la Nación (Buenos Aires) conserva muchos legajos de manuscritos inaprovechados sobre este asunto: Mita de Potosí, años 1795-1797; Padrones Potosí, 1575-1785; Padrones Alto Perú, 1645, y Potosí, Ordenanzas de Virreyes y Mita, 1683-1774; todos éstos contienen información abundante.

(85) La Corona acabó por cansarse oyendo a los agentes de ciudades y universidades de Indias, y en 1643 prohibió tales misiones. Ello no arredró a los mineros, naturalmente, pues vemos a Juan Rodríguez Pizarro arguyendo en un memorial impreso por qué la orden no debía aplicarse a Potosí, JOSÉ VÁZQUEZ-MACHICADO, *Catálogo*, núm. 664. El memorial está en el Archivo General de Indias, Charcas 32, que contiene otros documentos sobre el tema, así como Charcas 118. El Archivo General de la Nación (Buenos Aires) conserva también documentación de este género que podría clasificarse como «Congojas de los azogueros». Ver especialmente los 20 legajos de División Colonia, Sección Gobierno, Potosí. El legajo 1 contiene material del período 1642-1643, mientras los restantes 19 conciernen a 1751-1809. También hay una «Representación de los azogueros», de 1795-1797, en dos legajos, en la Sala Nueve (14-8-6, 14-8-8).

(86) Ricardo Levene tiene una excelente monografía sobre esta notable figura, *Vida y escritos de Victorián de Villava* (Buenos Aires, 1946).

prietos legajos de manuscritos, y uno de éstos por sí solo cuenta 1.273 hojas (87).
Afortunadamente la estudiosa francesa Marie Helmer ha investigado este aspecto
significativo en la historia de Potosí y a su tiempo producirá, sin duda, una monografía sobre institución tan fundamental, de acuerdo con sus trabajos en archivos
españoles (88). Gunnar Mendoza ha estado trabajando también sobre este aspecto
fundamental y podemos esperar de él estudios provechosos basados en el rico
material manuscrito accesible en Sucre (89). Mucho queda por decir sobre esta
institución prehispánica que los españoles desarrollaron y sistematizaron, de acuerdo
con sus propias conveniencias.

e) *Leyes de minas.*

En relación íntima con el trabajo indígena y el progreso técnico e influyendo
en muchos aspectos de la vida potosina estaba el sistema de leyes previsto para la
explotación minera. Los españoles encontraron en el Nuevo Mundo un campo
vasto y fecundo para su famosa prespicacia y devoción legistas. No hay otra materia tan fieramente debatida como las regulaciones del trabajo indígena, ni otro
cuerpo legislativo que afectase tanto al *status* económico de los mineros como los
códigos compuestos para regir la explotación de Potosí. Con precedencia a las
importantes ordenanzas del virrey Toledo en 1578, habíanse dictado otras en 1561
y quizá aún antes.

Durante dos siglos fué sedimentando así una legislación sistematizada finalmente en el *Código Carolino de Ordenanzas Reales de las Minas del Perú y demás
Provincias del Río de la Plata*, de 1794, trazado por Pedro Vicente Cañete y apo-
yado por el gobernador de Potosí Francisco de Paula Sanz. El manuscrito en dos
volúmenes de esta notable obra, con detallado índice, contiene una compilación de
muchas leyes mineras de América, junto a recomendaciones para reformas adecuadas a Potosí. Tan metódico y minucioso estudio merece ser investigado y publicado
con una introducción histórica que esclarezca la prolongada experiencia sobre la
cual descansa y el movido debate que acompañó a su formación. Así presentado
será una fuente indispensable de información para la historia legal, gubernativa
y tecnológica de Potosí (90).

f) *Comercio.*

La venta de mercancías en Potosí era tan lucrativa que los arrogantes españoles se dignaron hacer de mercaderes y aun de tenderos, aunque en los comienzos
algunos caballeros aseguraban que sus viajes comerciales eran partidas de caza,
para evitar la afrenta entonces pendiente sobre los mercaderes y los tratantes (91).
El tráfico con los pródigos mineros fructificó prontamente en fortunas y desde
sus días más tempranos la gran feria de Potosí fué famosa. Un analista enumera
así los géneros que desde lejanos rincones del mundo llegaban, atraídos por las

---

(87) «Expedientes sobre la mita de Potosí», Archivo General de Indias, Charcas 266-276.
El legajo 272 contiene un índice en doce páginas, fuera de 1.261 hojas.
(88) Probablemente el estudio más útil hasta hoy es Jorge Basadre, «El régimen de la
mita», *Letras* (Lima, 1937), tercer trimestre, págs. 325-364. Hay un reciente y valioso artículo
de Mlle. Helmer, «Potosí à la fin du XVIII siècle (1776-1797). Histoire d'un manuscrit»,
Journal de la Société des Americanistes, nueva serie, XL (1951), págs. 21-50. Otra contribución
de Mlle. Helmer, es «La fête des morts chez les indiens de Potosí à la fin du XVIIIe siècle,
d'après un texte inédit des Archives des Indies», *ibid.*, nueva serie, XLI (1952), págs. 504-506.
(89) Un trabajo suyo está en vísperas de publicarse por la *Revista de sociología*, de la
Universidad de San Francisco Xavier (Sucre).
(90) Ver *supra* nota 28.
(91) Cobb: «Supply and transportation for the Potosí mines, 1545-1640», pág. 27. José
Durand da ejemplos adicionales de cómo las oportunidades comerciales en América quebranta-
ron los prejuicios de algunos españoles, en «Vida social de los conquistadores del Perú»,
Excelsior (México, julio 10, 1949).

exportaciones de plata: «[...] sedas de todas clases y géneros tejidos de Granada; medias y espadas de Toledo; ropa de otras partes de España; hierro de Vizcaya; rico lino de Portugal; tejidos, bordados de seda, de oro y de plata, y sombreros de castor de Francia; tapicerías, espejos, escritorios finamente trabajados, bordados y mercería de Flandes; ropa de Holanda; espadas y otros objetos de acero de Alemania; papel de Génova; sedas de Calabria; medias y tejidos de Nápoles; rasos de Florencia; ropa, bordados y tejidos finos de Toscania; puntas de oro y plata y ropa fina de Milán; pinturas y láminas sagradas de Roma; sombreros y tejidos de lana de Inglaterra; cristales de Venecia; cera blanca de Chipre, Creta y la costa mediterránea de Africa; grana, cristales, marfil y piedras preciosas de India; diamantes de Ceilán; aromas de Arabia; alfombras de Persia, el Cairo y Turquía; todo género de especias de Malaya y Goa; porcelana blanca y ropa de seda de China; negros de Cabo Verde y Angola; cochinilla, vainilla, cacao y maderas preciosas de la Nueva España y de las Indias Occidentales; perlas de Panamá; ricos paños de Quito, Riobamba, Cuzco y otras provincias de las Indias, y diversas materias primas de Tucumán, Cochabamba y Santa Cruz» (92). Cientos de leguas a la redonda batíanse para proveer mantenimientos. Los caballos de Chile alcanzaron precios fantásticos, por considerárselos «de tal brío que a la verdad competían con los céfiros del afamado Betis» (93).

El camino de Buenos Aires a Potosí era el eje en torno al cual giraba toda la política económica del Río de la Plata, escribe el historiador economista Raúl A. Molina. «El extenso comercio de contrabando por Buenos Aires tenía un solo objetivo: llegar a Potosí, la Meca del comercio hispánico en aquel período, la Samarkanda americana» (94). Mulas de Córdoba, esclavos indios del sur de Chile, coca del Cuzco, géneros portugueses vía Buenos Aires, Colonia u otros puertos; todo se movía irresistiblemente arrastrado por el mercado insaciable que suscitara la montaña de plata.

Los arrojados mercaderes aventureros que dejaban el Brasil para buscar fortuna en Potosí y otros asientos mineros andinos eran llamados *peruleros*. Su historia no está escrita pero parece claro que les cupo una función importante en la vida comercial de la Villa. Dice una tradición que la vasta y magnífica bahía de Copacabana, en Río de Janeiro, debe su nombre a un perulero familiarizado con el famoso santuario junto al lago Titicaca (95). Los proyectos militares de Portugal y el desarrollo de la ruta clandestina al Perú por puertos atlánticos eran algo así como una respuesta al poder magnético de Potosí, cuyas exigencias económicas pugnaban tanto, que se hizo un tenaz pero malogrado esfuerzo para dotarlo de salida al Atlántico por Buenos Aires, en vez de la prolongada y ardua ruta a Lima, luego a Panamá y de allí a España. Recientemente el historiador inglés Charles R. Boxer ha descrito bien esta arteria comercial y política a mediados del siglo XVII, en su consistente e interesante obra *Salvador de Sá and the Struggle for Brazil and Angola, 1602-1686* (96).

. (92) Cita según la crónica de Orsúa y Vela en Rudolph, «The lakes of Potosí», páginas 536-537.

(93) DOUGLAS-IRVINE: «All the wealth of Potosí», pág. 160.

(94) El doctor Molina me permitió gentilmente examinar su gran libro inédito *Historia económica del Río de La Plata*, donde se encuentra esta proposición. El capítulo 2 de la segunda parte es sobre «La ruta a Potosí, el eje alrededor del cual gira toda la política económica de la metrópoli». Tengo una gran deuda a la penetración y diligencia del doctor Molina.

(95) HORACIO ANÍBAL UGARTECHE: *Copacabana y sus tradiciones religiosas* (La Paz, 1952), págs. 32-34.

(96) Londres, 1952. Ver especialmente el cap. III, «The Road to Potosí», con ricas notas bibliográficas. Una monografía fundamental sobre el tema del contrabando en conjunto es ALICF P. CANABRAVA: *O comercio portugues no Río da Prata* (San Pablo, 1944). JOHN A. HUTCHINS ha escrito una tesis doctoral intitulada *Portugal and The Plata: The Conflict of Luso-Hispanic Interests in Southern Brazil and the North Bank of the Río de la Plata, 1493-1807* (American University, Washington, D C., 1953). Contiene escasa información específica sobre Potosí, pero es de provecho como información general.

g) «*Pretensiones*» de la *Villa de Potosí*.

Los vecinos de Potosí sintieron temprano una creciente ansiedad de grandeza y desde los años iniciales procuraron el reconocimiento regio de lo que la villa significaba para la Corona. Carlos V concedió a Potosí el título de Villa Imperial e inscribió en su primer escudo de armas la divisa: «Soy el rico Potosí, del mundo soy el tesoro, el rey de todos los montes y la envidia de los reyes.» En el escudo que su prudente hijo Felipe II mandó, se puso esta otra, apenas menos modesta: «Para el poderoso Emperador, para el sabio Rey, este excelso monte de plata conquistará al mundo entero»; insinuación soberana, levemente velada, de que la plata hacía girar las ruedas del Imperio. Aparte el derecho del quinto sobre toda la plata beneficiada no faltaban presentes y préstamos graciosos con que los potosinos servían a un rey cada vez más pobre, cuyas arcas no abastecían a sus necesidades. Los documentos de archivo atestiguan que los potosinos supieron socorrer a la Corona en sus apuros (97).

Es natural que Potosí esperase alguna recompensa por sus servicios. Aquí el viejo proverbio español: «Hazme la barba, hacerte he el copete.»

En consecuecia la Villa Imperial enviaba regularmente agente a la corte, distante miles de leguas para interponer sus deseos. Para comenzar, cansóse de su subordinación jurisdiccional a la ciudad de La Plata, distante 160 kilómetros; los mineros lucharon por romper este yugo y hacia 1561 lograron su exención (98).

Los Cabildos, o consejos comunales, fueron criaturas más bien débiles en las colonias españolas. No así el que regía los asuntos locales del rico Potosí. Sus agentes disfrutaban de un verdadero poder de estipulación y presentaban sus demandas en documentos bien compuestos y minuciosos (99). Antonio de León Pinelo, uno de los administradores, juristas y bibliógrafos más sobresalientes del siglo XVII, coordinó instrucciones y peticiones en favor de Potosí. Sebastián de Sandoval y Guzmán fué señaladamente activo; sus *Pretensiones de la Villa Imperial de Potosí*, excelentemente impresas en Madrid, 1634, son ejemplo típico de toda una profusa literatura que bien puede llevar el rótulo «Pretensiones de Potosí» (100).

---

(97) «Relación de los pesos de oro con que han contribuído los vecinos de Potosí para servicio gracioso a S. M. Sigue la lista de los vecinos con anotación de la cantidad que han dado. 1591», JOSÉ VÁZQUEZ-MACHICADO, *Catálogo*, núm. 733. Una real carta de agradecimiento se remitió a esos leales y generosos mineros en marzo 18, 1592, Archivo General de Indias, Charcas 415, lib. 2, f. 89. En 1609 un residente potosino, Pedro Mondragón, prestó al rey 70.000 ducados, *ibid.*, Charcas 415, lib. 2, f. 216 v.

(98) Archivo General de Indias, Patronato 188, núm 27, «Asiento del 21 de enero, 1561, que hizo el Conde de Nieva, Virrey del Perú, con la villa del Potosí, exceptuándola de la jusrisdicción de la ciudad de La Plata».

(99) Típicas muestras de las gestiones potosinas se encuentran en «Sumario de los capítulos y escrituras presentados en el Consejo por parte de la villa de Potosí», en 1567, Archivo General de Indias, Charcas 32. Otra carta del Cabildo al Consejo de Indias, noviembre 2, 1567, se encuentra en el mismo legajo. En julio 29, 1589, muchos residentes y mineros de Potosí firmaron una carta al rey, *ibid.*, Charcas 16. En el Archivo General de Indias, Charcas 32, 118 se encuentran memoriales y representaciones impresos en favor de los mineros. Mathias del Campo y de la Rynaga compuso otro documento (c. 1.672), defendiendo el empleo de indios en las minas, que alcanza el volumen de un libro. Ejemplares de esta rarísima pieza se encontrarán en la biblioteca de la Sociedad Geográfica (Sucre) y en el Museo Británico (Ms. Add. 17.583, núm. 1, págs. 7-167).

(100) *Pretensiones de la Villa Imperial de Potosí, propuestas en el Real Consejo de Indias* (Madrid, 1634). Para una útil nota ver MAFFEI-RÚA FIGUEROA: *Apuntes para una biblioteca española*, II, págs. 370-371. Este agente de Potosí fué activísimo en favor de sus mandantes, pues presentó otros varios memoriales impresos con diferente spropósitos, Archivo General de Indias, Charcas 32, según JOSÉ VÁZQUEZ-MACHICADO, *Catálogo*, núms. 651-653. Sus cifras sobre la producción de plata han sido impugnadas por DIFFIE, *Latin American Civilization*, pág. 282. Un voluminoso documento en 685 páginas fué suscrito por Sandoval en Panamá en Junio 25, 1639 y constituye quizá un compendio de todas sus proposiciones, Biblioteca Nacional (Madrid), ms. 2.451.

¿Qué querían los mineros? Más indios de mita, azogue más barato, menos interferencia administrativa de los oficiales reales, eran algunas de sus demandas. Sonoras y pertinaces peticiones sobre estos y otros problemas llenan muchos volúmenes en los archivos. Resistieron la salida de gente empleada en las minas a guerrear en Chile y otros puntos amenazados del Imperio (101). Creían que la disposición del virrey Toledo para que los mineros no fuesen presos por deudas ni sus bienes embargados para satisfacerlas era una ley sabia por nada revocable, pues garantizaba una producción constante, de la cual dependía el bienestar de Potosí y, por ende, una entrada más firme para su majestad. También como ayuda a los mineros fué establecido el Real Banco de San Carlos, cuyo estudio constituirá ciertamente un capítulo valioso en la historia administrativa de Potosí (102).

Los potosinos pugnaron por eximirse de la alcabala, o impuesto a las ventas; también urgieron a la Corona para que dispusiese que los mercaderes de Panamá y el Perú enviasen suficientes efectos a los mercados siempre sedientos de Potosí (103). Y anhelaban, sobre todo, que los derechos reales sobre la plata se redujesen del quinto al décimo.

Estos y otros privilegios y exenciones impetraba un pueblo consciente de su poder y conocedor de las perpetuas urgencias regias (104). Sus pretensiones solían ser admitidas en parte y por períodos limitados, pero los potosinos nunca estuvieron satisfechos del todo. Todavía en 1783 el rey condecoraba a la Villa Imperial con el dictado de «Fidelísima», en otro augusto intento de adormecer sus sentimientos con bellas palabras (105). La lucha entre una dinastía de monarcas apurados y Potosí fué, de hecho, un continuo sube y baja que sólo terminó con la victoriosa revolución contra España.

h) Literatura y conocimientos.

La ciudad del auge vivió demasiado absorta en la minería y en el goce desordenado de sus ganancias para ocuparse mucho en el saber y otros aspectos refinados de la vida. Irving A. Leonard ha descubierto una lista de libros remitidos en 1626 para su venta en Potosí, pero se sabe poco sobre la situación literaria propiamente dicha (106). Don Tomás García Muriel, boticario del hospital, dedicó

---

(101) Archivo General de Indias, Charcas 134, «Autos e información cerca del perjuicio que se a seguido en la villa de Potosí por levantar gente en aquella villa para el reyno de Chile».

(102) Las «Ordenanzas antiguas y modernas del Real Banco de San Carlos de Potosí» y otros elementos documentales que constituyen una gran colección sobre el tema, se hallan en el Archivo General de Indias, Charcas 568, según JOSÉ VÁZQUEZ MACHICADO, Catálogo, número 2.937. El banco fué establecido por real orden de julio 19, 1782, y, al parecer, fué sucedáneo de un deficiente Banco de Azogueros. Material complementario en el Archivo General de la Nación (Buenos Aires), Reales Cédulas, 24, pág. 326; 27, págs. 207-299; 43, pág. 125, y un legajo en la División Colonia, Sección Gobierno (Sala 9, 14-3-5).

(103) JOSÉ VÁZQUEZ-MACHICADO, Catálogo, núm. 615, «Expediente seguido por la Villa Imperial de Potosí, para que se mande a los mercaderes del Perú y Tierra Firme, que carguen de aquí en adelante mercaderías para aquellas partes y lleven con ellas hierro y acero para dicha provincia. 1605».

(104) «Carta del Cabildo secular de la Villa Imperial de Potosí a S. M. suplicando que en lugar del quinto que hasta aquí han pagado de los metales, de aquí en adelante se les suba [Sic] al diezmo y se les modere el precio de los azogues y se les quite la Alcabala. Potosí, 4 de mayo de 1596», JOSÉ VÁZQUEZ-MACHICADO, Catálogo, núm. 606. El problema estuvo pendiente por algún tiempo. En abril 2, 1608, el rey pidió informe a la Audiencia de Charcas, Archivo General de Indias, Charcas, 418, lib. 2, f. 245 v.

(105) «Real cédula condecorando a la Villa Imperial de Potosí con el título de Fidelísima en renumeración de sus distinguidos servicios. San Ildefonso, agosto 10, 1783», JOSÉ VÁZQUEZ-MACHICADO, Catálogo, núm. 2.367. Una carta del virrey de Buenos Aires, febrero 22, 1783, trata sobre lo mismo, íbid., núm. 2.368. Ambos documentos en el Archivo General de Indias, Charcas 429.

(106) «Pérez de Montalbán, Tomás Gutiérrez, and two book lists», Hispanic Review, XII (1944), págs. 275-287.

y envió al rey, en 1666, ciertos versos y novelas, a la espera de alguna recompense (107), si bien, siendo el «clima de opinión» evidentemente adverso, pocos libros fueron compuestos en Potosí al parecer, aunque tampoco faltaron leales vecinos que, celosos de que los anales del solar patrio se apreciasen en el mundo, escribieron algunas historias de la Villa, sobre todo, en el siglo ˡxviii. Por lo visto, el teatro floreció con representaciones de Lope de Vega y otros autores (108); no sabemos de piezas nuevas compuestas por potosinos.

La educación no desempeñó un gran papel; alguna atención se concedió a la enseñanza de los niños indios y en La Plata se estableció una cátedra para el aprendizaje del aymara, costeada con recursos de los mitayos de Potosí (109). Investigaciones futuras acrecentarán, sin duda, grandemente nuestro conocimiento de la vida cultural potosina. Entre tanto recordemos un hecho cierto, que da una buena clave para apreciar la situación de los conocimientos en la alborotada comunidad minera : en ninguna de las numerosas obras de José Toribio Medina que inscriben los libros impresos en el Nuevo Mundo—ciudad de México, Lima, Manila, Guatemala, Bogotá y otros centros dispersos en todo el Imperio indiano—se registra uno, ni siquiera un folleto, publicado en Potosí, pese a la riqueza y al poder que disfrutó durante casi trescientos años; mas, paradójicamente, alguna parte de las riquezas potosinas se aplicaron a empresas culturales en España: sabemos, por ejemplo, que el célebre magnate Antonio López de Quiroga costeó los libros *Nobiliario* [...] *del reino de Galicia* (Madrid, 1677) y *Palmas y triunfos* [...] *del reino de Galicia* (Madrid, 1678), de fray Felipe de la Gándara. ¿Cuántos otros libros fueron editados por los ricos potosinos ganosos de impresionar con su munificencia a los alejados conterráneos?

i) *Potosí, crisol de América.*

La riqueza arrastró hasta el célebre núcleo minero andino a indios de muchas partes del Perú en una migración forzada, de proporciones nunca vistas antes en estas tierras, pues, según la ley del inca, solamente los comisionados reales podían ir por los viaductos (110). También se trajeron negros, pese a las dudas sobre su utilidad en la fría y enrarecida atmósfera potosina (111). Españoles de toda la Península y de todo género de vida concurrieron en la carrera de cateo al Cerro, y no es raro escuchar que uno de los mineros fuese descendiente de Colón.

Los extranjeros eran tantos, que la Corona acabó por alarmarse ante los peligros derivados de su presencia. Un documento de 1581 (112) inscribe a los extranjeros residentes en la villa; muchos otros padrones e informes sobre su

---

(107) «Carta dirigida a S. M. por don Tomás García Muriel, boticario del Hospital de Potosí, remitiendo unos versos y unos romances en memoria del Rey. Pide que en recompensa se le dé el título de capitán general de los naturales de la mita del Cerro. Potosí, octubre 2, 1666», José Vázquez-Machicado, *Catálogo*, núm. 1.180.

(108) Diversos documentos sobre las actividades y pleitos de dos empresarios teatrales (c. 1.626), Antonio Encinas y Francisco Hurtado, en el Archivo Nacional (Sucre).

(109) Archivo Nacional (Sucre), Reales cédulas, núm. 251, noviembre 14, 1584. Ver también *Disposiciones complementarias de las leyes de Indias*, III, págs 18-19. La enseñanza de los niños consta de un documento de diciembre 20, 1707, *ibid.*, II, pág. 121. Particulares relativos a la cátedra de aymara en Archivo Nacional de Bolivia, Audiencia de Charcas: «Papeles relativos a la Universidad de San Francisco Xavier, 1585-1825», colegidos y catalogados por Gunnar Mendoza L.

(110) William Bollaert: «Observations on the past and present populations of the New World», *Publications of the Anthropological Society of London*, Memoirs, I, pág. 81.

(111) En julio 26, 1608, la Corona inquirió si sería conveniente introducir esclavos negros por Buenos Aires para relevar a los indios en la labor de las minas. La respuesta, de febrero 18, 1610, dice que los negros no eran útiles en las minas, pero que 1.500 a 2.000 podían ocuparse anualmente en servicios domésticos y agrícolas, Archivo General de Indias, Charcas 35.

(112) *Ibid.*, Charcas 41.

ocupación y sobre si su residencia era «inconveniente» o no, fueron dispuestos por los diligentes funcionarios de la Corona (113). Los documentos de la Inquisición suministran referencias a presuntos herejes y a portugueses que habían prosperado en Potosí (114).

Otro motivo de preocupación regia era el gran número de vagabundos y pícaros que florecía en la villa. Estos no sólo no producían plata, sino que eran potencialmente peligrosos como alborotadores. A menudo se despachaban órdenes para que los «vagabundos que infestan la villa» fuesen sumariamente castigados y desterrados (115). Visto el fracaso de esas disposiciones la Corona ordenó que aquella gente fuese discretamente enviada a nuevos descubrimientos y conquistas (116). Si no muertos en las guazabaras, por lo menos, saldrían de Potosí y quedarían a residir lejos, quizá por siempre jamás.

En su conjunto, la vida social en esta bullente comunidad tiene un aire de Far West. Fué un inmenso crisol, más aún que otros centros del Imperio, pues pocas mujeres blancas podían soportar su clima; el nacimiento de los niños era en particular dificultoso, a causa de la altitud (117). En 1586, los mestizos (hijos de español e india) provocaron un motín (118). La historia de Potosí está festoneada de disturbios que provenían, en parte al menos, de la tremenda mezcla de pueblos que habían acudido allí tumultuosamente. Una pequeña rebelión ignorada se intentó en 1599 con ayuda de ingleses (119).

La mezcla racial originó resultados interesantes. De tiempo en tiempo se encuentran documentos oficiales de archivo sobre gestiones de individuos que pedían ser reconocidos legalmente como mestizos, pues de otra suerte eran forzados a trabajar en las minas como indios (120). En cambio, por lo menos un proceso legal se refiere a alguien que proclamaba ser indio y no quería ser considerado mestizo (121).

Los sastres se fueron a las armas entre sí en 1604, con motivo de elegir a sus autoridades gremiales (122) y hasta los frailes agustinos recibieron amonestacione del Gobierno, por haber resistido a la justicia con espadas desnudas (123)

---

(113) *Ibid.*, Charcas 42, 43, 44.

(114) El catálogo (Biblioteca Nacional de Bolivia) de la Colección Corbacho incluye varias referencias (núms. 11, 17, 26, 28, 21, 66).

La historia de los portugueses y Potosí puede constituir una interesante parte dentro de la más extensa que se refiere a la rivalidad entre España y Portugal en América del Sur. Boxer incluye un valioso capítulo sobre «The Road to Potosí» en su Salvador de Sá, y Robert Ricard toca ligeramente el asunto en «Los portugueses en las Indias españolas», *Revista de Historia de América*, núm. 34 (México, 1952), pág. 449-456.

(115) Archivo General de Indias, Charcas 415, lib. 2, fs. 59, 133 v.; Archivo Nacional (Sucre), Cartas, núm. 813.

(116) Archivo General de Indias, Charcas 415, lib. 2, f. 168 v.

(117) CARLOS MONGE: *Aclimatization in the Andes* (Baltimore, 1948), pág. 37, transmite la historia del primer recién nacido español en Potosí a los cincuenta años de la fundación. En las págs. 76-92 hay mucha información sobre la legislación médica española.

(118) Archivo General de Indias, Patronato 191, núm. 5, «Información, confesiones y providencias tomadas en Potosí sobre lo acaecido en el motín que ocasionaron los mestizos de aquella población».

(119) BARTOLOMÉ ESCANDELL BONET: «Repercusión de la piratería inglesa en el pensamiento peruano del siglo XVI», *Revista de Indias*, año XIII (enero-marzo, 1953). págs. 81-88.

(120) Archivo Nacional (Sucre), Minas, núm. 1.100, «Antonio Carrillo y sus hermanos, naturales del pueblo de Potobamba, provincia de Porco, sobre que se les declare exentos de la mita por ser mestizos y no indios como se pretende».

(121) Archivo de la Curia (Sucre), paquete núm. 63, «Sebastián Pérez (solicitante) al Ilmo. Arzobispo. Objeto: ser indio y no mestizo».

(122) Archivo Nacional (Sucre), «Carta del corregidor de Potosí don Pedro de Lodeña a la Real Audiencia de La Plata, abril 29 de 1604», Cartas, núm. 900.

(123) En julio 20, 1604, la Audiencia amonestó al prior de los agustinos de Potosí, *ibid.*, Cartas. núm. 605.

Había eclesiásticos que comerciaban o llevaban vida airada (124), mientras la Corona se preocupaba de enviar a los hombres casados a vivir con sus mujeres en España u otras partes del Imperio (125), se reprobaba la exagerada ostentación en los funerales (126), se prohibían las corridas de toros en las festividades religiosas (127), protestaban los indios por obligárseles a recibir géneros de fantasía contra su voluntad (128), se querellaban los curas sobre sitios de preferencia en las procesiones (129), y los descendientes de Diego Huallpa, el descubridor de la montaña de plata, reclamaban los derechos y privilegios a que se consideraban acreedores (130). El detalle de la vida social potosina es rico, abigarrado e inédito.

VI

ENSAYO DE INTERPRETACION

Así todos los miles de páginas manuscritas existentes sobre Potosí se organizasen y habilitasen para el estudio y así se preparasen monografías sobre todos los puntos enumerados arriba, quedarían en pie los problemas de interpretación.

Una trampa peligrosa a evitar es el abultamiento de todo lo relativo al Cerro. Los historiadores, al escribir sobre Potosí, han sido a veces víctimas del espíritu de auge tan típico en la Villa misma. El cronista franciscano del siglo XVII, Buenaventura Salinas y Córdoba, refleja fielmente dicho espíritu, al exclamar: «Vive [Potosí] para cumplir tan peregrinos deseos, como tiene España; vive para apagar las ansias de todas las naciones extranjeras, que llegan a agotar sus dilatados senos; vive para rebenque del Turco, para envidia del Moro, para temblor de Flandes, y terror de Inglaterra; vive, vive columna y obelisco de la fe» (131). Otro fraile suma este panegírico a Potosí: «Es único en la opulencia, primero en la magestad, último fin de la codicia» (132). Américo Castro ratifica la creencia so-

---

(124) Ya en enero 13, 1594, encontramos unas «Ordenanzas acerca de que los sacerdotes no tengan minas», JULIÁN PAZ, *Catálogo de manuscritos de América existentes en la Biblioteca Nacional* (Madrid, 1933), ms. 1.151. Ver también «Papel sobre informe del Arzobispo de las Charcas al Consejo de Indias, acerca de excesos por los religiosos de Potosí», *ibid.*, núm. 975, y «Expediente sobre los excesos cometidos por los regulares de Potosí», Archivo General de Indias, Charcas 406.

(125) Archivo Nacional (Sucre), Expedientes núm. 18, «La real justicia de Potosí contra el comerciante Alonso Seco, para que se vaya a Sevilla a hacer vida con su mujer». Para que se aprecie cuán finamente hilaba la justicia española en estas materias citemos un documento de 1593, descrito por José Vázquez-Machicado en esta forma: «Informaciones recibidas en Potosí acerca de que el mercader de Potosí Cornieles de Lamberto no puede ir a hacer vida marital con su esposa doña Inés de Pavia, que reside en Sevilla. Del certificado médico expedido por el médico cirujano Marco Antonio dice tener Lamberto varias fístulas en la ingle y en la nalga y otras en la vía del caño, entre los dos servicios; que aunque las primeras están cerradas, queda la del caño, por donde salen los orines; que por consiguiente no puede andar a caballo ni tener acceso carnal con mujer, por derramársele la simiente por las fístulas; que lleva gastados ya 20.000 ducados de oro en curación.—Interesante». *Catálogo*, núm. 1.021. Del Archivo General de Indias, Charcas 43.

(126) Archivo Nacional (Sucre), Expedientes, año 1705, núm. 7.

(127) *Ibid.*, año 1753, núm. 105.

(128) *Ibid.*, año 1754, núm. 7.

(129) Archivo de la Curia (Sucre), año 1772, paquete núm. 60.

(130) JOSÉ VÁZQUEZ-MACHICADO: *Catálogo*, núm. 944. Del Archivo General de Indias, Charcas 40. Ver también Archivo Nacional (Sucre), Minas, núm. 48.

(131) BUENAVENTURA SALINAS Y CÓRDOBA: *Memorial de las historias del Nuevo Mundo Perú* [...] (Lima, 1630), pág. 250. Gracias a la generosidad del doctor Luis Varcárcel he podido compulsar en el Museo de Antropología de Lima una copia fotostática de esta rara obra, según el ejemplar existente en el Museo británico.

(132) ANTONIO DE LA CALANCHA: *Coronica moralizadora del orden de San Agustín en el Perú*, I (Barcelona, 1638), pág. 8.

bre la significación decisiva del tesoro indiano en la historia de España en Europa (133), y Víctor Andrés Belaunde ha destacado que la Colonia entera en el Perú puede designarse como una vasta organización religiosa y política para la explotación minera (134). El Cerro era la más sobresaliente de las minas, y así como el clásico historiador portugués del siglo XVII, Francisco Manoel de Melo (135), lo llama «inestimable Potosí», otros, españoles y extranjeros, antiguos y nuevos, baten bombo y sonaja en loor de Potosí. En general, la idea sobre la opulencia del Perú comienza cuando Atahuallpa, en 1532, paga por su rescate a Francisco Pizarro con una habitación llena de oro y otra de plata. Y aunque la Nueva España comenzó en el siglo XVII a producir más plata que el Perú, el virrey del Perú siguió recibiendo un sueldo más alto que el de Nueva España, cuya posición se consideraba inferior. ¿Sería atribuíble esto, al menos en parte, al influjo de Potosí y a la unánime creencia en su sedicente inacabable riqueza? Los mitos relativos a Potosí seducen todavía a los historiadores que estudian su pasado.

Sabemos que el emperador Carlos V y Felipe II tenían continuos apremios de numerario. ¿Proveyó Potosí, en efecto, los recursos para impulsar el Imperio en la forma espléndida que se supone? ¿O fueron las terrenales y nada dramáticas factorías de los Países Bajos la sólida base económica de España, como S. H. Tawney propuso hace años? (136) En tal caso, ¿no fué a pesar de todo el rendimiento de Potosí una corriente bastante regular para que la Corona española se expidiese más independientemente que atenida a las rentas españolas únicamente?

¿Afectó además Potosí a la economía de otras partes de Europa? ¿Provocó su plata, producida a menor costo, el colapso de otras minas como las dirigidas por los Fúcares en el Tirol? Conocemos desde el clásico estudio de Earl J. Hamilton la influencia del tesoro indiano sobre los precios en España (137). G. N. Clark es aún más enfático y llega a decir, glosando el descubrimiento de Potosí y la inmediata afluencia de la plata a Europa en cantidades jamás imaginadas: «Esto pudo afectar en otras condiciones a los orfebres y a las damas apenas, pero entonces desempeñó una parte, quizá una gran parte, para transformar en gula el hambre de metales preciosos convertidos en moneda. En toda Europa la moneda metálica fué más fácil de adquirir; es decir, hubo una gran alza de precios, llamada «revolución de los precios». Comenzó en España, donde se desembarcaba la plata; luego se propagó por todos los países al oeste de Rusia y del Imperio turco, más rápida en unos, más lenta en otros, según sus especiales capacidades para participar del tesoro indiano, cambiando géneros por plata. El nivel de los precios, el poder adquisitivo de la moneda, la riqueza relativa de grupos económicos diferentes se elevaron y sobrevino un período de inestabilidad económica. Muchos se enriquecieron súbitamente. Los que estaban atenidos a sumas fijas—rentas, tasas o débitos— pudieron comprar menos que antes con esas suma; los que estaban en condiciones de pedir los precios que quisiesen, tuvieron nuevas y crecientes oportunidades. De tal suerte, hablando en conjunto, el mundo viejo de terratenientes y campesinos se encontró sin saber qué hacer; los mercaderes y banqueros contaron con facilidades y el capitalismo avanzó» (138).

¿Cuál fué el papel de Potosí en América misma? ¿Desempeñó la minería una función estimulante, como propone Bailey W. Diffie, gracias a la cual «nació una

(133) *España en su historia. Cristianos, moros y judíos* (Buenos Aires, 1948), págs. 595-596.

(134) *Meditaciones peruanas* (Lima, 1932), pág. 11.

(135) EDGAR PRESTAGE: *Portugal, a Pioneer of Christianity*, 2.ª ed. revisada (Londres, s. f.), pág. 19.

(136) *Religion and the Rise of Capitalism* (Nueva York, 1926). James A. Llorens completó en 1951, en la Universidad de Harvard, una tesis doctoral intitulada *Spanish Royal Finances in the Sixteenth Century*, donde se propone la idea de que «los réditos y las posesiones de la Iglesia constituían para el emperador y el rey una fuente de riqueza mucho más caudalosa que los apartados depósitos de Potosí o Guadalupe» (pág. 7).

(137) *American Treasure and the Price Revolution in Spain* (Cambridge, 1934).

(138) ERNEST BARKER, ed.: *The European Inheritance*, II (Londres, 1954), pág. 79.

civilización urbana, se suscitó una clase media, subió el poder adquisitivo de la gente [...] y, en general, América pudo crecer?» (139). ¿O contribuyó Potosí a implantar en el virreinato del Perú un pernicioso sistema económico y social que exaltó las rápidas ganancias de las minas y mantuvo la agricultura en un lugar tan secundario que su progreso fué peligrosamente retardado, prolongando una organización feudal durante siglos? Si la respuesta a esta última pregunta es «Sí» ¿puédese eludir la conclusión de que algunos de los angustiosos problemas presentes de Bolivia constituyen, en parte, al menos, una herencia de Potosí? O, por el contrario, ¿contribuyó la montaña de plata a la gestación de la nacionalidad boliviana creando un núcleo económico, gubernativo y social gracias al cual pudo organizarse una nación, como lo ha sugerido el vigoroso historiador boliviano Humberto Vázquez-Machicado? ¿O es que cada una de estas proposiciones encierra alguna cuota de verdad?

Los españoles debieron ciertamente desarrollar en Potosí esa psicología de mineros tan bien descrita por Robertson: «Alimentados continuamente de esperanzas y aguardando a cada momento que la fortuna abra sus manantiales secretos para prodigarlos a sus deseos, no encuentran interés ni placer en ninguna otra ocupación.» Una vez que el minero es presa de esta fiebre virulenta, «sus ideas se alteran, se halla poseído de un carácter distinto del que antes tenía, sus ojos están constantemente rodeados de fantasmas de una riqueza imaginaria, y no se ocupa, habla ni sueña de otra cosa» (140).

Puede que no hiciese mayor falta estimular a los españoles hacia este énfasis sobre la adquisición de riquezas, sin que deje de ser cierto tampoco que algunos de ellos desdeñaban en América los beneficios materiales y menospreciaban a sus buscadores (141). Pero el caso de los indios es diferente. Las oportunidades que el Cerro brindaba, ¿no inducirían, por ventura, en los indios el deseo de la riqueza personal? Los primeros indios que los españoles encontraron en las islas manifestaban una gran indiferencia hacia el oro y la plata (142); bajo el régimen incaico, la mayor parte de los bienes era común y la seguridad social era la regla antes que la empresa privada y el beneficio individual. Mas la política española en Potosí y en todas las Indias incitaba a los naturales a gestionar peticiones tanto como los españoles mismos y la historia de Luis Capoche muestra que hacia 1585 muchos indios lo habían hecho o se habían asociado con españoles para explotar vetas (143). Antes de finalizar el siglo XVI, una india, cuando menos, era suficientemente rica como para dotar considerablemente a la primera casa jesuítica establecida en Potosí (144). Más de un autor quisiera persuadirnos de que los indios en general adquirieron conciencia del dinero y que el efecto fué pésimo. Philip A. Means llega a acusar: «La peor, la principal, la universal fuente de males traída al Perú por los españoles fué el complejo del dinero, de donde provino la miseria perdurable que ha pesado sobre los pueblos andinos desde que el imperio sin moneda de los incas fué despedazado» (145).

---

(139) *Latin American Civilization: The Colonial Period* (Harrisburg, Pennsylvania, 1945), pág. 109.

(140) ROBERTSON: *Historia de la América*, IV, págs. 154 y 156.

(141) ALBERTO MARÍAS SALAS: «Fernández de Oviedo, crítico de la conquista y de los conquistadores», *Cuadernos americanos*, año XIII (México, 1954), núm. 2, págs. 160-170. Ver en especial la cita que comienza «Maldita sea riqueça» (pág. 161).

(142) LEWIS HANKE: *The First Social Experiments in America* (Cambridge, 1935), pág. 47.

(143) Diego de Encinas incluye varias de las leyes primitivas fundamentales, *Provisiones, cédulas, capítulos de ordenanzas, instrucciones y cartas* [...] (Madrid, 1596), III, págs. 359-360; IV págs. 314-317; 359-360.

(144) El doctor E. J. Burrus, S. J. tuvo la gentileza de revisar para mí el material potosino en los archivos jesuíticos de Roma. Me informa que algunos de los primeros documentos en el fondo jesuítico 1.541/3, corresponden a «una noble india doña Ana Parpa», que hizo una generosa donación de una parte de sus riquezas al colegio jesuítico de Potosí, fundado en 1578.

(145) *Fall of the Inca Empire* (Nueva York, 1932), pág. 12.

Potosí parece haber acelerado el índice del cruzamiento demográfico merced a la venida de indios de las provincias más dispersas a trabajar allí durante períodos fijos en el sistema de la mita. ¿Siguióse de aquí también un acrecentamiento de uniones entre españoles e indias, habida cuenta que las españolas iban al frío e insalubre Potosí menos que a otras partes de América? El impacto de esta potente sociedad minera debe haber sido importante en muchos aspectos de la vida indígena.

Mencionemos aquí el supuesto influjo de un aspecto de esta última en el Viejo Mundo. Radcliffe N. Salaman, en su sólida e imaginativa obra *The History and Social Influence of the Potato* (146), propone la idea de que el buen suceso de los españoles en Potosí, gracias a la fuerza del indio, alimentado en gran parte con chuño (papa desecada), pudo infundir en los ingleses la idea de lograr un objetivo semejante en Irlanda. Dice: «Conviene recordar que el clásico ejemplo de la producción industrial en gran escala, que bien puede haber encendido la imaginación de los ingleses, fué llevado a cabo merced a las mismísima papa, alimento con que eran mantenidos los naturales esclavizados del Perú y, por ende, única fuente de energía que permitió extraer la plata desde los negros abismos de las minas de Potosí» (147).

Tiempo y trabajo hacen falta para justipreciar el valor de estas proposiciones y sugestiones y para resolver los demás problemas de interpretación que irán surgiendo conforme sea organizado y estudiado el vasto amontonamiento de material accesible.

Hagamos una postrera observación que recae sobre todos los problemas de interpretación propuestos. Potosí fué parte, una parte importantísima y abigarrada, por cierto, de un gran imperio, y alentó dentro de la estructura general implantada por España en América. En consecuencia, su historia debe escribirse con un ojo sobre el resto del imperio. Potosí fué influído forzosamente por la legislación, la política y las complicaciones internacionales de España, de igual suerte que la montaña de plata influyó sobre otras porciones de América y sobre la madre Patria misma. La historia de Potosí es una dilatada y compleja historia, un relato que no puede contarse propiamente desde el mero punto de vista aventajado del Cerro. Si sus historiadores no quieren ser miopes, deberán recordar siempre que Potosí, aunque físicamente aislado de casi todas las demás posesiones españolas de Indias, era de hecho parte integrante de tierras gobernadas por la Corona desde la metrópoli a miles de leguas. En cierto sentido, Potosí era insólito, sin duda. La rapidez de su crecimiento, por ejemplo, lo sitúa en lugar aparte de Lima y la ciudad de México, cuyas poblaciones crecieron más bien lentamente hasta años recientes (148).

No obstante, los aspectos verdaderamente únicos de Potosí fueron sus dimensiones y lo dramático de su historia. Otros asientos mineros del imperio suscitaron sociedades e instituciones más o menos parecidas. Pero Potosí exhibe las características comunes a todas las sociedades mineras en forma tan espectacular que se constituye en dechado del proceso general. Quizá aquí reside la justificación verdadera para asignar a Potosí un largo y significativo capítulo en la historia del Nuevo Mundo. El estentóreo y sabio dominico Bartolomé de las Casas,

---

(146)   Cambridge, Inglaterra, 1949.
(147)   *Ibid.*, pág. 206.
(148)   Lima creció tan lentamente que apenas tenía 15.000 habitantes en 1600, de ellos sólo la mitad españoles. El siglo XVIII acusó un progreso modesto, de 35.000 en 1700 a unos 50.000 en los años finiseculares. La verdadera expansión demográfica de Lima sobrevino en los últimos cincuenta años, durante los cuales el incremento de la población fué de 1.000 por 100. Debo esta información a Mr. Thomas Gale, de la Universidad de Kansas, que está estudiando los problemas urbanísticos de Perú colonial. En cuanto a la ciudad de México, véase NORMAN S. HAYNES: «Mexico City: Its Growth and Configuration», *American Journal of Sociology*, L (1945), pág. 295-304.

aunque no el único defensor de los indios, fué el que más persistentemente dominó la imaginación de sus coetáneos y de las generaciones subsecuentes como el Defensor: Potosí ejemplifica de igual suerte, con los más encendidos y memorables colores, la pasión del oro que empujó a los españoles al Nuevo Mundo. Bernal Díaz del Castillo, el famoso y bien dispuesto infante de Cortés, expresa la intensa combinación de *Gott und Gewinn* que caracteriza la conquista española de América cuando exclama: «Vinimos a servir a Dios y a hacernos ricos» (149). Y así como la montaña de Potosí impera sobre las circundantes, así también, cuando sea contada con propiedad, su historia será símbolo enhiesto del espíritu de todos los españoles que vinieron al Nuevo Mundo a hacerse ricos.

---

(149) *Historia verdadera de la conquista de la Nueva España,* ed. de Ramón Iglesia, II (México, 1943), pág. 394.

LUIS CAPOCHE Y LA HISTORIA DE POTOSI
(1545 - 1585)

LUIS CAPOCHE Y LA HISTORIA DE POTOSI, 1545-1585 (*)

La relación escrita en 1585 por Luis Capoche sobre el asiento argentífero alto-
peruano denominado la Villa Imperial de Potosí puede ser plenamente comprendida
si se la proyecta sobre el telón de fondo del apasionado interés que la historia del
Nuevo Mundo despertó entre los españoles. Colón inauguró la práctica de escribir
sobre América, y muchos siguieron su ejemplo. A tal punto excitó la Conquista las
imaginaciones, que los españoles acabaron por considerarla como el acontecimiento
más grande desde la venida de Cristo. Al mismo tiempo de deambular por vastos
ámbitos de mar y tierra los conquistadores, y de acometer la conversión de millones
de indios los misioneros, fueron recolectando materiales historiográficos y compo-
niendo relaciones en una proporción monumental (1).

Muchos de estos documentos retratan el carácter de los españoles del siglo XVI.
El juvenil Diego de Ordaz, ansioso por saber que había bajo la ascendente estela
de un volcán mexicano, arrancó finalmente el consentimiento de su jefe Hernán
Cortés, quien de mal grado autorizó la azarosa empresa de ascender el cráter sólo
para que los indios vieran que nada era imposible a los españoles (2). Otra arrojada
hazaña fué consumada por la querida del gobernador Pedro de Valdivia cuando,
para atemorizar a los indios que habían sitiado a Santiago de Chile, por su propia
mano cercenó las cabezas de seis capitanes tomados como rehenes y las lanzó
rodando entre las filas de los atacantes. El fraile dominico Luis Cáncer hizo gala
de un coraje insólito cuando se lanzó, impertérrito, a convertir a los indios de
Florida, a pesar de la predicción, cumplida poco después, de que iba a ser destro-
zado por los naturales. Muchos pasajes semejantes de heroísmo, crueldad y caridad
van entrelazados en los miles de declaraciones que los españoles hicieron sobre sus
hazañas y que todavía esperan en los archivos a los investigadores, pues no obstante, lo ganado en años recientes, la historiografía hispanoamericana es todavía
un campo poco cultivado (3).

(*) Traducido por Gunnar Mendoza.
(1) El autor se complace en expresar su reconocimiento por la ayuda recibida para la
preparación de este artículo a las siguientes instituciones y personas: Instituto de Investigación de la Universidad de Texas; Sociedad Americana de Filosofía; Clara Penney, de la
Sociedad Hispánica de Nueva York; Vicenta Cortés y Victoria Hernández, del Archivo de
Indias; Mlle. Marie Helmer; y, en particular, Gunnar Mendoza, de la Biblioteca y el Archivo
Nacionales de Bolivia.
(2) CASIANO GARCÍA: *Vida del Comendador Diego de Ordaz, descubridor del Orinoco* (México, 1952), pág. 5.
(3) Las declaraciones formuladas por individuos que procuraban obtener privilegios y re-
compensas de la Corona, rotuladas generalmente como «Probanzas o informaciones de méritos
y servicios», constituyen por sí solas unas enorme fuente de material biográfico. Son ejemplos
de este tipo de documentación histórica sobre personas actuantes en los primeros años de
Potosí, las probanzas de Martín García de Oñaz y Loyola y de Diego Centeno. Véase VÍCTOR M.

A medida que la Conquista proseguía y que España estabilizaba su estructura gubernativa en el Nuevo Mundo, crecía la demanda de una historia adecuada para los hechos llevados a cabo por los españoles. Primero los sacerdotes sintieron la necesidad de una constancia de sus contribuciones, y después las disputas sobre la justicia del dominio español movieron a los cabildantes de México a comisionar la formación de historias. Una época decisiva para la historiografía comenzó hacia 1570, cuando Juan de Ovando, presidente del Consejo de Indias, decidió que para el buen gobierno se necesitaba un archivo con información orgánica sobre las leyes dictadas y los hechos sucedidos, un mecanismo apropiado para la provisión de información permanente, y un historiador y cosmógrafo oficial. Se preparó un cuestionario detallado para que cada gobernador de América diese datos sobre la historia, población, productos, clima y geografía de su respectivo territorio. Iniciado como una breve encuesta en 1569, dicho cuestionario se acrecentó hasta cincuenta puntos, y finalmente devino un volumen impreso con 355 preguntas diferentes. El primer cosmógrafo e historiógrafo real fue nombrado en 1573 para que aprovechase el material recolectado por aquel medio, y después dispuso también de los documentos remitidos a España por efecto de la orden de 25 de junio de 1578, que instruía a las principales autoridades reales de América para hacer buscar en sus archivos documentos históricos y enviar los originales o copias auténticas de ellos al Consejo de Indias, de suerte que una verdadera y general historia de estos dominios pudiera escribirse (4).

A más de esta documentación oficial, de las crónicas religiosas y de los relatos de las grandes hazañas cumplidas, otro tipo de historia se producía a medida que algunas personas se daban a considerar la Conquista y se dedicaban a contar la historia de aspectos, hechos y territorios particulares. La clásica *Verdadera historia de la conquista de Nueva España*, de Bernal Díaz del Castillo, la pugnaz *Historia de las Indias*, de Bartolomé de las Casas, y la descripción del Perú, por el joven soldado Pedro de Cieza de León, representan bien conocidos ejemplares de tales trabajos.

A excepción del hecho trascendental del descubrimiento mismo, y de las conquistas dramáticas de Cortés y Pizarro, pocos asuntos han despertado tan constantemente la admiración y el interés de generaciones sucesivas como la fabulosa historia de Potosí. Durante casi cuatrocientos años, los leales potosinos, y otros también, compusieron poemas, novelas, dramas e historias sobre el tumultuario y

---

MAURTUA, *Juicio de límites entre el Perú y Bolivia* (12 vols., Barcelona, 1906), VII, 3-70; VIII, 1-35.

El primer estudio serio, todavía útil, es el de FREDERICK WEBER: *Beiträge zur Charakteristik der älteren Geschichtsschreiber über Spanisch-Amerika, eine biographisch-bibliographische Skizze* (Leipzig, 1911). Una obra más reciente, pero muy lejos de ser satisfactoria, es la de RÓMULO D. CARBIA: *La crónica oficial de las Indias Occidentales* (La Plata, 1934). El interés ha ido creciendo, como puede apreciarse por las diversas publicaciones historiográficas de la Comisión de Historia del Instituto Pan Americano de Geografía e Historia; véanse también los *Estudios de historiografía americana*, editados por Silvio Zavala (México, 1948), y los *Estudios de historiografía de la Nueva España*, editados por Ramón Iglesias (México, 1945). La contribución más reciente es del historiador sueco SVERKER ARNOLDSSON: *Los momentos históricos de América* (Madrid, 1956).

(4) MARCOS JIMÉNEZ DE LA ESPADA, ed.: *Relaciones geográficas de Indias* (4 vols., Madrid, 1885), I, xvii-lxxvii, ofrece una historia documentada de los esfuerzos de la Corona para reunir material historiográfico. Un decreto del 25 de junio de 1578 establece: «Para que pueda proseguir la historia general de las Indias con el fundamento de verdad, y noticia universal de los casos, y sucesos dignos de memoria, se manda a los Virreyes, Audiencias y Gobernadores que hagan ver y reconocer los Archivos y papeles que tuvieren por personas inteligentes; y los que tocaren a historia, así en materias de gobierno como de guerra, descubrimientos y cosas señaladas, que en sus distritos hubieren sucedido, nos envíen originales o copias auténticas, dirigidas al Consejo de Indias.» *Recopilación de leyes de los reynos de las Indias* (4 vols., Madrid, 1681), libro III, título XIV, ley 30. Los sacerdotes también fueron instruidos para enviar papeles útiles para los historiógrafos, JIMÉNEZ DE LA ESPADA: *Relaciones geográficas de Indias*, II, 174-175.

romancesco pasado de esta montaña de plata peraltada en los Andes, en uno de los más desolados y remotos rincones de Sudamérica.

Los primeros años de Potosí, desde su descubrimiento en 1545, se consumieron en una explotación tan frenética de los generosos y superficiales depósitos, que no hubo tiempo para un florecimiento historiográfico (5). Sólo a partir del gobierno del virrey don Francisco de Toledo (1569-1572) la vida del bullente asiento minero se asentó lo suficiente como para que sus habitantes pudieran interesarse por el pasado. Cuando Toledo llegó en visita de gobierno a Potosí, en diciembre de 1572, un indio presentó una petición para que se le remunerase por ser hijo del descubridor del Cerro, cuyas minas desde entonces fueron el factor más importante en la economía del virreinato. El metódico virrey instruyó a Rodrigo de la Fuente para que averiguase el asunto y certificase los hechos. El informe de la Fuente forma parte de la larga y contradictoria literatura sobre la manera como los indios vinieron a dar con el ingente yacimiento argentífero y lo dieron a conocer luego a sus conquistadores (6). Toledo estimuló también al florentino Nicolás de Benino —vástago de la familia de los Médicis, que abandonó su ciudad natal por razones políticas hacia 1550 e inició una accidentada carrera en Potosí como dueño de minas— a componer en 1573 una valiosa descripción geológica del Cerro (7).

Otro veterano minero, Diego Rodríguez Enríquez de Figueroa, informaba al virrey don Martín Enríquez, en 1582, que venía escribiendo, a manera de descanso en sus otros trabajos, una relación de la cultura de los Incas, así como una historia de los primeros españoles del Perú, incluyendo a Potosí, y que para ilustrar esta obra había pintado un cuadro de todas las minas y socavones del Cerro; perseguía además un propósito definido, pues anunciaba a Toledo que a menos de restituírsele los doce indios que se le habían quitado en la mina, se vería arruinado (8). Muchas de las relaciones que actualmente forman parte apreciable de la historiografía de Potosí iban enderezadas a influir en las decisiones de la corte vicerreal en Lima o de la corte real en España; pero muy pocos de ellas o de las historias más formales, asimismo abundantes, se han publicado.

Entre los españoles que delinearon largos informes con el propósito de orientar los actos de las autoridades, se cuenta Luis Capoche, dueño de un ingenio en Potosí, quien elaboró una historia del descubrimiento del Cerro y su enorme desarrollo, así como una descripción de la vida económica y social de aquel asiento hasta 1585. El 10 de agosto de dicho año completó su manuscrito, lo dedicó al virrey entrante, don Hernando de Torres y Portugal, conde del Villar, y lo remitió a Lima de suerte que el conde pudiese conocerlo tan pronto como asumiese el mando. El manuscrito original se ha perdido, al parecer, así como el «retrato», o dibujo,

---

(5) *From Panama to Peru. The Conquest of Peru by the Pizarros, the Rebellion of Gonzalo Pizarro, and the Pacification by La Gasca* (Londres, 1935), págs. 247, 499, 508, 512, 541-542.

(6) Manuel Ballesteros Gaibrois ha recopilado acertadamente muchas de esas historias en su *Descubrimiento y fundación del Potosí* (Zaragoza, 1950). La petición presentada ante Toledo ha sido publicada con el nombre de «Interesante documento histórico de Potosí. Memorial de Gualpa, hijo de don Diego Gualpa, primer descubridor del cerro de Potosí», *Boletín de la Sociedad Geográfica de Potosí*, año II (1914), núm. 3, págs. 109-110. Por último, una real orden, fechada el 4 de mayo de 1578, mandó que Juan Guallpa y sus hermanos recibiesen algún premio de la Audiencia de Charcas, Archivo de Indias, Charcas 415, lib. I, fs. 15-15 v.

(7) Relación muy particular del cerro y minas de Potosí y su calidad y labores, por Nicolás del Benino, dirigida a don Francisco de Toledo, virrey del Perú.» Fechada en La Plata, el 9 de octubre de 1573, y publicada por JIMÉNEZ DE LA ESPADA: *Relaciones geográficas de Indias*, II, 97-112. José Toribio Medina incluyó algunas noticias de la vida de este importante potosino, en su reproducción facsimilar, antecedida de un estudio preliminar, de un escrito raro de Benino sobre la historia temprana del Perú: *Verdadera relacion delo susedido en los Reynos e provincias del Peru desde la yda a ellos del Virey Blasco Nuñes Vela hasta el desbarato y muerte de Gonçalo Piçarro (Sevilla, 1549)* (París, 1930).

(8) JIMÉNEZ DE LA ESPADA: *Relaciones geográficas de Indias*, II, Apéndice núm. III, páginas xxix-xxxiv.

que iba adjunto para dar una idea del aspecto de Potosí; pero en el Archivo de Indias existe una buena copia coetánea de esta «Relación general del asiento y Villa Imperial de Potosí y de las cosas más importantes a su gobierno» (9). Esta obra tuvo alguna circulación, en códices, y se la menciona ocasionalmente, desde el tiempo en que fué escrita, pero no se la ha estudiado seriamente ni en sí misma, ni en relación con otros documentos de los primeros cuarenta años críticos de Potosí Este ensayo pretende reunir todo lo que se sabe del autor y explicar el valor de su obra para la comprensión de Potosí y para la historia de Hispanoamérica.

I

El nombre de Capoche aparece muy rara vez en los manuscritos sobre Potosí, y ninguna en la voluminosa correspondencia impresa de la Audiencia de La Plata con los virreyes y la Corona (10). Nació, probablemente, en Sevilla: cuenta que allí, siendo muchacho, contemplaba y se preguntaba qué podía significar una extraña insignia grabada en los muros de la casa de Juan de Marroquí, que había amasado una fortuna en el Cerro y había adoptado la guaira, u horno incásico, de fundición, como escudo de armas (11). Este fué el primer contacto de Capoche con la minería potosina, aunque por entonces Sevilla ya debía de mostrar muchas trazas de la riqueza traída desde el Nuevo Mundo: uno de sus orgullosos historiadores afirma, hacia el tiempo en que Capoche escribía, que de América habían llegado a Sevilla tesoros bastantes para empedrar sus calles con oro y plata (12). Capoche observa también que la madera transportada a Potosí para levantar los ingenios atravesaba largas distancias cargada sobre los hombros de los indios «como los alhameles de Sevilla» (13). Pareciera pues, que él fué sevillano, perteneciente acaso a alguna de las muchas familias de mercaderes italianos, o de sus descendientes, que tanta influencia tuvieron en los puertos de la España meridional a partir del siglo XIII (14).

Capoche conoció Castilla y quizá sirvió en los tercios españoles fuera de la

---

(9) Las dos versiones del manuscrito se encuentran en un legajo intitulado «Documentos respectivos al descubrimeinto del cerro y minas de Potosí: población de su Villa Imperial y ordenanzas dadas por el Virrey Luis de Velasco, año de 1599», Archivo de Indias, Charcas 134. El Apéndice I de la presente edición provee descripciones detalladas de dichos manuscritos. Todas las referencias de este artículo son relativas a la primera versión que se menciona en adelante como «Relación».

El cerro suscitó interés desde el comienzo, y muchos funcionarios y viajeros trataron de reproducir gráficamente sus contornos. El anciano segundo virrey del Perú, don Antonio de Mendoza, envió a su hijo Francisco a Potosí para que informase sobre sus asuntos. El mapa y los planos que Francisco dibujó fueron llevados a España en 1552, pero, al parecer, no se conservan. Pudieron encontrarse entre los documentos dejados por el cosmógrafo real Alonso de Santa Cruz y entregados al presidente del Consejo de Indias, Juan de Ovando, cuya lista incluye este ítem: «Otro papel en que está descrito el cerro de Potosí, y dentro un rollo de papel con letras de indios.» JIMÉNEZ DE LA ESPADA: Relaciones geográficas de Indias, II, xxxiv.

(10) ROBERTO LEVILLIER, ed.: Audiencia de Charcas. Correspondencia de presidentes y oidores (3 vols., Marid, 1918-1922). Los primeros dos volúmenes cubren el período de la «Relación» de Capoche. Tampoco pude hallar ninguna referencia a Capoche entre las diversas cédulas reales dirigidas al conde del Villar, Archivo de Indias, Lima 570, tomos 14-15, ni en los documentos de ese período, íbid., Lima, 580.

(11) «Relación», f. 30.

(12) ALONSO MORCADO: Historia de Sevilla, 1587 (Sevilla, 1887), pág. 169. Véanse asimismo las sugestivas observaciones de FRANÇOIS CHEVALIER, «En lisant les 'novelas': la vie à Seville au siècle d'or», Annales: Sociétés, Economies, Civilisations, II (1947), 349-353.

(13) «Relación», f. 32 v.

(14) ANTONIO BALLESTEROS BERETTA: Sevilla en el siglo XIII (Madrid, 1913), pág. 43; y CHARLES VERLINDEN: «Italian Influences in Iberian Colonization», Hispanic American Historical Review, XXXIII (1935), 199-211. Un «Capeche, oriundo de Nápoles» figura en la lista de Julio de Atienza, Nobiliario español (Madrid, 1948), pág. 539.

Península, pues dice que en Potosí hacía más frío aún que en Flandes (15). Se refiere a Africa y a Tierra Firme como si hubiera visitado esas regiones (16). Ántes de establecerse en Potosí, mozo aún, había estado evidentemente en otras partes del Perú. Sus observaciones sobre la firmeza que los encomenderos conferían a una comunidad edificando buenas casas, trayendo a sus mujeres para fundar familias y distinguiéndose por el vestido y el porte, muestra que posiblemente vivó por algún tiempo en Lima (17). También es posible que pasase por México: comenta que su gobierno no era tan difícil como el del Perú, «tierra mucho más complicada» (18). En Potosí se hizo dueño de minas e ingenios quizá poco antes de la visita de Toledo en 1572, que recuerda, y al tiempo que escribía su relación en 1585 poseía don ingenios y era hombre de alguna sustancia (19). Un juicio seguido contra él en 1593 para el pago de cierta suma que estaba debiendo, pinta el alza y la baja connatural a la vida económica de los potosinos, pues este antes próspero dueño de ingenios, no podía ahora pagar sus deudas; el proceso revela también su notable tenacidad, pues salió al paso a su acreedor a lo largo de todas las instancias (20). El 25 de enero de 1596 el capitán Alonso Vázquez Dávila Arze

---

(15) «Relación», f. 1.

(16) *Ibid.*, f. 89.

(17) *Ibid.*, f. 2.

(18) *Ibid.*, f. 70.

(19) *Ibid.*, f. 34 v. Es curioso que Capoche no se inscriba a sí mismo como dueño de minas en 1585. Positivamente las poseía en 1592-1593 o por lo menos tenía dinero invertido en ellas, según el documento (fs. 5-6) citado infra, nota 20.

(20) «Audiencia de Charcas: Juan Nicolás del Corro, cesionario de Diego Núñez Bazán, sobre los pesos que Luis Capoche está debiendo por los avíos recibidos para sus ingenios sitos en la ribera de Potosí y valle de Tarapaya.» Archivo Nacional (Bolivia). Minas, núm. 18. 42 fs. Gunnar Mendoza L. extracta así este documento;

1. Recurso de Capoche ante la Audiencia de La Plata contra la sentencia pronunciada por la justicia de Potosí en este pleito; La Plata, 1593. 28.IX. Autógrafo (f. 1).

a) Poder para pleitos otorgados por Luis Capoche, vecino de Potosí, a Gaspar Ruiz, regidor perpetuo de dicha villa, a Alonso Pérez de Valer, y a Gaspar Rodríguez, procurador de La Plata; Potosí, 1593.22.IX (fs. 2).

2. Testimonio de los autos obrados en Potosí. Contiene:

a) Carta de obligación otorgada por Luis Capoche en favor de Diego Núñez Bazán, ambos vecinos de Potosí, por 5.996 pesos ensayados, de ellos 3.917 pesos prestados en diferentes partidas y ocasiones, y el resto por libranzas de Capoche para diversas personas y para el pago de jornales de indios y avío de los ingenios y las minos de Capoche; deuda que en su totalidad deberá ser cancelada al fin de marzo de 1593, obligando a ello sus bienes y persona, etc.; Potosí, 1592.6.V (fs. 5-6).

b) Poder en causa propia otorgado por Diego Núñez Bazán a Juan Nicolás del Corro, vecinos de Potosí, para cobrar a Luis Capoche el monto de la obligación antecedente; Potosí, 1592.6.V (fs. 6-7).

c) Ejecución solicitada por Corro, como concesionario de Núñez Bazán, por la cuantía de esta obligación, contra Capoche; Potosí, 1593.20.VIII (fs. 7 v-8).

d) Requerimiento hecho por Juan Gutiérrez Pina, teniente de alguacil mayor de Potosí, a Capoche, para el pago de la obligación. No teniendo los pesos, Capoche nombra para la ejecución dos ingenios de agua que tiene, uno en Tarapaya, junto al de Regodon Calderón, y otro en la ribera de Potosí junto al de Diego de León Garavito, ingenios en los cuales se hace la ejecución sin perjuicio del privilegio; Potosí, 1593.21.VII (fs. 8 v-9 v).

e) Oposición de Capoche contra el remate de sus ingenios por ser bienes especialmente rservados, según la ordenanza del virrey Toledo; Potosí, 1593.27.VIII (fs. 10 v-11).

f) Réplica de Corro para que, sin embargo de la oposición, sean rematados los ingenios, tanto por lo general de derecho como porque el dinero recibido por Capoche fué precisamente para reedificar, aderezar y aviar dichos ingenios y pagar jornales de indios, de suerte que están prácticamente hipotecados; además, Capoche tiene hacienda con que pagar la deuda y dejar sus ingenios libres para sustentarse; Potosí, 1593.6.IX (fs. 11 v-13).

g) Sentencia pronunciada por el contador Diego Bravo, teniente de corregidor, ordenando el remate de los ingenios, sin embargo de la oposición; Potosí, 1593.13.IX (fs. 13 v-14).

h) Remate del ingenio que está en la ribera de Potosí en Luis Ramón de Lizárraga, único postor, en la suma de 5.996 pesos de plata ensayada; Potosí, 1593.14.IX (fs. 15 v-16 v).

i) Traspaso del remate del ingenio y los indios que le están repartidos, por Lizárraga a Corro; Potosí, 1593.14.IX (fs. 16 v-17).

j) Oposición de Capoche a la posesión y uso de Corro en el ingenio rematado. Protesta

visitó el ingenio de Capoche en Potosí e informó que molía y beneficiaba mucha cantidad de mineral; su otro ingenio, en Tarapaya, se encontraba en reparación (21).

Capoche tenía treinta y ocho años de edad (22) cuando escribía la Relación en 1585 y, de acuerdo con las evidencias documentales, pudo vivir hasta 1613 (23).

---

recurrir ante la Audiencia de La Plata. Trascribe las ordenanzas 6 y 7 del virrey Toledo. Asimismo una provisión de éste, fecha en el valle de Yucay, 1572.22.V, sobre que para el fomento de las minas de Potosí, Porco, Berenguela y otras de esta provincia, las ejecuciones por deudas de los dueños de minas no puedan trabarse en ellas, los ingenios, ni esclavos o útiles afectados al trabajo minero, sino solamente en los frutos, etc.; Potosí, 1593.20.IX (fs. 17 v-24).

k) Réplica de Corro para que se le confirme la posesión, una vez que las disposiciones del virrey Toledo son para que no cese el trabajo minero y Capoche «ny trae labor de mynas ny tiene en sus yngenios molienda ny aprobechamyento alguno antes agora de presente el que tiene en tarapaya esta parado y no muele tres años a y el que tiene en esta rribera no a molido en las aguas pasadas seys mill quintales y en las otras ninguna cosa de manera que las dichas haziendas siempre las a tenido desiertas»; Potosí, 1593.20.IX (fs. 24 v-25 v).

l) Mandamiento del teniente de corregidor para que se dé posesión a Corro en el ingenio de Capoche en esta villa, con sus pertrechos, canal, rueda, chiscón, eje, mazos, morteros, almadanetas, casas de vivienda, buitrones, tinas, cancha, galpones, indios de repartimiento, etcétera; Potosí, 1593.14.IX (fs. 25 v-28 v). Acto de posesión, 1593.15.IX (fs. 28 v-29 v).

m) Apelación de Capoche para ante la Audiencia de La Plata; Potosí, 1593.16.IX (fs. 29 v-34).

3. Auto de la Audiencia de La Plata confirmatorio de la sentencia pronunciada en este pleito en Potosí; 1593.30.IX (fs. 35).

4. Suplicación de Luis Capoche contra el auto antecedente. Reitera que deben aplicarse las ordenanzas del virrey Toledo «por que los hombres que an gastado sus haziendas en comprar minas y idificar yngenios para el bien comun de la rrepublica y para aumento de vuestros rreales quintos y por desgrasio [sic] como es ordinario le acuden un año o dos mai los metales y por esta causa se empeñan no es justo que luego sean desposeidos» etc. Observa que el ingenio fué rematado por muy menos de su valor que es de más de 20.000 pesos «por ser uno de los mejores de la rriuera» quedando así defraudados otros acreedores; La Plata, 1593.6 X (fs. 36-36 v).

5. Petición de Luis Capoche a esta Audiencia para que siendo esta la época de reparación de ingenios en Potosí, se nombre administrador que saque los indios y haga los reparos debidos en el ingenio materia de esta causa, a fin de que se encuentre en estado de moler en las próximas aguas; La Plata, 1593.7.X. Nombróse administrador a Pedro de Astudillo (f. 37).

6. Respuesta de Corro: Las disposiciones restrictivas del virrey Toledo obedecieron a que en su tiempo «solo auia en la uilla de Potossi ocho o dies yngenios y esos de maços de pie que todos ellos eran de tan poco efecto que no molian lo que agora muele un yngenio de agua mas agora que ay tantos yngenios y en tanta abundancia los beneficios de moles metales como es notorio y a vuestra alteza le consta cessa la razon en que se fundo la dicha ordenança». A Capoche le queda el ingenio de Tarapaya para pagar con los frutos a sus otros acreedores que por lo demás son fingidos; Potosí, 1593.8.X (fs. 38-38 v).

7. Capoche pide que, habiéndosele suscitado otros pleitos de acreedores en Potosí, teme que se le vendan sus minas y el otro ingenio y pide que se le señale por cárcel la villa de Potosí, el cerro, Tarapaya y Tabaconuño y no se le vendan sus bienes. La Audiencia provee nuevo auto, sometienda la causa a prueba con término de veinte días. Capoche solicita ampliación a los cincuenta días de ordenanza para Potosí y se le concede; La Plata, 1593.11.X-12.X (fs. 37-41).

(21) «Visita que hizo el capitán Alonso Vázquez Dávila Arze...» Bibliothèque Nationale (París). Ms. Esp. núm. 175, fs. 220-220 v. Otras referencias a los ingenios de Capoche a fs. 232 v-233, 246.

(22) «Traslado de los autos que el corregidor de Potosí hizo con los oficiales sobre el tanteo de cuentas y llaves que quitó de las cajas a Martín de Mardones, teniente de tesorero, y la información hecha por el licenciado Lupidana, por comisión de la Audiencia de La Plata, contra el corregidor de Potosí, don Alonso de Leyba.» Los Reyes, 9 de julio, 1586. Archivo de Indias, Charcas 35, núm. 70. La declaración de Capoche es del 27 de noviembre de 1585 y consta a fs. 182-197 v, y al final de su declaración indica que su edad es de 38 años.

(23) Los dos últimos documentos conocidos sobre Capoche fueron descubiertos y extratados por Gunnar Mendoza L.:

1613: Poder otorgado por el arzobispo de La Plata al padre Nicolás Durán, de la Compañía de Jesús, para la ejecución de la última voluntad de Luis Capoche, en lo que le toca. La Plata, mayo 6 de 1613. (ANB. Escrituras públicas, Gaspar Núñez, año 1613, f. 216 v).

Don Alonso de Peralta, arzobispo de La Plata, dice que habiendo muerto en la villa de Potosí Luis Capoche, vecino que fué de ella, en su testamento dejó por heredera a su alma, para que del remanente de sus bienes se distribuya en obras pías, lo cual, conforme a derecho,

Prefirió, al parecer, una vida tranquila, si la ausencia ,relativa de documentación fuera una prueba de ello; no desempeñó oficios comunales ni reales, pagó complidamente las gabelas que le correspondían (24), y participó muy poco en las querellas gubernativas y legalistas del tiempo (25). Una vez, atestiguó contra cierto codi-

corresponde al otorgante. No pudiendo ir personalmente a Potosí a procurar que se cobre dicha herencia y se distribuya, y porque al tiempo que el secretario Juan Bautista Rocafort, que fué tenedor de dichos bienes y dió cuenta de ellos ante la Audiencia de esta ciudad, donde se litigó la causa, se mandó que en lo tocante al legado de referencia, ocurriesen ante el arzobispo, éste otorga poder al padre Nicolás Durán, de la Compañía de Jesús y rector del colegio de esta ciudad, para que vaya a Potosí y tanto en ella como en La Plata y cualesquiera otras partes, haga todos los autos y diligencias que convenga, pida cuentas a los tenedores de los bienes, hasta que se aclare lo que queda para el ánima del difunto, y lo cobre.

1613: Donación hecha por el arzobispo de La Plata, en favor del Colegio de la Compañía de Jesús de dicha ciudad, de los bienes que Luis Capoche legó a su alma.—La Plata, junio 4 de 1613. (ANB. Escrituras públicas, Gaspar Núñez, año 1613, f. 245.)

Don Alonso de Peralta, arzobispo de La Plata, dice que por cuanto Luis Capoche, vecino que fué de la villa de Potosí, dejó por sus bienes un ingenio de agua para moler metales y unas minas en el cerro rico de dicha villa, y en su testamento instituyó por heredera a su ánima después de pagadas sus deudas; y habiéndose seguido pleito en la Audiencia de La Plata sobre los bienes de Capoche y sobre las cuentas que de su aprovechamiento dijo el secretario Juan Bautista de Rocafort que fué administrador del ingenio y las minas, se proveyó un auto para que el arzobispo, por el ecónomo del alma de Capoche, pidiese lo conveniente en dichas cuentas y dichos bienes; y como quiera que el prelado, por sus notorias ocupaciones en el gobierno del arzobispado, no puede llevar adelante este asunto, ni encomendándolo a personas que no tengan verdadero interés podrá obtenerse nada, ahora, para que el ánima de Capoche comience a gozar de algunos sufragios, hace donación del derecho que aquélla puede tener a estos bienes, al colegio de la Compañía de Jesús de esta ciudad, en el ingenio, minas y demás bienes que quedaron de Capoche, para que todo ello lo tenga dicho Colegio para ayuda en la obra de la iglesia que ahora comienza a hacerse y edificarse. La cual donación la hace en la persona del padre Nicolás Durán, que al presente es rector del Colegio, y en los demás padres y rectores que ahora son y serán, con cargo que los religiosos de dicho colegio encomienden a Dios el ánima de Capoche y hagan bien por ella. Y con esto declara haber cumplido con la distribución de esta obra pía, pues hace la donación para un efecto tan santo como es la obra de la iglesia del Colegio de que ha de resultar tanto provecho a los moradores de esta ciudad y provincia y la mayor gloria y honra de Dios y descargo del ánima de Capoche. Y así da poder al Colegio para que puedan tomar y continuar la posesión del ingenio y las minas y demás bienes dejados por Capoche, para aprovecharse de ellos o venderlos y aplicar los frutos a la obra de la iglesia.

En agosto 12 de este mismo año comparece el padre Nicolás Durán, rector de la Compañía de esta ciudad, y dice que teniendo noticia de esta donación, la acepta en nombre del Colegio y se obliga a todo lo que le corresponde, y que todos los religiosos del Colegio harán bien por el ánima de Luis Capoche.

(24) BNB. Acuerdos del cabildo de Potosí. Tomo I, f. 171 v. Capoche está empadronado, en 24 de julio de 1601, como uno de los «vecinos y moradores», con la obligación de pagar «diez pesos de alcabala».

(25) Vista la escasez de datos biográficos sobre Capoche, será útil registrar la información hasta aquí descubierta. Marie Helmer encontró en el Archivo Histórico de Potosí (Sección IV, Escrituras Públicas) los documentos siguientes:

1588: residente en Potosí, se obliga a moler 4.000 quintales de metal, cernirlos desde el primer día que comenzare a moler el ingenio, de forma que den 4.000 quintales de harina, por razón para cada quintal de 20 tomines. legajo 13, escribano Pedro Ochoa, f. 2.400.

1589: vecino se Potosí, se obliga a pagar a Alonso González de la Pana, residente en Potosí, 1.097 pesos de plata ensayada, por razón de 2.194 libras de hierro labrado en 28 almadanetas, legajo 3, f. 205.

1594: vecino de Potosí, se obliga a moler y cernir a Martín de Bertendona en su ingenio de agua en la Ribera 20.000 quintales de metal de plata a 4 tomines el quintal. Dará para la saca del metal 32 indios de cédulas (28 canas y «asychuquicotas», 4 arapas), hasta las aguas venideras de 1595. legajo 143, f. 1.551.

1603: Carta de pago otorgada por Jorge de Paz, como concesionario de Luis Capoche para cobrar de Gonzalo del Campo 1.720 pesos ensayados del arrendamiento que hizo de un ingenio de agua de diez mazos en la Ribera, por escritura otorgada ante Nicolás de Guevara, escribano público y de cabildo, su fecha 12 de agosto 1592. 13 de marzo 1603. legajo 35, f. 742.

El testamento de Capoche no se encuentra en este Archivo, según se infiere de la prolija búsqueda hecha por Mlle. Helmer en un profuso material, de 1603 en adelante, sin hallar nada.

Otra breve referencia a Capoche existe en la Sección L del «Apuntamiento de los indios que el Licenciado Esteban Marañón y don Pedro Zores de Ulloa y Diego Bravo señalan para las minas y para los ingenios y beneficios, y los que van reservados a su excelencia van a la

cioso corregidor que oprimía a los indios y era dado dado al juego (26). Muy parva información sobre la vida de Capoche ha salido a luz, y dependemos casi enteramente de la Relación para saber qué clase de hombre era y por que compiló su curioso y notable informe sobre Potosí.

¿Cuál la razón de la obra? No por escribir «curiosidades» ni por ninguna pretensión literaria, exclama enfáticamente (27). En la dedicatoria al virrey explica que su intención principal fué facilitar la comprensión de los asuntos del Cerro y sus dificultades. Considera que los problemas de Potosí eran los más complejos y laberínticos que el virrey tendría que afrontar y que no se podía contemplarlos bajo la luz adecuada, a menos que una persona con experiencia los presentase. La Relación está, pues, compuesta para información del conde del Villar, que a la sazón estaba haciendo la larga y árdua travesía de España al Perú. El anciano y achacoso virrey debió luchar durante su gobierno (1585-1589) contra los corsarios ingleses, ávidos de hacer presa en las ricas flotas españolas del Pacífico, y contra los infieles chiriguanos, las viruelas, los terremotos y la corrupción de eclesiásticos y de seglares, pero Potosí fué, sin duda, uno de sus señalados y constantes desvelos (28).

El virrey había sido advertido sobre las arremolinadas condiciones sociales y económicas de Potosí antes aún de salir de España y, consiguientemente, había comisionado a su leal amigo y deudo don Pedro de Córdova Mesía para que averiguase los pormenores de la materia, de suerte que al llegar al Perú él pudiese disponer de un informe de primera mano. Córdova Mesía fué a Potosí, conoció a Capoche, obtuvo, al parecer, el acceso de éste a los documentos oficiales, y no solamente lo estimuló a escribir la Relación, sino que le urgió a incluir un capítulo sobre las tasas de indios (29). Posteriormente, Córdova Mesía fué co-

---

postre». Potosí, Nov. 15, 1591. Archivo de Indias, Lima. 272. Aquí se indica que se le concedieron 30 indios para su ingenio de Tarapaya.

(26) Gunnar Mendoza sintetiza el carácter de Capoche en esta forma: «Se han revisado los libros del cabildo de Potosí de 1585 a 1610 y los papeles de la audiencia de Charcas (correspondencia con autoridades de Potosí, Lima y España; libros de acuerdos; expedientes) de 1570 a 1610, y, en vista del pequeñísimo fruto recogido parece lícito concluir en que Capoche fué un hombre modesto y pertinazmente retraído; en Potosí no fué miembro del cabildo, ni candidato a tal, ni funcionario de la administración minera (alcalde mayor de minas veedor del cerro, etc.), a pesar de sus grandes conocimientos en la materia. Una ausencia tan cerrada no parece casual: es que el hombre no gustaba de estas cosas: hurtaba deliberadamente su persona a ellas, cuidaba su independencia. El dato perfila mejor su silueta en el ambiente coetáneo.»

(27) «Relación», f. 77 v.

(28) ROBERTO LEVILLIER, ed.: *Gobernantes del Perú* (14 vols., Madrid, 1921-1926), provee mucha información sobre el conde del Villar, 1584-1591, en los volúmenes X-XI.

(29) «Relación», fs. 91 v, 95. Córdova y Mesía servía por entonces el oficio de Alguacil Mayor en la Audiencia de Lima. LEVILLIER, *Gobernantes del Perú*, X, 141. Gunnar Mendoza hace un agudo análisis de este punto en carta al autor, de Sucre, 4 de abril de 1957: Hay algunos hechos significativos: *a)* La Relación no solamente está dedicada sino dirigida al virrey, según se ha hecho notar, constituyendo un documento elaborado ex profeso para la oportunidad de la llegada del nuevo virrey; la dedicatoria y el texto rebosan de indicios al respecto: «para que ... tenga vuestra excelencia noticia de todo» (f. 77 v), etc. *b)* Por la misma Relación (y se confirma esto en la correspondencia citada del conde del Villar al rey) se deja entender que con motivo de dicha llegada, Potosí estaba enviando procuradores a gestionar varias cosas. *c)* En diversos apartes, la Relación anuncia su disconformidad con los planteamientos de esos procuradores, v. gr.: «es de considerar que la primera cosa que han de decir los procuradores a vuestra excelencia es que está esta villa perdida y sus vecinos pobres, y que si no les bajan el azogue y el jornal de los indios no se podrán sustentar. Y por esta relación verá vuestra excelencia cómo los quintos cada año han ido aumentando y que la caja se entera en los tributos como las demás del reino y que es grande el consumo de azogue y coca»; la Relación llega hasta ironizar al respector: «Cosas que [el lujo, la abundancia, los juegos, las limosnas, etc., en Potosí] que ponen admiración, y por otra parte ver cuán arruinado está el cerro y los metales sin ley, y todos con gran querella y miseria. La concordancia de estas cosas remito a los procuradores, que tienen obligación de dar razón de todo». *d)* El carácter ex profeso de la Relación se podría concretar, pues, hasta el punto de decir que no sólo pretendía informar al virrey, sino salir al paso a los procuradores

rregidor de Potosí, y por todas las referencias documentales disponibles fué un gobernante capaz y experimentado que por mucho tiempo gozó de la confianza de ministros muy principales del rey (29 ª).

Los vecinos de Potosí, por su parte, preparaban para el nuevo virrey un informe por intermedio de sus procuradores, y Capoche sabía que éstos iban a pintar un sombrío cuadro sobre el ruinoso estado de la minería, como argumento para obtener precios menores para el azogue y asignaciones mayores de indios. Lo cual induce a Capoche a comentar irónicamente que dichos procuradores tendrían que explicar la conexión entre su lamentable pintura de los pobres potosinos y los hechos verdaderos, ya que, según dice, las reales rentas «han ido en aumento de año en año, el consumo de coca y azogue es grande, se ostenta mucho lujo, hay gran abundancia de géneros, fiestas numerosas y liberales donaciones para la caridad y las iglesias» (30).

---

que Potosí enviaba a Lima con motivo de la llegada del nuevo virrey, para hacerles oposición en diversos puntos, más bien que para acompañarlos o respaldarles, dentro del juego de intereses que era rutinario en un centro como Potosí. e) Siguiendo por esta línea, sería importante esclarecer cuáles fueron las relaciones de Capoche con don Pedro de Córdova y Mesía, citado en la Relación en dos partes con un tono obsecuente de protegido o valido: «El muy ilustrísimo señor don Pedro de Córdova Mesía» (f. 91 v, 95). f) Capoche llega a decir, en el capítulo de las tasas, que acometió el trabajo de escribir sobre Potosí porque se lo pidió o mandó Córdova y Mesía, quien—detalle importante—había venido ya a Potosí con el fin deliberado de recoger impresiones para transmitirlas al nuevo virrey: «Conozco que era menester otro ingenio que el mío para tratarlo, y si a esto hubiera de tener consideración mil causas había para dejarlo hacer por mi rudeza. Y excúsame *el haberme hecho mercea que tuviera este cuidado* el muy ilustre señor don Pedro de Córdova Mesía *cuando vino a esta villa para poder dar razón a vuestra excelencia por vista de ojos* del estado de sus cosas», etc. Ahora bien: Córdoba Mesía era pariente y mantenía estrecha relación «desde que nació» con el conde del Villar, quien, apenas llegado a Lima, lo designó por visitador de Potosí (Levillier, PGP, X, 99). En diversos apartes de la Relación se habla de «la visita» como de algo pre-sabido y consabido (f. 91). Todo esto va pintando un cuadro de parentescos, influencias, amistades, etc., muy potosino y muy colonial, que debe ser tenido en cuenta en conexión con el manuscrito de Capoche y los propósito a que tendía. g) El acceso que Capoche tuvo patentemente a fuentes de documentación oficial, denuncia que no sólo pudo ser «favorablemente visto» por las autoridades, sino que hubo interés influyente y decidido por hacer que la obra se escribiese y que consignase esos documento sobre asuntos económicos, tan controvertidos, delicados y actuales como el rescate, sobre el cual los procuradores iban a insistir ante el nuevo virrey. h) La Relación se despachó con premura al alcance del conde del Villar, por intermedio, sin duda, de Córdova Mesía. En vista de todo esto, puede hacerse una composición preliminar: Designado virrey el conde del Villar comenzó a bullir en Lima el conocido juego de intereses en torno al nuevo virrey, y Córdova Mesía, que representaba algunos de esos intereses, logró recabar una temprana comisión para ir a Potosí a ver las cosas por sus propios ojos y comunicárselas al virrey próximo a llegar. Dada una previa relación entre Córdova Mesía y Capoche, y dado también el indudable conocimiento de la minería potosina que Capoche tenía, quedó acordado que éste escribiese un informe con destino al nuevo virrey—informe en el cual intervinieron además otras personas—para ilustrar el conocimiento y ganar la voluntad del conde en determinada dirección. Todo ello, por otra parte, sin quitar la genuina calidad de historiógrafo que, en alto grado, poseía Capoche.

(29 a) Gunnar Mendoza dice lo siguiente a este propósito, en carta de Sucre, 8 de julio de 1957, al autor: «El privado del conde del Villar y el corregidor de Potosí son, indudablemente, la misma persona, pues aquél, según consta en la correspondencia del conde (LEVILLIER, *Papeies de los gobernantes del Perú*, X), era alguacil mayor de la audiencia de Lima por 1586 y siguientes, y éste, según consta en su título de corregidor de Potosí, lo era también en 1600. Este título, expedido por el virrey don Luis de Velasco en el Callao, 1600.19.V, menciona a Córdova Mesía como «persona que tiene entendidas con mucha espiriencia las cosas del cerro e minas de aquel asiento e provincia» (Libros del cabildo de Potosí, IX, f. 113). Dados los antecedentes de conocimiento y amistad con Capoche, es de creer que éste oficiaría como consejero privado durante la breve administración de Córdova Mesía, la cual duró desde 1600.18.X hasta 1602.28.XI (*Ibid.*, t. IX, f. 113, y t. X, f. 100). N: aun entonces el nombre de Capoche aparece asociado a ningún destino ni comisión oficiales».

(30) «Relación», f. 94. Los potosinos no vacilaron un instante en dar a conocer a la Corona sus necesidades. Su primera victoria importante, alcanzada el 21 de enero de 1561, les valió el quedar exentos de la jurisdicción de la ciudad de La Plata, Archivo de Indias, Patronato 188, ramo 27, núm. 1. Aunque la Audiencia de La Plata se agravió amargamente durante varios años, aunque Potosí dilató mucho el pago de los 79.000 pesos estipulados por

La Relación puede ser clasificada, pues, dentro de la profusa literatura de las «Pretensiones de Potosí», enderezada a influir en las determinaciones y a lograr los favores de una Corona reacia, pero necesitada. No se la debe confundir, empero, con un simple alegato de abogado. Capoche no siente menos que otros españoles la aguda comezón de dar una «verdadera relación» de la historia y los asuntos del Nuevo Mundo, tal como ellos los veían. La conservación y el bienestar económico de todo el reino del Perú depende del Cerro, exclama con exuberante elocuencia potosina (31); consecuentemente emprende la descripción de los negocios de Potosí para esclarecer su situación en 1585 y persuadir las medidas a tomarse, a fin de asegurar un brillante futuro para Potosí y, por consecuencia, para todo el reino.

Modestamente se confiesa inadecuado para contar la historia del «mayor depósito de riqueza que el mundo ha conocido nunca». Sin embargo, Capoche está lejos de ser un cualquiera: la Relación sólo pudo ser compuesta por alguien muy bien avisado y muy conocedor del asunto. Alguna ayuda debió de recibir del fraile mercedario Nicolás Venegas de los Ríos (32), autor de la copia del manuscrito utilizado para esta edición, y ciertos pasajes quizá no sean muy claros para el lector moderno; pero aún así, la Relación es un documento impresionante. En conjunto, Capoche tiene un estilo directo y expresivo, con ocasionales arranques de elocuencia. Escribe sucintamente. El tono de la Relación es más bien sobrio que espectacular, lo cual comunica ponderación a sus observaciones. No se abandona ni a la chismografía ni a las anécdotas empapadas de crimen, corrupción, pasión y milagros tan liberalmente esparcidas en la voluminosa crónica de Bartolomé Arsans de Orsúa y Vela y en otras muchas historias de la Villa Imperial (33).

Las primeras páginas contienen una breve descripción de la gran montaña «en forma de pan de azúcar», del clima crudo y de los alrededores yermos de Poto-

---

esta exención, y aunque ciertos pobladores de Potosí se opusieron a este paso (Archivo Nacional, Bolivia. Escrituras Públicas, Lázaro de Aguila, 1559, f. 1361 v.), La Plata nunca recobró su jurisdiccón sobre Potosí. Los potosinos, empero, no se hartaron y año tras año clamaron por más privilegios. Ejemplos del perdurable caudal de peticiones remitidas por el cabildo son las cartas fechadas el 12 de mayo de 1562 y el 7 de mayo de 1563; el 5 de septiembre de 1565 fué presentada una petición en 95 fs. En 1567 Alonso de Herrera presentó otra en 30 capítulos como procurador de la villa, solicitando «privilegios para la Villa Imperial». La Corona, empero, supo manejar muy diestramente el arte de la tardanza deliberada, y despachaba las peticiones muy lentamente. Un largo memorial de 1583 insistía en que el rey revisase los numerosos asuntos pendientes sobre Potosí, «todos ellos referentes al cumplimiento de capitulaciones y privilegios de la Villa Imperial». Estos documentos del cabildo de Potosí están en el Archivo de Indias, Charcas, 32. En 1585, muy pocos meses antes de que Capoche completase su «Relación», los potosinos solicitaron tantos favores que se desató una ventolera de cédulas reales en fecha 1 de marzo, por las cuales se instruyó al virrey de Lima y a la Audiencia de La Plata examinar los asuntos e informar al rey. Archivo de Indias, Charcas 415, libro I, fs. 133-135 v. Información general sobre procuradores o agentes del Perú se encontrará en Juan Bromley Seminario, «El procurador de Lima en España (1533-1620), *Revista Histórica*, XXI (Lima, 1954), págs. 76-101.

(31) «Relación», f. 3 v.

(32) Este fraile no parece haber representado papel importante en su orden. Por lo menos no se le menciona en el estudio de José Castro Seoane, «La Merced en el Perú, 1534-1584». *Missionalia Hispanica*, año III (Madrid, 1946), págs. 243-320. Hay, en cambio, la referencia de q⌣ participó en un proceso judicial el 23 de enero de 1589 en Arequipa, como vicario del monasterio de Nuestra Señora de la Merced. Víctor M. Barriga, *Los mercedarios en el Perú en el siglo XVI* (4 vols., Roma-Arequipa, 1933-1942), III, págs. 232-233.

(33) La en cierto modo fantástica y no enteramente idónea *Historia de la Villa Imperial de Potosí, riquezas incomparables de su famoso cerro, grandezas de su población, sus guerras civiles y casos memorables* cubre el período 1545-1736 y consiste de dos grandes volúmenes manuscritos e inéditos, a excepción de una pequeña parte que fué publicada en Buenos Aires en 1945 por la Fundación Universitaria Simón I. Patiño, con un prefacio de Gustavo Adolfo Otero. La mejor información sobre esta obra y su autor corresponde a José de Mesa y Teresa Gisbert, «Arsans de Orzúa y Vela. El historiador potosino del siglo XVIII». *Khana. Revista Municipal de Arte y Letras*, año III, vol. IV, núms. 13-14 (La Paz, diciembre 1955), págs. 146-155.

sí (34). Capoche da cifras exactas, que revelan ideas y hábitos de ingeniero: el Cerro mide 8.652 varas de circunferencia. Dista 430 leguas de Buenos Aires «por buen camino». Hubo tiempo en que 6.497 guairas a la vez ardían en la noche sobre las laderas del Cerro, causando una alegre y regalada vista. Hacia 1574, cuando el azogue se empleó por vez primera, se habían producido 76.000.000 de pesos de plata, y desde entonces hasta el día de San Juan de 1585, otros 34.715.215 (35). Recalca que la cifra, en números redondos, correspondiente al primer período se debe a que todos eran tan ricos entonces que nadie se molestaba en llevar cuentas detalladas. Su relato de la desastrada forma en que el londinense Enrique Sande (Henry Sandys?) perdió la vida, comunica al lector el sentido heroico de los mineros y sus operarios indígenas, así como el perpetuo recelo por los accidentes que pendían sobre quienes se internaban en los temibles abismos (36). La minuciosidad y exactitud descriptiva de Capoche recuerda el juicio de Ramón Carande, cuando dice que los españoles en las Indias fueron excelentes observadores, y que sus escritos tienen una suma de información comparable a las otras riquezas de allí extraídas (37).

Aunque la Relación contiene una gran masa de datos económicos y estadísticos, Capoche se las compone para conservar un tono familiar en su relato. Nunca en vanidosa pose de «historiador oficial», elogia los buenos vinos de Castilla que llegaban a Potosí «muy purificados», después de la prolongada travesía marítima, así como «la buena fruta» traída desde los vecinos valles de Chuquisaca. Sabe dónde está una fuente termal «donde se puede nadar gustosamente»—citando a «los filósofos» para explicar este fenómeno—y otras cuyas aguas medicinales alivian a los enfermos (38). Menciona de paso, al inscribir escrupulosamente todos los socavones del Cerro, que Cristóbal López, dueño de uno de ellos, es el hombre más viejo de toda la provincia, y que a la edad de ciento veinte años «está todavía tan bien conservado, que lee sin anteojos y a las veces sube hasta la cumbre del Cerro». Incidentalmente, ésta es la única referencia a la lectura que se encuentra en la Relación; presumiblemente los potosinos tenían poco tiempo o poco gusto por los insípidos placeres de la biblioteca (39).

---

(34) «Relación», fs. 1-2.

(35) *Ibid.*, f. 94 v. Capoche ofrece el siguiente estado demostrativo (f. 92) del alza de la producción de plata de Potosí, de acuerdo con los quintos reales: 1570 (177.275 pesos), 1571 (167.864 pesos), 1572 (129.532 pesos), 1573 (105.926 pesos), 1574 (193.786 pesos), 1575 (256.732 pesos), 1576 (336.144 pesos), 1577 (475.483 pesos) 1578 (530.021 pesos), 1579 (688.164 pesos), 1580 (749.516 pesos), 1581 (802.923 pesos), 1582 (860.729 pesos), 1583 (768.599 pesos), 1584 (764.143 pesos).
Estas cifras son considerablemente más bajas que las registradas en el *Mercurio Peruano*, VII (1793), págs. 50-51, y en otras fuentes, y se aproximan mucho a las dadas por GASPAR DE ESCALONA, *Gazophilacium regium perubicum...* (Madrid, 1775), págs. 161-162, en la forma siguiente: 1570 (201.255 pesos), 1571 (164.607 pesos), 1572 (133.885 pesos), 1573 (145.265 pesos) 1574 (194.027 pesos), 1575 (255.683 pesos), 1576 (336.766 pesos), 1577 (442.798 pesos), 1578 (510.457 pesos), 1579 (674.643 pesos), 1580 (735.426 pesos), 1581 (789.563 pesos), 1582 (842.732 pesos), 1583 (755.279 pesos), 1584 (751.649 pesos). Como presumiblemente Capoche tuvo acceso a los documentos oficiales, sus cifras tienen un valor especial. Una revisión y puesta al día cuidadosas sobre la compleja y controvertida historia de la producción potosina corresponde a MANUEL MOREYRA Y PAZ-SOLDÁN, *En torno a dos valiosos documentos sobre Potosí* (Lima, 1953), págs. 3-19.

(36) «Relación, fs, 25-25 v.

(37) RAMÓN CARANDE: *Carlos V y sus banqueros* (2 vols., Madrid, 1943-1949), I, 283.

(38) «Relación», fs. 2, 37.

(39) *Ibid.*, f. 25. El nombre de Sancho de Salazar, «maestro de enseñar moços en la dicha villa de Potosí», aparece en un documento notarial fechado en 11 de marzo de 1569, Archivo Nacional (Bolivia). Escrituras Públicas, Bravo, 1569, f. 124. Cuanto más se estudien las fuentes, tanto mayor será la suma de datos accesibles sobre el desenvolvimiento cultural de Potosí. Hubo allí libros y escritores, por cierto, pero hace falta mayor investigación al respeto. Los eclesiásticos, como es sabido, traían libros consigo, y una real cédula de marzo 18 de 1581 en favor de Francisco Vázquez existe sobre Potosí, Archivo de Indias, Charcas 415, lib. I, así como otra de 11 de octubre de 1583 en favor de otro sacerdote, Luis Mejía, *ibid.*, Charcas 415, lib. I, f. 108.

Capoche tiene un juicio independiente e impugna la explotación del azogue
en Huancavelica a cargo de los oficiales reales; tiene más fe en la iniciativa
privada. Su mente es equilibrada y no se avanza a hacer afirmaciones aventura-
das; rehusa, por ejemplo, decir si los rumores sobre grandes descubrimientos de
minas cerca a los Lipes son verdaderos: «no afirmo ni doy mayor relación de
esto, porque no lo he visto» (40). Tampoco hace explicaciones inapelables de los
acontecimientos.

El manuscrito está dividido en dos partes, y cada una de ellas, en varios capítulos. Aunque la atención principal se proyecta sobre Potosí, también hay noticias sobre las minas vecinas de Porco, los Lipes, Berenguela y Challacollo, en
el distrito de Charcas. Capoche debió de tener acceso a relaciones y otros documentos oficiales de los archivos de Potosí, como lo da a entender la exacta información que da sobre vetas, ingenios, socavones, túneles y catas, que sólo pudo
obtenerse en tales fuentes. Conoce cual es la mina más peligrosa, qué minas han
dado en agua, cuales son pobres, cuales son vírgenes y cuales dan más plata.
Cuando se trata de pertenencias colectivas, indica lo que corresponde a cada so-
cio, y así provee materia prima para el estudio sobre la institución de la compañía en Hispanoamérica (41).

La Relación no es una historia formal trazada sobre estrictas líneas cronoló-
gicas ni organizada elaboradamente. En sus páginas, sin embargo, se encuentra
mucha información de interés historiográfico. Capoche trató con personas que
estuvieron presentes en el descubrimiento de Potosí, o poco después, y aprovechó
diligentemente documentos, que debieron de ser confidenciales, sobre propiedad
y producción mineras. Su experiencia personal lo habilita para dar valiosas oja-
das en la vida de este próspero asiento minero (42). Las casas son pequeñas y
mezquinas, hechas de cualquier manera, con materiales pobres y caros y edificadas sin consideración alguna al bien general ni al crecimiento futuro de la villa
No hay un reloj público, aunque los potosinos son suficientemente pródigos para
gastar grandes sumas en galas femeninas. Hay una nota de inconsciente orgullo
en un comentario de Capoche sobre aquella sociedad costosamente ataviada: «Tal
es el lujo de los vestidos femeninos, que pueden competir con los de España misma» (43). En medio a esta riqueza, Potosí no podía, empero, jactarse de tener
un hotel o siquiera una posada donde los extranjeros, atraídos por su fama, pudiesen parar. La tradicional hospitalidad española debió entrar en juego enton
ces, abriendo las casas particulares a amigos y compatriotas, como permanentes
alojamientos donde los huéspedes eran tratados con «gran liberalidad» (44).

Los mercados de Potosí fueron los más animados de todo el Perú, y la Relación tiene mucho que decir a este propósito. Capoche da con gran detalle cantidades, calidades y precios de mercaderías, víveres y bebidas que los potosinos
despachaban febrilmente (45). Las ganancias eran tan suculentas que hasta los
caballeros se dignaban oficiar de mercaderes; 1.200.000 pesos ensayados se gastaban en un año sólo en ropa de Castilla (46). Otro millón de pesos costaba la

(40) «Relación», f. 48.
(41) Un primer paso representa el trabajo de ANDRÉ SAYOUS, «Partnership in the Trade
between Spain and America and also in the Spanish Colonies in the Sixteenth Century»,
Journal of Economic and Business History, I (1929), 282-301. Otro estudioso francés, MARCEL
BATAILLON, ha demostrado recientemente que aún las compañías más famosas de la Conquista
peruana deben ser re-estudiadas, *Le lien religieux des conquérants du Pérou* (Londres, 1956).
(42) «Relación», fs. 2, 13 v., 74 v.
(43) *Ibid.*, fs. 2, 94.
(44) *Ibid.*, f. 31 v.
(45) *Ibid.*, fs. 2, 31.
(46) *Ibid.*, fs. 91-94 v. Una profusa documentación sobre la historia comercial de Potosí
hay en los archivos; por ejemplo, listas minuciosas de mercaderías con los precios en que
se vendían. Enumeramos algunas muestras de este tipo de material: «Carta de obligación:
Juan de la Torre, mercader morador en Potosí, en favor de Diego Muñoz Pérez, mercader,

coca que los indios consumían mientras trabajaban; «vicio supersticioso» llama a esto Capoche, y urge que sea remediado. Relata los primeros esfuerzos del virrey Toledo para acabar con este inhumano comercio, cuando sus averiguaciones mostraron que muchos indios que cosechaban la coca en los cálidos valles de los Andes orientales contraían «una enfermedad incurable». Además, el expendio de la coca en Potosí hacía malgastar a los indios el dinero que debían emplear en comida. Los mercaderes del Cuzco, fuertemente interesados en este tráfico, se agraviaron y alegaron ante el virrey que cuatrocientos españoles sólo en el Cuzco vivían del comercio de la coca; que su transporte a Potosí era otro negocio considerable de suyo, que aún las rentas eclesiásticas se beneficiaban de la coca, y que «no habría más Potosí de cuanto durase la coca». Los esfuerzos de Toledo para refrenar el tráfico mediante sus famosas ordenanzas, se malograron, y los indios siguieron consumiendo la enervante hierba mientras se afanaban en los hondos huecos de las minas (47). Todavía en el siglo xx lo hacen.

La Relación no proyecta mucha luz sobre los tipos humanos, espléndidamente abigarrados, de Potosí. Debemos recurrir a otras fuentes para apreciarlos: conquistadores—incluso uno que gozaba de la doble fama de ser pariente de Ignacio de Loyola y de ser el consorte de una princesa incaica—nobles, músicos, boticarios, pasteleros, frailes, un pregonero negro montado en un caballo de pura raza, mercaderes, sastres, carpinteros, herreros, beneficiadores, vagabundos, marineros, extranjeros de tierras diversas, sin que falte un turco disfrazado de español (48). Algunos indios eran tan sugestivos e independientes como los españoles. Don Juan Colqueguarache, capitán principal de los indios quillacas, quiso legitimar a sus cinco hijos naturales, y con característico espíritu potosino, quiso también que tres de ellos se educasen en España, de suerte, según informaba el oidor Juan de Matienzo al rey, que conociesen la Corte y fuesen presentados a Su Majestad. Matienzo recomendó el despacho favorable de esta petición, pues sin el ejemplo y el estímulo de don Juan, «los indios no trabajarían en las minas» (49).

Los mineros mantenían costosas queridas, y los tahures pululaban; los potosinos se entregaban a vistosos torneos, procesiones y otros entretenimientos de

---

por 11.855 pesos corrientes por una cargazón de mercaderías.» Potosí, junio 16, 1559 (Archivo Nacional, Bolivia, Escrituras Públicas, Lázaro del Aguila, 1559, f. 537); «Carta de venta: Diego Rodríguez, mercader morador en Potosí, a Pedro Barroso, mercader y morador asimismo, ciertas mercaderías.» Potosí, junio 17, 1559 (*ibid.*, f. 529 v.); «Obligación de mercaderías» da un largo detalle de géneros sin precios, como parte de una obligación firmada por el mercader Francisco Pérez y su acreedor el capitán Juan Ortiz de Zárate el 14 de septiembre de 1559 (*ibid.*, f. 931 v.).

(47) Las «Ordenanzas hechas para el beneficio de la coca que se cría y coge en las provincias del Perú, y buen tratamiento de los indios que entienden en ella», están fechadas en Madrid, el 11 de junio de 1573. Diego de Encinas, *Cedulario indiano*, Alfonso García Gallo, ed. (4 vols., Madrid, 1945), IV, págs. 320-321. Un compendioso e informativo resumen del desarrollo del tráfico de la coca y los intentos de suprimirlo desde los tiempos del imperio incaico hasta las encuestas recientes de las Naciones Unidas se hallará en Harold Osborne, *Indians of the Andes: Aymaras and Quechuas* (London, 1952), págs. 237-251. No han terminado aún los debates vehementes sobre el efecto de la coca, como se ve por el estudio de C. A. Ricketts, «La masticación de las hojas de coca en el Perú», *América indígena*, XIV (México, 1954), págs. 113-126. Ricketts apoya el informe de las Naciones Unidas contra la coca (1953) e impugna la opinión de Carlos Monge en el sentido de que no se ha investigado aún lo suficiente como para sancionar sus efectos nocivos. Una bibliografía escogida, con 17 ítems recientes, se acompaña en apéndice.

(48) Los archivos de Bolivia y España contienen un gran material sobre la composición social y racial de Potosí. El manuscrito de Orsúa y Vela citado, *supra*, nota 33, es una fuente profusa de información. El supuesto episodio del turco disfrazado se encuentra en los primeros capítulos, impresos con el título de *Historia de la Villa Imperial de Potosí* (Buenos Aires, 1945), págs. 360-368. Allí se refiere cómo el capitán Georgi Zapata llegó a Potosí en 1561, se enriqueció enormemente en una compañía con cierto alemán llamado Gaspar Boti, y, por último, se fué a Europa. Posteriormente, en una especie de aventura miliunanochesca, vuelve a Constantinopla, donde había nacido, y recobra su verdadero nombre, Emir Sigala.

(49) Matienzo al rey, 23 de diciembre de 1578. Levillier, *Audiencia de Charcas*, I, 480.

sabor medieval; las corridas de toros eran populares; escándalos y muertes sucedían a diario (50). Poco del color local de la vida de Potosí se encuentra en la Relación, ni el relato de las sangrientas batallas que desde los primeros años enardecieron a las diferentes naciones o provincias españolas y que tanto mancharon la historia de Potosí (51), ni tampoco la descripción del gobierno de la villa, en el cual, el Cabildo, compuesto de poderosos y a veces arrogantes mineros, desempeñó papel tan prominente (52).

La Relación será particularmente provechosa para el estudioso actual de algunos aspectos fundamentales de Potosí en su período formativo, 1545-1585: desarrollo técnico, vida y trabajo indígena, crecimiento del espíritu adquisitivo en aquella importante época de la expansión capitalista en Europa, el siglo XVI. La contribución de Capoche al conocimiento de cada uno de estos puntos debe ser delineada.

II

La historia de la ciencia y de los cambios tecnológicos cuenta con útiles datos en la Relación. Capoche no tiene en mucho las técnicas indígenas, pero provee una detallada descripción de la forma antigua de trabajar las minas y de beneficiar los minerales en las guairas, hornillos de fundición que, erigidos en las laderas y las cubres de las montañas, ardían brillantemente a merced de los cortantes vientos andinos (53).

---

(50) *Ibid.*, pág. 478. El oidor Matienzo había hecho notar en su carta de 4 de enero de 1579: «como cada día acude mucha gente a Potosí por la gran contratación de minas e yngenios e mercaderías de España... nunca faltan novedades, desvergüenzas y atrevimientos»... *ibid.*, págs. 486-488.

(51) Oviedo, citado por Américo Castro, refiere cómo los andaluces, gallegos y otros españoles comenzaron a pelear entre sí tan pronto como llegaron a América, *The Structure of Spanish History* (Princeton, 1954), págs. 50-51. GUNNAR MENDOZA ha recopilado mucha información sobre material atañedero y accesible en su *Guerra civil entre vascongados y otras naciones de Potosí. Documentos del Archivo Nacional de Bolivia (1622-1641)* (Potosí, 1954). ALBERTO CRESPO R. tiene un bien escrito relato basado sobre documentos del Archivo de Indias en *La guerra entre vicuñas y vascongados. Potosí, 1622-1625* (Lima, 1956).

(52) Los libros originales del cabildo de Potosí, correspondientes precisamente a los años comprendidos en la «Relación», se han perdido, al parecer, pero últimamente el señor Antonio Monzón, librero de Buenos Aires, adquirió un extracto manuscrito de los libros del cabildo desde el 21 de junio de 1563 hasta el 31 de agosto de 1573. Este extracto pudiera haber sido hecho hacia 1790 por Pedro Vicente Cañete, funcionario real e historiador de Potosí. El señor Monzón permitió amablemente al autor tomar una micropelícula de esta valiosa pieza relativa a los primeros años de Potosí, que complementa a la «Relación». El manuscrito cuenta 285 folios y está intitulado «Extracto de los libros del illustrísimo cabildo de esta imperial fidelíssima Villa de Potosí, según el ordenamiento de las materias en que tratan, con noticias de los alcaldes mayores que tuvo en los primitivos tiempos de su descubrimiento y los que después se intitularon corregidores y gobernadores hasta la erección de intendencias, poniéndose razón de los pactos o convención hecha con el Excmo. Conde de Nieva y comisarios para exceptuarla en la jurisdicción del cabildo de la ciudad de La Plata, con el fin de dar al público cuanta inteligencia en estos principios».

(53) «Relación», fs. 28-31. Las contribuciones indígenas eran más importantes de lo que Capoche creía. Véase PAUL RIVET y H. ARSANDOUX, *La métallurgie en Amérique precolombienne* (París, 1946); SAMUEL K. LOTHROP, «Gold and silver from southern Peru and Bolivia», *Journal of the Royal Anthropological Institute of Great Britain and Ireland*, LVII (1937), págs. 305-325, y C. W. MEAD, «Prehistoric Mining in Western South America», *Natural History*, XXI (Nueva York, 1921), págs. 453-456. Según Mead, los indios practicaban la minería, si bien no llegaron a hacer excavaciones muy profundas. En conjunto, los instrumentos indígenas eran inferiores y fueron desechados de inmediato, producido el contacto con los españoles. La guaira, u horno de fundición de piedra, demostró ser decididamente mejor que el sistema de fuelles, como que los españoles adoptaron el sistema indio. BARTOLOMÉ DE LAS CASAS describe y alaba las invenciones indianas de minería, *Apologética historia de las Indias* (Madrid, 1909), págs. 169-170.

Las vetas se mostraron tan ricas en los primeros años, que los españoles creyeron que eran inagotables; según una leyenda india revelada más tarde, un mítico genio hermafrodita, llamado Coquena, reunió toda la plata de los Andes en Potosí (54). La guaira fué todo lo que necesitaron los primeros mineros para sacar prodigiosas cantidades de plata del rico mineral; los españoles se mostraron liberales con los indios en sus estipulaciones de trabajo, y todos sacaron provecho. Luego las minas se fueron ahondando, el mineral se empobreció y los antiguos métodos de beneficio ya no bastaron. La producción de plata decayó grandemente, y esto afectó a toda la economía del Perú; los indios volvieron a su antigua sistema del trueque, y todos los que tenían que ver con Potosí se desalentaron.

Don Francisco de Toledo reformó esta lamentable situación, y Capoche declara que el renacimiento de Potosí fué determinado en mucho por las disposiciones del enérgico virrey (55). Antes aún de llegar a la villa, en el curso de su metódica visita general del reino, Toledo dispuso en el Cuzco que se hiciesen ensayos para el beneficio de la plata por el mercurio con minerales traídos expresamente desde el Cerro para ese efecto. Ya en Potosí, en diciembre de 1572, atacó vigorosamente los diversos problemas de las minas. Instruyó que el azogue de Huancavelica no se llevase a México, sino que se resarvase para Potosí; repartió más indios de mita para el trabajo—contra la tenaz oposición de los encomenderos, que los querían para el trabajo de sus tierras—y estimuló la edificación de un sistema de lagunas donde juntar el agua necesaria para mover los muchos ingenios edificados para el beneficio de la plata. Los carpinteros, herreros y alarifes fijaban sus propios salarios; el precio del hierro y otros materiales de construcción subió velozmente. La madera era traída a alto costo hasta el yermo Potosí desde lejanas tierras, y algunos ejes de ingenio eran tan largos que se necesitaban sesenta indios para moverlos. Desde cien leguas a la redonda casi toda la producción de las regiones vecinas iba hacia Potosí, que actuaba como un imán inmenso, y una larga lista de artículos de lujo venía desde México, Europa y aún Asia. Retornó el auge. La plata manó en tanta abundancia, que la fama del puerto de Potosí, fundado sobre las estériles dunas de Arica, en la costa del Pacífico, hizo que Francis Drake y otros intrusos extranjeros trataran de localizarlo con «certidumbre y precisión» (56).

Toledo levantó un censo que, según se dice, arrojó la increíble suma de 120.000 españoles e indios, pero el documento correspondiente no ha sido encontrado en ningún archivo (57). Entró en las minas a apreciar el trabajo por sus

(54) Eric Bowman: *Antiquités de la région andine de la république argentine et du désert d'Atacama* (2 vols., París, 1908), II, pág. 502.

(55) Muchas referencias a la obra de Toledo en Potosí se encuentran en la «Relación», y, en general, en todos los documentos coetáneos. Roberto Levillier ha recopilado mucha de esta documentación en el volumen II de su *Audiencia de Charcas* y en su *Don Francisco de Toledo, supremo organizador del Perú. Su vida, su obra (1615-1582)* (4 vols., Madrid, 1935). Arthur F. Zimmerman ofrece algunos datos sobre Toledo en Potosí en *Francisco de Toledo, Fifth Viceroy of Peru* (Caldwell, Idaho, 1938). Existe mucho material complementario disperso, tanto manuscrito como publicado, accesible. La Biblioteca Nacional del Perú adquirió hace pocos años un «Códice Toledo» ms. que contiene una espléndida colección de las ordenanzas de Toledo, muchas de ellas relativas a Potosí.

(56) Vicente Dagnino y Olivera: *El corregimiento de Arica, 1534-1784* (Arica, 1909), págs. 14, 18-19, 115-150.

(57) Orsúa y Vela: *Historia*, lib. V, cap. IV, da la cifra de 120.000 habitantes; pero las estadísticas demográficas de Potosí son tan contradictorias como los estados de producción. Pedro Ramírez de Quiñones, presidente de la Audiencia de La Plata, informaba al rey en carta de 14 de diciembre de 1561, que en Potosí se contaban «150 casas de españoles», Levillier, *Audiencia de Charcas*, I, pág. 43. Un cálculo hecho hacia 1571, atribuye a Potosí 800 españoles, Jiménez de la Espada, *Relaciones geográficas*, I, 6. En 1581, la Audiencia de Charcas informaba que 40.000 indios residían en Potosí, Levillier, *Audiencia de Charcas*, II, pág. 5. Un informe manuscrito de Luis de Morales Figueroa, fechado en Lima el 17 de mayo de 1589 y dirigido al conde del Villar, da 3.000 españoles para Potosí y otros

propios ojos, hizo erigir en la cumbre misma del Cerro una cruz de la que, con verdadera elocuencia potosina, dice que descansa sobre «el pedestal más rico del mundo»; inició un programa de edificaciones de viviendas; para que sus reformas tuviesen permanencia, dictó numerosas ordenanzas enderezadas a la protección de los indios, la explotación eficaz del mineral y, en suma, para todas las actividades de Potosí. Tanta prosperidad hubo por efecto de estas mejoras, en particular por la introducción del azogue, que por muchos años se oyó a los mineros y la Corona misma hablar de «los buenos tiempos» del virrey Toledo. Su influencia sobre Potosí, aún no del todo estudiada, perduró vitalmente durante varias generaciones. Al morir en 1582 recordó a los indios de Potosí en su testamento con un legado de 500 ducados para el mantenimiento de su hospital (58).

· A pesar de estos adelantos, importantes problemas técnicos permanecían en pie mientras las minas y socavones se adentraban en el Cerro. Algunas minas daban en agua y había que desaguarlas para proseguir el trabajo. En el período 1583-1585 no hubo agua bastante para mover los ingenios. Las vetas más ricas se agotaban rápidamente y había que hacer constantes exploraciones, así como aumentar el rendimiento de plata mejorando los métodos de beneficio. Muchos inventores corrieron a Potosí llevando ideas nuevas. Pocos, empero, fueron estimulados o recibieron permiso para probar sus máquinas y procedimientos, aunque algunas innovaciones se llevaron a la práctica, no sin resistencia. La desidia de los mineros y su renuncia a hacer o a permitir experiencias provoca el enojo de Capoche, que revela un espíritu avizor, alerta siempre a procedimientos nuevos que facilitasen e incrementasen la producción (59). Otro obstáculo para el progreso técnico fué la decisión posterior del conde del Villar para mantener el alto consumo de azogue, en vez de alentar el sistema de Carlos Corzo de Leca, que requería mucho menos azogue (59 ª).

Capoche encarece el mantenimiento y la extensión de los socavones, que se dirigían horizontalmente en el cuerpo del Cerro a cortar las vetas, las cuales, como se sabe, tenían una declinación casi vertical. En el estado actual de los trabajos del Cerro, los socavones representaban la solución más eficaz para facilitar la saca del metal a la superficie, así como para desaguar las minas inundadas, de suerte que la falta de ayuda a sus dueños perjudicaría en general a Potosí. Parece claro que uno de los particulares propósitos de la Relación fué la defensa de los socavones. Capoche da una lista completa, con información minuciosa sobre su condición presente, la distancia alcanzada en el interior del Cerro, el número de indios necesario para proseguirlos y limpiarlos, el número actual de los asignados, etc. Capoche muestra tanto conocimiento de las características peculiares de cada uno de los socavones y las minas en la colmena del Cerro, como Bernal Díaz del Castillo sobre los caballos que Cortés trajo a México (60).

Otros capítulos de la Relación detallan el proceso de la amalgama y las operaciones de los ingenios en el beneficio del mineral (61). No corresponde discutir estas materias aquí, pero no dejaremos de anotar que la Relación será muy útil a quienquiera se proponga compilar un vocabulario de tecnicismos mineros potosinos. Los mineralogistas de Potosí, que eran los mismos trabajadores o, cuan-

---

tantos para Lima. «Relación de las ciudades, villas y lugares...», British Museum, Additional Mss. núm. 13.977, Papeles Varios de Indias, núm. 6, f. 75. Como es obvio, los indios formaban la masa de la población potosina. Lamentablemente, ni el informe especial hecho por el virrey Toledo sobre Potosí, ni las respuestas oficiales al interrogatorio real, han sido localizados.

(58) ROBERTO LEVILLIER: «Don Felipe II y el virrey Toledo. Un duelo de doce años». *Revista de la Universidad de Buenos Aires*, V época, año I, núm. 2 (1957), págs. 3-17.

(59) «Relación», f. 41 v.

(59ª) GASPAR DE ESCALONA AGÜERO: *Gazophilacium regium perubicam*, págs. 149-150

(60) «Relación», fs. 23 v.-27 v.

(61) *Ibid.*, fs. 31-41.

do más, los artesanos empleados en la explotación, no se interesaban por escribir sobre estas materias más que los metalúrgicos de Europa por ese tiempo (62). Sólo después de varias generaciones el trabajo experimental produjo tratados formales en ambos lados del Atlántico. Capoche escribe mucho antes de la aparición del manual de Alvaro Alonso Barba, *Arte de los metales* (1640). El material disponible para ilustrar este importante e inédito capítulo de la historia científica de América es voluminoso y quizá su estudio minucioso permita rectificar un día nuestro concepto sobre la contribución de España a la minería (63).

III

Las cualidades de los indios, su conversión, su trabajo en las minas e ingenios, el tratamiento que se les daba, ocupan mucho lugar en la Relación. Nadie que esté familiarizado con la pugnante y difundida lucha por la justicia que se desenvuelve en el siglo XVI en España y América, se sorprenderá viendo a Capoche abogar tenazmente por la cristianización de los indios e impugnar vigorosamente su esclavización por sus compatriotas. Desde el comienzo la Relación revela caridad para con ellos y frecuentemente un hondo anhelo por su bienestar. Capoche conoce algo de su religión y deplora su idolatría y barbarie; describe su sistema de registrar el tiempo, las estadísticas y los acontecimientos históricos por medio de los *quipus*; distingue claramente la historia y las caracerísticas de las diversas parcialidades de indios, y en general muestra un conocimiento íntimo de sus costumbres. Loa el gobierno del Inca. Su minucioso informe sobre la dis-

(62) GEORGE SARTON: *Six Wings. Men of Science in the Renaissance* (Bloomington, 1957), pág. 120.

(63) Material publicado se encuentra en JIMÉNEZ DE LA ESPADA, *Relaciones geográficas de Indias*, 1, 119-123; II, cxx-cxliv; LEVILLIER, *Audiencia de Charcas*, I, 468, 471; II, 254, 357. Una lista de documentos referentes, en JULIÁN PAZ, *Catálogo de manuscritos de América existentes en la Biblioteca Nacional* (Madrid, 1933). Complementariamente, el Archivo Nacional de Sucre, Bolivia, y el Archivo de Indias contienen muchos informes sobre inventos. Bien estudiados, estos documentos proyectarán buena luz sobre los tenaces y vigorosos esfuerzos hechos para mejorar la técnica del beneficio y constituirán un indispensable complemento a la «Relación». Capoche no da, por ejemplo, el nombre del introductor del beneficio del azogue, pero el punto está ilustrado por la «Probanza de los méritos y servicios de Damián de la Vandera, uno de los primeros pobladores del Perú y muy versado en la historia y antigüedades de aquella tierra», fechada en Potosí el 6 de mayo de 1586, donde se dice que Vandera fué el primero que usó el azogue (Archivo de Indias, Charcas 42). Hasta hoy, Pedro Fernández de Velasco era tenido como autor de este importante adelanto en los trabajos de Potosí. Teniendo en cuenta que el azogue se encontró en Huancavelica en 1567, es posible que fuese usado poco después en Potosí. Un excelente trabajo sobre el poeta portugués autor del trascendental descubrimiento del azogue en el Perú, que tuvo el efecto de transformar el descaecido asiento minero que a la sazón era Potosí en uno de los centros argentíferos más grandes del mundo, es el de GUILLERMO LOHMANN VILLENA, «Enrique Garcés, descubridor del mercurio en el Perú, poeta y arbitrista», *Anuario de Estudios Americanos*, V (Sevilla, 1948), págs. 439-482. Tiene un interés correlativo para los inventos del siglo XVI el trabajo de MANUEL LUENGO MUÑOZ, «Inventos para acrecentar la obtención de perlas en América durante el siglo XVI», *ibid.*, IX (1952), págs. 51-72. Capoche no menciona a Enrique Garcés, ni a Francisco Mejía, quien en 1577 llevó de México al Perú un nuevo y mejorado método de beneficio por azogue que rendía el doble de plata que los anteriores. En cuanto a estudios modernos, son útiles los de T. A. RICKARD, «Historical Notes on the Patio Process», publicado en 1936 en las actas de noviembre de 1955 de la reunión del Canadian Institute of Mining and Metallurgy, y los de MODESTO BARGALLÓ, *La minería y la metalurgia en la América Española durante la época colonial* (México, 1955) págs. 112-114, y «El beneficio de amalgamación de las menas de plata de Bartolomé de Medina: Primeras modalidades en Nueva España y en el reino del Perú», *Revista de la Sociedad Mexicana de Historia Natural*, XVII (1956), núms. 1-4, págs. 99-109.

tribución de los indios aymaras y quechuas del distrito y sobre sus costumbres constituye un importante aporte en nuestro escaso conocimiento de la materia (64).

Si bien juzga que los indios son, en conjunto, de escaso talento y faltos de imaginación, hace distinciones entre ellos, y admite que existen personalidades notables, como don Hernando Ayaviri, «indio de mucha habilidad, que lee y escribe de corrido» (65). La acción recíproca entre las culturas española e india produce extraños frutos, como don Juan Collqui el Mozo, que «ha oído gramática en el colegio de la Compañía de Jesús y anda vestido a nuestro modo, con mucha seda» (66). Los otros indios no quieren a don Juan «por el traje, que para sustentarlo es menester robarles».

Capoche conoce bien el mecanismo gubernativo ajustado por los españoles para gobernar a los indios, y lo impugna con la franqueza típica de muchos españoles de la época. Los alcaldes indios de las parroquias de Potosí no se abstienen de beber por respeto a sus funciones, como podría esperarse que lo hicieran, sino que son los primeros en emborracharse (67). Indios e indias se entregan a frecuentes y prolongadas orgías, en el curso de las cuales recuerdan sus antiguas ceremonias y danzas. Toledo procuró remediar este problema abriendo tabernas donde los indios pudiesen beber parcamente y sólo en determinadas ocasiones, pero el mal persistió y entorpeció gravemente su instrucción religiosa. Capoche cierra este capítulo, consagrado a asuntos religiosos tan importantes, con la recomendación más terrenal y práctica: que, siendo los capitanes de mita muy gordos por lo común, se les debe dar mulas o caballos en los cuales puedan visitar diariamente a sus indios para evitar que se emborrachen y para hacer más expedita la tarea de juntar los lunes en la mañana a los mitayos de turno para el trabajo semanal en las minas e ingenios (68).

Un capítulo extenso está dedicado a la historia de la tasa impuesta en todos los indios varones de dieciocho a cincuenta años de edad (69). Capoche alza la voz contra los inauditos excesos cometidos en la cobranza de las tasas por los propios caciques indios, así como por los párrocos y otros españoles; insiste en la adopción de una tasa fija; contradice la abolición del oficio de protector de indios y elogia los esfuerzos del protector de Potosí, Francisco de Vera. Era necesario defender a los indios, como las autoridades y los eclesiásticos españoles no cejaban de representar a la Corona (70). Con su vivaz estilo informaba fray Rodrigo de Loaysa: «Estos pobres indios son como las sardinas en el mar. Así como los otros peces persiguen a las sardinas para hacer presa en ellas y devorarlas, así todos en estas tierras persiguen a los miserables indios y, a menos que

---

(64) «Relación», fs. 84, 50-58. En 1575 se designó a un cosmógrafo para que preparase una descripción «por pintura y escriva las costumbres y leyes por donde governava el ynga y todos sus ritos y ceremonias antiguas». LEVILLIER, *Audiencia de Charcas*, I, 329.

(65) «Relación», f. 29 v; f. 52.

(66) *Ibid.*, f. 52 v.

(67) *Ibid.*, fs. 56-56 v. Ya tempranamente la Audiencia había intentado limitar el consumo de bebidas por los indios los domingos, y aún entonces prohibiéndoles el usar en sus fiestas los tambores, «cosa bien indecente y mal sonante». LEVILLIER, *Audiencia de Charcas*, I, 67-68.

(68) «Relación», fs. 56-56 v.

(69) *Ibid.*, fs. 95-103.

(70) FRAY RODRIGO DE LOAYSA: «Memorial de las cosas del Pirú tocantes a los indios», remitido al Consejo de Indias el 5 de mayo de 1585, *Colección de documentos inéditos para la historia de España*, Martín Fernández de Navarrete, ed. (112 vols., Madrid, 1842-1895), XCIV, pág. 603. Otro documento fundamental para este período es el de ANTONIO DE AYANZ, «Breve relación de los agravios que reciven los indios que ay desde cerca del Cuzco hasta Potosí... 1596», publicado por Rubén Vargas Ugarte, *Pareceres jurídicos en asuntos de Indias* (Lima, 1951), págs. 35-88. La «Información de Diego Núñez Bazán, protector general de los naturales de Potosí», fechada en 11 de noviembre de 1579, relata las penalidades que los indios sufrían en el trabajo del Cerro. Archivo de Indias, Charcas, 78, núm. 27, 35 fs.

alcancen algún apoyo y protección, serán acabados también, como las sardinas» (71).

Capoche mira con igual celo las disposiciones relativas a la salud espiritual de los indios (72). Los sacerdotes enviados a las doctrinas no pueden a menudo comunicarse con los indios en su propio idioma; hay mucha corrupción, pues los curas doctrineros suelen emplear a las hijas más bellas de los caciques para fines inmorales; hay necesidad de grandes reformas. Un ejemplo edificante es el del jesuíta Alonso de Barzana, que ha mostrado su capacidad como predicador y como maestro de las lenguas indígenas (73).

La Relación contiene un gran material sobre el problema de que está plagada la historia potosina desde el descubrimiento del Cerro en 1545 hasta hoy día: el trabajo indígena (74). Al principio el mineral era tan rico que los indios se contrataban voluntariamente con los dueños de minas españoles, los cuales, por su parte, eran generosos en la participación de sus caudalosos rendimientos. Cuando el mineral se empobreció y el acceso a las vetas se hizo más difícil, todo cambió lamentablemente. Los mineros tuvieron que emplear indios compelidos por las autoridades, o mingarlos por su cuenta; pero aún así no había indios suficientes y la producción decayó, hasta que Toledo reformó las cosas revolucionariamente y estableció el sistema de la mita, mediante el cual los indios trabajaban por obligación y con arreglo a normas bien delineadas (75). Capoche describe escrupulosamente el sistema del trabajo forzoso, de acuerdo con el cual aproximadamente un séptimo de los indios sujetos a tasa en una gran extensión a la redonda de Potosí acudían anualmente al trabajo del Cerro, a cambio de un salario. Ya no volvería a suceder que los españoles contasen los indios de cada pueblo montados en sus caballos y con la lanza en la mano (76). Ahora todo estaba organizado como una base industrial, tanto que la mita hubo de impresionar aún al meticuloso Felipe II.

De acuerdo a las ordenanzas de Toledo, 13.340 indios debían salir anualmente de sus hogares y caminar la abrumadora y a veces azarosa jornada hasta Potosí. Sus mujeres e hijos debían ir con ellos también, de suerte que más de 40.000 indios acudían al Cerro cada año, «y estaban los caminos cubiertos que parecía que se mudaba el reino» (77). Llegados a Potosí, los mitayos eran divididos en tres partes iguales, cada una de las cuales trabajaba una semana en las minas y los ingenios, y dos semanas en otras labores más descansadas. Capoche sabe los

---

(71) Citado por Constantino Bayle: *El protector de indios* (Sevilla, 1945), pág. 1.

(72) «Relación», fs. 83-84 v. Para mostrar que algunos eclesiásticos participaron de esta opinión, aquí están las palabras de fray Rodrigo de Loaysa en su «Memorial de las cosas del Pirú tocantes a los indios», enviada al Consejo de Indias el 5 de mayo de 1585: «Finalmente, ellos, con estos tan terribles trabajos, se consumen y acaban, y con estas injusticias se junta el oro y la plata que acá viene, y la doctrina que les damos es tan poca que ni no es decilles las oraciones los domingos, las cuales ellos dicen como papagayos sin entenderlas, y meterlos a que oyan misa, como quien mete un poco de ganado en un corral, no hay más doctrina ni más aprovechamiento, y tan rudos y bestiales están en las cosas de la fe como cuando entramos, y aún están peores en las costumbres, por el mal ejemplo que de nuestra codicia y disoluciones han recibido. Todo cuanto allá suena es tasa y tributos, y cuando el indio se muere las últimas palabras con que acaba es ya no pagaré más tasa ni tributo: este es el Jesús con que acaban.» *Documentos inéditos para la historia de España*, XIVC, pág. 602.

(73) Sobre esta figura véase Francisco Mateos, etd., «Una carta inédita de Alonso de Barzana», *Missionalia Hispanica*, VI (1949), págs. 143-155.

(74) «Relación», fs. 28 v., 29 v., 50-61.

(75) *Ibid.*, fs. 50-57. No se ha hecho aún un estudio integral sobre la mita, pero Marie Helmer tiene avanzado el trabajo de una monografía sobre el tema. John H. Rowe proporciona una descripción valiosa y una bibliografía abundante como parte de su sustancioso artículo «The Incas under the Spaniards», *Hispanic American Historical Review*, XXXVII (1957), págs. 170-179.

(76) «Relación», f. 95 v.

(77) *Ibid.*, fs. 87-88 v.

nombres de todos los indios capitanes de mita de su tiempo, que tenían a su cargo hacer funcionar la complicada maquinaria de la mita, así como el número de mitayos sujetos a ellos. También da cifras exactas sobre los indios asignados a trabajos de utilidad pública durante el llamado tiempo de descanso, cuantos se necesitaban para trabajar en las salinas, cuantos en las laguns, cuantos eran asignados al doctor Franco, el cirujano llevado a Potosí por el virrey Toledo. El doctor Franco, de paso, apenas podía persuadir a los indios heridos a entrar en el hospital, que ellos temían más que la muerte misma, según dice Capoche.

Otros muchos indios iban a Potosí por su propia voluntad y se alquilaban para trabajar como mingados. Capoche dice que no se podía confiar en ellos como en los mitayos, y a cada paso fustiga su veleidad e inconstancia. Había que pagarles salarios más altos que a los mitayos, y a veces proveerles de coca a modo de estímulo. En un breve pero pugnante capítulo, «De los indios mingados y de la desorden que hay con ellos», Capoche habla como un dueño de ingenio cuyos trabajos eran frustrados por operarios irresponsables, en contraste con el tono benévolo que emplea casi siempre que habla de los indios.

Otro largo capítulo se ocupa en la lucha de las autoridades reales que trataban de permitir a los indios rescatar minerales por su propia cuenta, con los mineros, que oponían una resistencia pertinaz, alegando que dichos minerales eran ilícitamente adquiridos (78). Mas la Corona insistió, con mayor energía aún, en que el metal era la única moneda con que los indios podían contar en el Cerro. Los indios pagaban en metal la «comida, frutas y otros refrescos» que consumían cuando salían de las minas. Las indias llevaban a sus hijas a las alturas del Cerro para que los mineros se sirviesen de ellas, y esto también se pagaba en metal (79).

La Corona procuraba, naturalmente, mantener un sistema que estimulase a los indios a obtener mineral y a refinarlo en sus guairas, para acrecentar la producción de plata y poder cubrir las perdurables urgencias de las arcas reales. Cuando el virrey Toledo expidió una orden aprobando el rescate, el jesuíta Diego de Baena predicó públicamente contra ella, diciendo que todos cuantos permitiesen rescatar a los indios incurrían en pecado mortal. Sobrevino un gran escándalo. Capoche cuenta el episodio menudamente y muestra hasta qué punto consideraba a los indios vasallos libres, a los cuales debía otorgarse todo el provecho que pudiesen obtener lícitamente. Ensalza con énfasis la libre empresa y dice que «los indios no son esclavos». Después de todo, esta tierra era de ellos, y su trabajo en las minas es tan agotador como peligroso, de suerte que no se les otorga sino un derecho, concluye Capoche en un exaltado discurso, al hacer que cuenten con las mismas oportunidades de mejoramiento que otros vasallos. En otro capítulo condena el extendido abuso de esclavizar a los indios en Potosí (80).

Capoche ostenta cierta familiaridad con las sutiles especulaciones implicadas en el caso; cita *verbatim* los formales pareceres de algunos juristas y teólogos que inevitablemente fueron arrastrados al debate, e impugna en parte la opinión del famoso jesuíta José de Acosta, asimismo inclusa en la Relación. Trae también a cuento leyes canónicas relacionadas con este caso de conciencia (81), y, en

---

(78) *Ibid.*, fs. 74-84 v. En los archivos se encuentran muchas otras opiniones, indicio de que el debate se difundió grandemente. El franciscano Pedro de Ore y el carmelita Juan de Valenzuela, por ejemplo, se opusieron a él. Archivo de Indias, Charcas 35, núm. 5.

(79) «Relación», f. 68 v.

(80) *Ibid.*, fs. 81-83.

(81) *Ibid.*, f. 77 v. Los criterios eclesiásticos sobre el trabajo de los indios en las minas fueron a la vez dispares y vehementes durante el período cubierto por la «Relación». Por lo demás, no siempre fueron muy consecuentes. El primer arzobispo de Lima, fray Gerónimo de Loaysa, aprobó la mita cuando el virrey Toledo solicitó el parecer de los eclesiásticos al respecto, pero en su lecho de muerte se retractó de esta opinión. JUAN DE SOLÓRZANO Y PEREIRA, *Política Indiana* (2 vols., Madrid, 1736-1739), tomo 2, lib. I, cap. 15, núm. 84.

suma, muestra tal versación en este punto particular, que uno se pregunta si otra mano no intervendría en él. O bien la versación de Capoche en estas materias valdría como otra prueba más de que todos los españoles del siglo XVI tenían algo de teólogos. Resulta claro que la introducción de este asunto, como una parte integral de la Relación, sea que Capoche lo haya escrito o no, confirma algo ya bien sabido: durante la conquista de América, la discusión de teorías políticas y teológicas era inseparable de la acción política.

Dondequiera que la Relación se ocupe en los indios, el interés de Capoche por su bienestar se expresa elocuentemente, y el relato de sus penurias en las minas tiene todo el sello de la verdad. Entre los pasajes más vívidos está la descripción de su angustia al ser arrancados de sus campos, de sus familias y de sus amigos para trabajar en el lejano Potosí; su repugnancia por el extraño trabajo de escarbar las entrañas de la tierra; su indiferencia ante la perspectiva de acumular riquezas personas, estímulo ajeno del todo a su sentido de la vida. Es inolvidable la pintura que Capoche hace de los indios trepando o descolgándose sudorosos por las inseguras paredes de las minas, y arriesgando sus vidas en el acarreo de las pesadas cargas de mineral. Su salud padecía por el violento cambio de temperatura entre el tremendo calor en lo hondo de las minas y los glaciales vientos de afuera, y el premio que solían recibir por esto eran los malos tratamientos de sus amos, que les llamaban «perros». Capoche cuenta el caso de un indio que, temeroso del castigo de su amo, corrió a refugiarse en la misma mina. y, en su terror y confusión, cayó «y se hizo cien mil pedazos» (82). Luego acuña una frase que los historiadores han repetido: «el trabajo que padecen [los indios] y lo que les cuesta el metal, podríamos decir que es más sangre que metal» (83). Son éstas las palabras de un dueño de minas e ingenios, bien enterado de los constantes apremios reales para producir más y más cada vez, pero no menos celoso de la obligación que tienen los españoles de cristianizar y proteger a los indios. La Relación ilustra el dramático dilema de los españoles en el Nuevo Mundo: sacar provecho de sus dominios indianos sin oprimir a los naturales ni entorpecer su conversión. Capoche no trata de ignorar ni ocultar el problema Nos muestra a los indios sudando y muriendo en los laberintos del Cerro, manifiesta las dificultades para su conversión eficaz, y cita a autoridades eclesiásticas en su vehemente defensa del derecho de los indios a vivir como vasallos libres en vez de ser explotados como esclavos.

IV

La historia de los primeros tiempos de Potosí tiene importancia especial para quienes quieran escudriñar en el espíritu de la época, particularmente en el desarrollo del sentido adquisitivo en la sociedad moderna (84). La poderosa atracción puesta en juego por las nuevas del descubrimiento de las primeras minas peruanas condujo a una dramática despoblación de las islas del Caribe. «¡Dios mío, al Perú!», exclamaban los españoles corriendo a porfía hacia los Andes (85). El

---

(82) «Relación», f. 29. See also *ibid.*, fs. 72-74.

(83) *Ibid.*, f. 72.

(84) CARL BECKER: «Some Aspects of the Influence of Social Problems and Ideas Upon the Study and Writing of History», *American Journal of Sociology*, XVIII (1912-1913), páginas 661-675.

(85) Joaquín F. Pacheco, Francisco de Cárdenas y Luis Torres de Mendoza, eds., *Colección de documentos inéditos relativos al descubrimiento, conquista y colonización de las posesiones españolas en América y Oceanía...* (42 vols., Madrid, 1864-1884), XLII. 72-79; HERRERA, *Historia de los hechos de los castellanos*, lib. V, cap. 10; GONZALO FERNÁNDEZ DE OVIEDO Y VALDÉS, *Historia general y natural de las Indias, islas y Tierra-Firme del mar Océano*, Amador de los Ríos, etd. (4 vols., Madrid, 1851-1855), lib. V, cap. 10.

descubrimiento de Potosí acrecentó la afluencia, hasta el punto de que la Villa Imperial vino a ser llamada «Babilonia del Perú», donde todo se reputaba más grande, más vistoso y más espléndido que en parte alguna (86). Nada importaba que los españoles y extranjeros, que se atropellaban tratando de cobrar siquiera un poco del caudal manante de la cornucopia del Cerro, tuviesen que quebrantar muchas leyes, o padecer privaciones y enfermedades una vez llegados, pues muchos forasteros habían ganado a la vez nombre y fortuna como mercaderes, dueños de minas y dueños de ingenios.

Fuentes para documentar esta peculiar dinámica social existen en los archivos, aunque no del todo accesibles todavía. Quizá la historia de Nicolás de Guevara sea característica. Llegado a Potosí en 1581, se enriqueció tan pronto que no le fué difícil satisfacer su vanidad comprando una plaza capitular por 42.000 pesos: «el oficio más costoso de esta clase en todos los reinos de España», decía en carta escrita a su casa, mientras enviaba dinero generosamente a cuatro sobrinos que allí tenía; y cuando le dió en la flor casarse con una criolla que era su prima hermana, no le fué difícil obtener una licencia pontificia (87). También los eclesiásticos traían las vidas perturbadas por la idea del enriquecimiento repentino. El fraile dominico Tomás del Castillo descubrió una mina de oro más allá de Potosí, y se vió dueño de una mina de 140 varas, de la cual dispuso en esta forma: una parte al convento de San Esteban, en Salamanca, y otra al Colegio de San Gregorio, de Valladolid, para el mantenimiento de cuatro estudiantes del Perú, con la condición de que, no admitiéndolos, no valiese la donación; al Colegio de Santo Tomás, de Sevilla, señalaba una parte menor para el sustento de dos estudiantes, bajo la misma condición; el monasterio de Santo Tomás, de Avila, recibía también algo, en el entendido de que los réditos se empleasen en vestir a los frailes; fuera de otras donaciones al Colegio de Santo Tomás, de Alcalá de Henares, y al monasterio de Santa Catalina, en Plasencia, este leal dominico obsequiaba otra parte de su mina, enclavada en lo más recóndito de Sud América, a la ornamentación de la capilla del Sepulcro de Santo Domingo, de Bolonia. Para apreciar plenamente el impacto de los tesoros americanos sobre Europa, sería necesario contar las infinitas donaciones de los potosinos a sus amigos, parientes e iglesias favoritas del Viejo Mundo, así como los donativos y empréstitos de los ricos mineros a la Corona como correspondencia anticipada a futuros favores, y no solamente la producción oficial del Cerro contabilizada de acuerdo con el pago de los quintos reales (88).

Todos los aspectos de la vida, la religión inclusa, fueron influídos por el río de plata que manaba desde el Cerro. Los mineros gastaban rumbosamente en espectaculares donaciones para las iglesias y los monasterios en los días de su vida, y para suntuosos oficios fúnebres en la hora de su muerte (89). Los juegos eran

---

(86) Tal es la descripción del padre JOSÉ DE ACOSTA en su «Annua de la Provincia del Pirú del año 1578», *Obras del P. José de Acosta, de la Compañía de Jesús* (Madrid, 1954), pág. 298. Editada por Francisco Mateos, S. J. (Biblioteca de Autores Españoles, 73). Se puede encontrar otras informaciones jesuíticas sobre Potosí en *Monumenta Peruana* (2 vols., Roma, 1954-1958), editada por Antonio de Egaña, S. J.

(87) MARIE HELMER: «Un tipo social: El *minero* de Potosí», *Revista de Indias*, año XVI, núm. 63 (1956), págs. 85-92. La carta está fechada en Potosí, 4 de abril de 1595, y fué enviada al rico comerciante de Medina del Campo Simón Ruiz, a quien Guevara pedía hacerse cargo de entregar el dinero en un gesto de «tío rico».

(88) Véase en la «Relación», fs. 46-47 v., el detalle completo sobre la distribución que el dominico hizo de su mina. Información sobre las confiscaciones de Felipe II en las riquezas de América, en JOSÉ MARTÍNEZ CARDÓS, «Las Indias, las cortes de Castilla durante los siglos XVI y XVII», *Revista de Indias*, año XVI (1956), núm. 64, págs. 257-258. Otros ejemplos de confiscaciones tempranas se encuentran en *Cortes de los antiguos reinos de León y de Castilla* (5 vols., Madrid, 1861-1903), V, 690, 717, 821.

(89) «Relación», f. 94. El testamento del rico mercader Alvaro Bejarano, fechado el 16 de octubre de 1559, manda que «todos los curas y sacerdotes de Potosí» acompañarán su cuerpo en el entierro, por lo cual se había de pagar lo acostumbrado. También figuran legados para

popularísimos y deparaban grandes ganancias a los organizadores de partidos de pelota. El virrey Toledo no era amigo de este deporte; pensaba que era propio de gente ociosa y que hacía malgastar un tiempo que estaría mejor empleado en las minas. Como los potosinos se hacían ricos brevemente, y a veces espectacularmente, en el comercio o en la minería, los españoles se afirmaron más que nunca en la idea de que el hombre alcanza la fortuna por casualidad o con el sudor de la frente del prójimo y no por el esfuerzo propio. El trabajo manual, nunca muy apreciado en la España del siglo XVI, fué así aún más desdeñado en el Nuevo Mundo, mientras que los viejos tabúes opuestos contra el ejercicio del comercio por la nobleza se olvidaban (90). La tradición de una sociedad cuyo tipo ideal era el caballero que de ninguna manera mancharía sus manos con trabajos ruines, fué aún más alentada en una mina tan trabajosa como Potosí.

Este sentido lujoso de la vida fué transmitido también a los mestizos y a los negros en ciertas partes del Perú. En 1579, un fraile, todo indignado, informaba desde Quito a Felipe II que casi todas las señoras españolas de allí, teniendo por muy vil el dar el pecho a sus propios hijos, se valían de niñeras indias, y que lo mismo hacían las mestizas. Los sirvientes mestizos de los españoles tenían, por su parte, sirvientes indios, y si un negro iba al mercado por cuenta de su amo, llevaba consigo un indio para que cargase los víveres (91). Los españoles que nunca se habían aventurado allende el Atlántico, viendo las maneras señoriales y los hábitos ostentosos de sus parientes llegados de América, pensaban que se habían echado a perder y lamentaban sus excesos en la bebida, el vestido y el porte. Capoche muestra una penetración realista en el carácter de sus coterráneos de España y América al explicar por qué el Cerro de Potosí había permanecido incógnito por muchos siglos: Dios, dice, mantuvo escondida semejante riqueza porque sabía que los españoles desean con tanto ahinco las minas que solamente dándoles un tesoro como Potosí podría el cristianismo llegar hasta una tierra remota e inacomodada como el Perú (92).

Capoche insiste en particular sobre el prominente papel que los indios desempeñaron en el descubrimiento y la explotación de yacimientos argentíferos en Potosí y sus alrededores. En los primeros tiempos, las autoridades peruanas solían pasar por alto las disposiciones reales, y, por dar ventaja a los españoles, no permitían ni estimulaban a los indios a participar y aprovecharse de la frenética búsqueda de las minas. La baja de la producción y las urgencias crecientes de la Corona cambiaron el cuadro, y el virrey Toledo lanzó, también a los indios, a la gran batida. Los indios ahora descubren minas cada día, proclama Capoche; aun las indias poseían ricas minas, y el manuscrito registra asimismo como dueño de una mina a un «Don Diego Illa, indio, presbítero» (93), aunque esta última

---

sus hijos naturales. «Testamento de Alvaro Bejarano», Archivo Nacional (Bolivia). Escrituras Públicas, Lázaro del Aguila, 1559, f. 1039. Hay, finalmente, un codicilo fechado el 18 de octubre de 1558. Ibid., f. 1056.

(90) The travels of Pedro Cieza de León, editados por Clements R. Markham (London, 1864), Hakluyt Society, Serie 1, vol. 33, págs. 390-391. No es sorprendente que la gente noble aprovechase prontamente las oportunidades comerciales que brindaba América, pues RICHARD KONETZKE ha demostrado que ya en los tiempos medievales se había dedicado a estas actividades, «Entrepreneurial Activities of Spanish and Portuguese Noblemen in Medieval Times». Explorations in Entrepreneurial History, VI (1953), 115-120. Véanse también los sugestivos capítulos de JOSÉ DURAND: «Los hidalgos y el comercio», en La transformación social del conquistador (2 vols., México, 1953), II, págs. 64-72, y «El lujo indiano», Historia Mexicana, VI (1956-1957), págs. 59-74. Un raro libro del MARQUÉS DEL SALTILLO, Linajes de Potosí (Madrid, 1949), trae informaciones valiosas.

(91) FRANCISCO MARÍA COMPTE: Varones ilustres de la Orden Seráfica en el Ecuador, desde la fundación de Quito hasta nuestros días, 2.ª ed. (2 vols., Quito, 1885), I, 53.

(92) Petición ccxiv de las Cortes de 1548, Cortes de los antiguos reinos de León y de Castilla, V, págs. 472-473. El comentario de Capoche sobre el carácter de los españoles se encuentra en el folio 3 de la «Relación».

(93) «Relación», f. 19. ¿Se refiere Capoche aquí a un sacerdote de la religión nativa?

palabra está testada por ser un error de copia: la existencia de un cura indio
en Potosí en época tan temprana sería un hecho sensacional, ni es probable que
en ninguna parte de la América hispana algún indio alcanzase la calidad eclesiástica hacia 1585. Indios ricos eran conocidos en Potosí ya en 1562 (94), y
resulta claro, según la Relación, que no pocos indios se asociaban a los españoles
en el trabajo de las minas. Sin embargo, Capoche no incluye el nombre de ningún
indio éntre los dueños de ingenios, y parece ser que con el tiempo los indios fueron perdiendo, de una manera u otra, las minas que habían descubierto.

¿Quedó el dinamismo social de los indios restringido a ciertos límites? Así
se infiere de la Relación. Al menos, es evidente que en Potosí no se desarrolló
un proletariado de técnicos y obreros como el que coetáneamente se desarrollaba
en Europa, el cual, en última instancia, promovió una transformación en la vida
del Viejo Mundo (95). La gran masa indígena siguió trabajando para la minoría
española tal como lo hiciera para la minoría incaica, si bien la explotación minera en su forma actual constituía una calamidad no conocida antes. Sea como
fuere, los cambios sociales y económicos de Potosí en el período 1545-1585 mo-
dificaron algo las ideas y sentimientos de conquistadores y conquistados por
igual. Ante todo, Potosí representó la mejor oportunidad para un florecimiento
espectacular del sentido del provecho personal, y Capoche documenta este drama
en forma a la vez sobria y verídica.

V

¿Influyó la Relación de algún modo en la política y la obra del nuevo virrey,
como al parecer lo perseguía? Sabemos que el documento fué concluído en Potosí
el 10 de agosto de 1585, y parece probable que don Pedro de Córdova Mesía,
agente del conde del Villar, lo llevase brevemente a Lima para facilitar el oportuno
conocimiento del mismo; el conde llegó a la ciudad el 25 de noviembre de 1585
y fué recibido con el aparato tradicional y fastuoso de siempre (96). Tanta fatiga
le había causado, empero, la prolongada travesía desde España, que pasó algún
tiempo antes de que empezase a despachar los urgentes negocios del virreinato.
A los seis meses de su llegada remitía, por fin, su primer informe detallado al
rey: así sabemos que designó a su leal y competente privado Córdova Mesía para
poner orden en Potosí como visitador (97); como premisa de su acción, juntó
a algunos de los más sabios teólogos del Perú, a fin de que compulsasen los
muchos y enfadosos problemas relativos al tratamiento de los indios, y reunió
también a las personas más experimentadas para que discutiesen en su presencia
todos los documentos y las proposiciones sobre Potosí, de suerte que el nuevo
visitador contase con toda la suma de consejos posible. Muchas de las recomendaciones peculiarmente hechas por este último grupo—que incluyó al jesuíta
José de Acosta—se encuentran en la Relación: el mantenimiento de los socavones
recibió apoyo vigoroso, como lo pedía Capoche, así como la confirmación del
derecho del rescate de plata a los indios, la conservación del oficio de protector
de naturales, la reducción del precio del azogue y el estímulo al beneficio de

---

(94) LEVILLIER: Audiencia de Charcas, I, págs. 66-67.
(95) MYRON P. GILMORE: The World of Humanism (Nueva York, 1952), pág. 56.
(96) JUAN BROMLEY: «Recibimientos de virreyes en Lima», Revista Histórica, XX (Lima,
1953), págs. 51-52.
(97) LEVILLIER: Gobernantes del Perú, X, págs. 97-115. Un problema muy grave para
el virrey era la plaga de viruelas sufrida en aquellos años por los indios del Perú. Véase
CHARLES UPSON CLARK, «The Treatment of Smallpox in Peru in 1589», Journal of the History
of Medicine and Allied Sciences, X (1955), 327-331.

metales en las guairas por los indios, sistema que no requería el empleo del azogue. Córdova Mesía debía ejecutar éstas y otras reformas. En el curso de este largo informe, el conde menciona más de una vez las relaciones que había recibido de personas expertas, si bien no da los nombres de los autores. Finalmente, Córdova Mesía se excusó de ir a Potosí (98), pero queda en pie la razonable presunción de que el manuscrito de Capoche influyó en las resoluciones del virrey a propósito de la villa.

Los efectos de la Relación no concluyeron con la vuelta del conde del Villar a España en 1589. Juan López de Cepeda, veterano presidente de la Audiencia de La Plata, tenía una copia completa del documento. Pudiera ser que Capoche, que apreciaba altamente a López de Cepeda (99), le enviase una copia al saber que Córdova Mesía no iba más a Potosí, para tener un amigo en la Audiencia. El padre José de Acosta, que residió en Potosí por uno o dos años y formó parte de la junta convocada por el conde del Villar, describe a Potosí en su *Historia natural y moral de las Indias* con palabras tan idénticas a las de la Relación, que es forzoso concluir en que la tenía a la vista, aunque no la menciona nominátim como otros materiales que había consultado (100).

El cronista oficial Antonio de Herrera tuvo acceso a todos los documentos del archivo del Consejo de Indias y a otros que se habían juntado expresamente, de suerte que no es raro encontrar sentencias características de Capoche en la monumental *Historia general de los hechos de los castellanos en las islas y tierra firme del mar Océano* (1601-1615). El hábil y prolífico funcionario del Consejo en el siglo XVII, Antonio de León Pinelo, recolectó documentos sobre Potosí, la Relación inclusa, para preparar su nunca acabada historia de la Villa, y cita a Capoche como una de sus autoridades en su peregrina obra *Paraíso en el Nuevo Mundo*, donde sitúa definidamente el Edén bíblico en la América andina. Se le nota muy contagiado de la que llamaremos *fiebre potosina*—tendencia a glorificar y magnificar todo lo relacionado con el Cerro—, pues al hacer el cálculo de la plata sacada hasta su tiempo, con gran exactitud, dice que ella podía bastar para hacer un puente o camino de 2.071 leguas de largo, cuatro dedos de espesor y 14 varas de ancho (101).

Otros autores también mencionan la Relación; pero, no obstante todo esto, no puede decirse que fuese muy accesible (102), pues Juan Bautista Muñoz, que escudriñó los archivos españoles de 1780 a 1790 tan minuciosamente, no parece haberla conocido. Orsúa y Vela no la menciona tampoco entre las muchas historias que utilizó para su voluminoso y aún inédito trabajo que lleva el típicamente pomposo título de *Historia de la Villa Imperial de Potosí: Riquezas incomparables de su famoso cerro, grandezas de su magnánima población, sus guerras civiles y casos memorables* (103).

La verdadera importancia de la Relación no reside, empero, en su influencia inmediata sobre las determinaciones virreinales, ni en la consulta hecha de ella

---

(98) *Ibid.*, XI, 72.

(99) «Relación», f. 58 v.

(100) Sevilla, 1590. Los capítulos 6-9 del libro IV se refieren a Potosí. Otra descripción de Potosí que recuerda a Capoche se encontrará en *A Philosophical and Pratical Essay on the Gold and Silver Mines of Mexico and Peru... Translated from a Letter wrote [sic] in Spanish, by Father James Hernandez of the Society of Jesus; employed by His Catholic Majesty to write the Natural History of the West Indies* (London, 1755), págs. 15-20. Una copia de esta obra se encuentra en la Biblioteca Pública de Nueva York.

(101) Raúl Porras Barrenechea, etd., *El Paraíso en el Nuevo Mundo* (2 vols., Lima, 1943), II, 371-372. La descripción general de Potosí se encuentra en el lb. IV, cap. 23 (II, 323-338).

(102) Joseph Eusebio de Llano y Zapata menciona a Capoche en su rara obra, escrita hacia 1760, *Memorias histórico-físicas-apologéticas de la América Meridional* (Lima, 1904), pág. 39.

(103) Véase *supra*, nota 33.

durante el período de casi cuatro siglos en que circuló, desde que Capoche la
dedicara al conde del Villar y la remitiera, con el «retrato» de Potosí, a Lima,
para que cayese con toda oportunidad en manos del virrey, que llegaba a cargar
el pesado fardo del gobierno del Perú. La Relación vale porque proyecta una
impresionante luz sobre la estructura económica y social de uno de los más grandes centros coloniales del Nuevo Mundo (104), y porque, asimismo, ilustra la
problemática de la historiografía hispanoamericana.

El primer extremo de nuestra valoración resulta evidente de la glosa misma
que acabamos de hacer del libro. Parece claro que el aprovechamiento pleno del
material económico, político y sociológico de la Relación dará más vitalidad a
las, por lo común, áridas monografías sobre las instituciones coloniales del Nuevo
Mundo (105).

La significación de Capoche con respecto a los problemas de la historiografía
hispanoamericana requiere algún tratamiento. Relacionada con otros materiales
sobre Potosí, la obra de Capoche sugiere una cuestión básica sobre el punto
de enfoque de la historiografía del Nuevo Mundo: ¿Desde España o desde América? La Relación, sin duda, nos ayuda en gran manera a comprender un período
tan decisivo como el de Felipe II en Europa. Aquellos fueron los años en que
los lobos de mar de Isabel acosaban al Imperio español. Los tesoros de Potosí
habilitaron a Felipe a prepararse para la gran prueba de fuerza con Inglaterra,
y la derrota española de 1588 se sintió en América, y especialmente en Potosí,
donde la producción hubo de acelerarse para abastecer a las crecientes necesidades de la Corona. No es, pues, sorprendente que el rey y el Consejo de Indias
diesen inmediata y atenta consideración a la correspondencia sobre los asuntos
del Cerro y a las estadísticas sobre producción de plata entre la plétora inmensa
de documentos oficiales que llegaban con cada flota desde América (106). López
de Cepeda, que guardaba una copia de la Relación y que, como presidente de la
Audiencia de Charcas estaba en contacto íntimo con los negocios potosinos, remitió el 9 de diciembre de 1586 un largo informe al rey encareciendo el alza
de la producción de plata, así como los empréstitos de los potosinos a la Corona
por 323.000 ducados (107). Pero todo esto no era suficiente, y Felipe II escribió
con carácter urgente al conde del Villar instruyéndole recolectar todo el dinero
posible para sus «grandes y precisos» gastos. El virrey juntó hasta el último
adarme y anunció ufanamente el 13 de julio de 1589, en una de sus últimas cartas
de Lima, que había sido capaz de enviar más oro y plata que en cualquier flota
anterior del Perú a España (108). Potosí parecía ser, y con frecuencia lo era
realmente, por lo menos para los ministros de la corte, ante todo una fuente de
recursos para la Corona en apuros, y así la historia de Potosí puede, según ese
punto de vista, apreciarse mejor desde la madre patria. El oidor López de Cepeda
expresó acertadamente la opinión corriente de la importancia de la Villa Impe-

---

(104) El malogrado historiador boliviano HUMBERTO VÁZQUEZ-MACHICADO hace esta apre-
ciación en un artículo inédito que generosamente me permitió consultar, «Luis Capoche y la
estructura social de Potosí en el siglo XVI», pág. 16.

(105) La historia de los cabildos suele basarse en los libros de acuerdos, que infunden
un ambiente legalista y hasta cierto punto premeditado a los estudios. J. H. Parry y otros
comienzan a destacar la necesidad de componer cuadros más vívidos y reales sobre las ciudades, usando fuentes más variadas. Penetrantes observaciones sobre la falta de análisis económicos y sociológicos en los escritos anteriores sobre el tema, se encuentran en RICARDO
ORTA NADAL, La historia de nuestras ciudades (Santa Fe, Argentina, 1952), págs. 19-23.

(106) Juan Manzano, ed., «Un documento inédito relativo a cómo funcionaba el Consejo
de Indias», Hispanic American Historical Review, XV (1935), 316.

(107) «Carta del licenciado Cepeda a S. M. tocante al beneficio de los metales y minas
de la villa de Potosí y consiguiente acrecentamiento de 'a real hacienda». LEVILLIER, Audiencia de Charcas, II, 254-272.

(108) LEVILLIER: Gobernantes del Perú, XI, 72.

rial cuando recomendó el nombramiento de un corregidor de gran experiencia y calidad, «porque no ay mas Piru que Potosi» (109).

Pero Potosí también ilustra algunos problemas básicos confrontados por los españoles en las tierras que acababan de conquistar, y esto obliga a trasladar el centro de interés desde Madrid a Lima y a Potosí. Tanto Capoche como el virrey Toledo, que ajustó el sistema de la mita o trabajo minero obligatorio cientos de leguas en torno a Potosí, despliegan un sentido interés por el bienestar de los indios. Capoche no quiere a los indios mingas, o sea los que iban a Potosí libremente a alquilar su trabajo, con los dueños de ingenios por lo común. Quizá, como dueño de ingenios que él mismo era, estuvo en trato diario con los mingados y recibió de ellos algún perjuicio por su notoria pereza e inconstancia. Sea como fuere, Capoche denuncia la crueldad y la opresión de los españoles para con los mitayos, forzados a trabajar en las minas llenas de peligros. Y Toledo se yergue indignado cuando el atrevido jesuíta Luis López, en 1580, proclama que los indios eran comprados y vendidos con los ingenios y eran diezmados por su afición al alcohol. El virrey traía a cuento sus ordenanzas para demostrar que había hecho todo lo posible por el bien de los indios, y repetía que ellos gozaban de iguales oportunidades que los españoles para descubrir minas en su provecho propio (110). Pero, a pesar del deseo de Capoche, Toledo, el conde del Villar (111) y otros espíritus caritativos el resultado era la opresión y la muerte de numerosos indios; Capoche lo dice: «El trabajo que [los indios] padecen y lo que les cuesta el metal, podríamos decir que es más sangre que metal.» España deseaba cristianizar y civilizar a los indios, pero la Corona necesitaba dinero desesperadamente, y los españoles en América no podían proveerlo ni sustentarse en la forma a que estaban acostumbrados, a menos que los indios pasasen las fatigas del trabajo preciso para ello. La Relación muestra cuán imposible era alcanzar ambos objetivos a la vez.

Además de pintar con colores dramáticos el dilema fundamental de España en su gobierno del Nuevo Mundo, la Relación establece también con claridad la calidad esencialmente «americana» de la historia de Potosí. El estudioso boliviano Roberto Prudencio dice bien que Lima y Buenos Aires eran en mucho ciudades europeas transplantadas a América. «Les faltaba el humus necesario para crear ese ambiente cultural nuevo, decididamente colonial. Potosí fué otra cosa. Potosí fué el fruto único y extraordinario de una planta nativa, nacida de la mágica inyección del espíritu hispánico. Potosí realizó en forma suprema lo que nosotros, nuevos americanos, buscamos ahora mismo y lo que perdió la república: el genio creador resultante de la fusión mágica de los dos espíritus, de los dos mundos, el hispánico y el indio. De esta manera, Potosí fué capaz de trazar su propia norma de vida, su propio estilo, es decir, su propia cultura, gracias a la amalgamación que supo llevar a cabo tan maravillosamente» (112).

Si esto fuera cierto, la historia de Potosí debiera ser contemplada desde el punto de vista de esta nueva creación hispano-india en América, y no desde el de la burocracia española deseosa de aumentar los ingresos de la real hacienda.

El historiador actual, que trata de comprender la verdad de un asunto compli-

(109) LEVILLIER: *Audienria de Charcas*, III, 266. Aquí López de Cepeda recomienda cordialmente al rey, bajo fecha del 28 de marzo de 1595, que se nombre a Córdova Mesía en vista de que «a dado muestras de su bondad, discreción y buen govierno en el corregimiento del Cuzco... y es forçoso darle tan cursado y vigilante republicano por governador como lo es este hidalgo».

(110) Las acusaciones de López, en «Capítulos hechos por el maestro Luis López, de la Compañía del Nombre de Jesús, en deservicio de S. M. y del gobierno del virey y audiencias», fechada el 8 de abril de 1580. *Documentos inéditos para la historia de España*, XCIV, págs. 472-486. La respuesta de Toledo, en *ibid.*, págs. 505, 517-518.

(111) Respecto a su vigorosa defensa de los protectores de naturales, véase BAYLE, *El protector de indios*, pág. 94.

(112) «Reflexiones sobre la colonia», *Kollasuyo*, año I (La Paz, 1935), núm. 5, pág. 10.

cado y a veces obscurecido por la retórica y por diversos tipos de propaganda
nacionalista, llega a la conclusión de que la obra de Capoche señala patentemente
la necesidad de un enfoque integral de la historia de Potosí y de una investigación
documental mayor, tanto en archivos europeos como americanos. Un relato más
completo y una perspectiva más exacta serán logrados si la historia del Cerro es
contemplada desde España y desde América.

La filosofía de la historia tiene también en la Relación de Capoche un ejemplo
excelente de lo que Oswald Spengler llama el «drama faústico»—propio de la historia de Occidente—de los incontrolables anhelos de libertad, soledad e independencia inmensa (113). Los sociólogos no pasarán un buen rato si se proponen
clasificar a Potosí, que no coincide con todos los rasgos característicos de una
ciudad pre-industrial (114); pero los rápidos y radicales cambios sociales llevados
a cabo en Potosí sugieren un ethos muy claro, digno de la curiosidad del sociólogo.
Los antropólogos, que han señalado ya la importancia de las ciudades como centros de interpenetración cultural (115), lograrán muchos datos en la Relación, que
muestra el proceso de ósmosis cultural producido entre las ideas y hábitos recí-
procos de indios y españoles en Potosí. Y aunque en conjunto puede considerarse
como un ejemplo típico de los numerosos documentos históricos compuestos por
los españoles para describir y explicar su obra en América, en cierto respecto la
Relación es única (116). Ella ofrece un circunstanciado cuadro de la vida, el trabajo y el desarrollo técnico de Potosí, según la perspectiva de un dueño de ingenios,
que era tanto un buen observador como un protagonista de la escena pintada.
Muchos aventureros acudieron al Perú después del descubrimiento del Cerro, en
1545, pero Luis Capoche, de Sevilla, es el único que—hasta donde se sabe—nos
legó un conjunto esencial de observaciones sobre la vida, el trabajo y el desarrollo
técnico de uno de los mayores, pero también de los menos estudiados, centros coloniales de América, la Villa Imperial de Potosí.

<hr/>

(113) ·Oswald Spengler: *The Decline of the West* (2 vols., Nueva York, 1926-1928), I, 336.
(114) Gideon Sjoberg: «The Preindustrial City», *American Journal of Sociology*, IX,
núm. 5 (1955), págs. 438-445. Potosí, a diferencia de la ciudad preindustrial típica, no creció
lentamente ni estuvo subordinada del todo a las «fuentes vivas de energía», pues allí se empleó el viento y el agua. Por otra parte, en Potosí hubo gremios, así como otros rasgos característicos de las ciudades medievales.
(115) Ralph L. Beals: «Urbanism, Urbanization and Acculturation», *American Anthro-
pologist*, LIII (1951), págs. 1-10.
(116) Se hicieron otros informes, que pueden consultarse por vía comparativa. Uno muy
valioso fué compilado por el oidor Juan de Matienzo en 1577, y Luis de Morales Figueroa
preparó una «Relación» en 1589, así como Baltasar Ramírez otra en 1597. Una anónima *Descripción de la villa y minas de Potosí* de 1603 contiene una asombrosa información por su
calidad y cantidad. Gracias a ella conocemos los precios de los productos vendidos en los
mercados y de los remates de oficios reales, y el hecho de que 1.000 indios eran necesarios
para explotar solamente las minas de la sal usada en el beneficio, y 200 para hacer velas.
Sabemos, inclusive, cuánto se pagaba por hacer planchar una camisa, y que 120 prostitutas
españolas y muchas indias se dedicaban activamente al «ejercicio amoroso».
Matienzo dió a su informe la forma de una carta al rey, Levillier, *Audiencia de Charcas*, I 455-463; la «Relación de las ciudades, villas y lugares destos reynos y provincias del
Perú...», de Morales, se encuentra en el Museo Británico, Additional Mss. 13.977, «Papeles
Varios de Indias», núm. 6, f. 75 ff.; Ramírez, «Descripción del reyno del Perú...»; Maútua,
Límites, I, 281-363; la descripción anónima está en Jiménez de la Espada, *Relaciones geo-
gráficas de Indias*, II, 113-116.

[f.] Relación general del asiento y Villa Imperial de Potosí
y de las cosas más importantes a su gobierno, dirigida
al Excmo. Sr. Don Hernando de Torres y Portugal,
conde del Villar y virrey del Perú

[f. ii] De las materias que se contienen en esta relación

[f. iv] Es del ilustrísimo señor licenciado Juan López de Cepeda, del Consejo de su majestad y su presidente de la real audiencia de los Charcas, reinos del Perú.

[f. vi] Al Excmo. Sr. Don Hernando de Torres y Portugal, conde del Villar y virrey del Perú, mi señor

Excelentísimo señor:

Después de las obligaciones generales que tenemos a rey tan ínclito y bienaventurado, ha puesto a estos reinos en mucha su majestad por la merced que les ha hecho en proveer a Vuestra Excelencia por virrey de ellos, con cuya venida y habernos cabido tan felicísima suerte estas dos repúblicas de españoles y naturales han recibido particular contento; y se conoce bien enellas las muestras de su alegría y una viva esperanza de su restauración, pues han de ser gobernadas de un príncipe tan cristianísimo y de tan claro ingenio, gravedad, virtud y prudencia cuanto fué necesaria para meritísimamente tener el gobierno de estos reinos.

Y por ser el de esta villa el más importante y arduo que tiene vuestra excelencia y pender de él la conservación y aumento de todo lo restante, me pareció dar principio en servir a Vuestra Excelencia haciendo esta relación de lo que este asiento y cerro, del estado en que están sus minas con todas las de la provincia, y ley de los metales, y otros particulares tocantes a su gobierno, refiriendo algunas cosas que han sucedido para que mejor se entienda la dificultad que tienen los negocios de esta nueva tierra, que ha sido mi principal

intento; que aunque vuestra excelencia es adquirida, y sería posible representarlos de tantas maneras y tan adulterados y fuera de su centro y lugar que por algún tiempo [f. vi v.] hubiese riesgo en conocer y elegir el verdadero (que es lo que común-consumadísimo en ellos, son tan diferentes los de acá por la singularidad y sujeto de su materia que no se dejan comprender si no es por la experiencia en su ejercicio mente suele suceder en los nuevos gobiernos).

Mas Vuestra Excelencia, como prudentísimo, vencerá las dificultades y enredos de este laberinto, que son muchos, alcanzando victoria, que dé Dios con perpetua celebridad del nombre de Vuestra Excelencia quien suplico reciba este pequeño servicio no considerando lo poco que es sino a la voluntad con que lo ofrezco, la cual tengo dedicada al servicio de Vuestra Excelencia, cuya excelentísima persona Nuestro Señor guarde y ponga en la grandeza que merece con acrecentamiento de mayor estado.

De Potosí, a 10 de agosto de 1585 años. Excelentísimo señor.

De Vuestra Excelencia criado que sus excelentísimas manos besa

LUIS CAPOCHE.

PRIMERA PARTE DE LA RELACION DE POTOSI

[f. 1] Descripción del cerro y Villa de Potosí

El cerro y Villa Imperial de Potosí está situado en tierra fría, de muchas nieves, estéril y de ningún fruto, y casi inhabitable por su desabrido y mal temple. Antes del descubrimineto del cerro no tuvo población por su mal temperamento. Su calidad es seco y frío y ventoso sobremanera, especial por mayo, junio, julio y agosto, que se levantan unos recios vientos que llaman tomahavis (por venir por un pueblo que tiene este nombre); son impetuosos y vienen frigidísimos y con tanto polvo y arena que oscurecen el aire y causan mucho desabrimiento, aunque no son enfermos. Llueve poco en este pueblo y entran las aguas por fin de noviembre, y su fuerza es por enero y febrero. Salen por principio de marzo. No se cría en él y sus términos ningún género de mantenimientos, excepto algunas papas (que se dan como turmas de tierra) y alcacer sin granar, por ser perpetuo el frío, y en esto excede al de Castilla la Vieja y Flandes por no haber tiempo que los elementos tengan entre sí paz y templanza para que con ella dé la tierra su fruto al hombre que la posee. La cual es doblada y pelada sin ninguna arboleda ni verdura. Dista de la equinoccial a la parte del sur veinte y un grados y dos tercios, y para estar dentro de los trópicos es fría, habiendo de ser templada y caliente como son las tierras que están en esta altura de polo, lo cual impide el empinamiento y elevación de esta tierra y de los destemplados vientos de que es bañada.

Al oriente tiene este cerro, respecto de nosotros, la provincia de Santa Cruz de la Sierra, ciento y setenta leguas, que son los últimos pueblos por esta parte sujetos al Perú. Y prosiguiendo adelante está la Mar del Norte y costa del Brasil con el gran Río de la Plata que le demora al sureste, y, hasta las primeras aguas saladas que entran por el río donde está la población y puerto de Buenos Aires, hay cuatrocientas y treinta leguas por jornadas de buen camino. Y la navegación a Castilla es breve y algunos intentan irse por allí, y muchos lo harían si tuviesen certinidad de hallar [f. 1 v.] navío, que todas veces no lo hay. Al occidente está la Mar Austral o del Sur y el puerto de Arica, noventa leguas, escala de Chile y donde se descargan las mercaderías que se traen a esta villa del puerto de Callao (de Los Reyes), y de aquí llevan la plata (que ha de ir [a España] por la mar) en recuas de mulas y ganado de la tierra. Al meridiano está la provincia de Tucumán, ciento y cincuenta leguas (que son también los postreros pueblos por esta parte), y las provincias de Chile y Estrecho de Magallanes, seiscientas leguas. A la parte septentrional cae la noblueza de este reino, sus provincias y ciudades principales. Y esta descripción y colocación de provincias se ha de entender, según los cuatro puntos cardinales o plagas del mundo, por pertenecerles estas partes según su todo y no por línea recta.

Volviendo, pues, al cerro, en él no se cría hierba. Su color tira a rojo oscuro, limpio de peñas y risco, abierto [cubierto] por la superficie con tierra y pedregal y desmontes con ley de plata. Lo restante es de peña. Está derecho y empinado, con subida agria, aunque se anda todo a caballo. Remátase en punta en forma redonda; tiene de boj y contorno una legua por su falda. Está exento, suelto y dividido de la demás tierra, aunque por la parte del mediodía se le pegan unos collados y por la del poniente le nacen otros, de la hechura y facción que aquí va retratado (*) (que está al natural, reduciendo su grandeza a esta pequeña demostración en su población e iglesias en los sitios que les pertenecen). Hay desde la cumbre de este cerro hasta su pie y planta, midiendo por la parte del oriente, mil y seiscientas y veinte y cuatro varas de las comunes, que, reducidas a medida y cuenta de leguas españolas, hacen un cuarto de legua; y por la parte del poniente, mil y cuatrocientas y cuatro varas, que vienen a ser poco menos; y por la parte del norte, dos mil y cuatrocientas y diez y nueve, que es media legua; y por la del sur, que es lo más bajo, quinientas y cuarenta y seis, que es una décima parte de legua.

En este cerro, al pie de su falda, está incorporado un cerro pequeño [f. 2] que nace de él, que antiguamente tuvo algunas minas de metales sueltos que se hallan en bolsas y eran muy ricas, aunque pocas, y no iban fijos en vetas. Llámanlo Guayna Potosí, que quiere decir Potosí el Mozo, desde cuya falda, a la parte del norte, comienza la población de esta villa, la cual tiene de contorno ocho mil y seiscientas y cincuenta y dos varas, que son una legua y seis cuartas.

El sitio del lugar es áspero y con cuestas y quebradas. Sus edificios son los peores que hay en estas partes (por ser sencillos y bajos y mal ordenados), y chicas [las] casas a causa de ser la tierra fría y costosa y haber malos materiales, y los que la han habitado y habitan ser tratantes que van y vienen sin ningún asiento, a quien toca poco el bien público y aumento de los pueblos. Y la mayor causa de su poco lustre es no tener vecinos encomenderos, que tanto ser y valor han dado con sus personas, mujeres y familia en las demás partes donde los

hay, ennobleciendo el reino y perpetuándolo con las ciudades que han fundado, de magníficos edificios y suntuosas casas, ornamentos y atavíos de sus personas. Aunque en este tiempo ha llegado el negocio de galas de esta villa a tal punto, que donde no se gastaba más que paño pardo y botas de baqueta (por estar prohibido antiguamente que no se trajesen sedas), andan vestidos de terciopelo y raja y medias de punto, y apenas se verán calzas que no traigan brocados y telas de oro, y esto tan general, que oficiales y mulatos se las ponen. Después de [la introducción de] los azogues se ha ennoblecido esta villa por la mucha gente que ha ocurrido a ella y los casamientos que se han hecho. Y es tanta la curiosidad de los atavíos de las mujeres, que pueden competir con todas las del reino.

Hay plazas, la del Juzgado y Casas Reales, donde está la de la Contratación y casa de moneda y fundición; hay la de la coca y tres plazas donde se vende maíz y harina, y la del ganado, y la de la leña y carbón, y la [f. 2 v.] del metal, que en su contratación es muy de ver, por venderse en ella los metales que sacan los indios del cerro, o plata por plata, por mejor decir. Sin las cuales hay otros muchos lugares públicos donde se juntan gran congregación y consurso de naturales a hacer sus ferias y mercados, que apenas se puede andar entre ellos de juntos que están.

Pasan por esta villa y sus quebradas tres arroyos que en el invierno corren con alguna velocidad, y el uno de ellos, cebado de las lagunas, conserva su corriente cinco o seis meses. Y junto a la ribera de éste, algo lejos del pueblo, nace una fuente de agua perpetua que llaman de Castilla, por ser tan singular, y con quien los aficionados a este elemento podrían satisfacer a su apetito sin cuidado de buscar invenciones para beber frío, no porque todas veces lo esté en la fuente, aunque fuera de ella luego se enfría. Los naturales beben de pozos y padecen mucha necesidad por faltarles comúnmente el agua por septiembre y octubre hasta que llueve; de los arroyos [no beben] aunque corran, por venir el agua inficionada del beneficio de metales y azogue; y así sería necesario se hiciesen pozos en

(*) No consta el «retrato» a que alude el texto.

las parroquias por las comunidades para su sustento, que sería obra pía y no penosa para los indios, en cuyo beneficio se hace.

Están las plazas, con ser todo de acarreto, muy proveída de todo lo necesario al buen sustento de una muy fértil y abundante república, de muchos regalos y conservas, y extremados y suaves vinos de Castilla que llegan aquí muy purificados, y de buena fruta que traen de los valles de Chuquisaca, que en esta puna y tierra tan fría y seca es muy agradable y sabrosa.

Del descubrimiento del cerro.

[f. 3] Más había de doce años que los españoles poseían este reino y no tenían noticia de la riqueza de este cerro, en cuyo tiempo por algunos de los nuestros se labraron las minas del asiento de Porco, que era la grosedad del reino, y en su descubrimiento [del Potosí] no se halló rastro que los antiguos incas o reyes se hubiesen aprovechado de sus minas, ni se halló señal de labor (como en Porco, donde la habían tenido), ora por alguna vana observancia y ceremonia a que eran inclinados estos indios (adorando los montes señalados y piedras singulares, la ciega y más engañada gente, dedicándolos a sus huacas o adoraciones—que era el lugar donde el demonio los hablaba y hacían sus sacrificios—, y hallóse fama que queriendo los indios de Chaqui, que es un pueblo cinco leguas de esta villa, labrarlo, había sucedido en aquella sazón una mortandad muy grande, que atribuyendo a esto lo dejaron; y que sabido por el Inca, temeroso de estos abusos [avisos?], mandó que no se labrase; y que los indios oyeron voces en el aire que decían que para otra gente mejor estaba guardado y que habían de sacrificarle más que ellos) o por serles ignoto y no sabido su valor y riqueza, teniéndola Dios guardada y oculta tantos siglos para remedio y socorro de nuestra nación. Y así hizo Dios ricos de bienes temporales a estos reinos, conociendo nuestra inclinación que tan rendida está a estos metales, porque si faltaran, dificultosamente se predicara por ser la tierra tan remota e inacomodada.

El primero que dió noticia de él, con manifestación y registro público, fué un indio guanca natural de Jauja, yanacona de Villarroel, que era un español que residía en las minas de Porco. Y antes de éste, el que lo descubrió y sacó plata de sus minas fué un indio llamado Gualpa, de nación chumbivillca que es[tá] en tierra del Cuzco, que yendo por la parte del poniente siguiendo unos venados [f. 3 v.] se le fueron subiendo el cerro arriba, y como está empinado y entonces estaba mucha parte cubierto de unos árboles que llaman quiñua y de muchas matas, por subir un paso algo áspero le fué forzoso asirse de una rama que estaba nacida en la veta que [después] tomó nombre [de] la Rica. Y en la raíz y vacío que dejó conoció el metal, que era muy rico por la experiencia que tenía de lo de Porco; y halló en el suelo, junto a la veta, unos pedazos de metal que se habían soltado de ella y no se dejaban bien conocer, por tener gastada la color del sol y agua, y llevólo a Porco a ensayar por guaira.

Y como viese su extremada riqueza, secretamente labrada la veta sin comunicarlo con nadie hasta tanto que el indio guanca, que era su vecino en Porco, vió que sacaba de las fundiciones que hacía mayores tejos que los que ordinariamente se fundían de los metales de aquel asiento, y que estaba mejorado en los atavíos de su persona, porque hasta allí había vivido pobremente. Y deseoso de saber lo que en esto había, procuró de ver el metal, y extrañándolo le preguntó de qué mina era; y el Gualpa le decía que de Porco, que él no sabía de otras minas, y el guanca se lo negaba. Y tanto le importunó, que le hubo de decir lo que pasaba y le trajo a este cerro, habiendo más de ocho meses que él solo se aprovechaba de la mayor riqueza que se había visto en el mundo. Y dijo al guanca que tomase por suya una veta que también tenía descubierta, que estaba cerca de la otra, que después tomó nombre de Diego Centeno, que no era menos rica, aunque más dura de labrar. Y con esta conformidad partieron el cerro entre sí. Y el guanca, como sacaba el metal con alguna dificultad de más trabajo, pedía al Gualpa le dejase labrar en su veta, pues era suficiente para los dos; y como se le denegase, se desavinieron con muchas diferencias. E indignado de esto el guanca, avisó a su amo Villarroel, el cual fué con él a ver [f. 4] lo que le decía, y visto lo que pasaba, hizo registrar al guanca, estacándose con él en la mina que labraba en [la veta después llamada de] Centeno, cuyo registro se hizo en Porco en veinte y un días del mes de abril de mil y quinientos y cuarenta y cinco años.

Y después de algunos días se descubrió la veta del estaño, que ha sido riquísima, aunque trabajosísima de labrar, por ser su metal tan duro como pedernal. Y en treinta y uno de agosto de este año se registró la veta de Mendieta, y éstas son las cuatro vetas principales de este cerro. De la veta Rica se dice que estaba el metal una lanza en alto, a manera de unos riscos, levantado desde la superficie de la tierra como una cresta que tenía trescientos pies de largo y trece de ancho, que quedó descubierta y descarnada del diluvio, resistiendo como parte más dura el ímpetu y fuerza de las aguas. Y era tan rico el metal que tenía la mitad de plata, y tan plomizoy que cuando lo barreteaban los indios se les asían las barretas en él; y se sacaban hebras tan gruesas como una pierna, y donde lo hay, es señal de ser la mina rica, porque la plata se congela y cría con él por ser húmedo. Y fué perseverando su riqueza hasta los cincuenta y sesenta estados, [en] que vino a faltar.

Y como se supiese en el reino este descubrimiento, acudieron muchos españoles y casi la mayor parte de los vecinos de la ciudad de La Plata, que entonces llamaban la Villa Rica, a tomar minas, y de esta provincia y de los distritos de las ciudades, gran cantidad de indios de los repartimientos y yanaconas a su labor, de quien se pobló en su principio, pasándose aquí los guairadores de Porco. Y en breve tiempo fué la mayor población del reino.

De las vetas que hay en este cerro

Veta es una lista de metal que hay en este reino que está en las partes altas y cumbres del cerro hacia el oriente. Corren norte-sur. Llámanse de este nombre por la se[f. 4 v.]mejanza que tienen con las de los árboles y su madera, que haciendo unas líneas o vetas por donde procede y corre el humor del árbol, dividen el cuerpo de la madera y se muestran de otra materia gomosa, que difiere de lo demás. Así en este cerro están las vetas de metal entre la tierra y peña de él, cuyos linderos llaman cajas, y lo que va en medio es el metal. Tienen las vetas por lo más ancho seis pies, cinco y cuatro y dos, y más y menos, ensanchándose a las veces y otras ensangostándose como un palmo.

El metal rico que sacan de las minas se guaira, como se ha hecho siempre, y algunos españoles e indios lo benefician por azogue. Y los metales pobres que no eran para guaira, que juntos con él estaban y de que era casi la mayor parte de la veta, con otros tan pobres que no servían de nada hasta la introducción de los azogues, los echaban a mal, como cosa inútil y que no se esperaba provecho de ellos por fundición y materia de fuego. Y a los que eran ricos guairaban, sin poderlos beneficiar y corregir por fundición de fuelles, como en Porco y otras partes, aunque lo habían intentado personas expertas y de gran curso en calidades de metales, a causa de ser los de aquí secos. Y así los aprovechaban por guaira, cuya fundición es más suave y templada, como se dirá en su lugar.

Fué tanta la prosperidad pasada, que los desmontes, que son metales pobres que echaban por el cerro, eran tan ricos que tenían a diez y a doce pesos por quintal de ley, y algunos llegaron a diez y seis beneficiados por azogue. Y había tantos en el cerro, que, beneficiados desde el año de setenta y tres hasta hoy, no se han acabado; y con ellos se han hecho muchos ricos, aunque por no costarles más que juntarlos. Los que al presente se pallan, que así se llama este modo de escoger y coger metal, y de que es la mayor parte que tienen que moler este año los ingenios de esta ribera [f. 5]—y si no fuera por ellos apenas tuvieran que moler, y no por esto dejan de estar parados muchos—, y los que muelen de flete y maquila es con tan poco provecho, que los unos y los otros irán a la cárcel o a Tucumán, que es el Portugal de esta tierra. Van acudiendo los desmontes al año a dos pesos y a dos y a dos [sic] tomines, y llegan algunos a dos pesos y medio, que es buen beneficio; pero son éstos los menos, y los más no llegarán a dos pesos.

El año pasado hubo poca labor en el cerro porque los señores de minas e ingenios no tuvieron fuerzas para labrarlas, por haber dos años que no molieron los ingenios de esta villa por haber sido estériles de agua; y éste en que Vuestra Excelencia ha hecho merced a este reino de entrar en él, ha sido de abundancia y fertilísimo, y todos han tenido por buen pronóstico del feliz y afortunado gobierno de Vuestra Excelencia este favor que les ha hecho el cielo en este principio.

Están las vetas tan hondas, [en] especial las principales, que es menester en algunas [bajar] más de doscientos estados para hallar sus metales.

Hay en este cerro las vetas que pongo aquí, con una nómina de todas las personas que tienen minas, y la cantidad que cada uno posee, con distinción y la manera y hondura en que están, y los indios que por la visita general que hizo el señor doctor don Diego López de Zúñiga, alcalde de corte de la Real Audiencia de Los Reyes, por orden del excelentísimo señor [virrey] don Martín Enríquez, que sea en gloria, les señalaron al tiempo de la visita por los veedores y diputados que se nombraron para este efecto (los cuales daban por parecer tenía necesidad la mina que visitaban para su labor y beneficio de los indios que les señalaron, aunque en esto hubo mucho desorden) y los indios que el señor virrey por el último repartimiento que hizo les dió. En la primera columna se ponen los indios que les señalaron; en la segunda, los que les dieron; en la tercera, las varas de minas que cada uno tiene; en la cuarta, los estados [f. 5 v.] de hondura en que están, y donde se hallare una cruz significa estar virgen la mina que la tuviera, lo cual se ha de atribuir a su pobreza y poco concepto que se tiene de su aprovechamiento:

Veta de Diego Centeno

30	12	El licenciado Sancho de Contreras, ausente en los reinos de España … … … … … … … … …	30	40
15	5	Mariana de Flores … … … … … … … … … …	15	40
15		Mateo Flores, su hermano. Están indivisas y por partir.	15	40
30	7	Francisco Ruiz … … … … … … … … … …	30	30
30	7	Los herederos de Juan de Anguciana … … … …	30	30
10	4	Juan de Espinosa, vecino de la ciudad de La Paz …	8	20
5	4	Antonio Díaz … … … … … … … … … … …	4	70
5	4	Los menores de Gonzalo Cerón … … … … … …	4	70
16	4	Sebastián Gutiérrez, ausente en Castilla … …	12	70
30	2	Juan de Pendones, y es la mina descubridora de todo este cerro … … … … … … … … … …	24	80
13	4	Torres Palomino … … … … … … … … … …	8 ½	80
25	4	Los herederos de Marcos Muñoz de la Regata … …	25	80
25	6	Los herederos de Juan de Anguciana … … … …	25	60
10	1	Juan de Pendones … … … … … … … … …	10	60
30	10	Su Majestad … … … … … … … … … … …	60	70
12	5	Pedro de Alcocer … … … … … … … … …	15	70
60	8	Las monjas de la Encarnación, de la ciudad de Los Reyes … … … … … … … … … … …	60	50
15	5	Los herederos de Juan de Pancorvo, vecino del Cuzco.	15	50
20	4	Francisco de Guzmán … … … … … … … …	40	25
10	2	Francisco Escudero … … … … … … … … …	20	25
20		Los herederos del capitán Martín de Almendras, vecino de la ciudad de La Plata … … … … …	60	†
10		Los herederos de Pedro Bernal de Acosta [f. 6] …	20	
10		Los menores de Cristóbal de Pereña … … … …	20	
10		Andrés González. Todas indivisas y por partir … …	20	

Veta Rica

20	8	Cristóbal de Medina y Pedro de la Cal, indivisas y por partir	30	170
13	4	María Vélez, vecina de La Plata	13½	160
15	4	Luis de San Román y los herederos de Marcos Muñoz, y es la descubridora de esta veta	15	170
10		Sebastián de Canseco	10	160
10	4	Pedro Sande	10	160
6	6	Bernabé de Salazar	5	170
6	2	Pedro Sande	5	170
13	10	Carlos Corzo. Esta mina ha tres años que no se labra porque ha dado en agua, y tiene cantidad y tiene fruto labrando los altos	13½	170
9	4	Toribio de Alcaraz. Al mismo tiempo que no se labra por haber dado en agua, como la de arriba, a cuyas estacas está. Puédense aprovechar de los metales de lo alto	9½	170
8	3	Juan Pérez de Arriaga	6	170
4	3	El padre Cáceres, clérigo	3	180
5	2	Juan de Alcoba	3½	180
12	4	Gonzalo de Soria y los herederos de Francisco de Nava. Indivisas y por partir	10	170
3	1	Bautista Monte	2½	180
17	8	Juan Pérez Donoso y Bernardino Muñoz. Indivisas y por partir. Ha dado esta mina en agua, y con ésta son tres las que se dejan de labrar en el cerro por este inconveniente, y entiéndose que [f. 6 v.] acabado que sea el socavón de Nicolás del Venino tendrán mucho provecho, no porque se ha de desaguar la mina por él, pero podráse con facilidad ir agotando y labrando algunas partes que las tres minas tienen vírgenes	17½	180
8	4	Toribio de Alcaraz	7)½	180
5	4	Lucas de Medina, en lo que llaman Cotamito	5	
6	4	Juan Méndez, y Jerónimi de Vargas y Andrés Gómez.	7½	180
5	3	Francisco Bozo, vecino de Arequipa, y Bautista Monte	5	170
12	8	Jerónimo de Vargas y Juan Méndez y compañía	20	190
5	2	Francisco Bozo y Bautista Monte	5	200
15	4	Gonzalo Santos y Gonzalo Alonso	15	180
20		Su Majestad. Esta mina está arrendada por los oficiales reales a Juan Picón por cinco mil pesos ensayados por [blanco] años	15	18
10	4	Gonzalo López	10	50
10	4	Diego de Olaesta como sucesor de [blanco]	10	60
20	4	El licenciado Torres de Vera, oidor que fué de la Real Audiencia de La Plata, como padre de don Juan de Zárate, hijo de doña Juana de Zárate, su mujer, difunta	16	60
28	8	Garci Michel y los herederos de Nuño Alvarez, su compañero	20	130
7	4	Luis Hernández Ramírez y Melchor Pardo	7½	130

5	4	Nuño de Balboa	5	130
6	2	Jerónimo de Esquivel	5	110
10	4	Los herederos del licenciado Juan de Sanabria	5	180
10	5	Alonso de Torrejón	7 1/2	160
11	4	Cristóbal Losa y Luis Alvarez	7	180
4	3	Alonso de Torrejón	3 1/2	160
16	4	Rodrigo de Ybarra y los menores que tie[f. 7]ne a su cargo Hernán Cabrera por mitad. Es mina la más peligrosa que tiene este cerro, y está suspendida su labor hasta tanto que se hagan ciertos reparos ...	16	90
15	3	Don Diego Vaca	15 1/2	190
10	1	Jerónimo de Vargas	7 1/2	180
5	6	Los acreedores de Roque de Larrumbida, ausente por muerte	15	180
7	3	Alvaro de Lira	5	190
7	4	Don Hernando de Zárate, vecino de la ciudad de La Plata	7 1/2	180
15	4	Cristóbal de Espinosa	15	80
8	4	Andrés Hernández	7	50
8	4	Antonio de Velasco	7	30
10	7	Juan Gómez Hernández	7	190
10	6	Juan Fernández de Castro	7	180
20	8	Los menores de Pedro Hernández Escudero	20	180
14	4	Pedro de Herrera Cerspo	10	180
34	5	Domingo Gallego	28	200
25	4	Gaspar de Angulo y Juan de Cisneros	20	200
7	4	Alvaro López de Padilla	6	30
25	8	El capitán Jerónimo Osorio	31 1/2	100
10	4	García de Toledo	10	100
12	3	Domingo Gallego	12 1/2	80
5	1	Gonzalo Santos	12	160
14	4	Miguel Marín, difunto	14	160
12	6	Juan de Hermosa	12	160
9	1	Gonzalo Santos	6	110
8	2	Juan Gómez Hernández	7 1/2	140
8	4	Alonso López Barriales	7 1/2	150
12	1	Gonzalo Santos y Juan Román. Indivisas	9	190
10	4	Alonso López Barriales	7 1/2	120
10	4	Pedro Núñez Téllez	7 1/2	120
10	3	Alonso Marañón	6 1/2	120
10	6	Juan Román	7 1/2	120
5	2	Juan Bautista Savando [f. 7 v.]	3 3/4	180
8	4	Francisco de Oruño	9	130
8	4	Los herederos de Suero Méndez de Sotomayor, difunto.	9	130
14	4	Francisco de Polanco	9	190
9	3	Juan Pérez de Arriaga	5	120
8	1	Francisco de Oruño	5	180
28	8	Luis Hernández Ramírez y Francisco de Segovia. Indivisas y por partir las veinte del dicho y las cinco de Segovia	25	180
13	4	Gómez Hernández	12 1/2	175
15	4	Luis Hernández y Jerónimo Pérez	15	170
30	7	Juan Martín de Echarriaga	38	170

18	6	Gaspar de Miranda y Bernabé de Salazar. Indivisas y por partir	15	150
6	4	Sebastián Sánchez de Merlo	3 ½	150
20	8	Don Luis Dávalos de Ayala	16 ½	150
80	8	Garci Michel y Diego Paniagua. Indivisas y por partir.	100	150

Veta de los Flamencos

Que es la misma Rica que va atravesando el cerro y sale a la parte del poniente y pierde su nombre, porque en su descubrimiento se tuvo por distinta, y es toda una.

30	8	Juan de Pendones y Juan Pérez Montañés	60	50
50	8	Juan de Pendones y los herederos de Sebastián de Otaola. Indivisas y por partir	60	50
20	5	Don Diego Vaca	25	50
30	3	Juan de Pendones	35	80
5	4	Pedro Márquez	5	40
6	3	Diego López de Haro	5	40
6	3	Sebastián Sabando	5	40
17		Pedro Márquez	16	40
30	9	Martín Ruiz de Santo Domingo, y Francisco de Boldo y Tomás de Cheo. Indivisas	30	30
50	10	Juan Guerra y Francisco de Salazar, y Luis de Sayas y la viuda de Guillermo Diste, Juana de Alcoba, y la menor hija de Moreno [f. 8]	60	50
22	6	Juan Juárez	22	30
8	4	Sebastián González	7 ½	30
10	4	Juana de Alcoba	10	30
10	3	Francisco de Oruño	10	30
10	4	Cristóbal de Espinosa	10	30
30	6	Su Majestad	60	†
10	6	Sebastián de Canseco	60	†

Veta del Estaño

Tomó este nombre porque sobre la haz de la tierra tocaba el metal en cobre, y después se topó tan rico que ninguna veta ha habido en el cerro que más haya perseverado en dar metales ricos. Es toda la veta de pedernal, que es trabajosísimo de barretear y moler.

16	4	Juan Picón	12	70
12	4	Hernán Cabrera de Córdoba	10	70
10	4	Alonso Marañón	8	70
10	4	Juan de Torres Palomino	8	70
10	4	Juan de España. Estas minas están indivisas y por partir	8	70
15	4	Gonzalo López	15	90
15	4	Gaspar de Angulo y Juan de Cisneros. Indivisas y por partir	15	90
30	6	Gonzalo Santos	30	60
20	2	Juan de Pendones	20	85
10	2	Domingo Gallego	10	90
10	4	Juan Ramírez	10	90
10	4	Baltasar Rodríguez. Estas minas están indivisas y por partir	10	90

10	2	Cristóbal de Medina [f. 8 v.]	10	70
10	4	Los herederos de Gonzalo Hernández de la Torre ...	12	70
10	3	Antón Yáñez	5	70
10	4	Bartolomé García. Indivisas y por partir	10	70
9	2	Andrés Gómez	7 ½	60
17	6	Gómez Felipe. Indivisas y por partir éstas	15	60
9	4	Tres minas con la de Juan Méndez	7 ½	60
28	4	Luis de San Román, y Luis Méndez, y Gonzalo de Soria. Indivisas y por partir	45	100
20	4	Luis Méndez	11 ¼	120
18	4	Gonzalo de Soria	11 ¼	140
25	4	Luis Alvarez, y Juan Núñez Maldonado, y Alonso Tufiño. Indivisas y por partir	18	130
10	3	Cristóbal Losa y Luis Alvarez. Indivisas	7	120
18	4	Alonso Tufiñño, y Juan Núñez Maldonado, y Luis Alvarez. Indivisas	12	120
10	3	Antonio Vázquez	5 ¾	120
5	2	Diego de Morales	2 ¾	120
14	3	Rodrigo de Ybarra	10 ¾	120
20	6	Bernardino Muñoz y Luis de Arguello	14	120
10	2	Rodrigo de Ybarra	7	120
12	3	Antonio Vázquez	7	70
30	5	Rodrigo de Ybarra	16	70
25	6	Hernando Pacheco	16	70
18	3	Martín de Elizalde	12	70
25	8	El licenciado Corvalán de Robles	22	30
20	22	Gonzalo Santos	15	20
18	4	Los herederos de García de Aguilar	15	20
16	4	Jerónimo de Esquivel	13	25
18		Pablo de Carvajal, vecino del Cuzco	18	25
18	25	Martín de Elizalde y Diego Fernández de Castro ...	18	25
15	4	Martín de Elizalde	15	30
15	5	Martín de Chazarreta	15	30
16	3	Juan Martín de Echarriaga	12	25
32	8	Cristóbal de Losa y Luis Alvarez. Indivisas [f. 9].	30	70
30	6	Francisco de Saavedra	30	70
30	4	Juan de Pendones	30	25
10	3	Juan de Gamboa	15	25
10	6	Gómez de Chaves. Están estas dos minas indivisas ...	15	25
10		Juan de Gamboa	60	†
20	6	Andrés Velázquez	21	†
6	2	Cristóbal de Medina	5	†
40		Juan Martínez y los herederos de Gonzalo Hernández de la Torre. Indivisas	60	†
60	6	Los herederos de Miguel de Torralba tienen cuatro minas de a sesenta varas. Están vírgenes y son las postreras de esta veta hacia Porco	240	†

Veta de Mendieta

30	4	Antonio Quijada	60	†
40	4	Martín de Carrillo y García de Toledo	60	60
10	5	Don Gabriel Paniagua de Loaysa	10	60
10	1	Gonzalo Santos	10	60

10	4	Los menores de García de Aguilar. Estas tres minas están indivisas y por partir	10	60
28	6	Juan González Sotelo, vecino de la ciudad de La Plata.	27 ¹/₂	60
15	4	Gaspar Ortiz, difunto	9	60
15	6	Diego de Mendieta	25	70
15		Diego de Zárate. Están indivisas	25	70
80	8	El licenciado Torres de Vera	60	70
25	8	Los herederos de Manuel de Espina	30	60
15	4	Juan Ortiz Picón	14	60
15	6	Pedro de Arroyo. Están indivisas y por partir	14	60
10	3	Don Gabriel Paniagua de Loaysa	7 ¹/₂	60
10		Los herederos de Diego de Zárate	7 ¹/₂	60
67	14	Alonso Hernández Hurtado las quince [f. 9 v.], Andrés Gómez veinte y una, Luis Martín doce, Alvaro Hernández de la Torre cinco. Indivisas y por partir.	53	125
40	6	El convento de Nuestra Señora de la Merced	45	60
20	4	Garci Michel. Están indivisas y por partir	15	60
20	14	Luis de San Román	20	60
20	4	Diego Paniagua	20	60
20	4	El convento de Nuestra Señora de la Merced. Indivisas.	20	60
20	4	Luis de San Román	20	60
20	4	Diego Paniagua	20	60
20	5	Diego Hernández de Castro, indivisas	20	60
50	8	Los herederos de Marcos Múñoz de Larregata	60	80
15	5	Juan de Gamboa	30	†
10	8	Los menores de Sojo	30	†
30	5	Luis Valero y Cristóbal Avarez	60	†

Veta que descubrió Juan Domínguez Destida

40		Andrés Vela, y Bernabé de Bruceña, y Diego de Vega, y Diego de Herrera, y José Luis de Escobar. Está dado en esta mina un pozo	60	30
20		Andrés de Mayorga y Pedro de Castro. Indivisas ...	30	†
40		Juan de Ayllón, y Juan Suárez, y Elena de Solís, y Juan de Avila	60	†

Veta de Oñate

20	4	Miguel de Rosas	40	30
15	4	Lope Sellinos	20	30
20		Don Diego Dávalos	60	30
20		Pedro de Cardos	40	30
20	4	Cristóbal López	40	30

Veta de Oñate, por la parte de abajo

25	6	Los herederos de Juan de los Cameros. En ésta tiene Juan Pérez de Arriaga quince varas. Está dado un pozo de veinte estados	60	†
25		Hernando de la Cueva y Juan Martínez. Tienen dados dos pozos de treinta estados [f. 10]	60	†
20		Martín de Elizalde. Tiene dado un pozo de dos estados.	60	†

30		Elena de Solís y Rodrigo de Quiroga	60	†
12		Juan López	60	†
12		Francisco Vázquez	7	†

Veta de Oñate, por el socavón de Medina

30	8	Lope Sellinos. Y en esta mina tiene Luis Hernández diez varas, y Miguel de Rosas diez y ocho, y María Ortiz diez, y el dicho Sellinos veinte y dos. Indivisas y por partir	60	

Veta de Los Ciegos

12	4	Sebastián Sánchez	17	
15	4	Andrés Sánchez Serrano	20	
4	3	Francisco de Mora	5	
7	4	Juan de Solís	8	
14	5	Los menores de Durán	15	
15		Alonso de Torrejón y Francisco de Godoy	20	
15	4	Pedro Flores y Martín de la Coba	20	
12	4	Bautista Monte	15	
6		Juan Barba	10	
40	6	Antonio Hernández	60	60
120	80	El licenciado Torres de Vera, y los herederos de Benito de Torres, y Martín de Elizalde, y Luis Méndez. Indivisas	120	60
40	6	Luis de la Serna y los herederos de Diego Palacios. Indivisas	60	20
30		Los herederos del licenciado León, difunto, vecino que fué de Lima	60	†
9	4	Juan de Torres Machuca	20	†
6	6	Francisco de Salazar	20	†
6	5	Sebastián Gutiérrez. Tiene un pozo dado de cuatro estados	20	†
60	8	Cristóbal López [f. 10 v.]	60	60
40	6	Don Juan de Alvarado y de Velasco, del hábito de Santiago, hijo del mariscal don Alonso de Alvarado, que reside en la ciudad de La Plata	60	25
20		Juan de Alvarado	60	†
25		La mujer de Garci Michel, y Juan Gutiérrez y Francisco Vázquez	120	†

Veta que descubrió Antonio Quijada
Que está a un lado de la veta Rica hacia el pueblo

40		Garci Michel, y Antonio Quijada, y José Luis de Escobar, y Felipe Díaz. Indiviso	60	20
60		Diego Hernández las sesenta, y Hernán González, y Garcí Michel, y Francisco Vázquez, y Diego Paniagua, y Diego de Alvarado las ciento y veinte. Indivisas	180	†
20		Cristóbal de Losa	60	†

VETAS QUE NACEN Y SON RAMOS DE LAS PRINCIPALES

Veta de Alonso López Cano

20		Los herederos de Francisco de Guzmán. Está junto a [la veta de] Centeno	70	8
25		Juan de Carvajal y Antonio de Quintanilla. Está esta mina en la veta que registró don Diego Aco [indio]	60	†
		Francisco de Segovia y Rodrigo Arias de Baeza, junto al [la veta del] Estaño		

Veta de Los Viejos y de don Francisco Lobato
Está junto a la veta de Mendieta

25		Gonzalo Santos, y Bernabé de Bruceña, y Luis Hernández, y Melchor Márquez	60	†
20	6	Juan de Berrio las cincuenta y Pedro de San Juan las diez	60	†
20		Los herederos de Gonzalo Hernández [f. 11]	60	†
45	4	Alonso Hernández Hurtado	60	60
40	6	Pedro Bernal de Acosta y compañía de Juan Picón.	60	60
20	4	Juan González Sotelo	27	60
12	4	Gaspar Ortiz	9	60
30	6	Diego de Pavía, difunto, y Juan Picón [y] compañía.	36	60
12	4	Don Luis Dávalos	10	60

Vetilla de Jerónimo de Esquivel

40	En la cual el dicho, y Andrés Vela, y Bernabé de Bruceña, cincuenta varas	50	†
15	Francisco Vázquez	25	
15	Juan García y Nuño Alvarez	25	
15	Lucas de Medina	20	†
15	Andrés de Mayorga	25	†
15	Diego de Luna	5	†
	Pedro de Guzmán	10	†
8	Francisco de Aguilar	10	
6	Luis Palmero	5	†

Veta del Espíritu Santo

33	Andrés Vela y Diego de Vega, y el dicho Vela tiene las cincuenta y cinco	60	30
15	Bernabé de Bruceña	15	†
8	Alvaro de Ribas Taboada	8	†
10	Diego de Luna	10	†
6	La Compañía del Nombre de Jesús	5	†
15	Gonzalo López	15	†
6	Juan Dávila	5	†

Veta de San Andrés

16	Isabel de la Paz	30	20
15	Andrés Vela	60	†

Veta de Corpus Christi,
que se descubrió por el socavón de Sojo

30	Los herederos del dicho, por el socavón por la haz de la tierra [f. 11 v.]	60	70
40	Martín de Vergares	60	†
20	El dicho Martín de Vergares y Miguel Marín	30	†
60	Juanes de Gamboa, y Francisco Alvarez, y Luis Hernández, y Diego de Solís, y Pedro Martínez Tajarrista. Indiviso. Está en hondura, por el socavon, de sesenta estados por el haz de la tierra ...	20	60

Veta Negra,
que se tiene por ramo de la veta del Estaño

40	Juan Gómez Hernández, y los herederos de Francisco de Guzmán, y Juan Fernández de Castro, y Francisco de Orúe. Indiviso. Está en ochenta estados desde el crucero	60	80
25	Juan Fernández de Castro, y Simón Pérez, y Juan Briceño. Indiviso	30	†
20	Gonzalo de Solís	60	†
20	Miguel García de Luján, las cincuenta, y diez Juan Fernández de Castro. Alonso López Barriales tiene en ellas seis varas	60	†
40 4	Diego Guitián. Está en hondura, por el crucero, de setenta estados al peso del socavón	60	70
6	Gabriel Guerra. En la primera, seis Julio Corzo. En esta mina tiene seis varas Diego de Solís. Está de hondo por el crucero sesenta estados	10	†
40	Juan de Gamboa y Simón Pérez. Está de hondo al peso del socavón y crucero ochenta estados	60	60 [sic]
10 [sic]	... ...	30 [sic]	80

Veta de Cristóbal López

30	Gonzalo Durán y Alonso Proaño, su menor, las treinta, y diez Lope Sellinos y Pedro Clavijo ...	60	†
10	Diego de Luna	15	†

[f. 12] Veta de Terrasas

25	Nuño Méndez, las cuarenta, y Diego de Vega, ocho, y Martín de Veramendi, doce. Está en hondura de sesenta estados por el socavón	60	70
25	Alonso Marañón	60	†
25	Gaspar Ortiz y Baltasar Ortiz	60	†

Veta de Medina

30	Andrés Velázquez y Gonzalo López	120	†
15 5	Pedro Clavijo	40	†
20	Cristóbal Losa y Luis Alvarez	60	†
15	Jerónimo de Esquivel	35	†

Veta de Luis de Frías,
que está junto a la de Los Ciegos

20	La Cofradía de Nuestra Señora, en compañía del dicho Frías	60	
20	Antonio de Quintanilla y Juan de Torres Palomino. Indivisas	60	†
20	Antonio Ponce y Bartolomé Remón. Indiviso	60	†
20	Los herederos de Juan Barba, difunto	60	†
	Su Majestad	60	†
20	Hernando Márquez y Juan de Torres Palomino, en compañía de la iglesia de Nuestra Señora de la Concepción	60	
20	Gaspar Pamo y los herederos de Juan Carrasco. Indiviso	60	

Veta Nueva,
que registró Juan Ordóñez de Villaquirán, que
se tiene por la de Los Ciegos, por estar a las
espaldas del cerro hacia Porco, en el rumbo
de la veta dicha

20	Jerónimo de Esquivel	60	†
20	Baltasar de Villanueva	60	†
20	Pedro de la Torre	60	†
20	Juan de Castro. Estas cuatro minas están indivisas y por partir, y están dados en ellas algunos pozos [f. 12 v.]	60	†

Veta de Olmeda

25	Hernando Pacheco	60	25
25	Los herederos de Pedro de Leicegui, y en estas varas tiene quince Diego Hernández	60	
20	Juan Picón	60	10
20	Su Majestad	60	†
30	Juan Arias de Castilla, y don Diego Dávalos, y don Pedro Marañón	60	†
20	Manuel Rodríguez las cuarenta y Pedro Núñez veinte.	60	†
25	Hernando de la Cueva, y Alonso Muñoz, y los herederos de Bartolomé Copado. Está dado un pozo de ocho estados	60	

Veta que registró Luis Hernández,
que está entre la de Olmeda y Flamencos

20	El dicho Luis Hernández, y tiene dado un pozo de cuatro estados	60	†

Veta que registró Guillermo Diste y Tomás de Ayala

30	Juana de Alcoba las cuarenta, y Domingo Quenta, indio, las veinte	60	†
10	Cristóbal Osorio	10	

Veta de Las Animas del Purgatorio, que registró Diego López de Haro

30	6	El dicho Diego López	60	60
		Su Majestad	60	†
40		Los herederos de Sebastián de Otaola y Bernabé de Salazar, dos minas [en] compañía	120	†
20		Francisco de Oruño y Cristóbal Osorio	60	†

[f. 13] Vetilla que registró Diego López de Haro

15	El dicho Diego López, y tiene dado un pozo	60	†
20	Luis Osorio y don Diego Dávalos	60	†

Veta que descubrió Benito de Torres

15	Juan de Caballos. Tiene dado un pozo de veinte estados	35

Veta de San Antonio

Francisco de Segovia, y Miguel García, y Pedro Sande tienen dado un pozo de seis estados y está indiviso.

Veta que registró Torres, el Mallero

	Luis Hernández, y Jerónimo de Esquivel, y Juan de Aguirre, y Pedro Posada. Tienen dado un pozo de diez estados	60	†
25	El capitán Hinojosa	60	†

Veta de Nuestra Señora de la Candelaria

65	8	Dos minas con ciento y veinte varas, en las cuales tiene cuarenta y una vara y media Pedro de Valencia, descubridor, y José de Escobar, cincuenta y tres y media, y Cristóbal Losa, veinte y cinco. Tiene dado un pozo de dos estados	120	†
40		El licenciado Pedro González de las Cuentas, y Diego de Vega, y Jerónimo de Montenegro, y Diego de Luna	60	†
4		El capitán Luis García de Melo, en las cuales tiene diez varas Diego de Meneses y otras diez Manuel Rodríguez	60	†
20		Benito de Peñalosa y Pedro de Alcaraz	60	†
20		Su Majestad	60	†
20		Pedro Clavijo	60	†

Veta de San Antonio, que descubrió Pedro de Valencia

El dicho Pedro de Valencia y tiene dada una cata.

[f. 13 v.] *Veta de Gómez de Alarcón*

20   Domingo Beltrán tiene las doce y Diego de Guitián las veinte, y veinte y ocho Nuño de Balboa. Está dada una cata   60   †

Veta de Pedro de Valencia

20   El dicho, como descubridor   60   †
20   José de Escobar, y Juan Ordóñez, y Baltasar de Villanueva e Isabel Clavijo   60   †
20   Isabel Clavijo, mujer del dicho Villanueva   60   †
20   Su Majestad   60   †

Veta de Nuestra Señora del Pilar

20   Pedro Martínez de [Ta]jarrista, y tiene en ellas [*sic*] veinte varas. Tiene dado un pozo   60   †
20   Mayor de Herrada y Jerónimo Pérez. Son del dicho las cincuenta   60   †
15   Gonzalo Franco   60   †

Vetilla de Guillermo Diste

    El dicho, y su mujer, Juana de Alcoba ... ...
20   Juana y los herederos del dicho su marido   60   †
20   Miguel de Morales   60   †

Veta que descubrió Francisco Martínez a un lado de la veta Rica

25   Los herederos de Marcos de Baeza, y Alonso Pérez, y Francisco Martínez. Tiene dado un pozo de quince estados   60   †

Veta de La Magdalena, que descubrió Francisco Martínez y está al lado de la de Mendieta y don Francisco Lobato

30   6   El dicho Francisco Martínez tiene las veinte, y Alonso Pérez, quince, y Diego de Acevedo, diez, y Juan Rodríguez de Ribera, quince. Tiene dado un pozo de quince estados   60   †
20   Su Majestad   60   †
20   Cristóbal de Quirós   60   †
20   Juan de Mojica [f. 14]   60   †

Veta Nueva, que registró Pedro Dávila, que está junto a la veta del Estaño

15   El dicho Pedro Dávila, y Juan Bautista de Solís, y Gaspar del Peso   60   †

Veta de don Francisco Lobato

15	4	Alvaro López de Padilla. Está, por el crucero, en hondura de veinte y cinco estados	20	25
15	5	Los menores de Juan de Artigas. Está, por el socavón, en hondura de veinte y cinco estados desde el haz de la tierra	20	25
9	4	Juan de Cisneros y Gaspar de Angulo. Está, por el crucero, en veinte y cinco estados	9	25
8	5	Bernardino Muñoz y Juan Pérez Donoso. Está en veinte y cinco estados por el socavón	10	25
5	2	Los menores de Juanes de Artiaga. Está, por el socavón, en veinte y cinco estados	5	25
30	8	Los herederos de don Francisco Lobato, en las cuales tiene doce varas Alvaro de Ribas Taboada, y nueve Nuño de Balboa. Indivisas y por partir. Está en veinte y cinco estados por el socavón	30	25
20	8	Hernán Sánchez Velasco y los herederos de García de Aguilar. Indiviso	32	20
		Martín de Elizalde, las catorce y dos tercias, y Bartolomé de Victoria, otras tantas, y Alvaro de Carrión, doce, y los herederos de Marcos Muñoz de Larregata, diez y ocho		

Veta que registró Alonso López Barriales

15	Alonso Hernández Hurtado, y las veinte varas tiene Francisco de San Martín	60	†
20	Los menores de don Francisco Lobato, en compañía de Nuño de Balboa y de Alvaro de Rivas Taboada.	40	

[f. 14 v.] Veta que registró Juan Chupacho, indio

35	El dicho indio, y María Ortiz Picón, y Juan Picón. Tienen dado un pozo de ochenta estados	60	†
20	Su Majestad	60	†
15	Juan de Cárdenas	60	†

Veta de Miguel de Rosas,
a las espaldas del cerro, hacia Porco

15	El dicho Miguel de Rosas	60	
15	Alonso de la Feria	60	†
15	Juan de Matute	60	†
15	Su Majestad	60	†

Veta de Mendieta la Vieja

10	4	Gaspar de Miranda	40
5		Luis de Escobar	10
5		Bernabé de Bruceña tiene dado un pozo de treinta estados por donde se labran. Indivisas y por partir.	10

25	Elena de Solís, las veinte, y Gaspar de Miranda otras veinte, y don Luis Dávalos otras veinte	60	†
13	Alonso Hernández Hurtado	60	†
12	Juan Arcos Cortés	60	†

Veta de Santa Bárbara

que descubrió Pedro Jiménez del Castillo.
Tiénese por la del Estaño.

20	El dicho Pedro Jiménez	60	†
12	Su Majestad	60	†
30	Don Diego Aco, capitán [de indios], y Lope de Allende, su compañero	60	†
30	Juanes de Gamboa y Sebastián Canseco	60	†

Veta de San Marcos

20	Que registró Hernando Llunqui, indio, y Juan Rodríguez, y Juan Mojica, y Hernando Zama, y Jerónimo Pérez, y Francisco Dente	60	†
15	Cristóbal de Quirós	60	†

Veta de San Agustín,

que descubrió don Juan Yupanqui, indio

35	6	Diego Bravo [f. 15]	60	25
25	8	Su Majestad	60	
10	6	Hernando Pacheco, y don Antonio de Paz, y Pedro Chirinos	60	†
25	6	Los herederos del licenciado Polo Ondegardo	60	50
30	6	Diego Bravo	60	30
40		El licenciado Luz, vecino de Arequipa, y Diego Dávalos, difunto, y Juan Ortiz Picón, y Juan Picón. Son tres minas enteras	180	†

Veta de San Julián,

que registró Martín Ruiz de Santo Domingo

15	El dicho Martín Ruiz y Julián Chura, indio de Achacache; y en éstas tiene Blas de Colmenares diez, y está dado un pozo de cinco estados	75	
10	Su Majestad	60	†
10	Juan Rodríguez de Ocampo, y Lucas Lobo, y Juan de Vega, difuntos los dichos últimos	60	†

Veta que registró Pedro Panus

15	El dicho y Juan Jullaca, indio, en las cuales tiene Pedro de Grado las treinta varas. Tiene dado un pozo de tres estados Francisco Romo	60	†

Veta de Antonio Rodríguez

20	Diego Bravo. Tiene dado un pozo de quince estados.	60	
15	Antonio Rodríguez, y Bartolomé de Victoria, y Tomás de Garay	60	
15	Diego Hernández de Castro, y Jerónimo de Esquivel, y Cristóbal de Medina, y Pedro de Alcocer, y Gonzalo de Solís. Dos minas	120	†
15	Gonzalo López, y Sebastián de Otaola, difunto, y Juan de España. Tienen dado un pozo de cinco estados.	60	†
16	Alonso Hernández Hurtado, y Pedro Hernández de Ontiveros, y Luis Hernández, y Juan de Castro y [f. 15 v.] Domingo de Ybarra	60	†
16	Juanes de Gamboa	60	†
10	Los herederos de Miguel de Torralba y el padre Piñega	60	†
10	Juan Morán	40	†
10	Nuño de Balboa	80	†
3	Francisco de Orúe	5	†
4	Francisco de Aguilar	10	†
10	Francisco Muñoz y Pedro de Arenas	60	†
10	Francisco de Oruño	30	†

Veta de San Juan

5	Juan de Castro. Tiene dado un pozo de cinco estados.	60	†
5	Juan de León y Pedro de Torres, en las cuales tiene Bartolomé de Victoria las quince	60	†
10	Cristóbal de Losa y compañía, dos minas enteras ...	120	†

Veta de San Jerónimo

10	Gaspar de Miranda y Pedro de Zúñiga. Tienen dado un pozo de dos estados	60	†
12	Don Francisco de Valenzuela	60	†

Veta de San Telmo,
que descubrió Diego Rodríguez de Figueroa

15	Francisco de Oruño, y Jerónimo Pérez Valdés, y doña Mariana, hija del dicho Diego Rodríguez, y las demás sus hijas; dos minas	120	†

Veta de Santiago,
que descubrió Hernando Ortiz, difunto

20	Gaspar de Miranda, y en ellas tiene Luis de Escobar ocho varas, y Diego de Palma diez, y Magdalena de Salas diez, y Juan Franco (hijo del doctor Franco) diez, y Pascuala (hija de Antonia, morena) diez	60	†

	Juan Vázquez Dávila	10	†
	Francisco de Aguilar	5	†
	Francisco de Orúe [f. 16]	20	†
6	Diego Rodríguez de Figueroa, y Juan Avilés, y Francisco Colmenares	30	†

Veta de Barreño

15	Gaspar de Miranda, y Elena de Solís, y Diego Rodríguez, y Diego de Palma, e Inés de Olivera. Tienen dado un pozo de dos estados	60	†
15	María Castellanos	60	†
	Gaspar de Miranda, y Elena de Solís, y Gonzalo de Solís, y Bernabé de Bruceña. Tienen dado un pozo de diez y seis estados		

Veta de Martín Totora, indio del Cuzco

12	6	Juan Díaz Jiménez, dos minas. Tiene dados dos pozos, el uno de veinte estados y el otro de tres ...	120

Veta que descubrió Alcoba

10	Juan de Alcoba y Alonso de Torrejón tienen las sesenta varas, y está dado un pozo de ocho estados ...	60	†
	Alonso de Torrejón	35	

Veta de Los Viejos

20	Marcos Caro las catorce y media, y Juan Vázquez diez, y Garci Michel diez	34 ½

Veta de Andrés Vela

16	Sancho López de Bilbao. Tiene un pozo de treinta estados	60	
10	Juan de Castro, melero	60	†

Veta de San Juan,
que descubrió Diego Rodríguez al cabo y remate
de la veta de Centeno hacia Potosí

12	En la cual vetilla tiene el dicho Diego Rodríguez ciento y veinte varas en dos minas, y Diego Hernández diez, y Bartolomé de Victoria otras diez. Tiene dado un pozo de dos estados	140	†
8	Juan de Arévalo	60	†
6	Pedro Hernández [f. 16 v.]	60	†
6	Su Majestad	60	†
3	Cristóbal de Medina	5	

Veta que registró el capitán Diego Moreno
entre la veta Rica y la de Centeno

20		El dicho capitán y el licenciado Contreras, dos minas. Tiene un socavón de quince estados	120	

El pozo y vetilla de Vivanco

20	6	Pedro Hernández las treinta varas, y Juan Ochoa veinte, y Francisco Losa diez. Tiene dado un pozo de diez estados. Está indiviso y por partir	60	

Veta de San Juan de la Pedrera,
que descubrió Diego Quili, indio

25	8	Juan Niño de Figueroa tiene las veinte y dos, y Rodrigo de Miranda las veinte y ocho, y Rodrigo de Arias de Buico diez	60	6
10		Su Majestad	60	†

Veta de San Jorge,
que registró Antonio Gutiérrez y Gonzalo de Solís

30	12	El dicho Gonzalo de Solís, y en éstas tiene Ana Gutiérrez quince, y Pedro de Jerez quince, y treinta Juan Gutiérrez de Ulloa. Han dado un pozo que está de seis estados	90	
30		Diego de Figueroa las veinte, y Diego Hernández diez, y Juan Guerra veinte, y Baltasar Ramírez diez. Indiviso	60	†

Veta que llaman de Berrío.
que descubrió Agustín Chara, indio de Llanquisupa del Cuzco

30	4	El dicho Agustín en compañía de Diego Chuna y Alonso, indios; y en esta mina tiene Pedro de Grado diez varas, y el padre Yllarregui tres varas, y Santiago Samalvide tres varas, y Martín de Vergares cinco varas. Lábrase [f. 17] por un pozo que tiene de treinta estados	60	
30	6	Juan de Berrío en compañía de don Juan Mollocopata, cacique principal de Llanquisupa	60	10
30	6	Francisco Ortiz de Olestia y Mencía de la Chica. Tienen dada una catilla	60	†
20		Su Majestad	60	†
30	8	Rodrigo de Benavente, y en ésta tiene el secretario Juan de Losa doce varas y media, y los herederos de Pedro de Honor doce varas, y Martín de Vergares tres varas	60	†
20		Francisco Gutiérrez Caballería, que reside en Lima, y Diego Núñez Bazán tiene doce varas, y Juan de Pendones doce, y Juan de Alba doce	60	†

20		Juan Fernández de Castro, y Gonzalo de Solís, y Blas de Colmenares diez varas, y Jerónimo de Montenegro diez varas	60	†
		Luis de San Román	60	†
		Mencía de la Chica	50	†
		Luis García, escribano público y del cabildo de esta villa de Potosí	60	†
45		El licenciado Torres de Vera	60	†
		Hernando Mateos	50	†
		Juan Fernández de Castro y Gonzalo de Solís. A estas minas señalaron los cuarenta y cinco indios	20	†
3		María Castellanos	60	†
3		Juan de Castro, melero	60	†.

Veta de San Pedro que registró Gaspar Ortiz

30		El dicho Gaspar Ortiz, el cual dió las cincuenta varas a Catalina Ortiz, su hija, y diez a la iglesia del Señor San Pedro, y diez a Nuestra Señora, y diez a Luis Hernández. Tiene dado un pozo de diez estados	80	†
20		Francisco Díaz, en compañía de doña Margarita ...	60	†
30		Mateo Ruiz y Francisco Hernández, zapateros [folio 17 v.]	60	†
20		Gonzalo de Tarragona en compañía de Francisca Eufrasia, hija de Gaspar Ortiz	60	†
20		Blas de Colmenares y Diego Hernández. Indiviso ...	60	†

Veta de María Castellanos

20	4	En la cual tiene mina de sesenta varas	60

Veta de Francisco Logroño

30	4	El dicho. Tiene dado un pozo de veinte estados ...	60	
15		Pedro Panus, flamenco	60	†
20		Jerónimo de Esquivel, y Juan de Aguirre, y Pedro Posada	60	†
6		Juan López	10	†
6		Francisco Vázquez	5	†
15		Martín de Chazarreta. Tiene dado un pozo de doce estados	60	
20		Sancho de Curaraire, y Juanes de Olazaga, y los herederos de Pedro Juárez de Valer, y los herederos de Pedro Copado. Tienen dos minas indivisas ...	120	†
15		Francisco Hernández de la Torre	60	†
15		Pedro Clavijo y Lope de Villarreal	60	†
15		El rey don Felipe, nuestro señor	60	†

Veta que llaman de Chumpi

20		Nuño de Balboa, en las cuales tiene cuarenta varas Juan Morán. Está dado un pozo de cuatro estados.	90

Veta de Juan Fernández

10		El dicho, sesenta varas	60	†
12		Baltasar de Villanueva y Jerónimo Rodríguez	35	†

Veta que registró Villabáñez

20	El dicho, y Alonso Sánchez Herrero, y los herederos de Cristóbal de Pereña. Indiviso	60	†

[f. 18] Veta de San Sebastián de la Pedrera

35	8	Pedro de Avila tiene en estas dos minas las treinta varas, y Martín de Tineo otras tantas, y los herederos de Espinosa las sesenta restantes. Está dado un pozo de veinte y cinco estados	120	
15	8	La Católica Majestad	60	6
15	4	El monasterio de Nuestra Señora de la Merced ...	60	†
15		Juan de Camárena, y tiene dado un pozo de diez estados	60	
10		Alonso Hernández Hurtado	60	†
15		Juan de la Puebla	60	†

Veta de Cristóbal López,
que está a la parte del poniente

25	El dicho y Luis Alvarez. Está dada una cata de siete estados	60	†
15	Su Majestad	60	†
10	Francisco de Losa. Está dada una catilla	60	
10	Juan de Gamboa	60	†
10	Antonio de Salas	60	†
20	Luis Losa y Cristóbal Alvarez	60	2
20	Francisco Alvarez y Juan Alvarez, su hijo	60	†
30	Luis Alvarez, en las cuales tiene Juan de la Puebla quince varas, y diez Francisco de Orellana, y otras diez Nuño Méndez, difunto, y diez Jerónimo de Montenegro y Alonso Velasco	60	†
10	Juan de Hermosa	60	†
	El dicho Nuño Méndez	60	†

Veta de San Antón de la Pedrera

	Melchor Gómez	60	†
	Pedro Dávila	60	†
	Pedro de la Cal, y en esta mina tiene Luis Hernández quince varas, y Juan Rodríguez del Campo [sic]. A estas tres minas se tiene dada una cata	60	†

Veta de San Juan de la Pedrera, que llaman Chapa

20	Los herederos de Cristóbal de Pereña quince varas, y las demás del racionero Villarreal [f. 18 v.] y don Juan Inca tiene dado un pozo de diez estados.	60

20		Álvaro González y García Hernández, las treinta, y las otras treinta Mariana de Flores. Está en hondura de diez estados	60	

Veta de Juan Niño en San Juan de la Pedrera

10	4	El dicho Juan Niño	60	15
10		Juan Ramírez	60	†
15		Diego Bravo	60	†
16		Baltasar Ruiz de Sosa	60	†

Veta que descubrió [H]uaman, indio, a las espaldas del cerro Porco

20	Juan García Cuadrado y su hijo, Diego García. Tienen dado un pozo de dos estados	120	†
30	Diego Rodríguez de Figueroa, y en ésta tiene diez varas Simón Pérez y Luis Hernández veinte	60	†
20	Simón Rodríguez Caravallo, y Juan Gutiérrez de Soto tiene las treinta	60	†
15	Juan de Arriaga y Elena de Santiago, dos minas	120	†

Veta de Santa Bárbara que registró Diego Rodríguez de Figueroa

10	El dicho Diego Rodrigo de Figueroa	60	14
10	Su Majestad	60	†
15	Juan de Arriaga cuarenta varas, y Simón Rodríguez veinte y cinco, y Juan de Castro cincuenta y cinco. Háse dado pozo	120	

Veta de San Juan de la Pedrera, que registró Antonio de Elizalde

20	El dicho y Martín de Elizalde tienen dos minas enteras y dánle una cata	120	†
20	Juan Picón y Rojas	60	3

Veta que descubrió Amador de Ayerdi en San Juan de la Pedrera

15	Diego Hernández de Castro, en las cuales tiene veinte varas Juan Velázquez, y sesenta varas Juan Sevillano, clérigo, y otras sesenta Diego Ylla, indio presbítero [sic] [f. 19]	180	4
16	Baltasar Ruiz de Sosa	60	†

Veta que registró Francisco Logroño en San Juan de la Pedrera

10	En la cual tiene el dicho Logroño una mina de sesenta varas y en ella una catilla de dos estados	60

Veta que registró Diego Puma, indio,

10	en San Juan de la Pedrera, en la cual tiene Martín Cusi, indio, una mina	60		†

Veta de San Matías, que descubrió Juanes de Aguirre

25	Jerónimo de Esquivel, las diez y ocho varas, y Alonso Velasco, diez, y el dicho Aguirre, nueve, y Pedro Posada, diez y ocho, y Sanabria, cinco. Indiviso y por partir	60	10
15	Su Majestad	60		†
12	Miguel de Montoya y Juanes de Laozaga y compañía.	60		†
15	Cristóbal de Medina y Martín de Elizalde tienen dos minas, y en las sesenta varas de Elizalde tiene las diez Alonso Velasco	120		†
10	Benito de Torres	60		†
15	José Luis de Escobar, y Juan Martínez, y Sebastián Márquez. Indivisas	120	4

Veta de Santiago de la Frontera, que registró Francisco de Paredes

24	El dicho Francisco de Paredes, las diez y siete varas, y Gaspar del Peso otras tantas, y Pedro Dávila otras diez y siete, y las nueve restantes, Juan Picón. Tienen dado un pozo de ocho estados	60	
10	Su Majestad	60		†
10	Su Majestad [f. 19 v.]	60		†
10	Don Pedro Marañón	60		†
12	Diego Hernández	60		†
15	Diego Dalvis, y en esta mina tiene diez varas Juan Picón	60		†
10	Gonzalo de Amaya	60		†
10	Baltasar Ruiz de Sosa	60		†
10	Hernando Ramos	60		†
	Juan de la Puebla	60		†

Veta que registró Alonso López Barriales por el socavón de Lobato

8	5	Andrés Lobato	30	
8		Juan de Ballesteros Narváez	30	•
16		Antonio de Heredia, y doña Elvira de Godoy, y Andrés Vela, y en esta mina tiene diez varas Antón de Poblete y veinte Gaspar de Meneses	60	†

Veta de Santo Domingo que registró Domingo de Yarca

20	6	El dicho tiene en esta mina cuarenta varas, y diez Juan de Castro, y otras diez Jerónimo de Esquivel. Está dado un pozo de ocho estados	60	
10		Cristóbal de Olazabala	60	†

		Sancho de Apioca	60	†
		Su Majestad	60	†
25		Juan de Porras las veinte y dos, y doña Ana de Val-		
		derrama seis, y otras seis Luisa Requelme, y diez		
		varas Santiago de Samalvide, y Martín Yáñez ocho	60	†

Veta de San Ildefonso que registró
Alonso López Barriales

10		El dicho, y en éstas tiene quince varas Juan de la Puebla.	60	†

[f. 20] Veta de Pedro Cebicos

7	6	El dicho tiene una mina de sesenta varas y en ellas están		
		dados tres pozos, por donde se labra, de doce y		
		quince y veinte estados de hondura	60	
12	8	Diego Núñez Bazán, y tiene dado un pozo de veinte		
		varas	20	
15	3	Don Juan Sacaca, indio, y labra por pozo	40	
15		Los herederos de Juan Moreno. Están dadas dos catas	60	
20	6	Martín de Elizalde y Pablo Díaz Colodro. Está dado		
		un pozo de veinte estados	60	
8	1	El dicho don Juan Sacaca, y tiene dada una cata de		
		tres estados	15	
10		Los herederos de Marcos Muñoz de Larregata ...	60	†
15		Diego Núñez Bazán, y tiene dadas dos catas	60	
15		Los herederos de Juan de Aguirre	60	†
20	4	Francisco Serrano, difunto, y tienen en ellas veinte		
		varas los herederos de Cristóbal de Pereña, y		
		otras veinte Miguel Jerónimo. Está indiviso y dado		
		un pozo de veinte estados	60	
15		Francisco Guerra, y tiene dada una cata	60	
20		Martín de Elizalde y Alonso Torrejón, y está dada una		
		catilla de tres estados ...'	120	
10		Gaspar Pamo	60	†
15		Cristóbal Losa, y Alonso Sánchez Herrero, y los here-		
		deros de Alonso Muñoz. Está dada una catilla de		
		dos estados		
		Juanes de Castro	60	†
15		Felipe de Medina, y en ellas tiene Alonso de Mercado		
		las veinte, y quince los herederos de Cristóbal de		
		Artiaga, y diez un indio. Está dado un pozo de		
		veinte estados	60	

Veta de Alonso Cavana, indio

20		El dicho descubridor, y Martín Puyana, indio, y Diego		
		Delgado. Están dados unos pozos de dos estados	60	
25		Juan del Castillo el Mozo, y Andrés Vela, y Bernabé		
		de Bruceña, veedor del cerro, y Juan de Solórzano.		
		Indiviso. Tienen dados unos pozos de seis es-		
		tados [f. 20 v.]	60	
20		Juan de la Puebla	60	†

15		Diego Bravo, alcalde mayor de minas, y tiene dadas algunas catas de dos estados	60	
25		Don Juan Pati, indio, y en ellas tiene Juan Pérez veinte, y diez Juan de Arévalo y Juan Picón. Están dadas unas catas de a tres y a cuatro estados ...	60	
10		El dicho don Juan Pati, y don Diego, su hijo, y don Carlos, indios, en la veta que dicen de Hinojosa. Tienen dado un socavón de cincuenta brazas ...	15	
10		Elena de Solís y Elena de Santiago tiene las quince varas. Está esta mina junto a la de Cevicos, en una vetilla nueva	25	
20		Juan Chico Herrero en la veta de Nuestra Señora de la Candelaria, en las cuales tiene Luis García de Melo diez varas	60	

Veta de San José

		Domingo Quinta, indio de Yunguyo, descubridor, y Pedro de Valencia. Tienen tres minas enteras y dada una catilla	180	
25		El dicho Valencia	60	†

Veta que descubrió Jerónimo de Zúñiga

20	4	Jerónimo de Esquivel, y Juan Pérez de Godoy, y Diego Rodríguez de Figueroa. Están dados dos pozos	60	
20		Alonso Paniagua, en las cuales tiene Francisco García, escribano real, veinte varas, y Jerónimo de Esquivel diez, y diez Juan de Saucedilla		
20		Miguel Jerónimo tiene en esta mina las treinta varas, y Pedro Pérez, tonelero, las veinte, y Juan de Saucedilla las diez	60	†
10		Su Majestad	60	†
		Baltasar Rodríguez de Sosa, en las cuales tiene diez Bernabé de Bruceña [f. 21]	60	†
15		Pedro de León, en las cuales tiene veinte doña Quiteria de Berrío, y diez varas del dicho Bruceña ...	60	†
15	5	Alvaro de Carrión y don Juan Guanco, indio de Oruro. Está dada una cata de cuatro estados; son en la mina de San Juan y Santa Isabel; tienen [sic] Alonso Hernández Perales sesenta veras de mina, y está dada una cata de catorce estados y otra de cuatro	120	
10		Diego García Zembrano	60	†
10		Miguel de Morales	60	†
25		Hernando de la Cueva y Domingo Betanzos, en las cuales tiene Juan García de Valneda veinte varas, y Diego de Robles Cornejo otras veinte	120	
15		Antonio, indio natural de Quispicancha, tres leguas del Cuzco, tiene una mina de sesenta varas que está junto a la entrada del socavón de Luis Hernández, y tiene dada una cata de cinco estados	60	
20		Juan Picón y compañía	60	†

15	Pedro de Niza, ausente, las treinta, y María Ortiz veinte, y Manuel Rodríguez diez	60	†
10	Su Majestad	60	†
20	Juan Ortiz Picón, y Baltasar Ortiz, Francisco de Cervantes, y Diego Núñez de Prado tienen dos minas en una vetilla, cabe el pozo de Vivanco, a un lado de la veta Rica. Tiene dada una cata de dos o tres estados	120	
24	Juan de España, en las cuales tiene diez varas Diego de Meneses, y diez varas Hernando de Valencia. Está dado un pozo de tres estados	60	
10	Francisco Ballesteros, y Francisco Gómez, Hernando de la Cueva, en las cuales tiene Pedro Contador veinte, y otras veinte Diego de Meneses, escribano de minas	60	†
10	Su Majestad [f. 21 v.]	60	†

Veta de Santa Catalina

que descubrió Juan de [blanco]

10	El dicho descubridor, y tiene dado un pozo de dos estados	60	
16	Baltasar de Sosa	60	†
25	Pascual Juárez. Tiene una mina de quince varas en la cueva del socavón de Luis Hernández	15	
16	Baltasar Pérez, y Elena de Solís, y Juan Barragán, difunto, y Juan Arias de Castilla, y tiene dado un pozo de ocho estados	120	
60	Martín de Chazarreta tiene una mina de sesenta varas junto a la de Cevicos, y tiene dado un pozo de cinco estados	60	

Veta de don Bernardino

8	Jerónimo de Vargas tiene en esta veta dos pedazos de mina con sesenta y cinco varas y está dado un pozo de quince estados	65	
10	En el cerro de Guaina Potosí tiene Juanes de Gamboa una mina de sesenta varas, y en el cerro hay algunos socavones antiguos y lo uno ni lo otro no se labra por ser inútil	60	

De las vetas y minas que se han descubierto y registrado en el cerro rico de esta villa, después de la visita general, que se acabó en nueve de marzo de mil y quinientos y ochenta y dos años

Antonio de Contreras descubrió una veta de metal de plata por encima del socavón de Medina, en la cual se le concedieron las sesenta varas de mina que pertenecen al descubridor, y Su Majestad tomó mina y muchas personas se estacaron.

Francisco de Polanco, el Mozo, descubrió y registró una veta de metal de plata entre la veta de Los Ciegos [f. 22] y la de Los Flamencos, en la cual le señalaron las sesenta varas que le pertenecían. Y Su Majestad tomó mina y muchas personas [se estacaron], y lo mismo se entenderá en todos los registros que se siguen, que por evitar prolijidad no pongo los nombres de los que tomaron mina y se estacaron, y por estar casi la mayor parte de todas estas minas y vetas vírgenes.

Juan Niño de Figueroa descubrió y registró una veta de metal de plata a un lado de la veta de San Juan de la Pedrera, al poniente, y es ramo de la veta principal y púsole nombre San Felipe.

Gonzalo de Lagos registró una veta de metal de plata en el dicho cerro.

Andrés Velázquez, y Juan de Padilla, y Francisco Chuquisaña, indio natural del pueblo de Sicuana, del distrito del Cuzco, registraron una veta de metal de este cerro.

Jorge Polo registró una veta de metal a la parte del sur.

Pedro de Godoy registró una veta de metal de plata entre la veta de Los Ciegos y Los Flamencos.

El dicho Juan Niño de Figueroa registró una veta de metal de plata.

Bartolomé Guamani, indio cana, y Lorenzo Luqui, natural de Puno, descubrieron una veta de metal de plata y pusiéronle por nombre Santiago, y está junto a la de Cevicos.

Miguel Tomo, indio, y Hernando de la Cueva Corredor registraron una veta de metal a las espaldas del cerro hacia los indios chichas, por debajo del socavón de Marcos Muñoz de Larregata, difunto.

El dicho Lorenzo Luqui registró, como descubridor, cuatro vetas de plata en el dicho cerro.

Baltasar Ruiz de Sosa registró una veta de metal de plata.

Jorge Hernández registró una veta de metal de plata.

Alonso Vairuañu [Uairuaño?] y Juan Gutiérrez Bernal descubrieron una veta de metal.

Alonso Rodríguez registró una veta de metal de plata junto a la veta Rica.

[f. 22 v.] Diego Illatincu, indio, descubrió una veta de metal de plata a un lado del cerro, hacia el poniente.

Miguel Rubio registró una veta de metal.

Cristóbal de Baranda registró una veta de metal de plata.

Juan Dols registró una veta de metal.

Alonso Tufiño registró una veta de metal de plata.

Martín de Peralta registró una veta de metal.

Mateo López de Gamboa registró una veta de plata.

Francisco de Jodar, alférez, registro una veta de metal de plata.

Don Juan Consa, indio canchi, registró una veta de metal de plata junto a la iglesia del cerro, cerca de la mina de la Muñiza.

Jorge Polo registró una veta de metal de plata que manifestó en la cañada que se hace en lo de San Juan de la Pedrera.

Juan Guerra registró una veta que descubrió, estando labrando una mina que tiene en la veta de Los Flamencos, por un socavón, atravesando las cajas hacia el oriente y corre norte sur, y hallóla en cuarenta estados de hondura.

Pedro López de Almanza registró una veta de metal de plata.

Jorge Polo registró veta de metal de plata.

Francisco Díaz registró veta de metal de plata.

Baltasar González registró veta de metal de plata.

Juan García Casazola registró veta de metal de plata.

Don Diego Guaca, indio natural de Pomata, en la provincia de Chucuito, registró una veta de metal. Está hacia el poniente, por debajo de la veta de Los Flamencos.

Don Lorenzo Luqui y don Diego, indios, descubrieron una veta de metal de plata.

Luis Martín registró una veta de metal de plata.

Antón Lusco, indio canchi, descubrió una veta de metal de plata.

Diego Bravo, alcalde mayor de minas, registró una veta de metal de plata, que está al poniente, junto a una fuente cabe las minas de Cevicos.

Francisco Alvarez registró una veta de plata al poniente, que va atravesando la veta de Los Ciegos.

Francisco Guitérrez, el Mozo registró una veta de plata.

[f. 23] Francisco Martínez, y Lucas Martín, y Lorenzo Calisaya, indio, registraron una veta de plata junto a la de Los Viejos.

Gonzalo López de las Higueras registró una veta de metal entre la del Estaño y la de Oñate.

Diego Rodríguez de Figueroa registró

una veta de metal de plata, en la cual se hallaron algunas catas antiguas que estaban ciegas y la veta perdida, por tener mucha tierra y piedra encima. Y lo mismo se ha de entender de muchas que se registran por nuevo descubrimiento, porque los que las hallan, por no ser de importancia, las dejan y el tiempo va gastando la memoria de esto. Y otras personas topan la veta, y ordinariamente son indios que comúnmente andan escarbando el cerro y dan noticia a sus amos o amigos, los cuales hacen nueva manifestación, intentándolo por despoblada, si acaso se ha hecho de ella registro o por nuevo descubrimiento, que lo uno y lo otro es conforme a la ordenanza real, aunque entiendo que en la primera visita que se hiciere se visitarán más de cuarenta vetas con muchas personas que han tomado minas en ellas, y este último registro parece haberse hecho por octubre de mil y quinientos y ochenta y cuatro años.

De los socavones que hay en el cerro y de su efecto y uso

Una de las buenas invenciones que se han hecho en el cerro para la labor de las minas y aprovecharse de sus metales ha sido la de los socavones, cuya labor es de mucho fruto e importancia. Y así debe Vuestra Excelencia mandar se tenga gran cuidado en continuarla, y que los indios que les dieron para este efecto se ocupen en su labor, para lo cual se ha de advertir que las vetas de este cerro, como está dicho, están y se descubrieron en las cumbres y partes más altas de él hacia el oriente. Corren norte sur subiendo las vetas hacia la punta y corona del cerro, descendiendo la caja y metal hacia abajo, que es de a do procede y tiene su raíz, y a lo que se entiende, hasta su planta y podría ser más, que a buena cuenta debe de tener más de mil y doscientos estados de descendida. [f. 23 v.] Y han sido tan fijas las cajas y vetas en este cerro, que se entiende tener su principio y firmamento en lo bajo, aunque hay riesgo en lo muy hondo de hallar agua, que por haber faltado y ser el cerro tan enjuto se ha podido ahondar tanto en la labor de las minas, porque quitadas las que señalé en la veta Rica, en lo que llaman de Pancorvo, que fué un vecino del Cuzco, no hay otras que hayan dado en agua.

Pues para labrar las minas y sacar los metales han de descender forzoso por las escalas la hondura que tuvieren, y después de barreteado el metal subirlo con dificultad, costa, y trabajo, y peligro notable de los indios. Y para excusar esto, inventaron hacer en los lados del cerro unas cuevas por donde van minando el cerro, siguiendo el rumbo que va al oriente, en busca de las vetas que están norte sur, tomándolas atravesadas.

Lábranse los socavones con trabajo, a punta de barreta, por el cerro de peña y no poder trabajar juntos más que dos barreteros en el testero del socavón, remudándose entre noche y día. Y con el aliento de los indios y poca aspiración del aire se les apagan las velas, que no es poco trabajo.

Tienen los socavones por el ancho ocho pies y por lo alto algo más de un estado. Entrase por ellos a paso llano, aunque con algunas gradas y escalones mal labrados; ciérranse con sus puertas; sácanse por ellas los metales con facilidad y sin riesgo de los indios. Cuando por los socavones algunos señores de minas quieren labrar las que se pueden gobernar por ellos, deben al dueño del socavón el quinto del metal, que por ellos sacan, aunque no se cobran con rigor. Estos socavones no son generales para poderse comunicar por ellos todas las minas, sino particulares para la veta a que se dirigieron.

Tiénese gran esperanza que si los que se están dando se acabaren, como se entiende, será con brevedad si se tiene cuidado en ello, se restaurará esta tierra y será grande la grosedad de metales y plata que habrá. Y así como fuere tratando en particular de ellos, referiré [f. 24] a Vuestra Excelencia el estado en que están.

Y aunque el socavón al metal de *chile*, que es la última hondura de la mina, no puede hacerlo de mejor condición y ley que lo es ahora, síguense por ellos más frutos que el ahorrar la descendida y subida, aunque esto es [ya] importante, por la seguridad y menos trabajo del indio. Pero síguense otros útiles, por haber muchas minas que han dado en barriales y quemazones y metales pobres, que su ley no iguala con la costa, y sus dueños no tienen fuerza para desencajar la mina y sacar aquella tierra y metales inútiles sin provecho y de mucha costa. Y por el socavón topan y alcanzan la mina en parejo, que ahorran el vaciarla de los barriales y quemazones por tomarla el socavón por parte más baja, como si hiciésemos cuenta que el barrial fuese de quince o treinta estados, hasta tornar a tomar lo fijo y buen metal. El socavón, cuando alcanza la veta y mina, deja el barrial y tierras salvándolo, lo cual sirve de puente y fortaleza de las cajas.

Pongo los [socavones] que han alcanzado vetas que por ellos se gobiernan y labran, con los que se están acabando. Cuando el socavón alcanza la veta llaman aquel lugar crucero, por hacerse allí una encrucijada el socavón y la veta. Y prosiguiendo adelante con el socavón, que hay algunos que alcanzan a diversas vetas yendo haciendo sus cruceros, apartándose las labores unas a una mano y otras a otra, como en el lugar que cada uno tiene su mina y pertenencia. Y desde el paraje del socavón se tornan a labrar las minas prosiguiendo la veta abajo, de manera que no es menester descender por escalas. Y algunos socavones se han dejado de labrar porque tomaban la veta en hueco y fuera necesario descender por muchas escalas, por haberse labrado la veta con más presteza que el socavón. Y algunos de los que hoy se están labrando tienen este riesgo, aunque no es notable el inconveniente, porque caso que tope la veta en hueco será en veinte o treinta esta-[f. 24 v.]dos hasta llegar a lo macizo y excusará lo que hay desde la superficie de la tierra, que va a decir más de ciento y sesenta estados.

Y así hay plática entre mineros que era necesario se diese ahora de nuevo un socavón de mejor traza y labor que los que hasta aquí se han dado, y [en] el paraje que alcanzase las minas por lo macizo considerando el tiempo que se puede gastar en la labor de minas y socavón, y que se hiciese con declinación de corrientes hacia su boca para que por él se pudiesen desaguar las minas si se topase agua. Porque [en] los que se han dado hasta ahora no se tuvo este respecto; antes van declinando desde su puerta y principio hacia la mina, en decrecimiento de siete u ocho estados del peso y altura que comenzó su labor.

Hay en este cerro los socavones que se siguen, con los indios que les señalaron al tiempo de la visita y los que les dieron por el repartimiento general, así para la limpieza de los que están acabados, como para acabar los que se están labrando.

El socavón de Sojo, por el cual se labra parte de la veta de Corpus Christi, y mendieta, y Rica, y Negra, y del Espíritu Santo. Dijeron los veedores que había menester ocho indios para tenerlo limpio y Su Excelencia le mandó dar tres.

El socavón de Marcos Muñoz, que ahora poseen sus herederos, por el cual se labra la veta de Mendieta. Le señalaron seis indios y le dieron tres.

El socavón de Luis Hernández Ramírez, por el cual se labra parte de la veta de Mendieta y la Rica. Señaláronle seis indios y repartiéronle tres.

El socavón de Juan Ortiz Picón; se labra por él, parte de la veta de Mendieta. Señaláronle seis indios y diéronle tres.

El socavón de Juan Ortiz de Zárate, que es ahora del licenciado Juan Torres de Vera como yerno suyo; lábrase por él parte de la veta de Mendieta y parte de la veta Rica y otras vetillas, y va dirigido a la veta del Estaño. Tiene [f. 25] arrendados los quintos que le pertencieren en cada un año, y aseguro que los quintos llegarían a doce mil quintales de metal. Señaláronle por su labor y limpieza quince indios y diéronle doce.

El socavón de Medina; lábrase por él parte de la veta del Estaño, y de la Rica, y Negra, y otras vetillas. Señaláronle ocho indios y diéronle tres.

El socavón de Juanes de Gamboa y compañía, por el cual se labra parte de la veta de Mendieta y de la de Corpus Christi, y va en seguimiento de la veta de Los Flamencos. Señaláronle doce indios y diéronle ocho.

El socavón de Cristóbal López, que es de los antiguos de esta villa y el más viejo que hay en ella y creo en toda la provincia, por ser de ciento y veinte años y de tan buen aspecto que lee sin anteojos y a las veces sube a pie al cerro. Lábrase por este socavón la veta de Los Ciegos y otras, y va dirigido a la de Los

Flamencos. Señalarónle doce indios y diéronle ocho.

A la parte oriental del cerro, en lugar bajo, .e dió un socavón que llaman del Benino, de buena obra, dirigido a la veta Rica y a las minas de Pancorvo y Cotamito, cuya labor se comenzó día de Nuestra Señora de la Candelaria, a dos de febrero del año del Señor de mil y quinientos y cincuenta y seis; y tomó este nombre porque uno de doce compañeros que trataron de hacerlo es un florentino que se dice Nicolás del Benino, persona antigua y de los viejos del pueblo. Ha sido trabajoso de labrar, por ser durísima la peña por donde ha ido y haberse tardado mucho su obra. Y pareciéndole a un Enrique Sandi, natural de Londres, que era uno de los compañeros, que fuera de efecto dar fuego en el testero del socavón para que quemando la peña quedara más blanda y fácil de labrar, a los catorce años de su labor lo hizo así, echando una paredcilla de piedra suelta dos [f. 25 v.] palmos apartada del testero, en el cual hueco puso carbón, estando con él cuatro o cinco indios que la ayudaban; y sucedió que el inglés se echó a dormir y los indios estaban cebando la lumbre, y con el humo del carbón, por no tener por donde respirar, los encalabrinó de manera que perdieron el sentido y no atinaron a salir, y el Enrique y ellos quedaron muertos. Y con esto se dejó por entonces la labor hasta que los demás compañeros la tornaron a continuar, bien desconfiados de ver su fin por parecerles se había dado bajo. Y así son muertos casi todos, que si no son sus herederos apenas hay vivos más que el florentín y Toribio de Alcaraz. Hase tenido el acabarse este socavón por importantísimo, por gobernarse por él las minas más principales que tiene la veta Rica, las cuales están las más hondas del cerro y que de ellas no se tenía por este respecto ningún aprovechamiento. Y como el continuo trabajo todo lo vence, esta importuna [importante?] y deseada labor se acabó el día de San León, Papa y Confesor, en once de abril de este año de mil y quinientos y ochenta y cinco, habiendo veinte y nueve años y dos meses que se había comenzado.

Luego que se vió abierta la caja del sol, que es la primera que está al orien-te, y descubierta la veta se partió a Chuquisaca por la posta Bernardino Muñoz, que es uno de los compañeros y había días que lo estaba labrando, a dar aviso al señor presidente. Y su señoría le hizo merced de aplicarle los diez y seis indios que tenía este socavón, por el aviso que había dado en aquella Real Audiencia con que se holgó mucho por el socorro del pueblo. Alcanzó la veta en treinta y cinco estados de hueco hasta su fondo y salió el socavón en las trece varas y media de mina de Carlos Corzo (que dije en la veta Rica), que estaban en agua con las demás sus vecinas. Y ahora parece que están enjutas y que hubo de ser algún veneral que se ha secado, si con la labor no torna a manar. Estánse haciendo por las personas que tienen minas muchos bohíos cerca de la [f. 26] boca del socavón para recoger los metales que sacaren, y en las minas los reparos necesarios para poder cada uno labrar su pertenencia.

Está el pueblo contentísimo con tan buen suceso, porque dicen muchos que será de nuevo tornar Potosí por muchos años con gran prosperidad y riqueza que estaba guardada hasta la venida de Vuestra Excelencia, porque, demás que se sacaron los metales de lo macizo y hondo con facilidad por escala de treinta y cinco estados, ahorrando ciento y treinta y cinco que hay por esta mina desde el paraje del socavón hasta la superficie y haz de la tierra donde estaba la entrada vieja, se seguirán otros frutos y útiles como labrar los metales de puentes antiguas que dejaron por fortificación, que gran parte de ello será rico, y mucha cantidad de metales sueltos y tierras que no se sacaban por ser reparos de las minas y caminos. También se labrarán las barrigas y mucho metal que ha quedado en las cajas de manera que todas las puentes, aunque hay pocas por haber sido estas minas ricas y blandas de labrar, y los demás reparos desde el paraje del socavón hasta lo alto (que por partes hay ciento y sesenta y cinco estados, como son las que están en doscientos de hondo), las quitarán como cosa que no es necesaria para la fortificación y seguridad de lo que se ha de labrar y seguir, porque [ya] no ha de ser camino.

Estas puentes de metal se llaman de es-

nombre por estar pegadas de una caja a otra y sirven de tránsito y paso, fortaleza y reparo para que no se junte una caja con otra y los indios tengan en que hacer paradas. La orden que se tiene en hacer estos socavones es que se juntan las personas que tienen minas en el paraje a que va dirigido, tomando unos parte [con] el tercio y otros el cuarto, y a veces con igualdad, y por [f. 26 v.] este orden contribuyen en los gastos y heredan en los quintos sueldo a rata. Desde el año de ochenta se han labrado cincuenta varas, que han costado cuatro mil pesos ensayados, y la mitad se ha gastado con indios y lo demás con un mozo que ha andado con ellos. Tiene todo el socavón desde la boca hasta la veta y crucero doscientas y cincuenta varas.

De los socavones que se están labrando y no han alcanzado las vetas

El socavón de Juan Ortiz de Zárate, que ahora posee el licenciado Juan de Torres de Vera, que llaman el de Agángaro, porque va dirigido a una mina del dicho licenciado que tiene este nombre, acabado que sea, se labrarán por él muy ricas minas. Y hase de advertir que no son suficientes los socavones para labrarse por ellos la veta donde están dados, por la distancia que hay de un socavón a otro, por la longitud de la veta. Y así vemos por experiencia que la veta Rica se labra por el socavón de Sojo, y [por] el primero de Juan Ortiz de Zárate y [por] el de Medina, y se labrará de aquí adelante por el [socavón] nuevamente dado del Benino y por éste que va en busca de la veta Rica, que importará mucho por la grosedad de la tierra el acabarse, y si se pone diligencia será con brevedad. Tiene más de ciento y treinta varas de largo. Señaláronle veinte y cinco indios y diéronle doce.

El socavón de Pedro de Montoya y compañía es nuevo y está labrado hasta ochenta o noventa varas. Va a dar a la veta del Estaño y alcanza otras vetillas de provecho antes de llegar a la principal. Señaláronle veinte indios y diéronle ocho.

Los dos socavones de Martín de Elizalde y compañía, que van a dar a las vetas de

San Juan de la Pedrera, tienen por largo más de sesenta o setenta varas. Señalá[f. 27] ronles treinta indios y diéronles ocho.

El socavón de Francisco de Zúñiga corre norte sur, contrario de los demás, por ir barrenando el cerro, la veta de Centeno arriba siguiéndola por su caja. Tiene de largo más de doscientas varas; va dirigido a las minas de Juan de Pendones y los herederos de Marcos Muñoz de Larregata, que es lo que llaman de Cerón, en la mina descubridora de la veta de Centeno. Tiene este socavón por colaterales a la veta del Estaño y Rica. Pretenden hacer cruceros en estas dos vetas, rompiendo y atravesando la distancia que hay de la veta de Centeno a la Rica y del Estaño, de manera que se gobiernen y labren por este socavón las tres vetas más principales que tiene este cerro. Es labor que importa mucho seguirla, por ser muy ricas las minas adonde va, [en] especial las de Centeno, que son las más ricas que hay en el cerro, las que nombré en la descubridora y sus vecinos. Señaláronle veinte y cinco indios y diéronle ocho.

El socavón de Martín Carrillo, que va a dar a unas vetas de soroche, tiene de largo más de cincuenta varas y llegado que sea será de provecho, aunque se ha tenido por de poca importancia y por esta causa no le dieron indios, habiéndole señalado veinte y cinco.

A la parte del poniente de este cerro se dió un socavón en tiempo del excelentísimo señor don Andrés Hurtado de Mendoza, de buena memoria, marqués de Cañete y virrey que fué de estos reinos, cuya obra se dejó por parecer haberlo dado muy bajo, como parece por el retrato (*) del cerro. Hacíase por cuenta de Su Majestad, por hacer bien y merced a esta villa, y que sería mucho el interés que se seguiría a Su Majestad por gozar de los quintos del metal que por allí saliese, y de los quintos reales. Gastóse de la caja veinte y cinco mil pesos corrientes. [f. 27] Pusiéronle en noventa varas de largo y como las vetas están al oriente, tenían necesidad de atravesar todo el cerro para alcanzarlas, por tener su principio al poniente. Otros quieren decir que era muy

_____

* No, consta este retrato en el manuscrito.

acertada obra por coger todas las vetas y la raíz del metal, y es opinión de antiguos que algunas veces algunas vetas se suelen reducir a su principio y raíz, de a donde nacen como ramos del tronco principal.

Y así hay ordenanzas que declaran la orden que se ha de tener cuando se juntan dos vetas por lo hondo que por lo alto van desapartadas, y así presumen algunos que se reducen este vetas [a una] en la planta del cerro. Otros dicen, y de este parecer son los más, que si se hubiera dado a la parte del sol hubiera sido la cosa más acertada y necesaria, y de donde se hubiera seguido una increíble riqueza y aprovechamiento general. Es muy ancho y bien labrado, con una puerta de arco de ladrillo; no se puede entrar en él por mucha agua que tiene, que destila y sale de sus paredes.

De los pozos del cerro.

Los pozos son cierto género de mina que se da en el cerro, así por la superficie de la veta como en lo hondo de la mina, porque hay muchos que están vírgenes, como está escrito en su lugar. Y son de metales pobres y van encajadas las vetas, que es ir escondidas y estar sobre ellas padrastros [pedrastras?], que son riscos que no se pueden labrar por la costa que tendrían si se hubiese de hacer a tajo abierto, como las minas ricas, para cuyo remedio hacen un pozo, que tiene este nombre por ser de la hechura de los comunes de agua. Y vánlos labrando hasta dar en el metal y luego corren por su pertenencia barrenando la mina por debajo de tierra, salvando lo inútil. También dan estos pozos dentro de las minas hondas que han sido labradas a tajo abierto, como están las princi- [f. 28] pales por ir siguiendo la riqueza que estaba sobre la haz de la tierra, aunque ha sido mala labor por el riesgo de la entrada. También usan de estos pozos por topar en lo hondo de las minas los barriales que dije en lo de los socavones y metales pobres, que no se podrían seguir. Hacen por ellos los pozos, buscando el metal fijo que está debajo del barrial o quemazón, y labran por ellos las minas.

De las catas del cerro.

La cata se deja bien entender por su nombre, la cual dan el la haz de la tierra por descubrir y hallar la veta, y ver su compostura y rumbo que lleva, y la calidad y fijeza del metal. Y siendo para seguir[la], prosiguen la cata, o, con esperanza de hallarlo por las señales que ven [cuando] se va labrando; y ahondando se viene a hacer pozo, como hemos dicho.

Del modo antiguo de labrar las minas y beneficiar los metales por guaira.

Pues he dicho las vetas y socavones, pozos, y catas, y minas que hay en el cerro, que son todas las suertes de minas y labores que tiene, es necesario decir a Vuestra Excelencia el modo y manera que se tenía antiguamente en el labrarlas y aprovecharse de sus metales y el que usan ahora.

El primero era, que muchos indios ventureros de su voluntad se concertaban con los señores de las minas para que los dejasen labrar y trabajar en tantas varas de mina, de donde tomaron este nombre de llamarse indios varas. Y el minero daba las barretas y los indios las calzaban y aguzaban a su costa y ponían las velas. Y el tiempo que estaban dentro labraban sircando el metal, que es descubrirlo por la parte de la caja umbría, dejando lo rico pegado en la caja del sol, que es donde comúnmente se halla y cría la tierra, y piedras, siques y quemazones, que son horruras de las minas que tienen alguna plata. Lo sacaban y ponían a la puerta y boca de la mina limpiándola. Y el premio e [f. 28 v.] interés que por esto llevaban era que el señor de la mina les vendía el metal rico que habían sacado a ojo, que [tal era] la experiencia que en esto tenían. La veta y mina de donde era [el metal] hacía el peso y precio de lo que valía, sin que quedasen agraviadas las partes. Y si acaso en el tiempo que los indios estaban dentro no hallaban metales ricos de guaira, que llamaban casillas, se les satisfacía dándoles de gracia algunos metales de poco precio.

Y de este beneficio gozaron todas las

minas en el tiempo que se hallaron los metales ricos y los indios poseyeron toda la riqueza del reino, porque de esta contratación estaba [él] pendiente, ni en él había otro socorro más que la plata que beneficiaban los indios por guaira. Y este aprovechamiento no lo tenían todos los mineros, porque esto hacían los indios [sólo] en las minas ricas que tenían ganancia conocida. Y los que no las tenían tales, yendo ya en declinación su riqueza las labraban a su costa y ventura con indios que les repartía la justicia ordinaria y otros que alquilaban, [y el metal] lo vendían por todo lo que valía como personas que lo habían labrado a su costa. Pero en su principio todas las minas tuvieron metales de guaira, porque las que se labraban eran las cuatro vetas principales.

Al presente no se tiene este modo de labor, por ser los metales pobres y los que se hallan ricos son pocos. Pero no faltan indios que se conciertan con los señores de minas que los dejen labrarlas, con cargo que pueda el indio salir cargado de metal poniendo barretas y velas. Y lo demás que barretea queda por el señor de la mina y con indios suyos a su costa se saca, aunque entiendo que de esta manera de concierto más usan los que tienen minas arrendadas que los propietarios.

El modo general como al presente se labra es por jornal, dando a cada indio de cédula tres reales y medio, y a los mingados, que quieren decir alquilados, a cuatro reales; y los unos y los otros labran las minas, unos barreteando el metal y otros sacándolo y subiéndolo por unas escalas de tres ramales, hechas de cueros de vacas retorcidos como gruesas maromas y de un ramal a otro puestos palos como escalera, [f. 29] de manera que pueda subir un indio y bajar otro. Tienen esta escalas de largo diez estados, y al fin de ellas está otra que comienza de un relej o poyo, o barbacoa o puente, y hechos sobre madera andamios en que pueden descansar, que son las barbacoas.

Sacan los indios el metal, que ha de llegar a dos arrobas, en una manta suya, que no sé que obligación tengan para ponerla, atada por los pechos y el metal a las espaldas, y suben de tres en tres;

y el delantero en una mano lleva una vela para que vean por donde suben y descienden, por estar las minas oscuras sin ninguna claridad, y la vela de poca luz y las más veces se le apaga con el viento, y con entrambas manos lo mejor que pueden se vienen asiendo y ayudando, y subiendo con harto trabajo ciento y cincuenta estados y otros tantos de descendida; y en minas que son [de] cuatrocientos [estados]—que por tierra llana era distancia para cansarse un hombre yendo cargado, cuanto más descendiendo y subiendo con tanto trabajo y riesgo—allegan los indios sudando y sin aliento, y robada la calor, y el refrigerio que suelen hallar para consuelo de su fatiga es decirle que es un perro, y darle una vuelta sobre que trae poco metal o que se tarda mucho, o que es tierra lo que saca o que lo ha hurtado. Y menos ha de cuatro meses que sucedió que un minero queriendo dar a un indio sobre esto, temeroso del palo con que le quería herir, se fué a guarecer a la propia mina y con la turbación cayó y se hizo cien mil pedazos.

Los indios mingas tienen algunas ventajas y son mejor tratados, porque como se conciertan con libertad la tienen para llevar alguna corpa de metal, que es como decir un pedazo grande, de su jornal, porque si en esto se les pusiese limitación no volverían a las minas. Y las que tienen gran frecuencia de indios mingas son las ricas, donde hallan provecho y sacan metales de azogue y [metal] rico si les viene a la mano, que como lo haya no se les puede esconder. Las que son de metales pobres padecen sus dueños, porque los indios que tienen la cédula [f. 29 v.] son tan pocos que casi no son de efecto y no pueden labrar las minas con ellos, [en] especial que no los tienen todos.

Como los naturales de este reino y todas las naciones occidentales del Nuevo Mundo de las Indias sean de su natural de poco ingenio y faltos de imaginativa para inventar los instrumentos necesarios y convenientes a las obras que hacían, y así vivían con una grande ignorancia de lo que había en el mundo como si no nacieran en él. Y por no tener uso de fuelles para hacer sus fundiciones, usaban estos indios del Perú de unos cañones de cobre de tres palmos de largo que soplaban con la boca con trabajo. Y a las fundiciones que era menester más fuerza, aprovechábanse del mismo viento, haciendo en el campo, en las partes altas, unos hornillos de piedras sueltas, puestas unas sobre otras sin barro, huecas a manera de unas torrecillas, tan altas como dos palmos. Y ponían el metal con estiércol de sus ganados y alguna leña, por no tener carbón; e hiriendo el viento por las aberturas de las piedras se fundía el metal.

Y el tiempo que es maestro e inventor de las artes, enseñó a hacer de barro, por industria de Juan de Marroquí, natural de [blanco], unas formas de barro de la hechura de esta demostración (*), que llamaron *guayrachina* o *guaira*, que hasta hoy conservan y usan, donde funden los metales con facilidad y sin el trabajo de las fundiciones de fuelles, que es muy costosa y no tan provechosa para los metales de aquí como lo es la guaira en el tiempo que corre recio viento, porque no siendo así no es de provecho. Y por tener necesidad de viento en este pueblo para este efecto tomaron por abogado y patrón de este socorro al glorioso [San] Agustino, pero hase mudado la necesidad del viento en agua porque faltando ésta falta todo. Como se vió rico el Marroquí se fué a Castilla y se casó en Sevilla, y puso por armas en un escudo que hizo pintar en el [f. 30] zaguán de su casa la guaira con muchos fuegos, como inventor de ella; y siendo yo muchacho la miraba con otros, que no podíamos atinar qué blasón fuese.

La manera que tienen beneficiar el metal por guaira es ésta: Primeramente lo muelen y lavan, sacándole la parte que tiene de tierra muerta, dejando la metálica—y a la que es muy rico no es menester lavar—, y a dos partes de metal echan una de soroche (que es metal de plomo que sacan de minas cerca de este asiento y tiene a dos y tres pesos de ley de plata por quintal, y por sí no se puede beneficiar—así por fundición grande de fuelles como por la pequeña de guaira—, porque sería más la costa que el provecho), mezclando con ello ciertas crazas y cendradas, que son resultas de fundiciones pasadas. (Y a las tacanas, que es el metal riquísimo de cincuenta marcos por quintal, no lo ponen en la guaira sino en lo que va destilando de ella, que es la plata y plomo que sale derretido; yéndolo fundiendo mézclase el metal con el soroche para que como cosa más blanda y fácil de derretir por su humedad y blandura regale y haga correr la plata, por ser más seca, fría, y dura, sirviendo de liga [e] incorporándola consigo, porque sin él fuérase en exhalación y humo.)

Después que está hecha esta mixtión, con agua, porque no se lleve el viento el metal en polvo cuando lo ponen en la forma de barro (que es tan alta como una vara común con cuatro ángulos o esquinas, prolongada, casi cuadrada, hueca, abierta por arriba; tiene hechos por sus cuatro lienzos o haces, aberturas o ventanillas por que por ellas haga más efecto el viento; tiene suelo donde se remata, viniendo disminuyendo de lo alto a lo bajo, con alambique por donde destila el metal que se funde; está firme, levantada del suelo sobre un asiento a manera de pedestal, vara y media y dos en alto para que la señoree más el viento, de donde parece llamarse guaira, [que] en esta lengua significa viento), [f. 30 v.] llena que está de carbón ponen el metal en la manera dicha, y el aire lo hace arder con tanta prisa y movimiento como si fuera de fuelles, y mejor, por arder con aquella presteza igualmente por toda la guaira, a causa de sus ventanillas y del recio viento que comúnmente corre aquí. De manera que los cuatro elementos están ocupados en el beneficio de la plata; la tierra nos da el metal, el fuego lo refina, el agua lo lava y ayuda, el viento lo sopla y hace los fuelles, que parece que están sirviendo y haciendo favor al hombre, socorriéndole con la plata que de allí procede para la necesidad de la vida.

Fundidos los dos metales, tan contrarios en la calidad cuan diferentes en los precios, hacen una pasta plomosa, que es casi todo plomo, porque el tercio de soroche que echan se torna a salir con poca merma y de los dos tercios de metal resulta poca plata; lo cual tornan a fundir y refinar en sus casas, en unos hornillos chicos a fuego manso. Y mientras dura el gastar

---

* No consta en el manuscrito este dibujo o demostración.

el plomo hace cierto humo y movimiento, y en quedando la plata pura y acendrada, libre de liga y mezcla, cesa el humo y movimiento, que llaman dar la vuelta, y queda la plata en gran fineza y de dos mil y doscientos y treinta [maravedís] de ley.

Pero los indios no esperaban (antes de los azogues cuando corría la plata corriente que eran pedazos y tejos) que hiciese todo su curso y punto, y así la quitaban del fuego con mucho plomo y cobre que le echaban, por no acudirles los metales como solía. Y así andaba en esta villa y reino la plata tan baja que la de esta provincia era de ochocientos y novecientos maravedís de ley, y se perdían los mercaderes que la recogían a trueque de sus mercaderías, cuando la fundían para hacer barras, por ser la contratación en [peso] ensayado. Y los indios padecían también este perjuicio y daño en las fundiciones que hacían las [f. 31] comunidades para pagar sus tributos. Y para remedio de esto el excelentísimo señor virrey don Francisco de Toledo mandó cerrar y que no se labrasen las minas de cobre que hay cerca de esta villa, e hizo casas de moneda, porque la que se había fundado en Lima por el señor presidente y gobernador Lope García de Castro, no era de ningún socorro ni remedio, porque nadie subía de los llanos reales a la sierra.

Están puestas las guairas por las cumbres y faldas de los cerros y collados que están a vista y circuito de esta villa, que da contento ver con la oscuridad de la noche tantos fuegos por el campo, unos puestos por orden por las puntas y pináculos de los cerros a manera de luminarias, y otras confusamente asentadas por las laderas y quebradas, y todas juntas causan una regocijada y agradable vista. Llegó los años pasados el número de los asientos de guairas a seis mil y cuatrocientos y noventa y siete. En este tiempo permanecen casi todos, aunque están arruinados gran parte de ellos, por no usarse la guaira como solía.

SEGUNDA PARTE DE LA RELACION DE POTOSI

SEGUNDA PARTE DE LA RELACION DE POTOSI

En que se trata la introducción de los azogues y su beneficio, con la edificación de los ingenios

En el tiempo que llegó a este reino el excelentísimo señor virrey don Francisco de Toledo, que sea en gloria, que fué el año de mil y quinientos y sesenta y nueve, halló en la tierra mucha disminución la potencia de plata que había tenido, por haberse acabado los metales ricos de este cerro. Y con esta falta estaba trocada toda la tierra y república que tan felicísima había sido por sus riquezas, que tan pregonadas estaban en el mundo por los ricos despojos que de aquí habían llevado, con que tantos hombres se habían hecho ricos. Y esta ruina y daño tan general íbase cada día sintiendo más, por la poca plata que había y el poco precio y mala expedición que tenían todas las mercaderías, [en] especial la ropa y frutos de la tierra, y sus comidas [f. 31 v.] y mantenimientos, contratación de coca y ganado, que es muy importante, con que se habían rebajado las tasas del reino. Su puesto lo cual, se ha de advertir que los tributos que dan los naturales son de ganado de la tierra, maíz y ropa de la tierra a su usanza, que son los bienes que de su propia cosecha poseen y tienen. Y la plata que pagan y dan y corre en el reino, es mediante la que procede de este cerro, y ganan y adquieren en este asiento las parcialidades y repartimientos de todas las comarcas de esta villa, y de todas las jurisdicciones y partidos de las ciudades principales del reino. Y por la salida que tiene aquí de las cosas dichas

tienen precio y estima donde se crían y las hay; de manera que como en esta villa no la tengan [salida] por carecer de ella [de plata], y [aunque] son muchos los que la gastan y han menester, son casi de ningún precio y poca utilidad. Y así ha de volver forzoso a su antigua contratación, que era rescate y trueque de una cosa por otra, cuya costumbre tenían estas gentes hasta nuestra venida.

Y con este mísero suceso había llegado este negocio a términos que no se decía otra cosa que lamentar la grandeza pasada con la calamidad presente, anunciando una futura destrucción, diciendo que ya se había acabado el Perú y sus riquezas, tristísima nuevas de oír a los que venían de España. Y con este trabajo y necesidad, lleno el reino de confusión por la dificultad del remedio, íbanse contristando y faltando el ánimo de los hombre que tan liberales y generosos los habían tenido en tierra tan magnificentísima, y donde habían vivido con ostentación y valor y un extraño punto, que sus casas siendo un receptáculo y hospedaje perpetuo de todos los estados de gentes que venían de Castilla, usando con ellos mucha liberalidad (sin haber posadas ni mesones) los llevaban en competencia a sus casas, donde les hacían todo regalo con muestras de mucho amor.

La memoria de estas cosas daba gran pena, enten- [f. 32] diendo que la grandeza y majestad del reino pendía de este cerro, cuyas minas estaban hondísimas y casi disfrutadas. Los metales ricos para guaira ya no se hallaban; los quintos y derechos reales habían venido a mucha disminución; la plata que andaba ya no tenía más que la mitad de la ley; los indios cada día eran menos, por el poco provecho. Las minas que no tenían metales para guaira, que eran las más, no se labraban; y el beneficio del azogue no les pasó por pensamiento ni había memoria de él. Y como los años pasados con sola la guaira andaba tan prósperos, no lo procuraban, aunque por orden del señor marqués de Cañete se había intentado, y por no saberlo hacer, no fué de efecto su prueba y experiencia. Y así había fama que los metales de Potosí no se podían beneficiar por azogue, con que otros no lo procuraban, yendo cada día creciendo más la necesidad.

Pues como hallase Su Excelencia [el virrey Toledo] las cosas del reino en el estado referido que no lo pusieron en poco cuidado, considerando que aunque esta tierra tenía muchos minerales de plata y oro, todos los que se habían visto habían sido de poca importancia respecto de este cerro, de donde se seguía el aprovechamiento universal y que aumentaba el de Castilla y Tierra Firme, y que el día que faltase aquí la plata, como iba en notable diminución en cantidad y baja de ley, todas las mercaderías perderían el precio que tenían y cesaría el venir de las armadas e intereses de almojarifazgos, porque no habiendo plata en el reino no era posible comunicarse ni tener trato ni comercio en Castilla, por haber dos mares en medio de tanta costa y prolija navegación, y esta tierra no tener de su cosecha cosa que sea necesaria en otra; y Su Majestad no sería tan servido y que las justicias y audiencias que tiene puestas en el reino, como en el ejercicio del eminentísimo cargo de virrey para descargo de su real conciencia, administración de justicia y bien público, no habiendo plata no se podían sustentar con decencia. Y así se levan- [f. 32 v.] tarían grandes insolencias y alborotos, que fuesen ruina y destrucción de estos reinos, y la predicación evangélica no irá adelante, porque faltando los católicos que en tierra tan nueva y remota hacen espaldas al Santo Evangelio, los indios se volverían a sus errores e idolatrías en que el demonio los tenía. Y tan apoderado está el demonio

de ellos hoy como ha cincuenta años, estando el remedio de su salvación a vista de sus ojos.

No estuvo Su Excelencia un año en Lima, cuando se determinó poner en efecto la visita general que Su Majestad mandó hacer de este reino personalmente por sus reales instrucciones, tan cristianísima como necesaria, pues fué uno de los beneficios más generales y que comprendió en sí —como medio más eficaz y supremo— a todos los bienes que se podía pretender y desear para la conservación y aumento y policía de la república de los indios, de que resultaron muchos y buenos efectos, poniendo a los naturales en concierto y vida humana, sacándolos de las punas o yermos donde vivían espersos [sic] y derramados, congregándolos en pueblos para que pudiesen ser mostrados en las cosas de Nuestra Santa Fe Católica, que antes de esto no lo podían hacer cómodamente los sacerdotes y morían infinitos sin bautismo ni confesión, librándolos de la vejación en que estaban puestos por mano de sus caciques y encomenderos y algunos sacerdotes.

Llegado que fué al Cuzco, Su Excelencia dió principio a tratar de beneficiar los metales de este cerro por azogue, y en su presencia, de los metales ricos y desmontes que le llevaron de esta villa, hizo hacer ensayos que acudieron bien. Y luego mostró cuidado del remedio de este pueblo, mandando traer azogue y que se comenzase a beneficiar con él; y la primera plata que salió llevaron a Su Excelencia, con que recibió mucho contento y cada día se iba conociendo la riqueza que prometía este modo de beneficio.

Y tomando este negocio con el ánimo y celo que puso en las demás cosas que se le ofrecieron tocante al buen gobierno de esta tierra, se partió del Cuzco prosiguiendo la visita e hizo merced a esta [f. 33] villa de visitarla, la cual para su entrada hizo solemne recibimiento y estimó en mucho esta merced, y fué mucha la alegría y contento que todos recibieron con su presencia y autoridad, la cual acrecentaba y hacía mayor la constante reputación que tenía de muy sabio y prudente. Y como viese la riqueza y prosperidad que se esperaba por el nuevo beneficio, mandó venir gran cantidad de indios de que hizo repartimiento general a las personas que se querían aplicar, como se dirá en su lugar. Subió al cerro y entró en socavones por donde vió la labor que traían los indios, mandando visitar las minas y medirlas y repararlas de lo necesario; y edificó una iglesia en el cerro donde dicen misa, por haber más de ciento y sesenta casas que están pobladas por las vetas donde viven los mineros y encierran los metales. Hizo ordenanzas muy justas y concernientes a la buena expedición de negocios tocantes a minas, y sus labores y descubrimientos, y paga de indios y otras cosas dignas de Su Excelencia, desagraviando a estos pobres, haciéndoles pagar su sudor. Y de creer es de su celo que si los hallara vendidos como hoy están, que hiciera castigo ejemplar en los opresores. Proveyó dos veedores que viviesen con sus casas de asiento en el cerro, para su amparo y defensa. Y así esta tierra debe mucho a aquel sabio y cristianísimo virrey, por el particular cuidado que tuvo, sin faltar punto en el servicio de Su Majestad y bien general, como por la entera satisfacción de justicia y suma paz que en su tiempo hubo y mayor riqueza que en los pasados.

Fué mucha la prisa que se dieron en esta villa a edificar casas convenientes y espaciosas para el beneficio del azogue, y a labrar madera, que cortan veinte y cinco o treinta leguas de aquí y la traen en caballos y con bueyes y en hombros de indios, al modo de los alhameles de Sevilla, y hay pieza que la traen sesenta indios. Y llegó a valer el hierro a sesenta pesos ensayados el quintal, y la madera a excesivo precio, y a este respecto las demás cosas. Y hoy vale un palo que tiene veinte y un pies de largo y dos de ancho por cuadra, para eje [f. 33 v.] de ingenio de agua, mil y quinientos pesos ensayados. Los oficiales herreros, y carpinteros, y albañiles, eran pagados a su voluntad; traían todos los juicios cansados, trazando fábricas que fuesen más convenientes y a menos costa para la molienda de los metales que, como no tenían experiencia y noticia de estos ingenios ni enteramente estaban satisfechos del fruto de este beneficio, andaban dudosos en gastar sus haciendas en ellos y a tan excesiva costa.

Y como fuese creciendo el número de los artificios y cada día se entendiese más el provecho que del nuevo beneficio se seguía, íbanse extendiendo por la tierra; unos haciéndolos en la villa, de mozos que decían de pies por moverse con ellos, que fueron los primeros; otros, de otra hechura que llamaban de mano; otros, de caballo, con piedra a manera de molino de yeso; otro, de rodezno de alavés; otros, de caballos con ciertas ruedas que mueven mazos; otros, de grúa, que la traen indios como rueda de muelles; otros, de agua con eje y rueda grande a manera de aceña, edificándolos en el arroyo que corre por esta villa y en el río de Tarapaya y Pilcomayo y Tauaconuño. Y de todas estas suertes e invenciones sólo ha quedado la molienda de los metales en sangre y agua, que son ingenios de caballos y agua, como cosa más conveniente para la molienda.

El arroyo que pasa por esta villa, donde están edificados los ingenios, no era su corriente perpetua más de en el tiempo del invierno, que corría más de tres o cuatro meses del año con alguna velocidad. Y sin esperanza de mayor socorro comenzaron algunos a edificar en esta ribera algunos ingenios de agua; y el primero que se hizo fué el del tesorero Diego de Robles Cornejo, y ahora está en poder de Juan Rodríguez de Ocampo. Y como la necesidad es ingeniosa, visto lo poco que duraba el agua y no ser siempre cierta, media legua de esta villa, entre unas quebradas que muy a propósito se hallaron [en] unos llanos donde se congregaba alguna cantidad de agua a manera de laguna [f. 34], hicieron a costa de los ingenieros unos reparos a manera de fuertes baluartes, de ciento y sesenta, y doscientas, y trescientas varas de largo, y ocho o diez varas de ancho por la parte que más se angostaba la quebrada, reteniendo y represando sus corrientes. Tienen las lagunas de contorno y circuito a mil y setecientas, y a mil y ochocientas varas más y menos; y de hondo, tres estados por su centro. Y son siete, con sus puertas, y cuando es menester usar de alguna la alzan, y sale un cuerpo de agua, y las fiestas las cierran. Cuando se hinchan las lagunas y el año es fértil de aguas, dura la molienda seis y siete meses; y en éste se entiende durará más, y con esta ocasión muchas personas han hecho más ingenios de los que eran menester, y como les ha faltado el agua estos años pasados, están muy perdidos y la molienda ha sido en Tarapaya y en algunos ingenios de caballos.

Al tiempo de la visita que se hizo de estos ingenios por el señor doctor don Diego de Zúñiga [y] las personas que nombró para que juntamente con él los viesen y visitasen, y le diesen su parecer acerca de los indios que habían menester para el aviamiento de sus moliendas y beneficio conforme los mazos que tuviesen, las cuales se moderaron considerando los indios que forzosamente habían menester, no señalándoles los que les dieran si hubiera cantidad suficiente de indios tan solamente con que pudiesen moler y beneficiar algún metal, y no lo que pudiese moler el ingenio moliendo y beneficiando [a toda su capacidad], que para esto eran menester muchos, sino porque pudiese el señor del ingenio sin indios mingados sustentar un mediano beneficio. Y así señalaron a un ingenio de dos cabezas con seis mazos en cada una, cincuenta indios; y a un ingenio de una cabeza con diez mazos u ocho, treinta y dos; y a un ingenio de caballos, veinte y dos. Y por el repartimiento, el señor virrey don Martín Enríquez, por no tener más indios, por hacerlo con igualdad repartió a los de dos cabezas a veinte y ocho indios, y a los de una, a veinte y cuatro; y a los ingenios de Tarapaya, a los de dos cabezas a treinta y seis, y a los de una a veinte y ocho. Y este acrecentamiento de los de Tarapaya se hizo [f. 34 v.] por parecer no tenían el acomodamiento que los de aquí para poder mingar indios para el beneficio y poner [la plata] en piña; y así a los de esta ribera no dieron más que para la molienda seca, que es la que se hace con más trabajo, y por asistir los indios al mortero y trabajar de noche por sus mitas, o [a] veces trocando los que descansan y duermen el día con los que han trabajado y velado la noche, y por el contrario; y que [para] el beneficio de las harinas, como cosa de menos trabajo, no les faltaría indios mingas que se ocupasen en ello, pues los muchos ingenios que se habían hecho no daban lugar a que les cupiese más.

El primer ingenio que está en esta ri-

bera junto al agua de Castilla es de Juan Núñez Maldonado, de dos cabezas, con lavadero de agua: tiene doce mazos.

Junta a éste, el arroyo abajo, tiene Alonso Tufiño un ingenio de una cabeza con diez mazos, y participa de la mitad del lavadero de Juan Núñez, por ser compañeros.

Y así van prosiguiendo los que hay en esta ribera:

Nuño de Balboa. Ingenio de dos cabezas con doce mazos.

El dicho. Otro ingenio que ha hecho después de la visita general; es de dos cabezas con [blanco].

Alvaro de Mendoza. Ingenio de una cabeza con diez mazos.

Diego López de Haro y Bernabé de Salazar. Tienen un ingenio de dos cabezas con doce mazos.

Simón Díaz. Ingenio de dos cabezas con doce mazos.

Juan Suárez. Ingenio de dos cabezas con doce mazos.

Gómez de León y Sebastián Gutiérrez, que está en los reinos de Castilla. Ingenio de dos cabezas y en cada una ocho mazos.

Luis Capoche. Ingenio de agua de una cabeza con diez mazos, y es el primero que está fundado en el pueblo, porque los que hasta aquí se han dicho están en despoblado, y los que se siguen hasta donde se avisa, están dentro del pueblo.

El dicho Luis Capoche. Otro ingenio de agua de dos cabezas con doce mazos.

Bernardino Muñoz y Gonzalo López de las Higueras. Inge-[f. 35]nio de agua de dos cabezas con catorce mazos.

José Luis de Escobar y Juan Martín. Ingenio de una cabeza con diez mazos.

Antonio Vázquez y Diego García. Ingenio de dos cabezas, la una de los dichos y la otra de Pedro Núñez Téllez; tiene catorce mazos.

Andrés Velasco y Bartolomé de Gracia. Ingenio de una cabeza de diez mazos.

Alonso de Torrejón y Martín de Resulta. Ingenio de dos cabezas con doce mazos.

Juan de Hermosa y Antonio Rodríguez de Ocampo. Ingenio de una cabeza de diez mazos.

Juanes de Gamboa Ingenio de una cabeza con nueve mazos.

Juan Fernández y Andrés Fernández, su hermano. Ingenio de una cabeza con diez mazos.

Juan Gómez Fernández. Ingenio de una cabeza con diez mazos.

Gonzalo Santos. Ingenio de una cabeza con ocho mazos.

Rodrigo Alvarez. Ingenio de una cabeza con diez mazos.

Andrés Velázquez. Ingenio de dos cabezas con doce mazos.

Luis García de Melo y Antonio Ponce. Ingenio de dos cabezas con catorce mazos.

Rodrigo de Ibarra. Ingenio de dos cabezas con doce mazos.

Martín de Ibarra. Ingenio de dos cabezas con catorce mazos, y éste es el último que cae en población.

Y los que siguen están fuera de ella:

Martín de Mardóñez y los herederos de Francisco de Boedo, difunto. Ingenio de dos cabezas con catorce mazos.

Juan Picón, y Gaspar Ortiz, y Diego de Pavía, difunto, y Juan Lándero. Ingenio de dos cabezas con doce mazos.

Bautista Monte, y Andrés Gómez, y Juan Méndez. Ingenio de dos cabezas con catorce mazos.

Jorge Polo. Ingenio de agua de una cabeza con diez mazos.

El dicho. Ingenio de dos cabezas con doce mazos.

El dicho. Ingenio de dos cabezas con catorce mazos, y háse hecho este ingenio después de la visita.

Luis Martínez. Ingenio de dos cabezas con doce mazos.

Diego Flores, su suegro. Ingenio de dos cabezas con doce mazos [f. 35 v], y es hecho después de la visita, de acuerdo con el yerno, y partieron los indios del ingenio de arriba entre entrambos.

Pedro Márquez. Ingenio de una cabeza con diez mazos.

El dicho. Ingenio de una cabeza con diez mazos, y es hecho después de la visita.

Tomás de Cheo. Ingenio de dos cabezas con doce mazos.

Jerónimo Pérez y Diego Núñez Maldonado. Ingenio de dos cabezas, y en la de Pérez están siete mazos y en la otra seis.

Francisco Corzo. Ingenio de dos cabezas con doce mazos.

Juan de Cisneros y Gaspar de Angulo. Ingenio de dos cabezas con doce mazos.

Antonio Benítez Melgarejo. Ingenio de dos cabezas con doce mazos.

Pedro de Grado y compañía. Ingenio de dos cabezas con doce mazos.

Mateo Ruiz, y Pedro de Funes, y Diego Sánchez Delgadillo. Ingenio de dos cabezas con doce mazos.

Luis de la Serna, difunto. Ingenio de una cabeza con ocho mazos.

Luis Hernández Ramírez y Francisco López Ballesteros. Ingenio de una cabeza con ocho mazos; el cual tenían, antes de la visita, en Chibitara, dos leguas de esta villa, y lo desbarataron y trajeron la madera con que lo edificaron en esta ribera.

Mateo Flores y los herederos de Diego Moreno. Ingenio de una cabeza con ocho mazos, el cual tenían, antes de la visita, en Chibitara, y lo pasó y edificó en este arroyo.

Diego de Morales y los herederos de don Juan Colque, indio capitán de los quillacas y cacique. Ingenio de dos cabezas con doce mazos.

Alonso López Barriales y Juan Ordóñez de Villaquirán, su yerno. Ingenio de dos cabezas con doce mazos y lavadero de agua.

Gonzalo Santos. Ingenio de una cabeza con ocho mazos, y es el último de esta ribera.

Los ingenios de Tauaconuño

A un lado de este pueblo, hacia el norte legua y media de él, está un sitio de mal temple y más frío que el que aquí tenemos, donde hay tres lagunas grandes, donde se recoge mucha agua de la [f. 36] que llueve, y en su corriente están cuatro ingenios que muelen el tiempo de los de esta villa, aunque la molienda y beneficio se hace con más trabajo por el recio frío que hay por mayo, junio y julio.

Mateo López de Gamboa y Mateo Rodríguez tienen un ingenio de una cabeza con ocho mazos.

Domingo Pérez de Ibarra y los herederos de Suero Méndez de Sotomayor, difunto. Ingenio de dos cabezas con doce mazos.

Francisco de Oruño y Luis Sánchez de

Herrera. Ingenio de dos cabezas con catorce mazos.

Juan de Treceño. Ingenio de una cabeza con diez mazos.

Los ingenios de Tarapaya

Hacia el poniente está un valle en unas quebradas que llaman Tarapaya, algo templado, y respecto de esta villa, caliente y de buen temple, donde se da alguna verdura y se cría maíz y papas (y pasa por él un río de poca agua, aunque perpetua), y a su primera ribera hay legua y media de razonable camino para el ganado que lleva metal. Los primeros [ingenios] que pongo son los primeros que están el río arriba, dividiendo los ingenios y río en dos partes que llaman Tarapaya la Alta y Tarapaya la Baja.

El primer ingenio que está el río arriba es de Juan de Pendones, de una cabeza de ocho mazos; tiene lavadero de agua.

Y, prosiguiendo el dicho río arriba, tiene el dicho otro ingenio de dos cabezas con doce mazos.

Carlos Corzo y Juan Pérez Donoso. Ingenio de dos cabezas con catorce mazos y lavadero.

Los herederos de Francisco de Nava. Ingenio de dos cabezas con doce mazos y lavadero.

Gonzalo de Soria. Ingenio de dos cabezas con doce mazos, y junto a él está una iglesia con sacerdote que dice misa a los españoles que se juntan aquí, y hace doctrina a los indios que viven en las rancherías que tienen los ingenios, así a los yanaconas como [a] alguna parte de los de cédula. Hasta este ingenio van los indios de buena gana con el metal y lle- [f. 36 v.] van el quintal a tres reales; en pasando de aquí, van subiendo el precio hasta llegar a cinco reales; a los lejos [ya] no lo quieren llevar, y así están parados, y perdidos sus dueños por no tener qué moler.

Luego, más arriba está el ingenio de Gonzalo Santos. Es de una cabeza con diez mazos y lavadero.

Domingo Gallego. Ingenio de dos cabezas con doce mazos y lavadero.

El licenciado Torres de Vera. Ingenio de una cabeza con ocho mazos y lavadero.

Juan Román. Ingenio de dos cabezas con doce mazos.

Francisco Nieto de Murillo y compañía. Ingenio de una cabeza con nueve mazos y un lavadero.

Garci Michel y los herederos de Jerónimo González de Alanis. Ingenio de una cabeza de diez mazos y lavadero, y es el último río arriba.

El primero río abajo, volviendo a los ingenios de Juan de Pendones, es de Diego de Olaeta, de dos cabezas con doce mazos y lavadero.

Sebastián Sánchez de Merlo y Gonzalo de Toro. Ingenio de dos cabezas con doce mazos y lavadero.

Cristóbal de Espinosa y Juan Pórcel de Padilla. Ingenio de dos cabezas con doce mazos y lavadero, y este ingenio está en buen paraje y llevan los indios el metal a tres reales, y desde aquí a los de adelante hay la misma dificultad y carestía que dije en el ingenio de Gonzalo de Soria.

Jerónimo de Vargas. Ingenio de una cabeza de diez mazos y lavadero.

Los herederos de Marcos Muñoz de Larregata. Ingenio de una cabeza con ocho mazos y lavadero.

El licenciado don Diego Vaca está edificando un ingenio de agua.

Martín de Chazarreta. Ingenio de una cabeza con diez mazos y lavadero.

Gonzalo Pérez. Ingenio de una cabeza con ocho mazos y lavadero.

Pedro Alonso Hidalgo y Francisco Rodríguez Hidalgo, su hermano. Ingenio de una cabeza con ocho mazos.

Junto a este ingenio comenzó a edificar un ingenio Mar- [f. 37] cos Muñoz de Larregata, y había más de ocho años que lo comenzó y para acabarlo le dió veinte y seis indios el señor virrey don Francisco de Toledo, y por el último repartimiento, el señor virrey don Martín Enríquez le mandó dar veinte y ocho. Tiene unas paredes levantadas y comenzado a hacer el cárcavo; y por parte del ingenio de abajo ha habido alguna contradicción, diciendo no se puede hacer sin perjuicio suyo. Poseen este ejido e indios sus herederos.

Diego López de Chinchilla. Ingenio de una cabeza de ocho mazos con lavadero. Y junto a él, por la parte alta, está una laguna de cuatro o cinco estados de hondo en un llano que allí se hace, hecha antiguamente por el Inca; y es el agua caliente con ser el lugar de arriba muy frío, y está vaheando y con un temple el agua muy gracioso para nadar; y sale de ella un gran golpe de agua, con que anda la rueda del lavadero de este ingenio; es redonda y en la misma forma van unas gradas grandes ensangostándose hacia su centro, de donde nace. Está siempre hirviendo a borbollones y no se cría cosa viva en ella; no es de beber, aunque no tiene mal sabor ni hedor, y junto a ella están unos caños de agua más caliente y que tiene mucha parte de azufre y mal olor.

Francisco Ruiz [que], está en Castilla, y los herederos de Juan de Anguciana, factor que fué de esta real caja. Ingenio de dos cabezas con doce mazos. En este ingenio está fundada otra iglesia con sacerdote. El temple es caliente. Y cerca de este ingenio, por la parte alta, está otra agua muy caliente y donde los enfermos tomaban baños y sudores, y los médicos dicen ser cosa singular la calidad de esta agua, y en entrando en ella sudan como en los baños de España. No tiene ningún edificio y sale de ella un gran golpe de agua, y en esta provincia hay muchos ojos de esta calidad, aunque no de la grandeza de los dichos. Los filósofos dicen que procede este efecto de vapores del aire, que responden y respiran por estos lugares.

Los herederos del dicho Marcos Muñoz de Larregata, en compañía de Su Majestad, que por cierto pleito le fué adjudicada esta parte, tienen un ingenio de dos cabezas con doce [f. 37 v.] mazos, y es el último que tiene Tarapaya río abajo.

De los ingenios de caballos y molienda seca que hay en esta villa y su comarca.

Sebastián Gutiérrez, ausente en Castilla. Ingenio de caballos con siete mazos.

Nuño de Balboa. Ingenio de caballos con ocho mazos.

Martín de Tineo. Ingenio con ocho mazos.

Alvaro de Lira. Ingenio con siete mazos.

Alonso de Torrejón. Ingenio de ocho mazos.

Hernando de Valencia. Ingenio de ocho mazos.

Sebastián Sánchez de Merlo. Ingenio con ocho mazos.

Pedro Márquez. Ingenio con siete mazos.

Bautista de Sabando. Ingenio con siete mazos.

Alonso Hernández. Ingenio con siete mazos.

Don Francisco de Zárate. Ingenio con ocho mazos.

Juan Guerra. Ingenio con diez mazos.

Pedro de Almanza. Ingenio con ocho mazos.

Don Luis Dávalos. Ingenio con siete mazos.

Bernardino Gallego. Ingenio con ocho mazos.

Luis Méndez, ingenio con ocho mazos.

Alonso de Vera del Peso. Ingenio con seis mazos.

Juan de Torres Palomino y Nuño Alvarez. Ingenio con ocho mazos.

Bernabé de Salazar. Ingenio con ocho mazos.

Gonzalo Durán. Ingenio con siete mazos.

Diego de Luna. Ingenio con seis mazos.

Diego de los Ríos. Ingenio con siete mazos.

Gaspar Borja. Ingenio con ocho mazos.

Domingo Beltrán. Ingenio de siete mazos.

Lope de Arestazabala. Ingenio de ocho mazos.

Alonso González Chamorro y Martín de Lacoba. Ingenio de ocho mazos

Los herederos del adelantado Sanabria. Ingenio de ocho mazos.

Juan Danza, flamenco. Ingenio de siete mazos.

Pedro de Herrera Crespo. Ingenio de siete mazos.

En el valle de Pilcomayo, que es doce leguas de esta villa [f. 38], tiene Juan de Torres Palomino un ingenio de caballos con seis mazos, y del repartimiento último le dieron veinte y dos indios.

En el valle de Mataca, que es once leguas de esta villa, tiene Hernán Cabrera de Córdoba un ingenio de caballos con seis mazos, diéronle por el repartimiento otros veinte y dos indios.

Francisco de Segovia tiene en esta villa un artificio de moler metal con una piedra que traen dos caballos, a manera de ingenio de yeso. Diéronle por el repartimiento diez y ocho indios, y es de las primeras invenciones que hubo de moler en este asiento.

Rodrigo de Herrera Escobedo hizo en esta villa un molino a manera de los de trigo, con rodezno de alavés y herido de agua para moler granzas, que son resultas de los metales, que por ser prolijas de moler no las muelen de buena gana en los ingenios. Y habían quedado muchas de los años pasados, de cuando se molía en mazos de pies, que dejaban muchas, y por no tener fuerzas para consumirlas. Repartiéronle diez y seis indios.

Luis de Laserna, difunto, y sus herederos tienen un ingenio de agua, que dejó en esta villa una piedra de moler granzas, como la de arriba, y diéronle cuatro indios.

En el río de Chaqui, que pasa cuatro leguas de esta villa, ha muchos años que el licenciado Gorvalán, abogado de la Real Audiencia de los Charcas, comenzó a edificar un ingenio de agua en el cual tiene puesto eje y rueda, y casi acabado el ingenio. Y para él, por el último repartimiento, le dieron veinte y ocho indios.

Cuando se visitan los ingenios por orden de los señores virreyes, no sólo escriben los mazos que escriben, sino los cajones de buitrones, tinas y cochas y cedazos y los demás pertrechos, por el cual número se deja entender la calidad del ingenio y el aviamiento que tiene su dueño en él.

El modo de beneficiar por azogue

Aunque es cosa muy sabida que con el azogue se saca la plata y oro de los metales, la manera que en esto se tiene todos lo ignoran en general, por ser cosa exquisita y en pocas partes del mundo usada. Por la cual pondré aquí el orden que se tienen en hacer esto, aunque es [f. 38 v.] operación y efecto natural hallar uso tan provechoso, fué de mucho ingenio y habilidad, pues vemos se parte el azogue para sacar tres onzas, y [aun] dos, de plata que haya en un quintal de metal,

incorporada y dividida toda la cantidad [de azogue], que bien se puede juzgar en qué forma tan chica está en las cien libras de metal, pues en esta cantidad está la plata en una sustancia tan sutil e invisible y delgada, que no hay quien la pueda ver más que si no la hubiera, por ser un humor metálico que en los metales pobres no se puede conocer, [en] especial siendo de tan poca plata; que la que está en los metales ricos déjase conocer por estar en materia diferente de la piedra en que se cría. El metal rico y tacana que se cría en este cerro es de color de ámbar, y otro toca en más negro, ora tenga el metal mucha plata, ora poca.

Como iba diciendo, el azogue la junta y embebe [la plata] en sí como la esponja al agua, incorporándola consigo [y] apartándola de la tierra y cobre y plomo, que no deja de tener alguna parte por criarse la plata con estos metales, sin ser necesario la materia de fuego, cuya propiedad es apartar y refinar los metales consumiendo al que menos fuerza tiene, por ser de más húmeda materia para resistirlo. Y queda la plata por este beneficio tan acendrada, pura y limpia, que llega su ley, sin bajar de aquí, a dos mil y trescientos y ochenta [maravedís]. La cual benefician de esta forma:

Molido que está el metal, lo ciernen con unos cedazos de telas de alambre y hacen la harina tan delgada como los [cedazos] comunes de cerdas. Y muchas personas ciernen con ellos porque se amañan mejor las indias que con los que están armados, con que ciernen los hombres; y por la falta que hay de indios se mingan las mujeres y muchachos, y les dan a dos reales, y no ciernen casi nada. Los [cedazos] que están armados y bien puestos ciernen veinte y cinco, y treinta, y cuarenta quintales entre noche y día. Los años pasados llegó a valer una tela de estos cedazos ciento y cincuenta pesos ensayados, y tienen tres cuartas de largo y media vara de ancho, y por falta de alambre los hacían de plata tirada; al presente se venden [f. 39] a ocho y a diez pesos.

Cernida que está la harina, la pasan los indios a los cajones de los buitrones, donde la mortifican con salmuera, haciendo que se humedezca y pierda el polvo y sequedad que tiene, echándole a cada cincuenta quintales de harina, que es lo que ordinariamente cargan en un cajón de metal común, cinco quintales de sal. Y esto se hace para que la sal y salmuera esponje la harina y la desengrase de la lama que tiene, para que mejor pueda el azogue recibir la plata y tener menos pérdida. Y de esta manera, puesto con un lienzo de holanda crudo, echan el azogue, exprimiendo lo que sale como un rocío de agua, y los indios van pasando la harina de una parte a otra para que se comunique igualmente el azogue con todo el metal.

La orden que se tiene en echar el azogue es diferente, porque es conforme a la ley del metal. Al que es de tres pesos echan a seis libras o siete por quintal, y al que es de cuatro, ocho; y al de cinco o seis, diez. Y de esta manera, conforme a la riqueza del metal es el acrecentamiento del azogue; y a la tacana, a un quintal echan otro de azogue.

Y este modo de beneficiar en buitrones ha sido cosa muy necesaria, porque antes que se hicieran se tardaba mucho en sacar la plata, porque duraba el repasar el metal veinte y cinco días, y ocupábase mucho azogue por tenerlo tanto tiempo incorporado; y cierto español dió este aviso por haberlo visto en México. Son estos buitrones unos hechos de piedra y otros de tabla. Tienen por el largo comúnmente cuarenta pies, y de ancho, diez por lo hueco; y tienen de alto, desde su planta y bóvedas, seis o siete pies. Está hueco por debajo, que carga su pavimento y suelo sobre una bóveda y paredes que reciben en sí unas losas o tablas que les ponen; y tienen su humeros y vías por donde corre el humo; y sobre este primer suelo se levantan sus paredes; y está dividido el suelo en seis partes de seis pies cada una de ancho y diez de largo, que llaman cajones; y estos cajones están divididos con tablas que impiden no se junte [f. 39 v.] el metal de un cajón con el del otro.

Echándole tanta salmuera que se hace el metal un barro, y puestos en cada cajón dos indios, o uno por más no poder, van pasando el metal con los pies de una parte a otra, que llaman repasar, para que el azogue se vaya incorporando y tomando la ley del metal.

Hecho que está esto, que dura desde la mañana hasta las dos, y otros repasan hasta la noche, tápanse estos cajones con unas tapas a manera de tapiales, y de aquel largo que cada una sirve a un cajón, y por donde se juntan les echan barro porque no se salga el humo causado del fuego que está dado en las bóvedas como en un baño; y esto se hace porque con el calor tiene más lugar el azogue de comunicarse con el metal, [por] que el frío lo restringe y aprieta de tal manera que impide y estorba su incorporación.

Y en el espacio de cinco o seis días toma el metal la ley, y lo sacan del buitrón a lavar en tinas con cierto molinete que traen los indios a mano. Y en los ingenios de Tarapaya son los lavaderos de rueda de agua, y ésta trae a los molinetes y en breve tiempo se lava mucho metal, y lo que se hace a manos no va con aquella velocidad, aunque tiene alguna presteza su movimiento; con el cual va saliendo la lama del metal en el agua que corre, que es la parte más sutil, asentándose en el suelo de la tina el azogue y plata como cosa más pesada, y lo restante del metal que queda está como arena.

Y de aquí lo sacan y lavan con bateas en unas cochas de agua, que son de la hechura de las que tienen los curtidores, en las cuales cae el metal que van lavando, y éstos son los relaves, quedando en las bateas la plata y azogue.

Y después del interés principal que se sigue de los beneficios quedan dos aprovechamientos: el uno, de la lama, que lleva consigo mezclado azogue; y el otro, los relaves en los cuales va azogue y plata incorporada con él. Las lamas se benefician por fuego, como el metal de azogue de Huancavelica, en hornos, y el relave lo tornan a tinar en tinas menores y lo lavan en sus bateas y cochas, y suelen ser de tanto provecho, que les dan tres y cuatro [f. 40] vueltas. Y las lamas y relaves tienen el precio según la ley del metal de donde procedieron y el azogue que se perdió en su beneficio. Suélense vender comúnmente el quintal de lamas y relaves, uno con otro, los que son de lavadero de mano, a medio peso ensayado y a cinco y a seis tomines, y algunos llegan a diez, y a dos pesos los que son de metales ricos y perdieron mucho azogue. Los relaves de Tarapaya con sus lamas se venden a tomín y medio y a dos y tres, por ser de lavadero de agua, que por la velocidad que trae apura tanto el metal que le saca toda la ley, dejando al relave muy pobre, lo que no sucede a lo que se trae a mano de indios.

Limpia que está la plata y azogue del metal, lo exprimen por un lienzo y quedan en él unas manzanas de plata y azogue que llaman pella. Y estando bien exprimida, sólo es de pura plata la sexta parte, y de azogue las cinco, de manera que si queda una manzana pesándola que tenga sesenta libras de pella, las diez son de plata y las cincuenta de azogue. Y de esta pella hacen las piñas, que son unas formas a manera de unos panes de azúcar sin punta, huecas, y no tan grandes, las cuales hacen de cien libras de pella y las ponen en cierto fuego, donde las tienen cubiertas con un vaso de barro de la hechura de los moldes en que [se] hacen los panes de azúcar. Y cúbrenlas de carbón [ardiendo], y el azogue se destila por dentro en un cañón que lo recibe, porque está junto a la boca de la caperuza o forma de barro, porque no tenga el azogue por donde respirar y se vaya en humo. Y así se viene a desazogar, inflamándose la plata como el hierro en la fragua, expeliendo y destilando de sí el azogue, que en su contrario el fuego. Y cuando se hace bien, queda libre de la confusión y mezcla del azogue. Tiénenlas en el fuego ocho o diez horas; aunque algunas personas, porque pesen más, las tienen poco espacio para que no despidan del todo el azogue por venderlo por peso de plata, que es mala contratación. Y el remedio que tienen los que las rescatan y compran cuando las ven así, que a las veces se deja [f. 40 v.] conocer, es que a costa del que las vende las requeman o les quitan ciertas onzas, por la merma que presumen que tendrán, pero otros las quiebran y las pasan y gastan en pedazos, sin que les quiten [la] merma, y recibe este daño la república. De las cien libras de pella de que hacen la piña, resultan treinta y dos o treinta y tres marcos de plata desazogada, y de dos piñas

hacen una vara, que pesa sesenta y cinco o sesenta y seis marcos.

La pérdida del azogue, que es lo que en cada quintal se pierde, no hay regla que lo comprenda por la calidad y diversidad de los metales y variación que hay en esto, por perder unos metales poco y otros mucho. Y esto es conforme a la ley de que son; y el más rico pierde más, y de ordinario es que el metal que acude a tres pesos pierde una libra; y el de a cuatro, a libra y media; y el de a cinco y a seis, a dos; y lo muy rico, a diez y doce, lo cual va en ser unos más lamosos que otros. Y los de este cerro han sido malos de corregir en la pérdida de azogue, porque aunque se han hecho algunos remedios, no han aprovechado por la calidad de los metales.

Cuando se fleta en esta ribera molienda seca, que es lo que se entrega en harina, comúnmente se paga a cuatro tomines ensayados y a cuatro y medio hasta cinco, y ahora dos años se pagaba a seis, por ser más metales y menos ingenios. Cuando el dueño del ingenio se obliga a poner el metal en piña, que es beneficiarlo desde la molienda hasta hacerlo plata en piñas desazogadas, se paga por esto a ocho tomines y a nueve, y a siete y medio lo barato cuando daban las barras adelantadas, y hogaño se ha fletado a siete tomines; y en algunos ingenios, por tener que hacer y no estar parados, a seis tomines y medio.

En Tarapaya se hace este beneficio más barato por tener allá menos costa, así por la ayuda que tienen de leña para dar fuego a los buitrones, como por comprar la sal más barata y tener la molienda perpetua y considerar la costa que tiene el llevar el metal, que es de dos tomines ensayados hasta tres; y así ponen en piña a cinco tomines [f. 41] y medio ordinariamente. Estos años, por haber acudido mucho, ha sido a seis tomines y medio, y tendrá de costa tres tomines y medio hasta cuatro.

Del asiento y minas de Porco

Luego como se descubrió este reino y se acabó de hacer la pacificación entre los españoles y naturales, un indio de Chaquí dió noticia a Hernando Pizarro, que a la sazón estaba en esta provincia, de unas minas que labraba el Inca en un cerro que llamaban de Porco, que está seis leguas de esta villa hacia el sur, en el cual hallaron algunas labores en una veta rica de él, en la cual tomó dos minas. Y la una dió a doña Francisca Pizarro, su sobrina, hija del marqués, su hermano. Y fué tan rico el metal de estas dos minas, que acudía a la mitad de plata por fundición y de ellas pareció haber sacado el Inca mucha plata. Y es cosa cierta que la riqueza que se halló en la tierra no se ha sabido las minas de donde procedió. Y en este cerro se fueron descubriendo otras vetas y se pobló de hasta cien casas de españoles, y hoy han quedado cuarenta.

En su principio fué mucho el provecho que el reino tuvo de aquí, y los indios por guaira beneficiaban los metales. Y poco a poco se ha venido alabando por haber dado las minas en agua, aunque las descubridoras no la tienen. Los metales se hallaban en bolsas y eran tan ricos que sucedía sacar de una ocho y diez mil pesos; pero como la tierra de este cerro es esponjosa y húmeda, se aniegan las minas de manera que no se pueden labrar, porque en llegando a treinta estados es mucha el agua que tienen. Y aunque esto es grande inconveniente y costoso, si no hubieran dado las minas en quijo, que es topar la veta en duro, y no se hubiera perdido la riqueza, todavía las labraran y agotaran su agua.

Y a la fama de esta necesidad, y de la que se pasaba en esta villa por no tener agua para moler todo el año, han acudido dos hombres, que el uno de ellos dice haber trabajado en Castilla con Juan Helo y el otro es vecino de Lima, los cuales fueron a ver las minas de este asiento [f. 41 v.] y se ofrecieron a desaguarlas. Y como los señores de ellas esperan poco provecho por la causa dicha, no estimaron la invención en nada, aunque trataron de concertarse, y éstos se han ofrecido a hacer en esta villa una máquina para poder moler con agua estante con cierta invención de unas bombas, y por no estar Vuestra Excelencia en el reino, se presentaron en esta Real Audiencia y dieron en escrito su razón, y sacaron provisión para que haciendo el ingenio de la nueva invención a su costa, ninguno pudiese usar de él por espacio de diez años, con ciertas penas. Y la villa, como tiene más necesidad de metal que de invenciones para molerlo, tuvo por impertinente su fábrica. Y así se quedó, sin tratar de ningún medio por tener experiencia de los muchos que ocurren aquí con invenciones, así para la molienda como para el beneficio, diciendo que harán [que] saquen más ley al metal con pérdida de menos azogue, y todo es burlería y un vano entretenimiento, porque cualquiera de estas cosas fuera gran remedio para la conservación de los beneficios de esta villa.

De dos años a esta parte se han edificado junto a Porco, en un arroyo que pasa por allí, dos ingenios de agua que muelen todo el año, y de minas modernas sacan el metal que benefician por azogue. Acude a tres pesos y algunos más y menos, sin ser de provecho los desmontes, que no tienen ley, con ser de minas ricas. Y la causa es que, como el metal no va fijo, no se comunica ni mezcla lo rico con lo que tiene la veta, por hallarse en bolsas que están a trechos y distancias, dividido lo uno de lo otro. Las fundiciones ya no las hay, y está arruinado el asiento, de manera que se puede hacer poco caudal de él, y no dejan de guairar los indios, aunque las guairas son pocas. El temple es más áspero y frío y ventoso que el que aquí tenemos. Tiene la mejor agua del reino y más delgada, y que hace mucha ventaja a la de aquí, por venirse quebrando por una sierra abajo y ser su nacimiento en peña viva.

Por este asiento pasara la ropa y mer[f. 42]cadería que viene del puerto de Arica, con que se provee de lo necesario. Tiene señalados por los señores virreyes indios, que de los repartimientos que sirven en esta villa por cuenta aparte están obligados a asistir allí para la labor de las minas, como diré en otra parte. Y ordinariamente los ocupan en trajinar con la mayor parte, por vivir en este asiento cuatro o cinco hombres de los ricos de esta provincia, y ser su trato principal el bajar metal del cerro y llevarlo a Tarapaya a trajinar barras de esta villa al puerto de Arica, y traer retorno de azogue y mercaderías en gran cantidad que tienen de ganado que crían en aquella

áspera puna, donde viven tan contentos
que no echan de menos los regalos de
otras partes. Al presente se labran en Porco las minas que aquí pongo, o a lo menos con este título les dieron indios. La
primera columna es de las varas de mina
que tienen, y la segunda, de los estados
de hondura en que están:

Veta de Hernando Pizarro, descubridora

Su Majestad tiene una mina de sesenta
varas, y al presente la tiene en arrendamiento y compañía Diego Delgado, cuyo
arrendamiento se hizo ante los oficiales
reales de esta caja de Potosí; y da por
ella el cuarto del metal que sacare, y de
cada cien quintales, dos por ciento.

La fábrica de la iglesia mayor de este asiento, en compañía de Rodrigo Alvarez	60	100
Diego Alvarez	21	4
Juan del Campo	60	30
Juan Vejel y compañía	60	20
Diego Beltrán	60	25
Doña Francisca Pizarro	60	80

Veta de Los Zoras.

[Está] en el cerro que tiene este nombre. Es nueva y espérase de ella mucho
provecho. El metal rico que se halla se
vende el quintal a doscientos y cincuenta
pesos ensayados, pero sácase poco.

[f. 42 v.] Francisco Alvarez, y Diego
Beltrán, y Baltasar López, y Juan Vejel
están dando un socavón; no son tan costosos como los de Potosí ni se tardan tanto en hacerlos, porque va la labor por tierra y no por peña, como los de aquí.

Su Majestad	60	†
Baltasar López y Francisco Alvarez. Lábrase esta mina por pozo	60	
Juan Vejel, y Alonso Hernández de Castro, y Pedro Colmenero, y están dando en esta mina un socavón	60	
Francisco Escudero ,y Diego Mateos, y Hernando Alvarez, y Diego Delgado. Lábrase por pozo y vase dando un socavón	60	

Diego Mateos	60	
Antonio García de Aldana y Alonso de Castro. Lábrase por socavón	20	
Juan de Campos, y Pedro Hernández Ontiveros, y Miguel Carreño	60	
Pedro Escudero, y Cristóbal Calderón, y Juan Rodríguez de Ribera	40	
Diego Beltrán y Pedro Hernández Colmenero	60	
Baltasar López, y Pedro Escudero, y Francisco Escudero...	30	
Su Majestad	60	
Los menores de Alonso Zora, indio difunto, descubridor de esta veta, y en estas varas tiene Juan del Campo, y Alvaro de Mendoza y Rojas, y Pedro Escudero las doce ..	60	

Segunda veta de este nombre, en el mismo cerro.

Pedro Escudero y Rojas, y tienen dado un pozo	60	
Los menores del dicho indio, y en ellas tiene diez y ocho varas Diego de Albornoz	60	
Su Majestad	60	
Baltasar López, y Pedro Escudero, y Francisco Escudero.	31	
Diego Beltrán y Pedro Hernández Colmenero	60	10
[f. 43] Pedro Escudero, y Cristóbal Calderón, y Juan Rodríguez de Ribera	40	12
Juan del Campo, y Ontiveros, y Carreño	60	13
Alonso de Castro	10	
Antonio García de Aldana	10	
Diego Mateos	30	
Hernando Alvarez Rubiales, y lábrase por socavón	10	
Alonso de Castro	15	
Diego Degado. Estas dos minas se labran por socavón	15	
Diego Mateos, y está labrando un socavón	10	
Francisco Escudero y Almonacir	20	
Pedro Hernández Colmenero	20	
Juan Vejel	20	

Alonso de Castro. Para estas tres minas se está dando un socavón 20

Baltasar López, y en ésta tiene veinte varas Francisco Alvarez 60

Su Majestad. Esta mina se labra por socavón 60

Diego Beltrán tiene las quince, las cuarenta y cinco Baltasar López. Lábrase por un pozo. 60

Diego Alvarez, y en éstas tiene cinco varas Pedro Beltrán y estáse dando un socavón... 60

Diego Mejía de Torres y compañía. Hase comenzado a hacer un socavón, y hay alguna esperanza que acabado estas labores serán de provecho estas minas 60

Y este asiento no se visitó por el señor don Diego de Zúñiga al tiempo que hizo la visita general de esta villa, ni trajo orden de ello, que fuera muy necesario, por verificar el estado de estas minas y si se ocupan los indios que tienen en la labor y beneficio de ellas, pues no es tan pequeña la parte que sirven y acuden bien contra su voluntad. Y después cometió el señor virrey don Martín Enríquez la visita a don Juan Dávila, corregidor de esta provincia, con facultad y comisión de repartir y dar los indios consignados a este asiento. Y luego que comenzó [f. 43 v.] a gobernar esta Real Audiencia, envió a mandar al alcalde de minas de Porco que enviase relación del estado de las minas y de los indios que había y en qué los ocupaban. Y halló que estaban vacos doscientos y ocho indios, porque las personas a quien se dieron se habían ausentado; y los demás señores de minas pidieron se repartiesen entre ellos, y así lo hizo el señor presidente y oidores. En este estado están los negocios de este asiento.

Del asiento y minas de los Lipes

La provincia de los Lipes dista cincuenta leguas de esta villa hacia el mediodía, inclinado al oriente; extiéndese por su largo hacia el poniente desde los pueblos uruquillas a los [de los] chichas.

Tiene por términos y confines de su latitud los indios quillacas y atacamas, que son pueblos de paz y que sirven en esta villa, aunque los atacamas son reservados. Tiene de circuito y contorno más de doscientas y cincuenta leguas. Es fría y seca, y siempre corren recios vientos. Llueve poco y es inhabitable, sino fuera por la bárbara nación de que está poblada, por ser gente sin ningún concierto ni policía. Tiene sierras altísimas de perpetua nieve y llanos que son unos salitrales sin ningún fruto ni hierba. En las faldas de sus sierras están las poblaciones de sus indios, que se mantienen de raíces y quinua y algunas papas, sin otro mantenimiento.

El número de los indios será tres mil; la mitad [son] uros, que viven bárbaramente sin tener más ley que nacer y morir; no tienen asiento ni lugar conocido, múdanse de una parte a otra; casi toda esta gente es infiel, y los que son bautizados, ninguna costumbre tienen de cristianos, ni rastro de fe, ni virtud. Los otros mil y quinientos, aymaraes; tienen algún mayor conocimiento y muestras de buenos deseos, y están poblados en treinta leguas de tierra en pueblos muy pequeños. Por causa de tener agua aquel sitio, se han ayuntado en tan poca distancia, porque toda la comarca es seca y salitrales, y sus aguas saladas.

Todos estos indios están [f. 44] divididos en diez ayllos, que son como linajes y familias, y cada ayllo tiene su principal, y están sujetos a dos caciques superiores; el uno dicen ser indio de razón y aficionado a cristianos, y el otro, bárbaro y nuestro enemigo. Nunca han sido visitados ni reducidos, ni han tenido corregidor, y el primero que les han puesto con este título es de un año a esta parte, por la Audiencia. Son estos pueblos de la corona real y pagan tasa, y creo que son dos mil pesos ensayados, sin estar empadronados ni saber qué indios hay de tasa ni la que pueden pagar. El corregidor, que es Francisco de Carvajal, que vive con ellos con su casa y mujer, ha sido de mucho fruto, porque ha juntado y reducido en breve tiempo al pie de mil indios en un pueblo, de que están contentos y pacíficos y acuden con su tasa. Es gente de paz y dóciles de corregir, enemigos de indios de guerra con quien confinan. Viven hoy en la ceguedad que han tenido, guardando sus ritos y ceremonias.

Todos los pueblos no tienen más de un sacerdote, y reside en el principal que se llama Colcha, y tiene setecientos pesos ensayados de salario. Y danle los indios camarico y raciones de lo que crían, y de aquí por su plata le proveen de algunos regalos. Y no es posible poder hacer doctrina, por estar tan derramados y por tierra que para caminar se ha de llevar la hierba que han de comer y agua y leña, que tan falta es de esto. Y así mueren sin bautismo ni confesión, siendo gente mansa que se podría hacer mucho fruto en sus almas; y vemos que no hay quien se ofrezca por la disposición de la tierra, que otro peligro ni riesgo no hay. Llevó el corregidor instrucción de la Real Audiencia para reducirlos a cuatro pueblos que se van fundando con cuidado, y lo habrá verdadero con la venida de Vuestra Excelencia, si pareciere convenir perpetuarlos en aquel sitio, que a algunos parece sería bien acercarlos con los indios de esta provincia.

Tiene esta gente mucho ganado de la tierra, y vicuñas y guanacos, de que se mantienen. Hay mucha caza de perdices y vizcachas y finos halcones. Tiene grandes ríos que bajan de las sierras y en llegando a los llanos se tornan las aguas saladas; y en el invierno son los llanos unas marismas por cubrirse de agua, y algunas sierras con pueblos quedan hechas islas [f. 44 v.], cercadas de agua por estar asentadas en lo llano, aunque no está hondo. En el verano se enjugan estas aguas y se descubre la tierra, que queda hecha un salitral; y con los rayos del sol hace una reverberación en lo blanco muy perjudicial para los ojos. Vacas ni cabras no se crían, ni caballos, y los que echan al campo se tornan locos de los recios vientos que corren, y el que comúnmente persevera es poniente. Hay grandes hielos y nieves, que comienzan a caer desde principio de marzo hasta fin de agosto, que es el verano y tiempo seco, porque no llueve en él, y es el más frío del año. Y cuando llueve hay templanza; entran las aguas en invierno por septiembre.

Hay en esta provincia un cerro con minas que tiene semejanza con el de esta villa, por ser de su facción y hechura y tan alto y con igualdad por todas partes, aunque es más delgado y sin tanta falda y plan. Y [si] sus minas y vetas comenzaran desde lo alto, fuera riquísimo. Llámase el cerro de Oslloque. En el principio de su falda están las vetas [que] no corren el cerro arriba, sino atravesadas de levante al poniente. La primera veta que se descubrió tiene por nombre la Rica. Está junto al salitral. Habiendo labrado en ella quince estados, dió en agua y no se puede labrar. Cerca de ella se descubrió otra veta, que corre por el mismo rumbo y está hacia el poniente, y se entiende ser toda una, y en ésta labran diez o doce españoles, que tienen poblado el asiento, que está quince leguas de Colcha. De esta mina acude el metal por fundición a seis marcos y no se tiene experiencia del beneficio por azogue, aunque habrá tres o cuatro años un español trajo una partida de metal de los Lipes que benefició a nuestra usanza, y no le acudió bien. Atribuyóse a que la calidad de estos metales es húmeda, y ellos, tan blandos y lamosos, que no puede abrazar el azogue a la plata. Junto a la falda del cerro, cerca de la veta Vieja, está la población de los cristianos hacia el oriente. Serán veinte casas, y la ranchería de los indios cerca de ellos, con otras tantas casas. Van los indios de su voluntad a las minas y páganles a dos reales y medio. Tienen aprovechamientos de metales.

Sin estas vetas se han descubierto y hallado otras minas, aunque no tan ricas, cinco leguas de Oslloque, en un cerro que llaman [f. 45] de Sacacha. Están en la cumbre, en la parte más alta del cerro. Acude su metal por fundición a ocho pesos. No se labran por ser las viejas más ricas. Espérase de estas minas mucha prosperidad, por tener que labrar sin riesgo de topar agua. Y de tres años a esta parte se han descubierto las vetas que se siguen:

Tomás de Ibarra, difunto, que fué una persona que puso con vara de justicia en aquel asiento el capitán Martín García de Loyola, corregidor que fué de esta provincia, el cual descubrió una veta de metal de plata media legua de Oslloque, en un cerro que dicen Guantara, de la otra parte de un río donde se halló una cata antigua tapada a manos, y sacó metal de ella y de él plata por guaira.

El dicho registró otra veta de metal que descubrió en el dicho cerro, y del metal hizo un ensayo por azogue y acudió bien.

Domingo de Basurto registró una veta de plata que descubrió [a] una legua del asiento, y ensayó el metal y sacó plata por azogue.

El dicho Tomás de Ibarra registró una veta que descubrió en un cerro, media legua del valle de Escalla, en el cual dió catas y topó metales de plata y soroche con distinción de vetas.

El dicho registró una veta de plata que descubrió media legua del cerro principal

Cristóbal Flores registró una veta de plata que descubrió [a] una legua del asiento, y ensayó el metal y sacó plata por azogue.

En la comarca del cerro hay minas de cobre muy fino' y algunas labradas por el Inca, y minas de soroche con ley de plata y muchos colores finísimos, y un azul muy singular para pintores. Hay casa de fundición [con] cinco hornazas, las cuatro para fundir y una para refinar.

Si los españoles asistiesen a la labor y beneficio de las minas, ayudaría su parte la plata que de aquí procediese; y por ser la tierra fría y costosa no pueden resistir el trabajo y falta de mantenimientos que en ella pasan. Y también lo tienen en mingar los indios, que si los tuviesen de cédula importaría para poblarse de mucha gente que hay perdida en esta villa. Los indios benefician metal por guaira, y habrá como doscientos, y sin las minas públicas [f. 45 v.] de los españoles se cree tienen ellos otras secretas de donde sacan metales, por cuya causa son remisos en ir a las de los españoles. Costumbre fué los años pasados asistir en Potosí sesenta y nueve indios de esta provincia de los Lipes, que estaban obligados a dar de mita ordinaria veinte y tres indios, que repartió el señor virrey don Francisco de Toledo a minas e ingenios; y después, en el último repartimiento que hizo, los dejó fuera de esta obligación, por tener minas en su tierra.

Comúnmente asisten en esta villa, de asiento, setenta u ochenta indios con un capitán, y de su voluntad se alquilan y mingan para pagar sus tasas, que cobran los oficiales reales. Tienen su asiento en la parroquia de Santiago, sin ser sujetos a las capitanías, y sin éstos hay otros muchos indios que vienen a vender un género de ropa que allá hacen, y harina de quinua, y colores y plumería de muchos avestruces que se crían en su tierra. Y entiéndese que si se reducen se seguirán buenos efectos, después del principal de su salvación. Y pues la católica majestad del rey don Felipe, nuestro señor, está encargada de la predicación del Evangelio y conversión y buen gobierno de estas incultas gentes, y pues éstos están de paz y tienen minas y pagan tasa, Vuestra Excelencia sea servido de acordarse de ellos.

Del asiento y minas de Berenguela y Challacollo

Treinta leguas de esta villa, camino del valle de Cochabamba, que es donde traen la harina y comida a este pueblo, tres leguas del repartimiento de Sacaca, hay unas minas antiguas en el asiento de Berenguela, donde hay ciertas vetas de plata de metal suelto, que se hallan [en] bolsas como en Porco. Habitan en ellas comúnmente diez o doce españoles, y para su labor, los indios comarcanos dan ciento y treinta indios charcas y zoras. Benefician el metal por fundición.

Y catorce leguas de estas minas están otras de soroche, que funden mezclado con el metal de Berenguela, Y habrá otros tantos españoles y tienen cien indios uros del repartimiento de Challacollo, y es alcalde mayor de estos asientos Garci Ruiz de Orellana, vecino de la villa de Oropesa, en el valle de Cochabamba.

Descubrimientos que se han hecho en esta provincia de los Charcas de minas de oro y plata, de que se tiene noticia

[f. 46] Cosa muy notoria es, Excelentísimo Señor, que en este reino hay muchas minas de oro y plata y que las tienen ocultas los naturales, conociendo que este metal ha sido la causa de nuestra perseverancia, pues la experiencia les ha enseñado que donde falta están los indios libres de tributos y que no los quie-

conquistar, y que viven en la ley que quieren, y ociosidad y torpeza de vicios a que son inclinados. Y creo que el demonio pone cuidado en que no se descubran, pues ve el perdimiento que hay en las almas donde falta el oro y plata. Y entre las provincias que sabemos que tienen muchas minas, es ésta de los Charcas, que se puede decir que su tierra es una pasta de plata y oro, y que el entretenimiento de este cerro no da lugar a continuar los descubrimientos que se han hecho y se hacen cada día, y por faltar los indios para labrarlas. Y de los que se tiene noticia y han sucedido desde el año de mil y quinientos y ochenta, quise ponerlos aquí, por no dejar cosa [de que] dar cuenta a Vuestra Excelencia.

Y los primeros son de minas de oro y el que hizo el padre fray Tomás del Castillo, de la Orden de Santo Domingo que ahora está en Lima y a la sazón [estaba] en la doctrina de Talina, que es un pueblo camino de Tucumán, cincuenta leguas de aquí, frontera de indios de guerra, porque hasta allí se puede caminar de paz; y en este pueblo se junta la gente que ha de entrar en Tucumán por el riesgo que podría haber de las guazabaras que les dan los indios, que son rociadas de flechazos con que les suelen matar los caballos y hacer otros daños. Estando, pues, allí este padre descubrió una veta de oro en un cerro que le puso por nombre el cerro de Adán (1), que está tres leguas de Talina, junto a una cancha antigua del Inca (que es un cercado para recoger ganado) y en una cuchilla de sierra que nace del mismo cerro dió una cata y sacó cierto metal, en el cual halló un poco de oro a manera de puntillas, que trajo a esta villa, con que dió harto rebato en ella. Y como nuevo descubridor, le señalaron una mina de ochenta varas de largo y cuarenta de ancho, que es lo que llaman cuadras, y luego sesenta varas de la salteada después que tomó Su Majestad, porque fuera de Potosí se concede por ordenanza esto. (En este cerro [y] legua y media en su contorno no gozan los descubridores de la mina de ochenta varas ni de la salteada, más que de las

sesenta de la descubridora y las cuarenta de las cuadras.) Tomó Su Majestad mina en este cerro y muchas personas, y como el padre se viese señor de ciento y cuarenta varas de minas de oro [f. 46 v.] que le habían adjudicado, parecióle que no era justo volver a su celda tan rico, e hizo luego de las varas que tenía las donaciones siguientes:

Al convento de San Esteban, de Salamanca, treinta y cuatro varas.

Al Colegio de San Gregorio, de Valladolid, otras treinta y cuatro varas para el sustento de cuatro colegiales de esta provincia del Perú; y no admitiéndoles, que no se les diese las dichas varas.

Al Colegio de Santo Tomás, de Sevilla, diez y siete varas para que con ellas se sustenten dos colegiales de la misma orden, con el mismo cargo.

Al monasterio de Santo Tomás, de Avila, trece varas, con obligación que se vistan los frailes del mismo convento.

Al Colegio de Santo Tomás, de Alcalá de Henares, otras trece varas, con gravamen de una colegiatura.

Al monasterio de Santa Catalina, de Plasencia, otras trece varas. Y últimamente mandó al Sepulchro de Santo Domingo de Bolonia y para el ornato de su capilla, diez y seis varas. Y con esto dijo que había descubierto la mayor riqueza que jamás los hombres habían hallado y que todos le tenían grande obligación, pues sucedía en tiempo este socorro que tanta necesidad había de él; y hase quedado tan olvidado como estaba antes que se tuviera noticia de él.

Lope de Bruceña descubrió y dió noticia de una mina de oro que halló en Chayanta (2), treinta leguas de esta villa, una legua del dicho pueblo, junto al río, en una cordillera llana donde está un mochadero o adoratorio que tenían los indios. Y en la loma halló dos pozos de seis o siete estados de hondo, de los cuales sacó metal con oro, de que hizo la manifestación al tiempo del registro, porque sin oro o plata que se haya sacado de la mina que se registra no se puede hacer sino solamente la manifestación, con cargo que dentro de treinta días sea obligado a en-

---

(1) Al margen: *cerro de Adán, mina de oro*, en letra diferente de la del texto. G. M .L.)

(2) Al margen: *mina de oro en Chayanta*, en letra diferente de la del texto. (G. M. L.)

sayar el metal y hacer registro, so pena de perder el derecho que tiene al tal descubrimiento. Tomó Su Majestad mina y muchas personas, y lo mismo se ha de entender de los demás descubrimientos que aquí pongo, que por evitar prolijidad no los refiero.

Juan Ramírez descubrió cuatro socavones de metal de oro labrados por el Inca cerca del río de San Juan, en los Chichas (3), veinte y cuatro leguas de aquí, junto a un golpón y casas de indios que se llama la estancia de Macha. Y estos socavones estaban atapados y ciegos a manos de indios, y en la falda de este [f. 47] cerro están hechas muchas mesas y tablas de tierra con piedra, a manera de andenes, allanando la tierra para poderla aprovechar de sementeras. Y más arriba de los bohíos, hacia el sur, halló una veta de oro sobre pedernal blanco, de que sacó oro, y dice que ha de gastar su hacienda en estas minas, porque entiende han de ser muy ricas.

Juan García Cuadrado descubrió una veta de oro en un cerro que está dos leguas de Chayanta, hacia Chuquisaca, de la cual ha sacado oro de que hizo demostración.

Síguense las minas de plata.

Bartolomé García y Pedro Calisaya, indio, descubrieron dos vetas de metal de plata en un cerro llamado Chipave, camino de Cochabamba, diez y seis leguas de aquí.

Pedro Panus, flamenco, y Pedro Sande descubrieron cinco cerros en que hallaron diez vetas de metal de plata, veinte y cuatro leguas de esta villa, en los pueblos quillacas. Y los cerros tienen estos nombres porque fué orden del Inca poner nombres a todos los montes y sierras y los demás lugares, y se conocía la tierra por ellos. Los nombres de los cerros son Añar, Caguar, Chiarqui, Calabana, Titicaca, Cupayara y que estos cuatro (4)

[sic] están en contorno de una legua y junto al pueblo de Challapata, y el otro cerro cabe el pueblo de Condocondo, media legua distante de los demás, y que tienen por nombre Anchayará.

Andrés García descubrió una veta de plata en un cerro llamado Andacagua, y por otro nombre Chantiri, seis leguas de esta villa por encima del pueblo de Lalava. Y al pie de este cerro está una laguna donde caen los desmontes y tierras que se sacan de la mina, que está labrada desde el tiempo del Inca y tenía dados más de veinte pozos, y algunos están muy hondos, y de los metales de ellos sacó plata por azogue.

Martín de Mojica descubrió una veta de metal de plata junto al pueblo de Lalava, camino de los Chichas, en la cual está dado un pozo de un estado de hondo; y el metal benefició por azogue y sacó plata.

Alonso González registró una veta de metal de plata que descubrió en la puna de Yotala, que es un pueblo de indios tres leguas de Chuquisaca y once de aquí, la cual ensayó por fundición y sacó plata.

Juan del Castillo descubrió una veta de plata en el cerro de Tunqui, en la cumbre este-oeste, y púsole nombre Nuestra Señora de Luna. Está por encima del tambo o venta de Yocalla, que está en el camino real del Cuzco y seis leguas de esta villa.

Juan Juárez halló una veta de metal de plata en el cerro que llaman Guacache, que está camino de Porco.

Juan Gutiérrez Bernal descubrió una veta de plata en este mismo cerro y le puso por nombre San Juan Bautista.

[f. 47 v.] Catalina Arupo, india natural del Cuzco, descubrió una veta de plata en el camino de Chuquisaca, en un cerro que llaman Copacoya, que está tres leguas de esta villa, y dió una cata y por ella sacó metal que acudió por el beneficio de azogue.

Gaspar Ortiz registró una veta de plata en una loma que está camino de los Chichas, legua y media de aquí.

Don García Caye, natural de Collapata, en el distrito del Cuzco, descubrió una veta que halló cerca del pueblo de Lamaota, pasado la pachita, en un alto junto al camino cerca de este asiento.

Juanes de Basualto registró una veta

(3) Al margen: *mina de oro en los Chichas*, en letra diferente de la del texto. (G. M. L.)
(4) Como los nombres son seis, dos serán dobles. La toponimia boliviana accesible actualmente no conserva estas denominaciones. Las dos primeras no corresponden a la índole del aymara y el quechua; es casi seguro que se trata de grafías defectuosas. (G. M. L.)

de metal de plata que halló en un cerro que está camino de Chuquisaca, tres leguas de aquí, y dió una cata de cuyo metal sacó plata por azogue.

La dicha Catalina Arupo registró como descubridora una veta de metal de plata que halló en un cerro que está tres leguas de esta villa, que llaman Patipati, y por otro nombre Cullapata, que está sobre la chácara que solía ser de Antonio Díaz, en la cual veta dió una cata y sacó plata del metal por azogue.

La dicha Catalina Arupo registró en el dicho cerro otra veta de metal de plata.

La dicha registró otra veta en el mismo cerro hacia el mediodía, en la cual dió una cata y del metal sacó plata por azogue.

Juan Nullu, indio natural de los Quillacas, descubrió una veta de plata en el cerro llamado Tama, que está cinco leguas de esta villa y cae frontero de la cordillera de Guariguari.

El dicho registró otra veta de metal en el cerro llamado Condori.

Baldelomar registró una veta de plata en un cerro que está junto al camino real de Chuquisaca, en lo que llaman Chibitara, legua y media de aquí.

La dicha Catalina Arupo descubrió una veta de plata en un cerro que llaman Chaquil, cinco leguas de este asiento, en la cordillera de Guariguari, y del metal sacó plata por azogue.

La dicha descubrió una veta de plata en el cerro llamado Parani, que está cerca del de Chaquil, de metal, de la cual sacó plata por azogue.

Martín Cara, natural del valle de Jauja, descubrió una veta de plata en el cerro que llaman Poconche, que está cinco leguas de aquí.

El dicho registró otra veta de plata en el mismo cerro, que ensayó y sacó plata por azogue.

Juan Hurcuni, indio de Chapa, descubrió una veta de plata en el cerro llamado Pocosirca, cinco leguas de este asiento.

Alonso González Sancha registró cuatro vetas de metal en el cerro llamado Tollocsi, en la cumbre de él, cuatro leguas de esta villa, y las dos vetas corren hacia el oriente y las otras al umbrío del poniente [f. 48]. Están apartadas las

unas de las otras casi una legua. En el paraje de estas vetas hacia el camino real de Chiracoro halló una cata y un socavón antiguo tapado de manera que apenas se podía conocer lo que era; y de la cata benefició metal que saco plata por azogue.

Juan Niño de Figueroa registró dos vetas de metal de plata que descubrió dos leguas de esta villa, en un cerro junto al de Chiracoro, y al que llaman Tollocsi; y del metal sacó plata por fundición.

Pedro de Grado registró una veta de metal de plata que descubrió en la cordillera que está en el valle de Tarapaya, cuatro leguas de aquí, y media del último ingenio que está por esta parte, río abajo, que es el de Marcos Muñoz, que ahora posee María Castellanos; del metal sacó plata por azogue.

En los cerros que nacen de este principal de Potosí hacia el poniente se han descubierto algunas minas y vetas de plata que las han tenido en su principio por muy ricas, y continuando la labor se han perdido las vetas por no ir fijas las cajas, y derechas [y] perpendiculares a plomo, como están las principales de este cerro, sino ladeadas y descaecidas, que es mala señal.

En tiempo del corregidor Martín García de Loyola se halló un manto de metal de plata sobre la haz de la tierra en un cerrillo que se llama Vilasirca, que va señalado con una cruz en el retrato (5) y estampa de esta villa, tan rico que acudía a más de treinta marcos por quintal; y entendióse que era cosa muy importante, y luego se perdió por no tener raíz el metal.

Al presente anda voz en este pueblo de unas minas que se han descubierto hacia los Lipes e indios chichas en los Aullagas, treinta leguas de esta villa. El metal es rico sobremanera y cuentan grandes cosas de esto; y antes de ahora se ha tenido noticia de estas minas, aunque no con la certinidad de ahora. Entiendo han de acudir a Vuestra Excelencia a pedir indios para su labor, porque hay fama de que ha de ser muy importante este descubrimiento. Y yo no afirmo ni doy más entera relación, porque no lo he visto.

_____

(5) No figura este retrato en el manuscrito.

Del descubrimiento que se ha hecho ahora últimamente en los cerros de Guariguari

Andan los indios tan codiciosos de sus aprovechamientos y granjerías que, conociendo la libertad en que los tiene Su Majestad y que son señores de sus haciendas y de los descubrimientos de las minas que hacen como los españoles, por que antes [f. 4j v.] que el señor virrey don Francisco lo ordenara no gozaban enteramente de este beneficio, y porque el presidente Gasca les había privado en alguna manera de él, por dar contento a los conquistadores de aquel tiempo y otros motivos que tuvo no tan enteros como era necesario para el efecto que se podía pretender del descubrimiento de las minas; porque claro está que no consintiendo que se aprovechase de ellas más que tan solamente el que hacía la manifestación y registro, sin poder tomar minas ni estacarse los demás indios, pareciéndole que si diera facultad para esto no tuvieran los españoles lugar de tomar minas en los descubrimientos, y que los caciques y principales las tomarían y ocuparían todas, aunque lo pudieran hacer y ordenar de esta manera para que hubiera más descubridores de nuevas minas, pues no habían de gozar de ellas más que el descubridor, pero en lo primero fué en lo que se fundó; y por haber cesado esto procuran por este medio hacerse los indios ricos. Y los de esta provincia tienen mucha diligencia en buscar nuevas minas y cada día nos van dando noticias de ellas (6.)

Y de año y medio a esta parte, un indio guanca de Jauja, llamado don Juan Caruachi, yanacona de los frailes de Santo Domingo del convento de Chuquisaca, teniendo rastro y noticia de unos cerros que están cinco leguas de esta villa (por haber descubierto en ellos un indio llamado Juan Cochaquispi, inca natural del Cuzco, una veta de plata de una cordillera que llaman Guariguari, en el cerro de Chaquilla, que no pareció de seguir y es-

taba muy olvidado porque había veinte y cinco años que había pasado), y en diez y siete días del mes de abril de mil y quinientos y ochenta y tres años, hizo manifestación y registro de una veta nueva que había descubierto en un cerro llamado Condoruico, que es uno de los de la cordillera. Y fueron muchas las personas que tomaron minas y descubrieron otras muchas vetas, y se tuvo este negocio por importantísimo.

Y casi la mayor parte de los descubridores acudieron a la Real Audiencia con un memorial y testimonio, por donde constaba haberse registrado y descubierto veinte y una vetas, y en ellas haber tomado doscientas y veinte y cinco minas de a sesenta varas, y suplicaron a los señores presidente y oidores les hiciesen merced de darles indios con que labrasen las nuevas [f. 49] minas y se entendiese la calidad y ley de sus metales. Y un Miguel García de Luján, que tiene la casa de la fundición en la casa de la moneda, y Juan Ochoa de Unzueta, que a la sazón era escribano de registro, fueron a Chuquisaca y llevaron cierto tejo y piña, con testimonio cómo se había sacado de las minas de Guariguari, con que se movieron mucho a tratar de darles indios; aunque se entendió, por el aviso que otros daban, que la mayor parte de las vetas eran inútiles y no de seguir, y en que la causa porque se habían registrado tantas era por parecerles que les darían indios, que es el blanco a que todos tiran para culparlos [ocuparlos?] en otras cosas, como de hecho hicieron que les repartieron, y no en labor de las minas; y no se dieron a todos, porque no había indios para cumplir con tantos. Y para hacerlo con la justificación que convenía, se hizo cierta probanza, por la cual constó quiénes fueron los primeros descubridores y los que tenían hecha alguna población. Y resolviéronse a dar trescientos indios, entresacados de las dos tercias partes de huelga de los que asisten en esta villa [a] las minas descubridoras de cada veta, conformándose con una ordenanza que manda que a los descubridores se les den seis indios del pueblo más cercano al tal descubrimiento (aunque esto no se guarda), para que con los que le señalaron fuesen

(6) Sería imposible reducir este párrafo—donde se cuentan fácilmente hasta doce oraciones intercaladas sin una clara resolución final—a un conjunto coordinado sin modificar toda su estructura. (G .M. L.)

labrando, y por lo que de ello resultase se entendiese qué era lo demás para proveer en ello. Y así les repartieron los trescientos indios, y no pasaron tres meses [cuando se vió] lo poco que importaba este descubrimiento, aunque ninguna causa hubo para condenarlo más de parecer que no se iba continuando la labor y sacando muchas piñas, y que los indios que les habían dado no los ocupaban en esto. (Creo lo dejan de hacer, más por el inacomodamiento y lejanía de las minas, que porque estuviesen sin esperanza del fruto que se les podría seguir de su labor.) Y la Audiencia mandó quitarlos sin volverlos a sus capitanías; y por provisiones, se fueron dando a diferentes personas y [a] algunos capitanes y soldados de los que iban con el general Juan Lozano Machuca, factor de esta real caja, ya difunto, que la Audiencia nombró por caudillo de la gente que por su orden se hizo para entrar en las fronteras de los chiriguanaes, por cierto asalto y robo que hicieron en una chácara y heredad de Chuquisaca, los cuales los [f. 49 v.] daban para socorro y aviamiento de su camino. Y ellos los vendían, que es lo que se usa mucho en este pueblo, y tenían alguna excusa, pues decían que ellos no tenían minas que para aquel efecto se los habían dado, como personas que iban a su costa a servir a Su Majestad en aquella jornada (de que se ha seguido poco efecto, así por la discordia que ha habido entre los capitanes con el general, que prendieron y enviaron a esta provincia, donde murió los días pasados—excusándose que convino aquello al servicio real y quietud del campo, que será de doscientos hombres—como por haber entrado las aguas, que impidieron la guerra).

Algunos españoles han perseverado en la labor de estas minas. Y los demás dicen no hacerlo por haberles quitado los indios; y dos españoles, de los que más continúan estas minas, trajeron a esta villa cantidad de metal a beneficiar por azogue, y supe no había acudido bien.

Está la plata en este metal en ojos que se hallan quebrando las corpas, y está como pólvora y casi tan suelta, y es la mitad plata. Cría mucho polvo con ello a pedazos como medios de dos, que tienen de ley más de mil ochocientos [marave-

dís] (7); y lo demás restante del metal no participa de estos ojos y es muy pobre. Y dicen que en topando en lo fijo se hallarán ricos metales.

[f. 50] *De las capitanías que hay en esta villa para el gobierno de los indios, y el número que está ocupado en el beneficio de minas e ingenios y otras servidumbres.*

Una de las cosas que conviene mucho dar razón a Vuestra Excelencia, es de los indios que asisten en esta villa en la labor del cerro y en los ingenios y otras servidumbres, y el orden que se ha tenido en repartirlos y darlos de cédula; y la que ellos tienen en volverse a los pueblos de donde son naturales, trocándose con los que vienen en su lugar, advirtiendo del número que hoy está repartido, así por el último repartimiento que hizo el señor virrey don Martín Enríquez como por esta Real Audiencia en el tiempo que ha gobernado, con todas las obligaciones que tienen tocantes a servir con indios; y los capitanes que están nombrados para su gobierno y administración, a cuyo cargo está el conservar el número que está mandado residan en esta villa para los dichos ministerios, cumpliendo las cédulas y mercedes que se hacen de ellos.

Y para mayor claridad del nuevo repartimiento que Vuestra Excelencia será servido de mandar hacer, he verificado los indios y pueblos que están sujetos a cada capitán; y los que no están en este asiento y no cumplen con las personas a quien están repartidos, como los que faltan por venir, que el señor virrey don Francisco

---

(7) Esta cláusula es otra muestra típica de la complejidad expresiva de Capoche. Originalmente—quitados paréntesis y rayas auxiliares que para la transcripción se ha creído conveniente usar—reza así: «Está la plata en este metal en ojos que se hallan quebrando las corpas y está como pólvora y casi tan suelta, y es la mitad plata, cría mucho polvo con ello a pedazos, como medios de dos que tienen de ley más de mil y ochocientos.» De acuerdo con la naturaleza del asunto, esto se traduciría así: «Está la plata en este metal en ojos [tan grandes] como medios de dos, que se hallan quebrando las corpas a pedazos; y está como pólvora, y casi tan suelta, y cría mucho polvo con ello; y es la mitad plata, que tiene de ley más de mil ochocientos [maravedís].» (G. M. L.)

de Toledo ordenó y mandó que viniesen, y de dónde tuvo principio y origen esta introducción de servidumbre.

Como la fama de la riqueza de este cerro fuese divulgada por el reino, acudieron muchos indios yanaconas de todos los distritos de las ciudades principales a la labor de sus minas, y mientras hubo el aprovechamiento e interés que se seguía de la guaira, los caciques y encomenderos enviaban indios de los repartimientos, porque con los de aquí pagaban la parte de la plata que tenían de tasa y los indios de los pueblos daban el ganado y ropa. Y como les fuese faltando el socorro que tenían, por irse acabando los metales de fundición y ahondándose las minas y sacando el metal con más trabajo y menos ganancia, íbanse a sus pueblos, y otros se derramaron por los valles de Chuquisaca y tierras templadas, y así iban cada día a menos. Y para remedio de esto, fué necesario obligar y compeler a los pueblos y repartimientos que estaban en esta costumbre, a que hiciesen mita y asistiesen en la población de esta villa una razonable cantidad, para que con ella se labrasen las minas.

Y al tiempo que el señor virrey don Francisco llegó, que fué por fin del año mil y [f. 50 v.] quinientos y setenta y dos, era poca la gente que había y estaba casi despoblado el asiento, y muy arruinados los edificios y los vecinos con poca plata. Y por no hallar número de indios suficiente para la necesidad que de ellos se esperaba habría para la nueva invención y beneficio de azogue, por hallar a los indios en esta costumbre, y que si se habían ido y ausentado había sido la causa por no tener las granjerías pasadas, ordenó y mandó que de los mismos repartimientos que estaban señalados se acrecentase más número de los indios que habían de servir en esta villa, añadiendo otros pueblos que hasta entonces no estaban en costumbre de venir, y que eran del mismo temple, por el peligro que tienen de mudarlos de uno a otro que aquí se multiplican tanto como en sus naturalezas. Despachó provisiones en que mandó que, para la labor de las minas y nuevos ingenios, fuesen obligados a venir los repartimientos de los distritos de las ciudades del Cuzco, Arequipa, Chucuito,

Nuestra Señora de La Paz y esta provincia, haciendo la distribución de los indios que habían de sacar de los pueblos conforme a la cantidad que había de tributarios, porque en esto recibían agravio por no estar el repartimiento hecho con igualdad, conforme al verdadero número que tenían los pueblos, sino por el que dejó señalado el presidente Gasca, que se hizo sin ninguna certinidad. Y para que con ella se hiciese, se sacaron de esta provincia, conforme al número de indios de la visita general, a diez y siete por ciento de todos los indios que se hallaron de tasa; y de la provincia de La Paz, a diez y seis; de la del Cuzco, a quince, y de la provincia de Canchis, y Canas, y Condes, de los distritos del Cuzco y Arequipa, a trece por ciento. Y fué todo el número de gente que se juntó en esta villa, con los que en ella estaban, trece mil y trescientos y cuarenta indios, que para entrar en este número salieron de sus pueblos más de cuarenta mil personas con sus mujeres e hijos. Y estaban los caminos cubiertos que parecía que se mudaba el reino.

Bien quisieran los vecinos y encomenderos acudir al remedio de esto a las Audiencias, porque les decían que cómo les habían de pagar la tasa si les llevan los indios a Potosí, despoblando la tierra sin dejar quien acudiese a las sementeras y fingiendo otras cosas, que es muy ordinario en este reino hacer contradicciones a las cosas que van enderezadas a su buen gobierno. Y como supiesen el estilo que se tenía en ellas, especial en las cosas de gobierno, que por leve que fuese el negocio lo remitían al señor virrey, no se atrevieron a intentarlo [y] porque en algunos [f. 51] de ellos faltó este cuidado, sucedieron cosas señaladas. Y de todo el número de estos indios, ordenó que tan solamente sirviesen y se repartiesen a las minas e ingenios el tercio, y que los dos quedasen reservados con nombre de huelga, no para que la tuviesen ni estuviesen ociosos, sino para que por sus mitas o tandas fuesen trabajando en los dichos ministerios para poder mejor llevar el trabajo sin fatigarse, porque fuera excesivo si no se trocaran sirviendo de cuatro en cuatro meses, y que los dos tercios se ocupasen en otros ejercicios a su voluntad,

[f. 53] Don Gregorio Laura, cacique y segunda persona de Caquiaviri y capitán de los pacajes del partido de Urcusuyu, de la provincia de La Paz. Tiene por sujetos:

Caracollo	130	43
Sicasica	91	30
Callapata	196	65
Tiaguanaco	129	43
Caquiaviri	243	81
Guaqui	174	58
Caquingora	258	86
Machaca la Chica	122	41
Machaca la Grande	204	68

Don Pedro Cutipa, cacique principal de Pomata y capitán de la nación lupaca, del partido Urcusuyu en la provincia de Chucuito, debajo de cuya capitanía está el pueblo de Copacabana, aunque no pertenece a esta provincia:

[Chu]quito	408	136
Acora	312	104
Hilavi *	288	96
Juli	426	142
Pomata	318	106
Yunguyo	210	70
Zepita	240	80
Copacabana	162	54

Don Diego Aco, principal de Juliaca * y capitán de la nación colla, de los partidos de Urcusuyu y Umasuyu, de los distritos del Cuzco y de La Paz. Tiene por sujetos a los pueblos siguientes:

Cuzco

Caracoto	61	20
Jullaca *	67	22
Nicasio *	36	12
Llampa de Esquivel *	88	29
Llampa de Zara *	18	6
Cavana	81	27
Cavanilla	99	29
Hatuncolla	79	26
Mañoso [f. 53 v.]	100	33
Vilacache	9	3

---

* Grafía actual: Hilave. (G. M. L.)
* Grafía actual: Juliaca, Nicacio, Llampa. (G. M. L.).

[La] Paz

Puno	154	46
Paucarcolla	148	98
Capachica	182	61
Los uros de Coata	39	13

Los indios que se siguen ha tenido hasta aquí a su cargo como su capitán don Francisco Chachaqui, a quien por delitos le quitaron el cargo, poniendo a estos indios, que son de la nación colla, del partido de Umasuyu, en los distritos del Cuzco y [La] Paz, en el dicho don Diego Aco, haciendo de las dos una capitanía:

Cuzco

Asillo	136	45
Arapa	196	56
Ayaviri Chichero	76	25
Saman	125	42
Taraco	102	34
Azángaro	164	55
Quiquijana	49	16
Chupa	52	17
Achara	34	11
Caminaca	18	6
Carabuco	12	4
Cancara	18	6

[La] Paz

Moho y Conima	42	14
Carabuco	84	28
Ancoraimes	21	7
Guacho *	73	24
Guancaso *	12	4

Don Alonso Chuquichampi, principal de Oruro y capitán de las naciones cana y cancha, de los partidos de Urcusuyu y Umasuyu del distrito del Cuzco:

Canas de Urcusuyu

Yauri	93	31
Checa	45	15
Layasupa [f. 54]	33	11

---

* Grafía actual: Huaycho, Huancasi. (G. M. L.)

una provincia significa lo amarillo la cuenta de la plata, en otra se entiende por lo negro, estando diferenciadas en los colores.

El número de estas capitanías se ha ido acrecentando a cumplimiento de once, aunque de pocos días acá se han resumido en diez, por quitar un capitán que hacía agravios a los indios. Fuéronse aumentando porque pudiesen con mejor orden y más facilidad gober- [f. 52] nar los indios, por parecer tenían trabajo con la mucha gente que estaba a su cargo. La una mandó añadir el señor virrey don Martín Enríquez con que fueron siete, y las cuatro esta Real Audiencia, que ya están resumidas a tres, los cuales sirven los capitanes que se siguen, con los pueblos e indios a ellos sujetos:

Don Pedro Soto, cacique principal del repartimiento de Macha y capitán y superior de la nación caracara, del partido de Urcusuyu, en la provincia de los Charcas. Tiene por sujetos a los pueblos siguientes. La primera columna es de los indios que cada repartimiento está obligado a tener en esta villa, y la segunda, el tercio de los indios que ha de dar de mita ordinaria:

Chaqui	107	35
Visisa y Caiza	154	51
Tacobamba	98	32
Colo y Caquina	57	16
Picachuri	29	9
Caracara	29	9
Macha	354	118
Moromoro	40	13

Don Hernando Ayaviri, cacique principal de Sacaca y capitán de las naciones charca y zora, y del partido de Umasuyu, de esta provincia de los Charcas, es indio de mucha razón, y que lee y escribe muy bien y con ello ayuda en lo que se ofrece tocante a indios. Tiene por sujetos a estos repartimientos:

Charcas

Chayanta	368	122
Sacaca	178	59
Santiago del Paso	116	38
San Miguel de Tiquipaya	85	28

Zoras

Paria	645	214
Tapacari	199	66
Sipesipe	139	46

[f. 52 v.] Don Juan Collqui el Mozo, natural de los Quillacas, es capitán de los asanaques y quillacas, del partido de Urcusuyu de esta provincia de los Charcas. Ha oído gramática en el colegio de la Compañía de Jesús y anda vestido a nuestro modo, con mucha seda. No se hallan bien con él los indios, así por el traje que para sustentarlo es menester robarlos, porque no es cacique, y también porque no entiende el estilo y usanza y costumbres de su gobierno, ni trata a los indios con afabilidad. Diéronle este cargo por ser hijo de un indio paramucho y que había servido mucho a Su Majestad. Al presente está con los soldados de los chiriguanaes, que fué por capitán de los indios que llevó el factor Juan Lozano Machuca. Tiene por sujetos a estos pueblos:

Puna	196	65
Quillacas y Asanaques	410	137
Aullagas y Uruquillas	198	66

Don Juan Soto, cacique principal del repartimiento de Chuquicota y capitán de la nación de los carangas, del partido de Urcusuyu de esta provincia de los Charcas. Y éstas son sus cuatro capitanías [que] tiene por sujetos:

Urinoca	42	14
Colquemarca y Andamarca	370	123
Chuquicota y Sabaya	369	123
Totora	222	74

Don Manuel Guachalla, cacique principal de Pucarani, y capitán de la nación pacax *, del partido de Umasuyu de la provincia de La Paz. Tiene por sujetos:

Hayohayo	73	24
Calamarca	63	21
Viacha	136	45
Llaja *	120	40
Guarina	175	58
Pucarani	164	54
Hachacachi	104	36
San Pedro y Santiago	60	20

* Grafía actual: *pacaj, Laja.* (G. M. L.)

de más aprovechamiento que por vía de jornal.

El cual número de indios se sacó de las provincias en la manera siguiente:

Esta provincia de los Charcas está obligada, de veinte y cinco repartimientos, a dar cuatro mil y cuatrocientos y cinco indios, que han de asistir con sus casas e hijos y mujeres de asiento en esta villa, y han de dar de mita ordinaria por el un tercio mil y cuatrocientos y ochenta indios.

La provincia de Nuestra Señora de La Paz, que está ochenta leguas de esta villa, es obligada a tener en ella, de veinte y siete repartimientos, tres mil y trescientos y cuarenta y nueve indios, y ha de dar de mita ordinaria mil y ciento trece indios.

La provincia de Chucuito, que está ciento y quince leguas de esta villa, es obligada a tener en ella, de siete repartimientos, dos mil y doscientos y dos indios. Ha de dar de mita ordinaria setecientos y cuatro indios.

El Collao, del distrito de la provincia del Cuzco, cuya ciudad está ciento y ochenta leguas de aquí, tiene obligación a tener, de veinte y seis repartimientos, en este pueblo mil y setecientos y cincuenta y nueve indios, y de mita ordinaria ha de dar quinientos y ochenta y seis indios.

Los canas, distrito de la ciudad del Cuzco, están obligados a tener en esta villa, de doce repartimientos, seiscientos y diez y nueve indios; y han de dar de mita ordinaria doscientos y seis indios.

Los canchis, del distrito de la ciudad dicha, son obligados a tener en esta dicha villa, de quince repartimientos, quinientos y once indios, y han de dar de mita ordinaria ciento y setenta y nueve indios.

La provincia de los Condes, del distrito de la dicha ciudad, está obligada a tener, de trece repartimientos, cuatrocientos y noventa y cinco indios; han de dar de mita ordinaria ciento y setenta y cinco indios.

Y porque no se pudiera gobernar esta gente bien por solas las justicias que tiene puestas Su Majestad, ni conservar su número y que los dos tercios anduviesen de huelga y el uno sirviese como estaba ordenado, nombró Su Excelencia seis indios principales por procuradores, con título de capitanes, y que fuesen caciques por la calidad de sus personas [f. 51 v.] para que tuviesen el gobierno y administración de todos estos indios, señalándoselos por sus naciones y parcialidades, y que con ellos asistiesen un principal de los repartimientos de donde fuesen naturales, para que ayudasen a los capitanes a quien pertenecía el cumplimiento de los indios que se repartiesen y el tener cuidado que se trocasen, acabada su mita, siendo superiores a todos los demás de esta villa, con poder y facultad para que en nombre de todos los indios y sus repartimientos se tratase con ellos lo que tocase a su bien y conservación, y por lo que ellos hiciesen fuesen obligados a estar y pasar todos los demás, como si con ellos se hubiese comunicado, señalándoles cierto salario y nombrando alguaciles que les ayuden, y quipocamayos, que son contadores de la comunidad, que tienen cuenta y razón por unos hilos de diversos colores, cuyas descripciones significan los ayllos y parcialidades, los pueblos y los indios, con los ganados, plata y ropa, y las casas con todos los demás géneros, en los cuales por unos nudos que van dando se entienden de manera que no les hace falta la letra para la cuenta de las tasas y negocios. Y aunque tengan indios ladinos que sepan leer y escribir, como los hay en los repartimientos, no les encargan ni fían de la tinta y papel esta razón.

Por estos quipos tenía el Inca hecho un discurso de la vida del hombre a manera de padrón, repartiéndola en trece edades, desde los niños de la cuna hasta los de la decrépita. Y la misma cuenta se tenía con las mujeres y también se entendía la sucesión de los reyes y las cosas notables que [en] el tiempo de su reinado sucedían. Y, finalmente, se tiene tan puntual la cuenta por estos quipos, que en una residencia que se tomó a un corregidor de la provincia de Chucuito, le pidieron los indios que le habían dado en su corregimiento, sin pagárselo, tantas gallinas y tantas perdices, y los huevos, y la hierba y leña, y los indios que le habían dado para la guarda de su ganado, y los que había enviado a la costa, Cuzco, Chuquiabo y esta provincia, y esto todo muy por extenso. Y la inteligencia de estos hilos no es general, porque si en

Yanquisupa *	36	12
Omachiri *	36	12
Pichiua Hatuncana	129	43
Coporaque	36	12
Ancocagua	3	1
Macari	24	8
Cupi	24	8
Llalli	30	10

Canas de Omasuyu *

Oruro	126	42
Lurucachi y Singa	35	15
Jicuana *	37	19
Marangani	16	5
Ñuñúa	90	30
Cacha	51	17
Charrachapi *	7	2

Canchis de Urcusuyu

Yanaoca	81	29
Pomacanchi de Diego de los Ríos	57	19
Pomacanchi de la parte de Pedro Arias	18	6
Sangarara	40	13
Cullapata	25	8
Acopia	22	7
Yaucata y Huarachapi	7	2
Chachaca	3	1

Canchis de Omasuyu *

Chicacopi * Chilaui	63	21
Cangalla	15	5
Tinta	80	27
Cumpapata de Cazalla	21	7
Cumpapata de don Antonio	15	5

Don Martín Quizana, segunda persona del repartimiento de Achanquiri y capitán de la nación de los condes, del distrito del Cuzco. Tiene por sujetos:

Pomatambo	60	20
Condes de Mansio Sierra [f. 54 v.]	60	20

* Grafía actual: *Llanquisupa, Umachiri, Umasuyu, Sicuani, Charachapi*. (G. M. L.).
* Grafía actual: *Umasuyu, Checacupi, Cotahuasi, Chumbivilcas*. (G. M. L.).

Cotaguasi *	30	10
Achampi	30	10
Achanquilla	18	6
Chumbibilcas *	45	15
Chachas y Hucuchas	18	6
Andagua *	18	6
Viraco y Machacuay *	21	7
Pampacolca	45	15
Guaianacota	60	20

He hecho distinción en estas capitanías llamando a unos indios urcusuyus y a otros umasuyus. Hame parecido declarar a Vuestra Excelencia la calidad y diferencia que hay entre ellos, que nació de tener los Incas dividido el reino antiguamente en seis partes y provincias que después redujeron a cuatro, por ser las dos de los huancavelicas y pastos, gente indómita y que se había algunas veces rebelado contra su señorío.

Y las cuatro provincias se dividieron desde el Cuzco, que como cabeza del reino quedaba en medio; a la una parte llamaban Chinchasuyu, como si dijeran la parte o suerte de Chincha, que es un pueblo, y esta era de todas las naciones que están del Cuzco para bajo; la otra se llamaba Collasuyo, que es lo que viene a fenecer en esta provincia [de los Charcas] siguiéndole el mismo rumbo de la pasada por la longitud del reino que corre norte-sur; la tercera, según este orden, es la de Condesuyo, que va hacia Arequipa; la cuarta decían Andesuyo, que está en su oposición por los lados del Cuzco y latitud de la tierra, que está esteoeste.

Para el gobierno de estas provincias tenía cuatro gobernadores supremos, que asistían en su corte y eran señores de experiencia y curso en el gobierno. Y los negocios leves de sus provincias cada uno los proveía y despachaba por sí, y los arduos y dificultosos se consultaban con todos cuatro con asistencia del Inca.

Y después de estas cuatro divisiones en que se comprendía todo el estado del reino, había otras entre ellos por las naciones y origen de su linajes y antigüedad.

Y la parte [f. 55] de Collasuyo, que es la del Collao, que está poblada de las na-

* Grafía actual: *A n d a h u a, Macha-huay*. (G. M. L.).

ciones contenidas en las capitanías, se dividían en dos bandos, que llamaron Urcusuyu y Umasuyu, que quiere [lo primero] decir gente que habita en los altos de los cerros, que tienen este nombre urcu, y los umasuyus en lo bajo y llano, riberas de las aguas que en esta lengua llaman uma; · otros dicen que significan los urcusuyus gente varonil y esforzada, porque por este nombre urcu se entiende lo masculino, y los umasuyus [lo] femenino y no para tanto. Y siempre fueron los urcusuyus de mejor presunción y mayor calidad, y el Inca les daba la mano derecha en los lugares públicos y eran preferidos a los umasuyus en reputación.

Después de esta distinción tenían otra más arrogante y estimativa, en que se tornaban a dividir, así los urcus como los umas, en hanansayas y urinsayas y esto era general en las naciones sujetas a su reino. Y los hanansayas, que quiere decir la parcialidad de arriba, tenían el primer grado de nobleza y acudían como gente militar a los llamamientos que hacía el Inca para la guerra; y los urinsayas, por quien se entiende la gente de abajo y el estado de la gente común [y] llana, y los que servían de llevar las vituallas y mantenimientos de la gente de guerra. Y hoy guardan entre ellos estas preeminencias y honras, y se tratan y conocen por estos nombres y apellidos.

También había otra diferencia entre ellos, que los indios de una nación no usaban el vestido y traje de la otra, sino que se diferenciaban los vestidos en los colores y labores con que estaban hechos, y los tocados con diversas insignias, con que quedaban diferenciados y conocidos de qué nación eran; aunque ésta del tocado en alguna manera se va dejando, así por ir usando de los sombreros como por haberles mandado el señor don Francisco de Toledo quitar los chucos a las naciones collas y lupacas, y a otras naciones que del Cuzco acá los traían. Estos tocados son al modo de como pintan a los judíos y gentiles; lo cual prohibió, porque estas naciones han tenido costumbre de vender a sus criaturas las cabezas por las frentes a los recién nacidos, haciéndolas crecer hacia arriba [f. 55 v.] con gran disformidad, que la bárbara gente tiene por mucha gala; y para evitar esto,

que podría causarles malos entendimientos, por sacar el cerebro de su natural lugar empinando los sesos que siguen al casco, del cual viene a hacer una punta y toda la cabeza y frente está hecha de la hechura de una cidra, y porque los niños padecen muchos dolores con estas ligaduras se les mueren muchos. Y por estos respectos pareció que se remediaría quitándoles los chucos, encargando a los sacerdotes y corregidores tuviesen cuidado en esto y están cansados de castigar este vicio y abuso, y no aprovecha.

Don Pedro Cusipáucar, natural de tierra del Cuzco, es capitán y superior de todos los yanaconas que residen en esta villa de diversas naciones. Y en la visita que se hizo de ellos el año de ochenta y dos, se inscribieron y empadronaron novecientos y ochenta yanaconas, y era notable su diminución respecto del número pasado, y éstos se han acabado de consumir y hoy están poblados por las parroquias como cuatrocientos. No tienen obligación de servir a minas e ingenios, y el señor virrey don Francisco mandó que diesen de mita ordinaria veinte y cuatro indios; los doce para la fundición real, que es donde funden las barras, y los otros doce para el servicio de la casa de la moneda. Y estos indios no los conté en las capitanías ni provincias, por no ser de los que vienen de fuera, sino de los que asisten aquí como vecinos. No están sujetos a ninguna capitanía ni reconocen otro superior que a los oficiales reales, a quien acuden con su tasa y no se cuenta esta gente por capitanía.

Don Fernando Corolqui [Chorolqui], cacique principal de Talina, en los Chichas, y capitán de los indios de su nación que asisten aquí, tiene obligación a dar veinte indios de mita ordinaria para la labor de los socavones, y con esto ha cumplido y no es sujeto a ningún capitán.

En las catorce parroquias de esta villa se nombran en cada un año un alcalde, que es un indio principal, para que los oiga y haga justicia en sus diferencias sumariamente, que es a su usanza, y para que no consientan que entre los indios en la ranchería no vivan negros, ni mulatos, ni mestizos, ni españoles, por las vejaciones que les hacen y tam- [f. 56] bién para que impidan las borracheras. Y de sólo el desorden y exceso que hay en esto se pudiera hacer un gran capítulo, y entiendo que mientras no se remediare tan gran mal, hará poco fruto en ellos la predicación evangélica ni pueden ser doctrinados ni admitidos a la comunicación del Santísimo Sacramento de la Eucaristía, aunque por su incapacidad no se les ha administrado. Lo que más los desaparta y priva de este bien son sus perpetuas embriagueces, demás de que gastan estos pobres todo lo que ganan en este vicio y cometen muchos pecados, con que es muy ofendido Nuestro Señor.

Acostumbran éstos a beber en público juntándose mucha gente, así hombres como mujeres, los cuales hacen grandes bailes en que usan de ritos y ceremonias antiguas, trayendo a la memoria en sus cantares la gentilidad pasada. Y como duran los saraos días y noches, o por mejor decir, toda la vida, cuando acaban no conocen los padres a las hijas ni los hijos a las madres, y en esto hay grandes males. Y para remediar alguna parte, ordenó el señor don Francisco de Toledo que se hicieran ciertas tabernas a manera de estanco, y que fuera de ellas no se pudiera hacer ni vender chicha o azua, y que allí les dieran por sus dineros una moderada parte de manera que no hubiese exceso, como allá dirán a Vuestra Excelencia. Y acá mandó que no pudieran traer a esta villa de los valles harina de maíz, que es de que hacen este brebaje, so pena de pérdida. Y así tomaban la que hallaban y de esto se seguía otro fruto importante, que había más mantenimientos en el pueblo por traer el maíz en grano y no en harina. Y los señores de esta Real Audiencia parecen haber entendido esto de otra manera, y así han permitido que libremente puedan traer harina y se trae y vende públicamente. Y creo se fundaron en obviar los hurtos que hacían a los indios, que son los que comúnmente la traen, los alguaciles españoles, una vez por denunciación, otras, y las más, llévanles sobornos por disimular con ellos; y que también se les excusaba otro trabajo, que era moler los indios e indias el maíz que compraban en grano a mano, por no hallar la harina, y que era mucha la gente que en esto se ocupaba y que la república no sería tan bien servida por gastar los indios

el tiempo en esto. Y pues por cualquier vía habían de beber, era bien excusarles otros daños y el acudir al vino, que sería de mayor inconveniente y perjuicio. También tienen cuidado de castigar sus borracheras los capitanes, pero ellos son los que primero se emborrachan, y fuera bien dar orden que tuvieran mulas o caballos en que visitaran cada día sus indios y estorbaran este mal. Y también pudieran ayudar mucho los lunes en sacar y recoger los indios a caballo, y que lo hicieran con presteza, que como son gordos [f. 56 v.] y pesados no se pueden menear.

Todas las suertes de indios que se comprenden en las siete provincias subordinantes a las diez capitanías son obligados a dar de mita ordinaria cuatro mil y cuatrocientos y cincuenta y tres indios para la labor y beneficio de minas e ingenios, aunque esta cuenta tiene algunos yerros, cargando más indios de los que quedaron por tributarios en algunos pueblos al tiempo que se empadronaron por la visita general. Y así han pedido los que padecen esta desigualdad se les deshaga el yerro, relevándolos del número que les piden que están obligados a tener en esta villa, por no ser los indios de sus pueblos tantos como dice el repartimiento, averiguándolo por las tasas que tienen. Y así han sacado provisiones en su favor. Y este tercio de gente está repartido en esta manera: los mil y trescientos y sesenta y nueve a las minas del cerro y socavones, y los dos mil y cuarenta y siete a los ingenios de agua de esta ribera, de Tarapaya y Tauaconuño y el ingenio del río de Chaqui; y seiscientos y veinte a los ingenios de caballo de esta villa y su comarca, con los demás artificios secos; y doscientos y veinte y dos a treinta y cuatro casas de beneficios, que son por todos los que se dieron cuatro mil y doscientos y cincuenta y ocho. Y parece que quedaron por repartir ciento y noventa y cinco indios a cumplimiento a los cuatro mil y cuatrocientos y cincuenta y tres, que es el tercio de los tres mil y trescientos y cuarenta que tienen la obligación de asistir en esta villa, y hubo de ser inadvertencia de quien hizo el repartimiento.

Demás de esta obligación la tienen los capitanes de dar de los ocho mil y ochocientos y noventa y cuatro indios de los dos tercios que quedaron reservados, con nombre de huelga, en virtud de ordenanza del señor don Francisco de Toledo, doscientos indios que llaman de meses, por repartirse y darlos por este tiempo el primer lunes de cada mes por el corregidor, con asistencia del protector en la plaza, porque fuesen mejor tratados, [y] que tuviesen los indios libertad de elegir la persona con quien se quisiesen alquilar, sin que les compeliesen a otra cosa, dando principio a esta pequeña cantidad a entablar lo que en algún tiempo le pareció hacer en todo el número de indios, redimiéndolos de la sujeción y servidumbre de cédula y dando medio para que no estuviesen ociosos.

Item, son obligados los dichos capitanes por particulares provisiones a dar y tener ciento y cincuenta indios que llaman de plaza, porque en ella se reparten el lunes de cada semana, entre personas necesitadas para el servicio ordinario de sus casas, y monasterios, y hospitales, y regidores.

[f. 57] Item, son obligados a dar ochenta indios para los trajines y ayudar con ellos a las personas que traen mantenimientos a esta villa, para cuyo efecto se hallan con dificultad.

Item, son obligados a dar setenta indios para las salinas que están nueve leguas de aquí, en las cuales habitan diez o doce españoles, que sacan cada año más de sesenta mil quintales de sal con yanaconas que tienen. Estas minas se labran por socavones, haciendo bóvedas que se sostienen en pilares que van dejando para que no se hunda la montera de la bóveda. La sal es muy necesaria para el beneficio de los metales por azogue; ya vale un quintal puesto en esta villa un peso ensayado. Y esta provincia es abundante en salinas, y tres leguas de éstas hay otras que no se labran; y de las que se tiene noticia están al doble más lejos, que es mucho inconveniente para la costa del acarreto, que se hace en ganado de la tierra.

Item, son obligados a dar cien indios para los reparos de las lagunas, aunque esta obligación no es por orden de los señores virreyes. Están las lagunas a cargo de dos diputados, que son dos señores de ingenios que se nombran cada año, con dos mozos asalariados a costa de los in-

genieros, que asisten con los indios y tienen cuidado de sacarlos y de abrir y cerrar las compuertas. Y estas ocupaciones [sólo tienen] en la [estación] seca, en la cual se acaba lo que hay que hacer, y en entrando las aguas se solían volver a sus caciques y capitanes. Y caso que sucediesen durante las aguas alguna reventazón y ser necesario acudir a algún reparo, se puede hacer sin tener diputados los indios para ello, porque de las parroquias se junta mucha gente como cosa que se ha de reparar con brevedad y con ella es menester el socorro por el riesgo y peligro que podían tener el pueblo si reventase alguna laguna. También ha habido costumbre de dar los ingenios de agua de esta villa, en el tiempo que no muelen, cada uno un indio y a veces dos, con que se juntaba número suficiente, que no había falta [en el beneficio] por tener parados los ingenios. Y al presente estos cien indios esán repartidos a diferentes personas con título de cédula.

Item, están obligados a dar por las parroquias al doctor Franco, médico y cirujano, por provisión del señor don Francisco de Toledo, que le mandó venir a esta villa de esa ciudad donde es vecino y reside ahora, sesenta indios porque visitase a los enfermos del hospital y los que están por las parroquias; y cuando las enfermedades son graves, hacerlos llevar al hospital, que ellos aborrecen como la muerte.

[f. 57 v.] Item, están obligados a dar trescientos indios por mandado de esta Real Audiencia, que son los que se repartieron al nuevo descubrimiento de Guariguari, los cuales se sacaron de las seis capitanías de los indios forasteros, sin que diesen ningunos las cuatro de esta provincia, porque en esta coyuntura llegó una provisión de esta Real Audiencia en que mandaba que los indios de esta provincia diesen al factor Juan Lozano Machuca, para ir con él y sus soldados a la jornada de los chiriguanaes y llevarles la comida y fardaje, doscientos y cuarenta y un indios, los ciento y cuarenta y uno de las cuatro capitanías [de esta provincia] y los ciento de los indios yamparaes que asisten en Chuquisaca en el servicio público de la ciudad, a quien los dejó señalados para este efecto el señor don Frandisco de Toledo. Llevaron estos indios consigo y a su costa mil y doscientos carneros de la tierra; los seiscientos dieron los charcas de las cuatro capitanías y los seiscientos los collasuyos, que son los extranjeros.

Y fué mucha la vejación que los unos y los otros pasaron sobre esto, aunque les dieron fianzas de pagarles el ganado, que ahora andan cobrando. Consideróse al tiempo que se hizo esta distribución en no echarles más indios, siendo mayor su número que el de los forasteros, saber que en todas las ocasiones que se ofrecen padecen y tienen más trabajo los de esta provincia, así por sustentar y tener en ella la cantidad de tantos extranjeros y advenedizos que residen en esta villa y se han poblado en sus valles y comarca, ocupándoles las tierras, como por estar a mano y acudir a ellos con todas las necesidades, y los extranjeros excusarse por estar fuera de sus pueblos y no tener más número de indios de los consignados para el beneficio de minas e ingenios.

Después que se quitaron estos trescientos indios a las minas, por no ser de fruto, como dije en su lugar, que no los poseyeron las personas a quien se dieron con este título, [pasados] tres meses, cuando los tornó a repartir la Audiencia diferentes personas hasta el mes de noviembre del año pasado de ochenta y cuatro, que los mandaron volver a sus capitanías, con que se holgaron mucho los indios por quedar libres de esta obligación; aunque les duró poco este contento, porque no pasó un mes cuando se tornaron a repartir por don Francisco de Zárate y orden de la Audiencia, cumpliendo las provisiones que habían [f. 58] dado de indios a muchas personas. Y de esta manera se repartieron los quintos e indios de meses y plazas, salinas, trajines, y hallóse presente a esto el licenciado Ruano Téllez, fiscal de Su Majestad en esta Audiencia, y con su asistencia se repartieron también los cien indios de lagunas.

Vino el fiscal a esta villa con cierta comisión sobre un hurto que hicieron en la casa de la moneda los días pasados, y también a hallarse a las elecciones de los alcaldes por las diferencias que había sobre los opuestos, reservando la Audiencia en sí la confirmación de los que eligie-sen, por pertenecer a los señores virreyes. Y el señor don Francisco de Toledo tenía dadas sus veces al corregidor Martín García de Loyola y poder para meter luego en la posesión a los electos, cuando eran los que convenía. Y si las personas no eran tales, ocurrían a Su Excelencia, y tardábase a las veces la confirmación en despacharse y llegar acá, con otros negocios, hasta treinta de diciembre, fin del año, conservando a los servidores dos años con las varas, y a los inméritos que faltaba la primera calidad, por que no tuviesen de qué dar residencia, les dejaba un día para serlo.

Y con esto era temido y obedecido, porque muchas veces pretenden estos oficios, y aún los compran, para tener con ellos mano en la república en cosas perjudiciales. Y particularmente en este pueblo, donde de dos años a esta parte se han introducido, por usarse en la ciudad de La Plata, que haya alcaldes de la Hermandad, los cuales lo son los que han sido ordinarios el año pasado, cosa digna de reprobar en esta villa, que no conviene que los haya, porque no sirven sino de supeditar con las varas a estos miserables y conservar los indios que les han dado de ruego los capitanes, y tener [ya] esta gente cuatro alcaldes, y tan poderosos para ellos los unos como los otros. Y sería justo se impidiese esta nueva e impertinente jurisdicción, por obviar los inconvenientes que de ella se siguen para el buen gobierno y amparo de los indios.

Item, tienen obligación de dar cien indios por mandado de esta Real Audiencia, que han hecho merced de ellos a diferentes personas de algunos de los repartimientos que sirven en esta villa.

Así en Charcas como Collasuyos, están obligados a dar para las minas y asiento de Porco mil indios, de los cuales sir- [f. 58 v.] ven los dos tercios y el uno es reservado con nombre de huelga.

Y [por] esto han pretendido algunos que los indios de Potosí sirviesen de cédula las dos tercias partes, remedio muy a costa de los indios. Y muéveles a esto la necesidad que ven padecer en el aviamiento de las haciendas por falta de indios, sin considerar la que éstos tienen, como luego quedará más enteramente visto, sin ofrecer medio ni traza que sin tanta molestia y vejación se remedie alguna parte de esta necesidad.

Y el señor don Diego López de Zúñiga, en la carta resolutoria que escribió de esta villa al excelentísimo señor virrey don Martín Enríquez de la visita general que había hecho de minas e ingenios, subiendo al cerro y paseándolo todo y viéndolo por vista de ojos con gran cuidado, del bien de este pueblo y servicio de Su Majestad y de Su Excelencia, que particularmente le encomendó este negocio por venir a esta provincia a visitar esta Real Audiencia, trataba de la falta de indios que tenía este asiento y la prosperidad que hubiera si se pudiera socorrer, y que convenía que Su Excelencia mandase que sirviese la mita de los indios, trocándose de seis a seis meses, como hacen ahora de cuatro en cuatro, con que de este número se sacasen los seiscientos indios de meses, plaza, salinas, trajines y lagunas. Y por este camino se venían a repartir a minas e ingenios mil y seiscientos y diez y siete indios más, a cumplimiento a la mitad de los trece mil y trescientos y cuarenta, dejando los seis mil y seiscientos y setenta restantes de la otra mitad libres de toda obligación, con que se supliera casi toda la necesidad. Pero, por ciertos respectos, no pareció por entonces convenía echar nueva carga a los indios, ni Su Excelencia estaba enterado de las cosas de este asiento, como se colige del repartimiento que hizo

En el tiempo que ha gobernado esta Real Audiencia se han seguido tan buenos y prósperos sucesos como se podían pretender del fruto y experiencia que el ilustrísimo señor licenciado Juan López de Cepeda, su cabeza y presidente, tiene adquirido, así por la parte de ingenio, letras y virtud que fué Nuestro Señor servido de comunicarle, como por la experiencia tan grande que ha alcanzado de lo mucho que ha servido a Su Majestad en diversas partes de estos reinos, cuya reputación y bondad ha menester otro caudal que el mío para ponerlo en el lugar que merece.

Y así, movido de cristiano celo y de querer ayudar a los que se aplican a ganar de comer, que pues de esto se sigue [f. 59] en el aprovechamiento de la Real Hacienda, pretendiendo que en el tiempo

de su gobierno no tuviese disminución, ha repartido los trescientos indios de Guariguari; y ciento y cuarenta y cinco de los ciento y noventa y cinco que no vinieron repartidos, porque entonces no se entendió ser más el yerro; y doscientos y noventa y ocho que por su mandado han quitado a diversas personas que los tenían por repartimiento general, por no labrar con ellos las minas para que se los dieron y no tenerlos ocupados en las casas de beneficio, y otros haberlos vendido; los ciento de las lagunas, con otros ciento que se han dado por sus reales provisiones, con los cincuenta de don Jerónimo de Silva; y también por esta orden se han repartido los quinientos indios de meses, de plaza, salinas, trajines, que son por todos mil y cuatrocientos y cuarenta y tres indios.

De manera que hoy sirven casi la mitad, porque los mil y ciento y cincuenta y siete que faltan a cumplimiento de seis mil y seiscientos y setenta (que es la mitad), no están en Potosí mucha parte de ellos por faltar los sesenta indios del pueblo de San Pedro y Santiago del Arrabal, de la ciudad de La Paz, treinta y nueve de los uros de Coata, y cincuenta de los Asillos, y los diez y ocho de Cangarara, y la mayor parte de los indios condes del distrito del Cuzco, que son trescientos y noventa; y todos los que faltan, quinientos y cincuenta y siete.

Y sin éstos faltan otros muchos que se han ido y ausentado a sus pueblos, y en su trueco no han venido los que habían de servir en su lugar. Y los que menos apetecen estar en este pueblo y más deseo tienen de volver a los suyos son los uros, por ser gente para poco, sin ninguna inteligencia, de malos entendimientos, y la más vil y baja gente que hay en estas naciones, los cuales, antes de la visita y reducción, vivían ribera de las lagunas, manteniéndose de pescado crudo, de que son grandes pescadores, y de raíces de juncia, sin otro cuidado ni concierto de vida.

Demás de los indios que hoy sirven en esta villa, mandó venir el señor don Francisco de Toledo setecientos y cincuenta indios del distrito de Arequipa, Llanqui [y] Cullangas, que no han estado en costumbre de venir a esta villa. Y sobre esto se han hecho muchas diligencias, enviando personas con varas de justicia que los saquen, y no se puede hacer por remisión del corregidor, que siempre impide el venir los indios a esta villa con colores que toma.

[f. 59 v.] En este último repartimiento del señor virrey don Martín Enríquez no puso en él a esta gente, por mandarlos ir a la reedificación de la ciudad de Arequipa, que de un terremoto y temblor de tierra, que sucedió en veinte y uno de enero de ochenta y dos años, se asoló y cayeron casi todas las casas y el monasterio de Santo Domingo, así el convento como la iglesia, sin quedar cosa enhiesta, y los demás quedaron muy arruinados y por el suelo. Y fué un caso de los señalados que se han visto; y todo el pueblo estaba en tiendas y ramadas, temeroso no reventase un volcán que está a vista de la ciudad, a quien atribuían el temblor, que ordinariamente los hay, y si acaeciera de noche pereciera mucha gente; murieron como cuarenta personas.

Y porque todas las suertes de indios contenidos en las diez capitanías pagan en la tasa general, que se cobra de ellos en sus pueblos, el salario que les cabe del corregidor, abogados y defensores, y no fuera justo que a los que vienen a asistir a esta villa se les recreciesen nuevas costas, así de las justicias y ministros de Su Majestad, alcalde de minas, y protector, y veedores, que están puestos para su defensa y amparo, como el salario que se había de dar a los capitanes que los gobiernan, sin dar a entender [tampoco] el señor virrey don Francisco que habían de pagar estas costas las personas en cuyas haciendas y beneficios se ocupasen los indios, porque el jornal que les señalaba conforme al ministerio en que se habían de ocupar era el justo precio que les pertenecía por su trabajo, reservando en sí la distribución del acrecentamiento que hizo en los jornales, cargándolo a la república, a manera de sisa, con presupuesto y lectura de aquella demasía que pagaban a los indios, obligarles [obligóles] a que pagasen ciertos derechos, como luego se declarará, de los jornales que les señaló, en esta manera:

A los indios que trabajaren en la labor de las minas del cerro, a tres reales y medio.

A los que trabajaren en los ingenios, y casas de beneficios, y obras públicas, y otros ejercicios dentro del pueblo, a dos reales y tres cuartillos.

A los que se ocupan en trajinar metal con carneros desde las minas a los ingenios, a tres reales.

Y al tercio de los indios, que son los cuatro mil y cuatrocientos y cincuenta y tres que se repartieron a minas e ingenios, mandó que cada semana se cobrase de ellos por sus parcialidades y ayllos y [f. 60] capitanías, y de cada uno por sí, medio real cada semana, que es la imposición que llaman de los granos, que se metan en una caja de tres llaves que suele estar en casa del corregidor, el cual tiene la una, y otra el alcalde de minas, y la tercera, uno de los veedores del cerro. Resérvase la cobranza de estos granos tres semanas del año: la de Pascua de Navidad, y Semana Santa, y la de flores. Montan estos granos en el discurso del año ocho mil y quinientos pesos ensayados, los cuales se distribuyen en los salarios siguientes:

A Diego Bravo, alcalde mayor de minas, mil y quinientos pesos ensayados; y esto se solía pagar de la caja real, como oficio antiguo.

A don Francisco de Zárate, como juez de naturales, mil pesos y seiscientos por visitador del cerro.

A don Francisco de Vera, protector general, mil y setecientos pesos ensayados, aunque a sus antecesores no se les ha dado más que mil y doscientos.

A Hernando de Oruño y Bernabé de Bruceña, veedores del cerro, a mil pesos ensayados cada uno.

Al dicho Diego Bravo, como contador y persona que tiene la cuenta de la cobranza de los granos, ochocientos pesos ensayados.

Y a las seis capitanías antiguas que estaba señalado a cada capitán doscientos pesos ensayados, que con los cuatro que se han acrecentado reparten los mil y doscientos, de que están quejosos. Y algunos han ocurrido a la Audiencia y les han dado provisión para los doscientos, y no se la cumplen. Es mucho el trabajo que tienen y la costa, por tratarse como principales y nunca les faltan gastos. Y pretenden estos oficios por ser de su natural ambiciosos.

También tienen obligación los indios de las dichas capitanías de dar medio peso ensayado en cada un año al hospital de esta villa, que procede del aumento del jornal que pagan los que se sirven de ellos, por tener obligación a curarlos en sus enfermedades. Y el hospital no pudiera sin esta ayuda, que monta más de seis mil y seiscientos pesos, curar y proveer en sus enfermedades a la mucha gente que acudía al hospital, con la cantidad de indios que había venido. Después que se fué el doctor Franco, ha tomado el hospital en sí los sesenta indios que le daban las parroquias, y los ministros dicen que los han vendido y que por este camino valdrán los indios al hospital más de cuatro mil pesos ensayados, con que pagarán médico y cirujano y ahorrarán muchos dineros. Toda la costa que tiene el hospital del salario de los ministros monta seis mil pesos ensayados. Tiene de renta catorce [f. 60 v.] mil, con los seis mil y seiscientos pesos que les dan los indios, y sin los cuatro mil de los sesenta indios. Hay caja de tres llaves en que se echa lo que se va cobrando de los indios; la una tiene Diego Bravo (8). Y de esta plata pagan cuatrocientos pesos ensayados al administrador, don Francisco de Rojas, arcediano de Tucumán, que les dice misa, y le dan casa y de comer, y es virtuoso, y que vive con reformación de buen cristiano.

El sínodo y estipendio que se da a los sacerdotes de esta villa, porque doctrinan a estos naturales, lo pagan los encomenderos del reino, por haber sacado de la gruesa del cuerpo principal de las tasas lo que monta la doctrina que pagan los indios tributarios. Y de este número se sacaron los indios que vienen aquí, quitando lo que habían de dar en sus pueblos al sacerdote para los de acá.

Por el gran curso que hay en esta villa de indios, pareció al señor virrey don Martín Enríquez que para su gobierno no bastaban las justicias ordinarias, ni para hacerles justicia en sus negocios, por los muchos agravios y molestias que comúnmente reciben, y [para] librarlos de la sujeción de diversos jueces era necesario elegir juez particular, para que sólo entendiera en su amparo y defensa. Y también se entendió que quería trasladar y pasar en el gobierno y mando de los indios que estuvieran a su cargo, el cumplir las cédulas que de ellos se diesen y la ejecución del repartimiento y otros efectos. Y con su fin y muerte cesó este nombramiento.

Y esta Real Audiencia señaló para el uso de este nuevo oficio a don Francisco de Zárate, persona de mucha opinión y calidad, con título de juez de naturales. Y en el tiempo que lo ha ejercido se ha visto de cuánta importancia ha sido este tribunal para la expedición de los negocios de esta gente, por la buena paga y tratamiento que se les hace como por la entera satisfacción de justicia que alcanzan en sus querellas y demandas, y estar fuera de las obligaciones que tenían cuando conocían de sus causas diferentes jueces y escribanos, que muchas veces les estaba mejor perder su justicia que comprarla con tantas vejaciones. Y como pasaban las causas en distintos oficios, se les perdían los pleitos y demandas, y los culpados pocas veces eran castigados ni se podía saber el que los trataba mal. Y así reincidían en los [f. 61] delitos, hasta que usó este oficio Diego de Meneses como escribano de este juzgado, y ahora lo es de minas, y ante él pasan las causas del alcalde mayor, que también conoce de los negocios de indios con título de juez de naturales, y de don Francisco de Zárate; y a algunos ha parecido que bastaba este tribunal. No le dió la Audiencia instrucción de muchas cosas importantes al bien común y buen gobierno de los naturales, que les falta en muchas cosas, que debía de ser el fin principal de Su Excelencia, edificando sobre este personaje un gran supuesto que fuese hechura de sus manos, porque lo que da calidad y valor en esta villa a los oficios es tener mano en el gobierno de los indios, y esto pertenece a la persona [a] quien Vuestra Excelencia fuere servido hacer esta merced. En el Cuzco hay juez de naturales sin salario y es cadañero, que se elige por votos, y sale el día del año

---

(8) Esta enumeración de los tenedores de las llaves, obviamente inconclusa, sugiere que ella está trunca en este pasaje .(G. M. L.).

nuevo, y siempre lo han sido vecinos principales, pero acá no convendría esto porque tengo este oficio por importante si tuviese los adminículos que le pueden pertenecer.

f. 61 v. [blanco].

[f. 62] *Del estanco del azogue*

Tres negocios tiene Vuestra Excelencia en el gobierno de este reino, arduos y de gran calidad, y que conviene vayan en aumento los buenos medios que Vuestra Excelencia dará para su conservación, que son: el de los metales de este cerro, y el de los indios que asisten en su labor y beneficio, y el del azogue de Huancavelica. Y en cualquiera de ellos estriba la estabilidad de este reino y buen gobierno de Vuestra Excelencia, por pender de estas tres cosas el aprovechamiento de la hacienda real. Y tanto más nombre tendrá el gobierno, cuanto fueren más levantados los medios que se tomaren para conseguir este efecto, con que Su Majestad será muy servido y la tierra tendrá prosperidad, que es lo que se ha de pretender, porque para la parte de la justicia, audiencias tiene puestas que descargarán su real conciencia y la de Vuestra Excelencia.

Por haber tratado del metal e indios, no quise pasar de aquí sin poner en este lugar el del azogue, y lo que se gasta y es menester en esta villa, y el origen de su estanco, con lo que importa a los quintos reales y bien general que haya provisión y abundancia de él, refiriendo los arrendamientos pasados, por ser éste el primer negocio que se ha de ofrecer a Vuestra Excelencia, grave, con necesidad de dar asiento en él.

Luego que se entendió que los metales de este cerro y sus desmontes se podían beneficiar por azogue, mandó el señor don Francisco de Toledo prohibir la saca que se hacía de ello de las minas de Huancavelica para Nueva España. Y en esta coyuntura puso en ejecución lo que Su Majestad le mandaba hacer por su real cédula de las minas de azogue, que [las que] hubiese en este reino las pusiese en su real corona, quitando la contratación que con ello había, reservándola en Su

Majestad como rey y señor que es de todo, porque las minas de azogue en los reinos de Castilla son y pertenecen a la corona real y no gozan de los descubrimientos los particulares que los hacen, como de las minas de plata y de oro, y que los que acá hubiese se labrasen y beneficiasen por los oficiales reales y cuenta real.

Y considerando los inconvenientes que de perseverar en esto se seguían, como quien tenía la cosa presente, escribió a Su Majestad de cuánta importancia era a su real servicio y bien de estos reinos no ejecutar en todo la cédula, porque faltando los aprovechamientos e intereses que se seguían a los descubridores, no se darían a bus- [f. 62 v.] car las minas, cosa de que tanto daño se seguiría así a su real hacienda como a las de los particulares. Porque el remedio más urgente que había hallado para la restauración del Perú era que se pudiesen beneficiar los metales de este cerro, aunque fuesen pobres, con tener el azogue a buen precio, lo cual se podría hacer si se descubriesen minas cerca de este asiento, porque, faltando esto, hallaba dificultoso el remedio y casi imposible, pues no se sabía de minas que por fundición, faltando el azogue, pudiesen sustentar el comercio e interés general.

Y así se entiende que el desconcierto de esta tierra ha de comenzar por Huancavelica, por falta de metales de azogue, y que en este cerro y los de su provincia que tienen minas de plata, se han de conservar más tiempo dando metales pobres, que la necesidad futura, cuánto más que ya la tenemos presente, obliga a dar nuevo orden como se puedan beneficiar, porque la costa que tiene el beneficio, yendo la ley de los metales en diminución y cada día siendo mayor la hondura de las minas, no es posible poderse llevar adelante.

Por lo cual tomó Su Excelencia cierto asiento y medio con las personas que al presente tenían minas de azogue y con los descubridores en las que manifestasen de nuevo, adjudicándoles los metales que de ellas sacasen por espacio y tiempo de treinta años, con que al cabo de ellos sucediese Su Majestad en las tales minas y se incorporasen en su real patrimonio, con cargo y condición que el azogue que labrasen no pudiesen tratar ni contratar con él, y que fuesen obligados a darlo y venderlo entregándolo a sus oficiales, tasando cada quintal de lo que así entregasen en el almacén real, a cuarenta y dos pesos ensayados; pagando, de cinco quintales que se llevan, los cuatro a este precio, y el uno que quedase por sus reales quintos. Y las minas que se descubriesen del Cuzco para acá, fuese Su Majestad obligado a pagar cincuenta y dos pesos ensayados. Con el cual estanco se les dejó suficiente ganancia ([como] por vía de arrendamiento con los de Huancavelica se hizo) para que, labrando las minas a su costa, tengan buen aprovechamiento, como lo han tenido.

Tomado que fué este asiento, se trajo por algún tiempo [f. 63] el azogue a esta villa por cuenta de Su Majestad, y con licencia de Su Excelencia algunos particulares, con ciertos aditamentos, hasta el año de setenta y seis, que se hizo arrendamiento por los azogues en esa ciudad [Lima a] Gonzalo Hernández de Herrera, y Luis Rodríguez de Laserna, y Gaspar de Solís y consortes, por haber hallado Su Excelencia algunos inconvenientes de traerlo por cuenta de Su Majestad y entender estaba mejor en persona particular, así por el riesgo de la mar y costa de trajines y evitar la de los ministros que en el despacho de este ministerio se habían de ocupar, como porque los indios que andan en la labor de las minas de Huancavelica fuesen bien pagados, y los que las poseen, y por tener personas obligadas con cuidado de traer y tener azogue sobrado en este almacén, como quien sabía la sustancia de que es esto.

Hízose el arrendamiento por remate público en los dichos compañeros, los cuales se obligaron a dar a Su Majestad a sesenta y cuatro pesos y un grano de plata ensayada, por cada quintal de los que les entregasen en el almacén real de Huancavelica, del cual precio pertenecía al beneficiador del azogue los cuarenta y dos pesos ensayados, que fué en lo que se tasó, y se había de pagar luego como lo entregasen e hiciesen la manifestación en el almacén ante los oficiales reales; y a Su Majestad los veinte y dos pesos y un grano, que estaban obligados a pagar en esta villa, dentro de veinte días

como llegase el azogue, que era el plazo por que ellos estaban obligados a fiarlo a los particulares, con tasa que no lo pudiesen vender más que a ochenta y cinco pesos ensayados, obligándose a recibir todo el azogue que se les entregase en el almacén. Y en los tres años porque hicieron el asiento, sin poner limitación ni advertir lo que les podría suceder en el aumento que podría haber en el azogue en los tres años más que en los pasados, Su Excelencia hizo nuevo repartimiento de indios a los arrendadores de las minas, añadiéndoles cantidad para que con este socorro sacasen mucho azogue, con que se vió la compañía muy [f. 63 v.] necesitada y falta de dinero para pagar el azogue que les iban entregando.

Y por esta causa escribieron al señor virrey los vecinos de Huancavelica, que pues Su Excelencia había hecho el estanco, quitándoles el trato y libertad que tenían del azogue, fuese servido de proveer de manera que los arrendadores les pagasen su hacienda sin retención, ya que resultaba de esto el no poder ellos pagar a los indios su trabajo, y con esto fueron presos los arrendadores que asistían en Lima. Y proveyó al señor licenciado Francisco de Cárdenas, alcalde del crimen de esa Real Audiencia, que fuese a Huancavelica a la paga de los indios y mineros con días y salario a costa de los arrendadores, e hicieron baratas para proveer esto sin soltarlos hasta que trajeron testimonio de la paga de los indios, de que estaban bien arrepentidos por haberse metido en negocio que tan desasosegados los traía, ya que se iban cumpliendo los tres años del arrendamiento.

Visto que quedaban desabridos los que lo tenían y desaficionado el pueblo de tratar de él, escribió una carta al corregidor Martín García de Loyola, en que le decía que este arrendamiento se iba feneciendo y que no trataban de él otras personas; y que convenía mucho al servicio real que los azogues estuviesen en persona particular y no en su real cabeza, aunque por este camino no se interesase tanto y que procurase dar un tiento a esta villa a personas que lo pudiesen hacer, porque, con sola la voz que de esto fuese, sería ocasión de despertar codiciosos con quien se efectuase cuando acá no se hiciese, encargándole mucho lo que importaba este negocio, especial[mente] por el nuevo riesgo que había de corsarios en la mar del Sur, y otros inconvenientes que se seguían para la buena paga de los indios y mineros, pues que de aquí se había de llevar en recuas la plata en reales a Huancavelica o labrarlos en la casa de la moneda de Lima.

[f. 64] Llegada que fué esta carta a Potosí, y el corregidor entendiese lo que pretendía el señor virrey, y él tuviese de suyo discreción y maña en negocios, comenzólo a tratar con un Francisco de Guzmán, que ya es muerto, y con Carlos Corzo, y Juan de Pendones. Y supo también hacerlo por una traza y medio que dió: que el señor virrey les diese de las cajas de la comunidad ochenta mil pesos a censo, que se impusieron sobre los vecinos de esta villa, y hoy no está redimido, y ciertos indios y cantidad de azogue por su beneficio, y otras cosas que el tiempo las hizo de poca importancia a la compañía. Y así lo efectuó, con acrecentamiento de ocho pesos ensayados más en cada quintal, de manera que vinieron a dar por cada quintal setenta y dos pesos, interesando Su Majestad treinta en cada uno. Y ha venido a montar esta puja y demasía en este arrendamiento doscientos y veinte y cuatro mil pesos ensayados, porque a los factores les han entregado en los tres años veinte y ocho mil quintales, y ha sido menester para consumirlo en esta villa cinco años, que ha que se hizo el arrendamiento y aún no está acabado.

Y esta compañía se ha visto en mayores trabajos que la pasada, porque lo que pudieran haber ganado lo dieron a Su Majestad, sin haber tenido ningún aprovechamiento y haber hecho muchas baratas, y ellos y sus fiadores han estado ejecutados y presos, y los han socorrido y pagado por ellos el cuarto de lo que cada uno fió. Y en este tiempo ha sido mucha la abundancia que ha habido de azogue, y hase vendido tan barato, que de contado se ha vendido a sesenta pesos y algo menos, y se fiaba a setenta. Y de dos años a esta parte ha ido faltando, y no se ha hallado con barras en la mano, y no fuera posible haber esta falta si estuviera Vuestra Excelencia en la tierra, por el gran cuidado que han tenido los señores

virreyes en que este género no falte en esta villa, en la cual están obligados los arrendadores a fiarlo por treinta días, porque los diez sobre los veinte añadió el señor virrey don [. 64 v.] Martín Enríquez, porque mejor lo pudiesen pagar los ingenieros y beneficiadores, dando fianzas.

Y por este término, suspenden la cobranza de los treinta pesos por quintal, que pertenecen a la hacienda real. Cóbrase el azogue que se fía como mercedes y haber de Su Majestad, prefiriendo esta deuda a las particulares. Por el riesgo que podría haber en esto, creo ha de tener Vuestra Excelencia algunas dificultades en dar asiento a este negocio, por tenerlo muy subido estos arrendadores, y no convendrá que por mano de Vuestra Excelencia sea menos, antes se beneficie por cuenta de Su Majestad.

Es cosa importantísima al bien de esta villa que Vuestra Excelencia dé orden en el nuevo arrendamiento que se celebrare, que siempre haya cantidad de azogue en este almacén sobrado, como se ha capitulado con los pasados. Y que, dando fianzas abonadas, sean obligados a fiarlo, porque muchas veces, cuando hay necesidad de él, no se contentan de las partes, aunque lo sean [abonadas], ni de sus fiadores, por darlo a personas privadas.

Cuando hay abundancia se benefician muchos metales y todos se animan a proveerse de metales y ensanchar sus beneficios, con esperanza de este socorro. Porque de otra manera no pueden tener ocupada la plata en el metal y la molienda y acarreos, que para esto es menester mucha plata faltando este género, y danlo con facilidad y fiado por siete u ocho meses. Y de contado se halla barato, porque caso que no convenga que el arrendador lo venda a menos de la tasa, habiendo copia de él, las baratas y mohatras que se hacen en ropa y coca y vino las toman de azogue.

Consúmense comúnmente en el beneficio de los metales de seis a siete mil quintales de azogue; sin lo que se saca de las lamas de más de cincuenta hornos que hay en esta villa y Tarapaya, donde se queman y benefician las que resultan y proceden de los metales, que serán más de trescientos mil quintales, de los cuales saldrán, regulando las unas con las otras por la diferencia que hay en la pérdida del azogue por la calidad de los metales, dos mil quintales de azogue, antes más que menos, siendo las lamas la cantidad que dije. Y de tener acá mano en este género, se siguen grandes aprovechamientos y se hacen los hombres muy ricos, y a estos factores puede Vuestra Excelencia hacer merced, por el servicio que han hecho a Su Majestad, relevándolos en alguna manera de lo que deben por el trabajo que han tenido en este acrecentamiento.

[f. 65] *Del trato y contrato que tienen los naturales de los metales y las diferencias que se han levantado sobre su materia, con las resoluciones que sobre ello hay.*

Desde el descubrimiento y fundación de este asiento y villa de Potosí, ha sido costumbre muy guardada, Excelentísimo Señor, entre los naturales, de tratar y contratar con libertad en los metales que sacan del cerro, vendiéndolos en plaza pública (que para sólo este ministerio tienen señalada), en la cual se junta gran concurso de indios e indias a vender lo que han adquirido y sacado, y otros a comprarlo, así lo rico para la guaria, como los metales que se benefician por azogue.

Y de cinco o seis años a esta parte, por muchos señores de minas les han querido impedir este trato, quitándoles el comercio, y libertad, y posesión que de ello tienen antigua.

Y [pretenden] que no puedan contratar en metal (especial de azogue, porque el origen del rescate fué de lo de guaira, indios con indios, adquiriéndolo con justo título, entrando a labrar las minas con voluntad de sus dueños por vía de varas); y que todo lo que poseen ahora es hurtado de sus minas y bohíos, donde encierran lo que sacan por el riesgo que tienen, y de los ingenios al tiempo que lo están moliendo, y cuando lo trajinan de una parte a otra, y finalmente con tanta violencia, que no tienen sus haciendas seguras ni es posible, por ser ladrones de casa, habiéndoles costado sus dineros; y que de haber permitido que traten en metal de azogue se ha seguido que los mineros estén tan perdidos, porque les desfloran el metal, tomándoles lo mejor y

más granado y lo que les queda, por haber escogido lo bueno y de más subida ley, con que se había de surtir lo demás, es tal que los que lo benefician se pierden en él; y que así no hay quien ose a comprar metal de minas, de que pierde Su Majestad mucho interés, y que hubiera gran consumo de azogue por el gran beneficio que tuvieran, y por faltarles este socorro y no poderse valer de sus haciendas, les es forzoso hacer baratas de las ajenas, en que totalmente se pierden, y que la causa eficiente de estos hurtos y perjuicios ha sido tenerlos tan necesitados de indios de cédula, que por la falta que tienen de ellos labran sus minas con los mingados, y sobre pagarles con ventaja, les disimulan sus hurtos porque vuelvan a las minas; y que la experiencia ha mostrado que el metal que se saca con indios de cédula tiene más ley que lo que se labra con indios mingados, por lo que les hurtan; y que es esto en tanta manera y grande exceso, que cuando hubiese algunos indios que con justos y lícitos medios allegasen algún metal, no es la décima parte de lo que venden cada día en el gato o tianguis, en [f 65 v.] lo cual se ha introducido comprar muchos españoles, así personalmente como por mano de yanaconas que se alquilan para este efecto, y que con esta ocasión los indios procuran robarlos como de hecho lo hacen.

Y sobre esto presentaron algunos escritos, que contenían alguna parte de lo que se ha dicho, ante el capitán Martín García de Loyola, del hábito de Calatrava, que había poco ejercía el oficio de corregidor de esta provincia con título de teniente de capitán general, cuyo nombramiento dió gran contento a Su Excelencia por enviar a esta villa un ministro tal cual deseaba, por concurrir en él partes que lo hacían benemérito de cargo tan calificado y que tanto importaba tener aquí persona temerosa de Dios y celosa del servicio del señor virrey, porque faltando esto, no era posible de descargar la conciencia de Su Majestad y la suya, porque, estando con orden y concierto este gobierno, lo tiene todo el reino. Y el cabildo de esta villa, con su asistencia, por decreto quitó el rescate del metal, haciendo sobre ello algunas diligencias con que inquietaron por algunos días a los indios. Movióse el corregidor por estas razones y ver con el sentimiento y vehemencia que los señores de minas lo encarecían, pareciéndole que convenía remediarlo, no advirtiendo, por no ser de su facultad, los fundamentos y justificación de esta permisión y contrato, como cosa que no se había tratado de su materia.

Para cuyo remedio se hicieron ciertas probanzas con mucho cuidado y diligencia por parte de Diego Núñez Bazán, protector general que a la sazón era de los naturales (persona antigua y que siempre se ha ocupado en las cosas que se le han encargado en servicio de Su Majestad, de que ha dado buena cuenta con mucha satisfacción y limpieza); la una por los capitanes de los indios, trayendo por escribanos yanaconas ladinos; discurriendo por todas las vetas y minas averiguando qué pongos había en el cerro (que son los porteros de las minas), y hallóse gran cantidad, a los cuales constó pagarles en metal, y así presentaron su probanza al grueso modo, sin ningún artificio. Cometió esto el corregidor a esta gente, para que por todas vías se inquiriese la verdad y que los indios pongos no entendiesen que las diligencias que se hacían eran para castigarlos (que fuera posible no hallar ninguno, pareciéndoles que debía ser delito tener aquel oficio, y los españoles se lo pudieran dar a entender así, con que se oscureciera la verdad), y que esta averiguación no impedía la que se hacía con gente principal de esta villa, señores de minas y personas antiguas, las cua- [f. 66] les convinieron en que los indios poseían los metales que vendían por lícitos medios, en premio de su trabajo y sudor, que era mucho más esta parte y cantidad que la que algunos podían hurtar, con otros puntos y advertencias tocantes al bien y defensa de estas gentes, pues tan incapaces son para volver por su justicia. Y en el ínterin que se hacían estas probanzas, avisó el corregidor y protector al señor virrey lo que pasaba, y luego despachó provisión en que concedió licencia y facultad para que los indios de este asiento pudiesen libremente tratar en los dichos metales, sin que sobre esto se les pusiese ningún impedimento.

Publicada que fué esta provisión, el padre Baena, de la Compañía de Jesús, en sermones que hizo predicaba por palabras expresas contra ella y el rescate, diciendo ser ilícito y digno de reprobar, y que los que lo compraban y quien lo permitía se iban al infierno y pecaban mortalmente, y estaban obligados a restitución y otras palabras a este modo, con que se levantaron grandes diferencias y escándalo entre todos los vecinos, letrados y religiosos de esta villa, predicando unos contra otros y cegando en los púlpitos a palabras apasionadas y de nota pública, que se usa mucho en estas nuevas tierras y en esta villa más que en otra parte. Y como el corregidor avisase a Su Excelencia de lo predicado, dióle mucha pena que el padre Baena se quisiese tan fácilmente resolver y condenar materia que requería mucho más consejo y tiempo para mirarlo, pues el sujeto y gravedad de ella, lo requería, y no infamar la conciencia y provisión de Su Excelencia, que con tanta consideración y acuerdo había proveído, y como persona que en público trataba del gobierno temporal, y Su Majestad tiene mandado no se entremetan los prelados y predicadores en ello, y, si lo hicieren, les quiten las temporalidades y embarquen.

Y pareciendo al señor virrey que los poderes que tenía no se extendían a tanto, [escribió] (9) a Su Majestad el desorden y libertad que en esto había, pidiéndole cédula particular para hacerlo, a lo cual se le respondió que los virreyes tenían la autoridad y poder de las audiencias, y que ellas podían embarcar y hacer lo demás, y así tenía él aquella misma facultad, por los poderes generales, y que no era necesario nueva comisión y cédula, aprobando y teniendo en servicio los clérigos y frailes que había embarcado y hecho llevar a Castilla, y que así lo hiciese con los que [f. 66 v.] se entremetiesen en los negocios seculares (porque no hay cosa que más canse a un príncipe, que estarse desvelando y desplumando el juicio en su gobierno y proveyendo algunas cosas que dejan citadas y van abriendo el

_____

(9) *Servicio* en el manuscrito, error obvio debido seguramente a una mala interpretación del texto original, *scriuio*. (G. M. L.).

camino a otras invisibles, para entablarlas en su tiempo y lugar, que no las alcanza el pueblo, y que se ponga un predicador haciendo (10) del gobernador y arrogante a condenarlas, y muchas veces con palabras desacatadas, llenas de confianza y presunción, de donde el vulgo toma ocasión de murmurar de los príncipes y gobernadores, haciéndoles malquistos).

Y pareciendo al señor virrey que era bien poner remedio en lo del padre, para que cesara el escándalo que se había levantado, le mandó bajar luego a Lima, y para calificar este trato hizo junto de los más singulares letrados juristas que había en esa ciudad y de los más eminentes y resolutos teólogos y canonistas, personas virtuosísimas, sin pasión, temerosas de Nuestro Señor, de cuyas conciencias no se podía presumir cosa que fuese contra la de Su Excelencia y suyas.

Y con su acuerdo y parecer provevó otra provisión, en que mandó que los indios pudiesen vender los metales del cerro libremente, y que los españoles libremente se los pudiesen comprar, y que supiesen los indios que podían gozar de este beneficio. Y que demás de las causas que le movieron a proveer esto, había hallado otras convenientes al servicio de Dios y de Su Majestad. Y que para la seguridad de las conciencias de los que contratan con los naturales, lo mandó consultar con personas graves y de ciencia y conciencia, y tomó su parecer en el negocio, opinión y atrevimiento que tuvo el padre Baena en tratar lo que predicó; y que los indios puedan tratar y contratar, sin que les sea puesto estorbo ni impedimento en comprar metales de quien se los vendiere, y venderlos a quien se los comprare; y que el corregidor no lo impidiese, y que castigase a quien lo estorbase, so pena de suspensión y de dos mil pesos para la cámara y hospital de esta villa, reprendiendo en la provisión el poco celo que tienen algunas personas de mirar por el bien de los indios, movidas de sus particulares intereses, siendo ocasión de escándalo y otros inconvenientes, mandando que se leyese y diese a entender a los indios en

su lengua, para que todos lo supiesen como cosa que era lícita, buena y permitida.

Ya ve Vuestra Excelencia el encarecimiento de esta provisión y el celo que tenía el señor virrey del bien de los naturales, que por tan- [f. 67] tos caminos les quieren fatigar. Y porque es materia odiosa y sobre que tantas dificultades se han ofrecido, y han de ocurrir a Vuestra Excelencia con muchas novedades, no quise que quedase corta, y así pongo aquí los pareceres que dieron los letrados, con todo lo que hay escrito en este caso hasta hoy, los cuales envió el señor virrey al corregidor Loyola, refrendados de Juan Gutiérrez de Molina, secretario de esa Real Audiencia, en los cuales dice que los originales quedaron en poder de Su Excelencia:

Pareceres de los señores licenciados Cerezuela y Antonio Gutiérrez de Ulloa, inquisidores apostólicos de este reino.

Vista la provisión de Su Excelencia e información y cartas cerca de la contratación de los metales que contratan los indios en Potosí, nos parece ser la dicha provisión de Su Excelencia justa, y que, como tal, Su Excelencia la debe mandar guardar y hacer que se ejecute y dar orden como cese lo que en contrario se ha tratado y el escándalo que de tratarlo se había seguido, salvo el mejor juicio. En Los Reyes, en cinco de enero de mil y quinientos y ochenta años.—*El licenciado Cerezuela.—El licenciado Antonio Gutiérrez de Ulloa.*

Parecer del padre maestro fray Luis López, de la Orden de San Agustín, catedrático de vísperas en Teología de la Universidad de la Ciudad de Los Reyes.

Vista la información del protector de los naturales sobre la contratación que los indios tienen en Potosí acerca de los metales con que rescatan, y compran, y venden, y la provisión dada por Su Excelencia, y entendida la diferencia que se ha levantado sobre el caso en la dicha villa de Potosí entre algunos predicadores, me

---

(10) Según el sentido del texto, aquí debe faltar una palabra o locución, v. gr.: *escarnio, poco aprecio,* etc., pues de otro modo el pasaje resulta ininteligible. (G. M. L.).

parece que la provisión está justamente dada y que no sería lícito quitarles a los indios la tal contratación. Y a lo que se dice que los metales que venden son hurtados, es presunción sin fundamento bastante para lo prohibir y reprobar. Y así no se debería predicar lo contrario, sino que cada uno mire lo que compra. Y así mismo no tengo por acertado predicar ni tratar de la posesión que los indios tienen y han adquirido, porque será darles licencia para hurtar y tomar sin temor lo que hallaren y pudieren, sin otros inconvenientes que de esta materia se siguen, estando el fundamento y principio de conquista de esta tierra en tantas opiniones. Por tanto, a los predicadores de aquella villa se les debería advertir que en [f. 67 v.] este caso no se tocase más.— *El maestro fray Luis López.*

Parecer del padre maestro fray Miguel Adriano, de la Orden de Santo Domingo, y catedrático de Prima de Teología en la Universidad de Los Reyes.

Vista la información hecha en la villa de Potosí ante el capitán Loyola, a pedimiento del protector de los indios, para averiguación de lo que se oponía contra la contratación que los indios de aquella villa tienen de treinta años a esta parte, contratando en metales, me parece de ello que de la información resulta que debe Vuestra Excelencia mandar se guarde lo que por Vuestra Excelencia está proveído: que los dichos indios puedan contratar con metales sin que les sea puesto impedimento alguno, porque aunque alguno de los indios que contratan en la dicha forma contratasen con metal hurtado y habido por ilícitas vías, no por eso deben ser defraudados ni damnificados otros infinitos indios que con lícitos títulos poseen los dichos metales con que contratan. Y de la dicha probanza consta ser muchas las maneras lícitas y honestas por las cuales los dichos indios poseen el dicho metal. Y así, aunque alguna vez venga metal hurtado al gato y mercado, no por eso debe el gobernador, ni puede, prohibir la dicha contratación, lo cual es doctrina de Santo Tomás en la *Secunda segundae,* cuestión ciento y noventa y seis, artículo segundo, *ad quartum,* donde se

enseña cuándo debe el gobernador prohibir el uso de las cosas que se pueden bien y mal ejercitar; y lo contrario sería en daño de los indios. Y los que compran están obligados a examinar si el indio trae el metal hurtado, pues hay tantas vías para poseerlo lícitamente, ni han de presumir en particular de ninguno eso, ni juzgarlo, aunque en común hay algunos que lo lleven alguna vez con mal título. Y me parece que Vuestra Excelencia debe proveer al escándalo que sobre este artículo se ha levantado en la dicha villa de Potosí. Esto me parece conforme a la dicha doctrina de Santo Tomás.—*El maestro fray Miguel Adriano.*

Parecer de los doctores Hierónimo López Guarnido, catedrático de Leyes en la Universidad de Los Reyes, y fray Pedro Gutiérrez Flores, y el doctor Fajardo.

Vista la provisión que Su Excelencia dió para que los indios del asiento de Potosí pudiesen vender metales y contratar en ello, y la información que en el dicho asiento se hizo ante la justicia de ella a pedi- [f. 68] miento del protector general de los indios, sobre la costumbre que se ha tenido y tiene de pagar a los indios que trabajan en metal, y así mismo que se les paga en metal algunos mantenimientos que venden, y otras obras de puentes y reparos que hacen en las minas, nos parece que la provisión de Su Excelencia es justa y conforme a conciencia. Está muy bien dada, y con mucha rectitud, y que sería muy fuera de esto si se prohibiese a los indios el dicho comercio y trato con el color que los señores de minas toman de decir que los tales metales que se venden son hurtados. Porque, como los dichos indios son personas libres, y este trato y comercio de comprar y vender metal es permitido y no prohibido por Su Majestad, aunque no hubiera la información de suso referida ni tanta notoriedad de que hay muchas minas y vetas donde los indios lo puedan haber, débese presumir título justo en el que vende y compra y no se debe presumir que sean hurtados y mal habidos, porque sería presumir contra todo derecho.

Y aunque algunos indios hayan acostumbrado a hurtar algún metal, no por eso se ha de presumir que todos los que se venden sean hurtados. Y el que dijere que son hurtados, halo de probar y no podría pedir al indio que los vende que muestre de dónde los hubo, porque de derecho ninguno está obligado a mostrar el título de lo que posee. Y cuando pareciere que algún indio ha hurtado el metal que vende, el que pretendiere que se lo hurtó podrá pedírselo y hacerle castigar probándoselo, y no querer que por el delito de algunos se impida el trato y comercio lícito, haciendo por ello presunción general de delito contra la ley, y más siendo tan en daño del bien general, de los indios, y del reino, y del aprovechamiento de la real hacienda. Y así es justo que Su Excelencia mande con rigor que se guarde la dicha provisión tan justamente poseída y que se ponga remedio en el escándalo causado en esta materia por los religiosos que con ninguna razón se pusieron a condenar en público por injusto el dicho comercio y contratación, contra lo por Su Excelencia proveído, de manera que todos entiendan que Su Excelencia con justo y cristiano pecho proveyó lo que debía. Hecho a cinco de enero de mil y quinientos y ochenta años. *El doctor fray Pedro Gutiérrez Flores, el doctor Hierónimo López Guarnido, el doctor Fajardo.*

Vistas las provisiones de Su Excelencia y resoluciones de estos pareceres, cesaron las diferencias y escándalo que había pasado, y así pusieron todos silencio en esta materia, predicando algunos religiosos de la orden de Santo Domingo en defensa de ella, y las obligaciones que teníamos a estas gentes. Especialmente el padre Francisco Vázquez, [f. 68 v.] de la dicha orden, hizo un sermón en aprobación del rescate que después dió por escrito y lo reconoció ante el corregidor y un escribano público. Pero ido que fué el señor don Francisco de Toledo, con la venida del señor don Martín Enríquez tornaron los señores de minas a tratar de este negocio con calor, enviando procurador para sólo suplicar a Su Excelencia suspendiese el rescate, representándole las razones pasadas. Y el señor virrey, entre los capítulos de instrucción que dió a don Juan Dávila, vecino de Arequipa, que proveyó por corregidor de esta provincia por persona ex-

perimentada en el gobierno de ella, por haberlo tenido en la introducción de los azogues y ser buen republicano, le mandó por el dicho capítulo hiciese averiguación sobre el caso para proveer de remedio, de manera que cesasen los hurtos que decían recibían los señores de minas, dando en esto la orden que más conviniese, de manera que los naturales no recibiesen agravio, ni se les impidiese el trato que tenían de metal, castigando los hurtos.

Llegado que fué a esta villa don Juan, hizo probanza con personas fidedignas y de autoridad, y muchos de ellos señores de minas, y el alcalde mayor, y los veedores, y otras personas que tenían experiencia del cerro, de cuyas declaraciones constó con entera probabilidad, examinando a los testigos en su presencia, que algunos señores de mina acostumbran a pagar los indios que trabajan en sus minas en metal. Y que por no tener repartimiento de los indios que han menester y son necesarios para la labor de sus minas, alquilaban indios, y además de pagarles su jornal, por tenerlos contentos y gratos para que volviesen a las minas, les dejaban llevar una piedra de metal; y como eran tantos los que se mingaban, era mucha la cantidad que por este camino se juntaba en el gato. Y que en el cerro no corre otra moneda sino el metal, con el cual pagan los mineros y pongos la comida que les suben a vender al cerro, y fruta, y otros refrescos; y las indias a trueque del metal les dan sus propias personas, y sus madres las suben para este efecto al cerro; y que algunos de los señores de minas envían a vender metal al gato y lo venden a los indios a la boca de la mina; y que los indios tienen minas en el cerro; y que a los pongos se les paga en metal; y que los mineros que tienen puestos los señores de minas venden metal a los indios, y que en dos o tres años salen ricos del cerro; y que son más de cinco mil indios los que están ocupados en la labor del cerro; y que los indios varas sacan mucho metal de las minas que labran por su trabajo, lo cual cons- [f. 69] taba por lo que pagaban de quintos en los socavones por donde salían, averiguando también que en toda ocasión y coyuntura los indios no perdonan el metal que pueden hurtar, porque no son tan buenos cristianos como esto, y que es más cantidad lo que con buen título adquieren que lo hurtado. Y en este artículo hay testimonio de Hernando de Medina, escribano público de esta villa, en que dice que entre otras diligencias que se hicieron para claridad y satisfacción de este negocio en tiempo del capitán Martín García de Loyola, fué por su mandado y orden a ponerse un día en el socavón de Sojo para que tuviese cuenta con los indios que por él salían aquel día, qué fué desde la mañana; y se averiguó que salieron doscientos y cincuenta indios de metal, los cuales habían entrado con licencia de sus dueños a labrar las minas, y todos dieron y dejaron a la puerta del socavón, por los derechos de la salida, una corpa de metal. Y si esto constó por solo un socavón, qué fuera si en todas las minas se hiciera esta diligencia.

Acabada que fué esta probanza, que su estado y lo que deponían los testigos, se iba consultando con el padre maestro Gerónimo Ruiz Portillo, que avisaba a Su Excelencia de lo que convenía al descargo de su conciencia, tocante al gobierno de esta villa, todo muy enderezado al servicio de Dios, la despachó don Juan Dávila al señor virrey, y luego como la recibió, la dió al doctor José de Acosta, de la Compañía de Jesús, persona doctísima y de recta conciencia, y singular predicador, y que tenía curso de esta villa por haber estado en ella y no ser de los que habían aprobado el rescate, ni ninguno de su orden. Le encargó mucho considerase bien la resolución que hubiese de tomar, porque no pretendía más que el servicio de Nuestro Señor y de Su Majestad, y descargo de su real conciencia, que la había puesto en sus manos. Y habiendo visto los autos y probanzas, dió el parecer que se sigue:

Parecer del padre Acosta, de la Compañía de Jesús.

Vista la información que por mandado de Su Excelencia se hizo en Potosí sobre el rescate de metales que los indios venden en el gato o plaza, y vistos también los pareceres de él y otras personas que de allá escriben, lo que parece primeramente es que Vuestra Excelencia no debe de quitar ni prohibir el dicho rescate y comercio de metales que los indios usan, porque, según parece por las dichas informaciones y pareceres, aunque mucha parte del metal que venden los indios es hurtado, pero no consta que sea lo más, antes se entiende ser lo menos hur-[f. 69 v.] tado y la mayor parte bien habido, por muchas vías y modos lícitos de que en el interrogatorio se hace mención. Y siendo esto así, sería contra razón y conciencia estorbar a los indios su lícito trato y aprovechamiento, pues son personas libres y vasallos de Su Majestad, y en lo que se pudiere han de ser favorecidos, viviendo nosotros en su tierra y enriquecernos de ella y de sus trabajos, y sobre todo estando en uso y posesión de tantos años los indios de la dicha contratación y rescate. Sería también contra el bien universal quitar el dicho comercio, pues se seguiría notable quiebra a los quintos reales, y en las haciendas de indios y de españoles, que se aprovechan de vender y comprar los metales del gato, y aun la molienda de los ingenios en gran parte se disminuirá, lo cual todo resulta en daño de la república.

Pero, porque aprobando y confirmando Vuestra Excelencia el dicho rescate de metales y poniendo silencio a los que han pretendido y pretenden contradecirlo, se puede seguir daño a la conciencia de los indios, que por ignorancia o malicia toman ocasión de más hurtar y dicen tener licencia del gobernador para ello, y perjuicio a las haciendas de los señores de minas creciendo los hurtos, que consta ser muchos, pareció lo segundo que Vuestra Excelencia tiene obligación, en conciencia, a dar orden cómo los hurtos se eviten y remedien por los medios convenientes y razonables que se ofrecieren. Los que ahora se representan son éstos:

Lo primero, que a los naturales se publique y predique que aunque el rey, y Su Excelencia en su nombre, les da libre facultad de vender y rescatar metales, pero que ni la ley de Dios ni la del rey da licencia que hurten metales de nadie, antes lo prohibe y castiga con rigor.

Lo segundo, la justicia, especialmente el alcalde de minas y veedores del cerro, tengan especial cuidado de inquirir y castigar cuando hallaren algún hurto notable de metal, y que el castigo sea público en el gato, donde se rescata el metal; y los señores de minas, pues a ellos les va, guarden sus haciendas y denuncien los hurtos que les hicieren.

Lo tercero, que no se permita rescate de metales de indios sino en el gato o plaza pública, que para esto está diputada, so pena de perdido el metal, la mitad para el juez y denunciador y la otra mitad para el hospital.

Lo cuarto, que no se consienta que entren españoles a rescatar en el gato, porque hacen muchos agravios a los indios, sino que rescaten por mano [f. 70] de sus yanaconas o de otros indios, como lo tiene mandado el cabildo de Potosí.

Con esto parece se hace lo que se puede y se cumple con la obligación de conciencia y justicia por ahora.

Ultimamente, parece que Vuestra Excelencia debe mandar que, dada la orden que se debe guardar, cesen las alteraciones y contradicciones que causan perturbación y escándalo, pues con las diligencias que se han hecho y con la última resolución de Vuestra Excelencia en el caso, pueden muy seguramente los particulares comprar y rescatar metales del gato sin ningún escrúpulo y sin inquirir más. Y los confesores no deben poner escrúpulo y negar la absolución, excepto si en particular el penitente hubiese comprado o rescatado de quien sabía o creía que lo hubiese hurtado, y mucho menos los que predican o hablan en público deben condenar el trato y comercio que por el gobernador con tanta consideración no sólo es permitido, pero aprobado y confirmado, como cosa lícita en conciencia y útil a la república.—*José de Acosta.*

Y de este parecer escribieron a esta villa, habían sido todos los letrados y teólogos de esa ciudad de Los Reyes.

Dado que fué este parecer, despachó el señor virrey provisión para que no se vendiese el metal en la ranchería, conforme al párrafo tercero. Y luego lo envió, para la quietud de las conciencias de los que viven y se sustentan del rescate de metales, al padre maestro Gerónimo Ruiz Portillo, de la Compañía de Jesús, y comisario del Santo Oficio de esta provincia, y famoso predicador y persona de letras y vida ejemplar, y fundador de las casas más principales de su religión en este reino, y de grande experiencia y opinión en negocios por el curso que de ellos ha tenido con la comunicación de los señores virreyes. Y no hubo bien llegado a sus manos, cuando fué Nuestro Señor servido de llevar para sí a Su Excelencia. Fué grande el deseo que todos conocieron tenía de acertar a servir a Dios y a su rey en gobierno de tierra tan intrincada y diferente de Nueva España. Y así, en lo que vivió, gobernó con entera satisfacción de todos, mostrándose muy celoso del bien y conservación de los naturales.

En cuyo tiempo llegó a esta villa de los reinos de Castilla don Alonso Ortiz de Leiva, natural de Sevilla, por corregidor y justicia mayor de esta provincia, cuya cédula le dió Su Majestad en Badajoz a diez y nueve de septiembre de ochenta años. Y presentóse con ella en la ciudad de La Plata en ocho de febrero de ochenta y tres, y trajo otros poderes mayores acerca del gobierno, que en ninguna manera, por los inconvenientes que se podrían seguir, no los cumplió el señor virrey ni le dió provisión más que para [f. 70 v.] el oficio simple de corregidor. Y con su venida les pareció a los apasionados e impedidores del rescate que era buena ocasión para continuar su demanda, como lo hicieron. Y Diego Núñez Bazán lo escribió al señor virrey, y cuando llegaron estas cartas a Lima ya era muerto, por cuyo fin las abrió la Real Audiencia, que ya gobernaba, y con acuerdo de los señores presidente y oidores despacharon dos cartas, la una para el corregidor y la otra al protector. Y ésta decía de esta manera:

«Diego Núñez Bazán, protector de los naturales de la Villa Imperial de Potosí. Una carta de primero de marzo próximo pasado escrita al señor virrey don Martín Enríquez, que sea en gloria, se recibió, y por su fin y muerte se vió en esta Real Audiencia, a la cual, como habréis visto, por despachos que se han enviado al cabildo de esa villa, le queda el gobierno general de este reino. Y así proseguiréis en dar cuenta en ella de lo que os tenía encargado el señor virrey conviniere para la defensa y amparo de esos naturales, y lo demás que a ellos conviniere. Y así se os agradece el aviso que disteis por vuestra carta, acerca de la pretensión de algunos que se impida a los indios la venta de los metales en el tianguis, sobre lo cual se escribió al corregidor no haga novedad ni prohibición en esto, ni sobre ello se escriba ni admita petición ni información. Y de ello se os advierte para que entendáis y solicitéis el cumplimiento de esto y lo demás que conviniere para el amparo y buen tratamiento de los indios, como se confía de vuestra persona, la cual guarde Nuestro Señor. De Los Reyes, a tres de abril de mil y quinientos y ochenta y tres años.—*El licenciado Ramírez de Cartagena.—El licenciado Recalde.—El doctor Arteaga.*»

En conformidad de lo que por esta carta mandaba la Real Audiencia y por la que escribió al corregidor, que contenía la misma sustancia, proveyó auto don Alonso de Leiva, en que mandó no se hiciesen ningunas diligencias sobre el negocio del metal, el cual se quedó por entonces así. Y no pasó mucho tiempo que por parte del factor Juan Lozano Machuca se levantó otra persecución, enmascarando su intento con la voz real, representando al negro blanco con alguna apariencia, como persona de más ingenio, haciendo junta de algunos señores de minas a los [f. 71] cuales propuso que, si deseaban remedio para que cesase el rescate y los hurtos que recibían, hiciesen donación a Su Majestad de los metales del gato como cosas que eran hurtadas de sus minas, y que en la donación le diesen poder como a ministro real para seguir la causa, prometiéndoles buenas esperanzas. Lo cual hizo movido de cierta pasión, porque en este reino éste es el camino ordinario de negociar por maña lo que no se puede hacer por justicia. Y porque estaba mandado que sobre el rescate no se recibiese escrito ni se hiciese ninguna diligencia que lo estorbase e impidiese, tomó este color para contraminarlo, porque tocando a la Real Hacienda no podían las justicias dejarle de admitir sus peticiones y escritos, que procedían de la donación. Los mineros no se hicieron mucho de rogar, pareciéndoles que hacían gran servicio al rey en darle las haciendas de tantos hombres que tenían echada

su plata en metales del gato, y con buena fe y justo título y expresa facultad y permisión para comprarlos libremente.

Firmada que fué de muchas personas esta donación, puso el factor demanda ante el corregidor, alegando que convenía mucho al servicio de Su Majestad quitar el dicho gato, y que en él no se vendiesen metales de azogue; y que por esta causa no había guaira, cosa que era muy importante, por lo que interesaba Su Majestad en los reales quintos; y que, demás del aprovechamiento de los metales de plata, los indios labraban las minas de soroche, con que mezclaban el metal rico y que suele tener a dos o tres pesos de ley, y no se puede beneficiar por azogue ni fundición ni por sí solo, con que se aumentaba la plata y quintos; y otras razones que aluden a los daños que dicen los mineros se les siguen del rescate, pidiendo embargo y secuestro en los metales que al presente había, que era su intento y blanco donde tiraba. Y a este pedimiento respondió el licenciado don Francisco de Vera, protector general por nombramiento de esta Real Audiencia, que es hijo del señor licenciado Francisco de Vera, oidor de ella, que habrá año y medio que llegó a esta plaza, y en efecto satisfizo a lo alegado por el dicho factor, que fueron cosas impertinentes, porque Su Majestad, por el beneficio del azogue, aumenta mucho sus quintos, así por el consumo que hay de azogue como por los derechos de la plata que por él se beneficia, y los indios no de-[f. 71 v.]jan de guairar el metal rico.

El corregidor proveyó auto en conservación del dicho rescate, del cual apeló el factor, y en la Real Audiencia se vieron los autos y proveyeron que por entonces no se hiciese innovación en lo que tocaba al rescate. Y luego se despacho provisión, en que por ella se daba licencia y facultad a las justicias de esta villa, excepto al corregidor, para que pudiesen rescatar metal en el gato, con que guardasen la orden que está dada en el comprar. Y esta provisión parece que milita contra alguno de los pareceres e instrucciones de los señores virreyes, que encargan tengan las justicias particular cuidado en castigar los hurtos, porque rescatando los que han de estar libres de estos objetos,

no se presume buena administración, y es
dar ocasión y ánimo a los indios para
mayores males, viendo que los jueces rescatan, pareciéndoles que es cosa aproba-
dísima. Y no sé si puede haber justificación en este trato teniendo los jueces mano
en esto, por incumbirles el castigo de los
hurtos, que deben inquirir con diligencia.
Y entiendo que se fundaron estos señores
en dar esta licencia, tener por lícito este
trato y el aprovechamiento que por este
camino se seguía en los quintos reales, y
que en aquella sazón había esterilidad de
plata en el pueblo y abrían la puerta para que los que la tenían la empleasen en
metal y se engrosaran los beneficios, que
sin este medio, por el escrúpulo y otros
inconvenientes no lo hicieran.

[f. 72] Del peligro con que sacan los in-
dios el metal de las minas y cómo vienen
contra su voluntad a ello.

Y porque vea Vuestra Excelencia y mejor se pueda entender el derecho de los
indios en el trato del metal, pondré el
riesgo con que lo sacan de las minas y la
sangre que les cuesta, y el peligro en que
traen sus vidas por su hondura y malos
pasos, por donde se colegirá mejor su justicia y cuán riguroso verdugo ha sido este
cerro para esta nación, pues cada día los
consume y acaba y ellos tienen la vida
aguada con el temor de la muerte.

Y pone admiración que con ser de su
natural pusilánimes y para poco, lo tienen para arriesgarse donde falta a los muy
animosos. Y así les suceden cada día mil
muertes y desastres, que a la gente de
consideración y discurso no les deja de
poner en cuidado el riesgo que padecen en
la labor del cerro, y traerlos de sus pueblos y naturalezas, dejando sus casas, chácaras y ganados, apartándose con muchas
lágrimas los padres y madres de los hijos, pareciéndoles que no se han de ver
más, y que los traen a trabajos y ejercicios que ellos no saben ni entienden, ni
viven con codicia de riquezas, y que los
llevan donde oyen decir los desastrados
casos que comúnmente les suceden, y ven
volver muchas mujeres afligidas sin sus
maridos, y muchos hijos huérfanos sin sus
padres.

Temerosos de estas cosas, salen de estos casos violentados y muy contra su voluntad, porque con ella fuera imposible
sacarlos de sus casas y tierras. Y algunos,
por redimir esta fuerza, suelen dar quince
y veinte cabezas de ganado, que es toda
su hacienda, a otros indios que vengan en
su lugar.

Y entre las cosas que a esta gente ha
sucedido lastimosas, cuya memoria está
fresca, daré cuenta a Vuestra Excelencia
[de algunas] por donde se entenderá el
trabajo que padecen y lo que les cuesta
el metal, que podríamos decir que es más
sangre que metal. Y fué el caso que en
la mina que llaman de la Muñiza, en la
veta Rica, traía un español en compañía
de otro, cincuenta y seis indios; con los
veinte y ocho trabajaba de día y con los
otros tantos, de noche. Estaba la mina
peligrosa, por parte de una barriga que
hacía muy grande, y entrando Francisco
de Oruño a visitarla, que a la sazón era
veedor, conociendo el riesgo en que andaban los indios, mandó suspender la labor
hasta tanto que se hiciesen ciertos reparos necesarios para su seguridad, proveyendo auto sobre esto. Y el dueño de la
mina alegó en escrito que no eran necesarios los reparos, que era pasión la que
tenía con él, porque la mina estaba muy
segura, apelando y haciendo [f. 72 v.]
ciertas diligencias. Con que vino a perecer la triste gente, porque dos días después de esto se hundió la mina, cogiendo
a todos los veinte y ocho indios debajo,
que les cupo trabajar de noche.

Y otro día por la mañana subieron al
cerro todas las justicias, y gran suma de
indios y sus mujeres, e hijos y parientes,
que rompían el cielo a gritos y a voces.
Y como fué tanta la tierra y piedra que
cayó sobre ellos, no se trató de sacarlos
luego por entonces, y así se quedaron hasta
que por discurso de tiempo como se iba
limpiando, los hallaron. El español fué preso, y a cabo de muchos trabajos y prisión, fué condenado por la Real Audiencia en ocho mil pesos ensayados, parte
para la cámara y lo demás se repartió entre las viudas, conforme a los hijos que
tenían. Por esto se puede inferir cuán hu-
mildes son los indios y simples, pues teniendo causa para no oír ni ver la mina,
se quisieron ofrecer a la muerte antes que
hacer falta a su amo. Y así se entenderá la

necesidad que tiene de defensa y protector que vuelva por ellos.

Los días pasados, sucedió un día por la mañana que un portugués entró con siete indios a labrar una mina, mudando la labor de una parte a otra. Yendo por lo hondo de ella, donde nuevamente querían labrar, comenzaron a caer y desgalgarse por la mina abajo algunas piedras y tierra de los altos; y para guarecerse de esto se metió en una cueva con cinco indios y los otros dos se arrimaron a otro espacio menor, donde podían defenderse de lo que caía, que fué tanto, que llenó gran parte de la mina, dejándolos vivos en aquellas concavidades que hacían las cajas. Sabido en el pueblo, fué grande la diligencia que puso Diego Bravo, alcalde mayor de minas, y los veedores, en el socorro de esta gente, haciendo subir al cerro muchos indios para que sacaran y apartaran la tierra que había caído, y no era de efecto, porque no se sacaba tanta cuanta iba cayendo más.

Y otro día, algo tarde, sacaron los dos indios que estaban en parte que los cercaba poca tierra. Los indios que entraban a limpiar la mina trabajan de día y noche, con no poco riesgo de sus vidas, por la tierra que se derrumbaba, y como el sitio del lugar no era capaz de mucha gente, los que trabajaban hacían lo que podían y no era de importancia. El español y los cinco indios tenían lugar para espaciarse, por [f. 73] ser grande la cueva en que estaban. Los de fuera los animaban, dándoles esperanzas que se había de vencer la tierra, y el portugués les decía que no les desamparasen ni se cansasen, que sería Dios servido de librarlos de aquella angustia y tribulación, y que se hallaba con sujeto para resistir el hambre, aunque el frío le tenía muy fatigado, y que para sustentarse se había comido los zapatos. Y los indios también hablaban. Y pasóse en esto cuatro o cinco días, llevando siempre gente de refresco para que con más aliento trabajaran. Y visto que ya no era posible sacarlos, un padre de la Compañía de Jesús los entró a confesar, y el español hizo testamento, y así se despidieron de ellos con muchos suspiros de los unos y de los otros, diciendo los indios algunas simplezas que dijesen a sus mujeres e hijos, y perecieron sin poder-

los remediar. El que más vivió de todos fué un indio algo ladino, que decía que el español ya no hablaba, que se había echado a dormir, y que los demás compañeros suyos estaban junto a él muertos.

Estando trabajando de noche unos indios en un ingenio de agua de esta ribera, cayó una pared y a cuatro indios que estaban en el mortero los mató, haciéndolos una plasta. Y en otro ingenio, yéndose a levantar un indio del mortero, le cogieron las levas por la cabeza y le hicieron pedazos. Y de pocos días a esta parte se han muerto en el cerro siete u ocho indios, y si hubiera de escribir esto por extenso, se gastara mucho papel.

Y ordinariamente los bajan muertos y otros quebradas las cabezas y piernas, y en los ingenios cada día se hieren. Y sólo el trabajar de noche y en tierra tan fría y asistir al mortero, que es lo de más trabajo por el polvo que reciben en los ojos y boca, basta para hacerles mucho daño. Y así está el hospital [lleno] de indios heridos, y mueren cada año más de cincuenta, que esta fiera bestia se traga vivos. Y al presente, se están siguiendo más de setenta causas criminales de muertes de indios en los tribunales de juez de naturales y alcalde de minas.

No quiero encarecer esto más, pues se deja entender que si estas gentes fueran políticas y de razón, pudieran intimar este caso por término que pusiera en cuidado lo que se debía hacer con ellos, y que, en trueque de trabajos tan grandes, no es mucho que tengan algún provecho, pues la intención de Su Excelencia en mandarlos venir a estas minas y Su Majestad permitirlo, fué para que se aprovechasen e hiciesen ricos, siendo muy de su voluntad, porque contra ésta no los detendría un día Su Majestad en Potosí. [f. 73 v.] Lo cual se ve claro por la diligencia que se hizo con ellos el año de mil y quinientos y cincuenta y dos por haber sido informado el Emperador nuestro señor, que santa gloria haya, que los indios que residían en la labor de estas minas estaban opresos y contra su voluntad, y que los encomenderos los enviaban para que les diesen cada semana cierta cantidad de plata. Y esto se representó de manera que convino al descargo de su real conciencia enviar una cédula al señor virrey don Antonio de Mendoza, en que mandaba que a todos los indios que asistían en estas minas les diesen licencia y libertad para con ella volverse a sus pueblos.

La Real Audiencia de Los Reyes puso en ejecución esta cédula, por ser ya muerto el señor virrey, y nombró para ello a Lorenzo de Estupiñán, vecino de Guánuco, hombre de negocios y que traía comisión de visitar la tierra sobre la demasía de tasa que llevaban a los indios. Y llegado que fué a esta villa, con más rigor de lo que era menester mandó salir a todos los indios, juntándolos por sus parcialidades, despoblando el asiento, echando bandos que luego saliesen de él y derribándoles algunas casas. Los indios estaban atónitos de ver esto, y sentíanlo tanto que lo tenían por notable agravio y vejación, y decían a Pablo de Meneses, que a la sazón era corregidor, que cómo enviaba el apo, que quiere decir el supremo señor, a un hombre loco a gobernar que de dónde habían ellos de sacar la plata para sus tasas si no labraban las minas de este cerro. Y así sacó gran cantidad de gente que se tornaba a volver al asiento sin ser parte para impedirlo si no los ahorcaba; y otros, puestos en el camino, se fueron a sus tierras. Visto esto, Estupiñán lo tomó por testimonio y se volvió.

Y en este tiempo vino el señor marqués de Cañete, y desde allí adelante se tuvo mucho cuidado con la conservación y aumento de esta villa. Y hase de advertir que cuando pasó esto estaban las minas sobre el haz de la tierra, sin ninguna hondura, de manera que con póco trabajo y sin riesgo de sus vidas, tenían mucho provecho, poseyendo y pasando por su mano toda la plata que de este cerro procedía, y no con el peligro y servidumbre y poco interés de ahora, si no hubiesen de tener más que el jornal que siempre se ha entendido que no es equivalente si no hubieran de tener otras ganancias. Y está claro que no se podría sustentar un indio, e hijos, y mujer, con tres reales y medio en tierra tan cara y sin tener socorro de chácaras, y pagar su tasa. Y si no hubiera limitación en el jornal con cierta igualdad por conservar [f. 74] estos dos pueblos. Y el de los españoles se hace del

desentendido en el beneficio y merced que le hacen en darle indios, que pudieran quedar tan necesitados de esta ayuda, que aunque partieran con ellos la mitad del metal que sacaran, no los tuvieran contentos ni creo quedara igual el contrato, por poner los indios sus personas, aventurando sus vidas, y en minas que faltando los indios no pueden tener de ellas ningún provecho; y por despobladas se las adjudicarían a los naturales, como personas que las labrarían.

De la manera que tienen los indios en vender el metal y de otros particulares tocantes a la materia del rescate.

Pues se ha tratado con cuánto riesgo y peligro de los naturales se saca el metal de las minas, justo será dar cuenta a Vuestra Excelencia [de] los frutos e intereses que se siguen al otro bando de españoles que están pendientes de este socorro, como república que no tiene otro recurso sino el beneficio y comercio de los metales, y éste mediante los indios y merced que Su Majestad y Vuestra Excelencia les hace de ellos, advirtiendo la manera tienen los indios en vender en el gato, y de la ley que son y la cantidad que será, y el modo que tienen los españoles en comprarlos y venderlos, de que se sigue mucho interés a la hacienda real y a conservar a los indios en este asiento de su voluntad, que es lo que pretende Su Majestad, y otros muchos útiles no menos necesarios y provechosos, como los mismos pareceres refieren, los cuales fueran muy más en su favor si por su parte se hubiera alegado cómo tienen con ellos poblado este asiento, y los traen contra su voluntad, y las vidas que cuesta sacar el metal, y las demás cosas que escribió [he escrito?] sobre esto, por donde los letrados podrían descubrir mejor el derecho de los indios y la justificación del rescate.

Junto a la plaza principal de esta villa está la del metal, en el lugar más público y de mayor frecuencia de justicias y concurso de españoles que hay en este asiento. Esta plaza tiene muchas tiendas, donde se vende gran suma de coca, que es la contratación y granjería de los vecinos del Cuzco; están puestos los cestos de coca a las puertas con muchas indias que los rescatan, así a metales como a plata. Y en esta plaza se vende el soroche, y mezclas, y grasas para la fundición de metal de guaira, con otras mil menudencias. Y en lo que confina con [f. 74 v.] las casas de cabildo se sientan los indios e indias muy juntos, por hileras, con alguna orden; y paréceme que serán de cuatrocientas a quinientas personas las que vienen con metal para vender, especial jueves y viernes y sábado, porque los demás días, por ser los primeros de la semana, no viene tanta gente, por comenzar a sacar el metal. La tacana y metal rico de guaira, los que lo venden se sientan aparte, y junto a ellos, los de lo rico de azogue, y después de esto, los metales comunes, y más abajo, hacia el monasterio del Nombre de Jesús, que cae en esta plaza, el metal de coca.

Vase juntando la gente a su feria desde las siete u ocho de la mañana, y desde esta hora comenzaban a comprar los guairadores (porque son preferidos a los que rescatan para españoles), y mientras éstos compran no podían rescatar los guairadores yanaconas de los españoles (que entraban que es como a hora a las diez cuando alzan en la iglesia mayor, porque aquí no hay reloj público). Ahora no se guarda este orden, sino todos entran juntos, por haber algunos españoles que compran metales ricos con algún perjuicio de los guairadores. Diego Bravo (que en todo se muestra inclinado a favorecer [a] esta gente y que con verdad puedo decir que usa su oficio con toda rectitud), para evitar esto puso unos pilarcillos, para que los tuviesen por señal y mojones los indios de metal de guaira, en cuyo sitio privó que ningún yanacona ni español entrase a rescatar, poniendo algunos alguaciles indios que les defendiesen el paso; y que en lo restante de la plaza se pusiese el metal de azogue y que entrasen a comprar cuando quisiesen, como fuese por mano de yanaconas.

Los indios que traen el metal rico se sientan en este lugar, y los demás hacen lo propio, pareciéndoles que su metal no es de peor condición, aunque no sea de aquella calidad, y que sería abajarle el precio si fuera de aquel sitio lo pusiesen,

y por esta causa es forzoso entrar en aquel lugar los rescatadores. Y ha parecido no ser suficiente remedio la distinción de lugares para impedir el inconveniente que reciben los guairadores en los demás rescatadores, y [que] se debía guardar el orden antiguo, que mandaba que nadie osase a entrar a rescatar hasta que hubiesen comprado los guairadores que en la primera hora dejan libre el gato. Y aunque de esta manera se remedia alguna parte del daño que estos indios podían recibir, entiendo que el que trae metal suspende la venta hasta tanto que entran los yanaconas de los españoles, como [f. 75] personas que les pagan mejor y tienen más ánimo en el comprar.

Los precios de estas suertes de metales son diferentes, así como lo son ellos en la ley y calidad que tienen. De lo rico hay metal que se vende a diez pesos corrientes el quintal, y todos los precios se entenderán en esta moneda, ocho reales el peso, como anda en esta provincia, y desde este precio hasta cien pesos se vende el quintal. Y de esto no hay quien baje un quintal ni medio. Para juntarse se ha de ir juntando y comprando de cada indio un poquito. El metal de cien pesos acudirá a cincuenta marcos, y esto, ensayado; y lo de cincuenta, a sesenta; y lo de cuarenta, a cincuenta; y lo de treinta, a cuarenta; y lo de veinte, a veinte y cinco; y lo de quince, a diez y ocho o veinte; y lo de a diez, a doce o trece. El metal de azogue tiene también varios precios, porque hay metal que se compra el quintal a dos pesos corrientes, y a tres, y cuatro, hasta ocho, que es lo más subido. Acuden estas suertes de metal: lo de a dos [pesos], a tres [marcos], y a tres y dos tomines, [y] hasta tres y medio ensayado; lo de a tres a cuatro, hasta cuatro y medio; y lo de cuatro, a cinco; y lo de cinco, a seis; y lo de seis, a siete; y lo de siete y ocho, a nueve y diez.

La tercera suerte de metal se rescata a coca y pan. Y dan los indios por un cesto de coca que les da el español, que comúnmente vale de contado de cuatro pesos a cuatro y medio ensayados, seis quintales; y dan al indio o india que lo rescata, que son muchas las que en esto se ocupan, dos pesos corrientes por su trabajo. Y saldrá este metal a siete tomines ensayados, y acudirá a tres, y a algo más y menos.

Solían rescatar personalmente españoles entrando en la plaza entre los indios, y mandóse que no lo hiciesen por la ventaja con que compraban y algunos malos tratamientos que de ellos recibían los indios. Y porque son muchos los que rescatan por mano de yanaconas y es contra la autoridad comprar personalmente, daba pena que hubiese quien, con perjuicio de todos, lo hiciese por ser personas de baja condición. Estos indios yanaconas con quien se rescata son bien pagados, demás de lo que ellos hurtan, porque no hay más cuenta de la que ellos quieren dar, y algunos ganan a dos y a tres pesos, y lo ordinario, a cuatro reales. Sería cosa justísima guardar el orden antiguo en el rescatar el metal, que es, que hasta que alzan en la iglesia mayor no pueda entrar ningún indio de español a comprar, dejando el gato libre [f. 75 v.] a los de guaira, que son muchos los que se sustentan de este beneficio.

Y los españoles les han subido el metal por beneficiarlo por azogue, y conviene mucho conservar la guaira. Para cuyo remedio el señor virrey don Francisco de Toledo mandó que los jornales que se pagasen a los indios del cerro fuese en metal, por sólo fin de que tuviesen por su propia inteligencia plata. Y por ir en disminución la ley de los metales, se derogó esta ordenanza y proveyó que les pagasen en reales.

Y para que [los indios] tuviesen mano en el metal y entrada libre en las minas, dió [Toledo] una traza digna de su ingenio y solercia, por haber entendido que los señores de minas, visto que por el azogue podían tener el fruto de los metales sin necesidad de comunicarlos con los indios varas como hasta allí habían hecho, comenzaron a poner puertas y cerraduras en algunas minas para tener los metales más guardados y que los indios no pudiesen entrar en ellas, cosa que sintieron mucho. Y les dió gran pena la invención del azogue, pues los privaba de sus granjerías, y que no tenían otro remedio para sustentarse ni pagar su tasa si no era por vía de jornal, habiendo poseído toda la riqueza y grosedad pasada, con que habían conservado y pendido de ellos el interés y aprovechamiento general de todo el reino, y que el beneficio de la guaira se había de perder, cosa que tan importante era, por tener de su propia cosecha el fruto que de ella conseguían, sin gasto de azogue. Pues como los señores de minas fuesen por camino tan perjudicial para esta gente, mandó a don Juan Dávile que subiese al cerro e hiciese quitar las puertas a las minas que las tuviesen; y que las labrasen [los indios], con apercibimiento que se tomarían por despoblados, ordenando que fuesen obligados los señores de minas a dar y comunicar a los indios de esta villa la cuarta parte de las minas que tuviesen; y que los indios eligiesen la parte y varas que quisiesen, por obviarles el inconveniente que de lo contrario se les podría seguir; y que aquéllas les diesen libres, para labrarlas por vía de varas, como hasta allí se había hecho; y que el metal que sacasen les vendiesen los mineros el tercio a los mismos indios que lo hubiesen trabajado; y si en esto hubiese alguna discordia, les aviniesen los veedores, a quien se encargaba en todo fuesen los indios satisfechos y en mandar que fuese el cuarto de las minas las que se comunicasen con los indios; y que el dueño hubiese cumplido con venderles el tercio de metal que sacasen.

Parece este medio, en lo de encima, con alguna moderación inclinado a los señores de minas en cuyo favor [f. 76] les daba a entender Su Excelencia lo hacía, como quien pretendía conservar estas dos repúblicas, pues estaban en costumbre los mineros de dar por varas todas las minas a los indios, no era mucho concederles el cuarto. Y no hacía esto por restringir y estrechar el provecho a los naturales, sino por entender la pobreza que tenían las minas, y que en el cuarto de las varas que habían de escoger los indios para labrar habían de tener la ganancia, y en los otros tres cuartos que no fuesen tales ellos se concertarían sin tercero. Y este mismo motivo tuvo en mandar que les vendiesen el tercio del metal que sacasen, como quien se modera mucho en lo que trata; pues se usaba vendérselo todo, no era fuera de razón darles el tercio por sus dineros, quedándose ellos con los dos; y de esto se seguía que el indio escogiese lo mejor y más rico para la guaira, y harto era que el tercio fuese tal, y los [otros] dos el minero se los daría, si el indio los quisiese, por buen precio como metal que estaba desflorado. Y toda esta astucia y maña ha de tener el príncipe en el gobierno de sus negocios, especial en las cosas que tocan a los indios, por tratar con nación más astuta y sagaz y que los indios no tienen ningún artificio para volver por sí. Y pues a los españoles se les siguen grandes intereses por el azogue y ayuda de los indios, no era justo les quitasen este socorro. Hase perdido la fuerza de esta ordenanza, o por no tenerla los indios para pedir la ejecución de ella o por no haber metales ricos y aprovecharse por vía de mingas de los del azogue y ricos cuando los hallan.

Los metales ricos, conviene advertir a Vuestra Excelencia, no los hallan los indios en las labores que traen los señores de minas en los chiles y honduras, porque ya no los tienen y son de tan baja ley que no llegan a dos pesos y medio, excepto algunas minas de las vetas del Estaño, Rica y Centeno, que es metal de más de a cinco pesos. Sacan los indios el metal rico de los altos, y puentes, y barrigas antiguas, y con tanto riesgo, que cuelgan al indio atado de una soga y de esta manera barretea lo que quedó pegado con la caja y barrigas, que los dueños no tienen remedio para sacar lo que está de esta manera, aunque labran algunas barrigas que tienen mucho metal, con barbacoas o andamios que hacen. Y también alguno de lo rico se halla en las labores de ahora en las minas principales, pero no es de la ley, precio y estima de lo de los altos.

Lo cual digo para que se entienda que no es la causa el metal rico que poseen los indios para abajar la ley a lo que tienen [f. 76 v.] las minas en los planes, por no proceder de allí lo rico, porque claro está que si las minas en la labor que llevan los dueños tuvieran el metal rico que sale al gato, por mucho que lo desfloraran, quedará con ley que conformará con la calidad de lo aventajado. Y vemos lo contrario, porque casi en todas las vetas no llega el metal a dos pesos y medio, y en la mayor parte no es de a dos, y hay muchas minas de a peso y medio y de a diez tomines, de donde se sigue que este daño no viene del rescate, porque por muy grandes ladrones que fueran los indios, tuvieran cuidado y diligencia los dueños de manera que no fueran tan damnificados.

Entre los españoles que rescatan, hay algunos que viven de regatones que rescatan el metal de coca y común de reales, para tornarlo a revender en partidas, conocida ganancia y gran riesgo de quien lo compra, porque comúnmente se pierden en ello, porque, como esta gente lo hace para tornarlo a vender, no va con el cuidado y sin la mezcla de metales pobres que si lo hubieran de beneficiar, comprándolo de buenas minas. Y para venderlo con ventaja, hacen de las mejores corpas unas muestras con que se engañan los que lo compran. Ha parecido conviniera que no hubiera regatones y que el gato estuviera libre de esta gente, y que sólo lo compraran los que lo hubieran menester para beneficiar, que no son pocos. Y contra éstos [regatones] tienen los mineros mayor odio, por verles los almacenes llenos de metal que dicen ser de sus minas. Otros son de parecer que no se puede impedir esto, y que antes es cosa útil que se junten partidas de metal (y yo vi una los días pasados de más de diez y siete mil quintales en un solo regatón) con que se provean las faltas de la molienda de los ingenios, y que hay muchos que se contentan con ganar en el metal que benefician los fletes de sus ingenios. Pero por más sano tengo lo primero, por no haber tanto escándalo, pues por ley y costumbre de las gentes están defendidos [prohibidos] los regatones, porque encarecen, y éstos [de Potosí] lo hacen, y en materia dispuesta para engañar a los que tratan con ellos, vendiéndoles gato por liebre.

Por difícil tengo dar cuenta verdadera a Vuestra Excelencia del metal que traen los indios a vender en un año al gato, porque [f. 77] es negocio confuso y que en un tiempo viene más que en otro, conforme a la labor que anda en el cerro. Y cuando más acude es de San Juan a Navidad, que, por haber acabado de moler en esta ribera los ingenios, echan los indios al cerro y todos acuden a labrar las minas, aunque esto está defendido por los repartimientos de los señores virreyes, mandando que los indios de los ingenios no los echen a las minas, ni los de las minas a los ingenios, por el peligro que podían padecer por no estar pláticos en el ejercicio de sacar metal. Y así se ha procurado echar siempre los indios que más curso tienen en el cerro, y esta Real Audiencia derogó esto y dió licencia para poderlos echar a minas, que parece buen orden en el tiempo de la seca con que los dados a ellas no se puedan ocupar en otra cosa, porque no falte continua labor en el cerro. Y, regulado lo uno con lo otro, me parece se debe de vender más de doscientos mil quintales que saldrá, vendido lo rico con lo pobre, a dos pesos ensayados [el quintal]. Y ser esta cantidad, se entenderá mejor por los rescatadores que hay, que son muchos, y por lo que compran. Yo conozco uno que desde San Juan de ochenta y tres hasta Navidad rescató veinte y cuatro mil quintales de metal de toda suerte, que le costaron ochenta y un mil pesos corrientes, y si lloviera aquel año comprara cincuenta mil. Y hoy hay beneficiadores de a quince, y de a veinte, y de a veinte y ocho mil. Hay fletamento en Tarapaya.

Este metal del gato será de ley, lo uno con lo otro, de cinco pesos ensayados, y Su Majestad interesa, en solos los quintos que de sola esta contratación le pertenecen, doscientos mil pesos. Y no obstaría decir que, cuando faltare el rescate, no por esto dejara de haber estos quintos, porque los señores de minas los beneficiaran. No satisface esta razón por todo lo referido y alegado. Lo demás que se beneficia de las minas serán seiscientos mil quintales, y es menester un millón para andar aviados todos los ingenios que tiene esta provincia, que es la cantidad que pueden moler en un año. Pero pocos son los que muelen todo lo que pueden, y haber muchos que no tienen más que el nombre, con el cual ocupan los indios, como verificará Vuestra Excelencia por la visita general.

Parecióme convenir t r a t a r algunos apuntamientos sobre [f. 77 v.] los párrafos que se contienen, a manera de aditamentos, en el parecer del padre José de Acosta, para que quede más inteligible y tenga Vuestra Excelencia noticia de to-

do, que es lo que deseo, y no escribir curiosidades con orden de estilo.

En cuanto al primer párrafo, que dice que se dé a entender a los naturales que aunque Su Majestad les da facultad para vender y rescatar metales, pero que ni la ley de Dios ni la ley del rey dan licencia a que hurten metal, etc., en esta plaza tienen costumbre los viernes, por ser el día que más metal acude y que hay mayor concurso de indios, predicarles un padre de la Compañía de Jesús en su lengua lo que importa a su salvación el no hurtar, y que miren que echa Dios al infierno a los ladrones, y el rey los castiga y otras cosas a este modo.

En cuanto al segundo, que dice que las justicias tengan particular cuidado en inquirir y castigar a los indios cuando hallaren algún hurto notable de metal, dando licencia con los [hurtos] chicos (que parece se funda en lo que comúnmente se dice que no es pecado mortal hurtar poca cosa); pero esto se ha de entender cuando no fuese causa de gran daño, como lo podía ser en este caso (de que resultan muchas dudas), porque, si fuesen muchos los que hurtasen aunque cada uno un poquillo, que junto fuese gran cantidad y con esto destruyesen el cerro, éste hurto notable sería, y los dueños de las minas damnificados, aunque a cada uno en particular le cupiese poca parte, porque caso que lo que cada uno [hurta] es poco, pero junto con lo que hurtan los demás resulta en gran daño por ser mucha la cantidad; porque, aunque no lo hace el de aquella vez, que no quiere el doctor Acosta que se castigue ni se restituya a su dueño por ser pequeño, hácelo el de las pasadas, por la continua perseverancia que hay en ello. Y creo se debe de fundar en una opinión recibida de todos los sumistas, que dice que si uno es [tan] pobre que no tiene de dónde se pueda sustentar suficientemente a sí y a su casa y familia, y no lo hallase [el sustento] trabajando, no es pecado mortal tomar lo necesario, siendo poca cosa, porque ninguna vez hizo notable daño, aunque la cantidad de todos aquellos hurtillos junta es grande. Y si con el necesitado dispensan los derechos para poderse aprovechar de lo ajeno, cuánto más jus-[f. 78]ticia tendrán estos indios que trabajando no se pueden sustentar, por ser poco el jornal. Este tal, conforme ley natural, se podrá satisfacer del que le tuviese en aquella opresión, porque no sólo se ha de mantener y vestir, que a un esclavo debemos esto, sino enriquecerse y aprovecharse, como hacemos nosotros en su tierra. Pero estos casos no se deben entender con esta gente, por compelerles con tan notable riesgo de sus vidas a la labor de las minas, mayormente que nos saca de esta duda y dificultad haber gran cantidad de indios que lo adquieren con justo título, y que, caso que sea alguno hurtado, como lo es, no por eso debe impedirse el lícito trato por la parte que podría ser mal habida. Que es en lo que se fundan los pareceres y en la voluntad del príncipe. Y así entran aprobando la provisión sobre esto dada

En cuanto al tercero, que dice que no se permita rescate de metales de indios sino en el gato o plaza pública que está diputada para esto, so pena de perdido el metal, aplicándolo para juez y denunciador y hospital, digo que no es de esencia ni trae consigo ningún inconveniente haciéndose lo contrario, y sería de mucho daño y perjuicio el que recibirían los naturales sobre las denunciaciones que habría, no pudiéndolas excusar. Para lo cual se ha de advertir que hacia la falda de Guaina Potosí, donde se juntan los caminos más cursados que suben al cerro, en la ranchería que está por aquella banda, están puestas muchas indias que viven en aquellas parroquias con sus tiendas de coca y pan para socorro de los indios que bajan y suben al cerro, lo cual truecan y rescatan a metalejos de coca, porque otra suerte de metal no se vende en la ranchería, lo cual van juntando en sus casas para entregarlo a sus dueños, por quien lo rescatan o los que tienen algún caudal recogerlo para venderlo en partida de treinta o cuarenta quintales más o menos.

En cuanto al cuarto [punto], que dice que no se consienta que entren españoles a rescatar en el gato, sino que rescaten por mano de sus yanaconas, es justísimo, por los inconvenientes y malos tratamientos que reciben los indios de comprar personalmente los españoles, como tengo antes dicho. El cual [f. 78 v.] daño más es para el indio que lo viene a comprar, por tener quien lo puje o se lo tome por

el tanto, que es lo que solían hacer; y otras veces, después de comprado, quebrar las corpas y si por [lo] de dentro no eran tan buenas como lo de afuera se lo volvían, que no para el vendedor que querría tener muchos compradores, pues le cuesta tan caro el sacarlo, especial[mente] españoles que no miran en poco más o menos como los indios, que son flemáticos y se están una hora regateándolo. Y así algunos guairadores se desavienen con los vendedores entreteniéndose a que pase la hora y tengan todos libertad de comprar y ellos vender a quien les dé más, y no quitarles este socorro. Pero débese guardar lo que sobre esto está ordenado, como cosa que más conviene.

Resolución en la materia del rescate.

Además de los motivos y causas que están dadas para no quitar a los naturales la contratación del metal, hay otras que no son de menos eficacia y argumento para no impedirles la ayuda que tienen por este camino, como república libre que de otra manera no lo sería, y sin referir las de los pareceres, que son urgentísimas, y por claras y vivas razones concluyen ser lícito el permitirles con aprobación el uso de los metales, apuntando materias de mucha calidad y sujeto para que no se mire con gente a quien tanto debemos, el aprovechamiento que con tanto trabajo y riesgo de sus vidas tienen adquirido con justo título. Y caso que haya muchos con la ocasión que tienen, y trabajo corporal, y poca paga, y ser de suyo miserables y de poco entendimiento hurten algún metal, no por esto han de ser todos condenados. Especial que el descubridor de este cerro fué indio natural de este reino, y todas las vetas y minas las han descubierto y dado noticia de ellas indios, y los españoles se las han usurpado y defraudado en los registros que de ellas han hecho y en las visitas, y al presente tienen muchas minas.

Y conviene al servicio de Su Majestad y bien y aumento de este reino, que estos miserables sean bien tratados y gocen de las franquicias que se conceden a los demás vasallos, pues tan particular cuidado tiene Su Majestad en encargarlos y que se mire por ellos, como cosa que tanto importa a su real conciencia. Y porque han conocido la mejoría que tienen ahora, se dan [f. 79] a buscar minas de oro y plata, de que depende la conservación del reino, viendo que, como personas libres, les permiten se hagan ricos con ellas. Y vemos por experiencia que cada día van dando noticia de nuevos descubrimientos.

Y sería posible que descubriesen las que ocultaron al tiempo que se conquistaron, que son de donde sacaron los Incas tanta suma de plata y oro como tenía esta tierra, de las cuales no se ha sabido, ni de las lagunas y lugares donde lo echaron y escondieron lo que entonces tenían, y lo ofrecido y dedicado de tantos años a infinitas huacas e ídolos que había en este reino, especial la de Uricancha, que era el templo del Sol, que ahora es monasterio de Santo Domingo del Cuzco, de quien supo, estando el señor virrey don Francisco en aquella ciudad, de indios antiguos, que era infinito el tesoro que tenía de oro y plata labrada; y de esto nunca se ha podido saber qué se hizo, porque la memoria se ha ido gastando y se han muerto los que lo vieron esconder; y esto se tiene por cosa muy cierta.

Y tocado de la codicia de su descubrimiento don Sebastián de Larraun, obispo de aquella ciudad, cierta mujer le hizo entender que sabía dónde estaba escondido gran tesoro del Inca, y con la fama de estas cosas fué fácil de hacerle creer lo que deseaba, y se dijo que había hallado gran riqueza. Y fué de tal manera este negocio y la voz que dió, que movió al señor virrey a enviar a aquella ciudad al licenciado Paredes, oidor que a la sazón era de la Audiencia de Lima, a la averiguación de estas cosas. Y costóle al obispo llegarse a Lima a ver al señor virrey, de quien oyó palabras muy sentidas; y al cabo fué un embuste que hicieron al obispo conociendo su inclinación. Y se entiende que estos malaventurados tienen muchas huacas, a las cuales está ofrecido mucho oro y plata, ganado y chacras que benefician para ellas, y tienen sus ministros. Y en esto hay gran secreto, que no se ha podido entender, procurando saberlo Su Excelencia, haciendo sobre esto grandes diligencias. Y el mejor medio que se puede tomar para conseguir efecto de donde tantos [bienes] se siguen, es no quitarles los metales, sino dejarles, y que conozcan que si los descubrieren y manifestaren han de gozar de ellos, pues no son esclavos.

Y para poseer y tratar éstos en el [f. 79 v.] metal les ayuda mucho la diligencia que hizo el señor virrey en esta villa con los mineros, habiendo hecho venir los indios que acrecentó para labor de las minas, tratando con los señores de ellas que ya habían visto cómo estas gentes habían venido de tan lejas tierras, y que los quería dar y depositar en ellos para que con esta ayuda se pudiesen hacer ricos con su trabajo y sudor, y que era que los que habían dejado sus casas y tierras por venir a las extrañas, tuviesen premio igual al trabajo que habían de tener para aprovecharse y pagar sus tasas, y que les parecía que sería justo les mandase dar por su jornal.

El pueblo respondió que con lo que Su Excelencia ordenase y mandase, estaban ellos muy contentos. El señor virrey les dijo: «Paréceme que les déis cada día a los indios que han de trabajar en el cerro (que eran por los que se hacía esta plática con harta astucia y sagacidad, por lo que resultó de ella) tres pesos.» La villa o la parte de los mineros que a esto se hallaron, replicaron que Su Excelencia fuese servido de mirarlo bien, porque sus haciendas no valían otro tanto, y que lo mejor era dárselas de una vez. El señor virrey respondió que le parecía que su justo precio sería dos pesos, y de esta manera se fué concertando con ellos en que fuese un peso, y que no lo haría menos. Los mineros dijeron que considerase Su Excelencia que los indios se habían de aprovechar de los metales de las minas, como lo habían hecho siempre, y que esto no podía ser menos. El señor virrey, que no deseaba oírles otra cosa, les dijo: «Pues eso es así que los indios han de tener otros aprovechamientos más que el jornal, yo lo señalaré de manera que os esté bien.»

Y así fué trato en que se convinieron los señores de las minas con los indios para tratar en metales, y gracia que les hicieron para ajustamiento de jornal y paga como hasta allí lo habían hecho, pues al tiempo que la justicia de esta villa repartía los indios a las minas, les señalaron dos tomines de plata corriente por su jornal, que si no tuvieran otra ganancia, fuera imposible poderse sustentar, y es cosa averiguada que les dejasen llevar me-[f 80]tal.

Algunos quieren decir que los mineros no dijeron aquellas palabras a este propósito, sino por referirles el señor virrey el poco jornal que hasta allí habían tenido, y temiéndose no les mandara satisfacer a los indios, le dijeron: «Siempre han tenido costumbre los señores de minas de permitir que los indios que trabajan en el cerro se aprovechen de los metales», pero no porque fuera su intención dárselos al tiempo que pasó lo que digo, aunque el señor virrey recibió las palabras en el primer sentido.

Y también se ha de considerar que todos los minerales, por ser del patrimonio y Corona real, los que los poseen no tienen más que el usufructo que se les concede por enriquecerlos y hacerles bien. Y así vemos que por ordenanzas hechas conforme a las leyes reales, el que no labra la mina que posee, pierde el derecho que a ella tiene, y sucede en ella el que la puebla y labra, aunque le haya costado muchos dineros al desposeído. Y sabemos que hay muchos de los que condenan este trato que han adquirido muchas minas por despobladas, tomando posesión de ellas, y éste es el derecho que tienen para decir que les roban sus haciendas; y pues los naturales no saben usar de este remedio, no es mucho que labren algunas, pues no lo hacen sus dueños.

A Vuestra Excelencia han de ocurrir, por parte de los mineros, a suplicar se suspenda y quite el rescate. Vuestra Excelencia lo mire como cosa que tanto importa y con supuesto que si faltase este cebo y socorro para engolosinar y entretenerse aquí los indios, que sería dificultoso el detenerlos, porque todos se irían desesperados, sin poderlo remediar, si no fuese con gran sentimiento y violencia de esta gente; y que no lo permitirá Su Majestad, pues uno de los capítulos de instrucción que trajo el señor virrey don Francisco fué para que poblase esta villa (por haber escrito a Su Majestad la mucha gente que faltaba por el poco prove-

cho que tenían), le mandaba lo hiciese por buenos medios, acrecentándoles el jornal, de manera que los indios viniesen de su voluntad, sin ninguna fuerza. Y estando en acuerdo de gobierno en la ciudad de La Plata con presidente y oidores, dijo Su Excelencia, llegando a este capítulo, tratándose de los indios que había mandado venir para el beneficio del azogue: «Mándame Su Majestad que haga esto y remítame los medios, y éstos no pueden ser tales que no tengan [f. 80 v.] alguna violencia; y ha sido necesario para efectuarlo estar mi persona presente.» Y el Consejo Real de Indias se dice que nunca respondió al señor virrey en este particular, cosa por donde se pudiese entender si les había parecido bien el traer tanto número de gente a esta villa contra su voluntad.

Y no sé si es justicia poner la que esta gente tiene cada día en opiniones, pues las cosas dudosas se han de juzgar en favor de la parte más flaca, y de la suya hay determinación auténtica que es la voluntad del príncipe, y resolución de letrados que lo aprueban, y que no es bien andar de profeta en profeta porque no se tope con quien nos engañe.

[f. 81] *De las ventas de indios que se hacen en Potosí.*

Su Majestad, como rey cristianísimo, ha tenido particular cuidado en enviar para el gobierno y buena policía, conservación y aumento de los naturales, muy justas leyes enderezadas a su amparo, defensa y buen tratamiento, para que, como vasallos libres, gocen de las libertades que se permiten a los demás; y si algún defecto e inconveniente hay en la ejecución de lo que tanto se encarga, irá en la remisión y descuido que podrían tener los ministros de Su Majestad en no poner el cuidado que conviene y es necesario para que no reciban agravio ni vejación gente de quien tantos provechos se nos siguen.

Y una de las mayores esclavonías que han padecido los de esta villa (y que mucho importa a la autoridad y reputación de Vuestra Excelencia poner remedio en lo que tan sin él ha estado, cesando las ventas que se hacen de indios [y] sacándolos de esta sujeción y servidumbre), [es que] hacen de ellos y de su trabajo y sangre, trato y contrato como de oro y plata y perlas y otras mercaderías vendibles en que los hombres tratan y fundan sus particulares intereses. A estos indios dan a cambio, el que tiene mano en ellos, teniendo respecto al tiempo porque los piden, reduciendo comúnmente el valor y estima de doce indios al respecto que dan por un año, en mil pesos de plata ensayada en que los venden, y muchas veces se los pagan de contado o lo cobran por sus tercios, quedando libre el vendedor para poderlos enajenar a otro pasado el término porque los vendió y traspasó, como si fueran infieles, que aún venderlos es prohibido, haciendo tierra de conquista la que les entrega Su Majestad de paz, y descubriendo otro rescate de Guinea y de mayor interés, porque allá no se vende el esclavo más que una vez, quedando enajenado el dueño para siempre de él, y aquí al que es libre lo venden muchas y le sale cada indio vendido en más de ochenta pesos ensayados.

El origen de esta perniciosa costumbre y tiranía, que no tiene otro nombre, ha sido nacido de darlos a personas que no los han menester por no tener haciendas en que ocuparlos, que es para lo que se constituyeron y dedicaron; o son los que tienen algunas minas vírgenes, ganando donaciones de ellas; o, cuando se visita el cerro, ponerse por descubridores de vetillas, que ni lo uno ni lo otro no es de ninguna utilidad, para con estos títulos ocurrir a importunar a los señores virreyes que les hagan merced de darles indios como a personas que tienen haciendas o se las señalen por el repartimiento general.

Y para disimular estas ventas las palían algunos so color de compañías con el señor de la mina, el cual la pone (y lo necesario) para sacar el metal a su costa, y después lo parten re-[f 81 v.]duciendo a plata la parte que fingieron pertenece al que puso los indios, o tomándolos en especie. Otros los dan en los ingenios a trueque de molienda y beneficio; y otros porque les bajen metal del cerro. Y, finalmente, el pobre del indio es una moneda con la cual se halla todo lo que es menester, como con oro y plata, y muy mejor.

Síguense de esto muchos inconvenientes, además de privarlos de su libertad y señorío y de querer holgazanes aprovecharse de su sudor, y el gobierno dar ocasión a que pequen usando mal de ellos, que, como les salen a los compradores a ocho reales el jornal por cada indio, con los dos reales y tres cuartillos que pagan al indio por su trabajo, ganando el vendedor horros más de cinco reales, hácenles trabajar más de lo que pueden y sus fuerzas bastan, dándoles tareas que están prohibidas, que no es pequeña injusticia, por esquitar algo del excesivo jornal; y con poca ocasión pierden la paciencia y los maltratan, quejándose de quien permite y da lugar a tal fuerza como los unos y los otros padecen. Y comúnmente los que los venden es gente perdida y vagabunda, que no sirven de más que encarecer la república y andar jugando, y aún a las veces los indios que les dan.

Y es tanta la querella que tienen los señores de haciendas, que piden a Dios justicia de este agravio, porque están [tan] pobres que el jornal ordinario no pueden pagar, cuánto más siendo tan riguroso y que la necesidad les constriñe a estas compras, sin quedarles de los beneficios ningún provecho. Y pues esto no es en fruto de los indios, sino en su perjuicio, no es justo que haya quien tenga de ellos este vasallaje y feudo. Y así es gran delito el venderlos, ni se deben dar a nadie para este efecto, ni permitirlo. Y vista los capitanes y caciques la disolución que ha habido en estas ventas, se aprovechan también de este modo de robar sudores ajenos.

Y era el señor virrey don Francisco de Toledo tan celoso de que no hubiese cosa que oliese a venta de indios, que para remedio de esto defendió la venta de minas e ingenios con ellos, quitándoles el dominio y señorío para poder las tales haciendas traspasarlas en otro poseedor, por quitar esta ocasión, sabiendo que por este respecto tienen mayor valor. Y si los vendían, luego vacaban los indios. Y así ocurrían a pedir licencia para este efecto, virtud y hacienda; y Su Excelencia, siendo persona de quien se esperaba buen tratamiento a los indios, hacía el nom-[l. 82]bramiento para que los tuviese por su mano y ninguno los pudiese poseer sin la voluntad del príncipe.

Y en las capitulaciones que pidieron los factores del azogue, que fué este último arrendamiento de Juan de Pendones, pusieron en esta villa un capítulo y condición en que pedían y suplicaban a Su Excelencia les mandase dar ciento y cincuenta indios de cédula para el aviamiento de los trajines del azogue, minas e ingenios que tenían, pues todo era en servicio de Su Majestad y aumento de su real hacienda. [Y el virrey] lo mandó quitar y escribió al corregidor Loyola, que había de enviar a Su Majestad y Real Consejo de Indias aquel asiento, y que el Consejo sería posible no estar enterado en el modo de dar los indios de cédula, y no se entendiese que intervenían por trueque y equivalencia del concierto, [y] que tendría cuenta de dárselos sin que se pusiese por escrito.

Y así Vuestra Excelencia no será servido de dar a esta gente por vasallos, si no fuere por vía de repartimiento, y ocuparlos en el ministerio para que Vuestra Excelencia les hiciere merced, sin que haya dominio sobre ellos para poderlos vender. Ni su repartimiento y distribución se debe fiar de nadie, por los daños que a éstos se les sigue. Y el desorden que en esto ha habido constará con entera probabilidad para que sean castigados los que usan de esta granjería y se hacen ricos con ellos, mandándoles volver y restituir lo que por este camino les han llevado, metiéndolo por esta cuenta en caja para que se convierta en útiles suyos.

Esta Real Audiencia ha mandado que la persona que vendiese indios se los quitasen, y la plata que les diesen por ellos, y que el comprador pagase de pena cien pesos ensayados. No ha parecido ser este remedio para saberse la verdad, ni el que los compra, o su trabajo, no tiene culpa, pues pretende redimir su necesidad, y así callarán entrambos. Conviniera hubiera un denunciador, adjudicándole parte tal que le moviese el interés a acusar. Pero el más urgente remedio es darlos a los que han menester y tienen haciendas.

Yo espero en Dios que este mal abuso y ventas que hacen algunos con títulos de favorecidos, lo ha de remediar Vuestra Excelencia de manera que los naturales conozcan la libertad y bienes que se les siguen con la buena venida de Vuestra

Excelencia, librándolos de esta opresión y molestia e injuria que se hace a esta nación. Y Su Majestad será muy servido con la rectitud y reformación que habrá desde aquí en adelante en esto y en todo lo que tiene necesidad de remedio.

[f. 83] De las parroquias y doctrinas de esta villa.

Fué necesario para el buen gobierno espiritual de los naturales que residen aquí, para que con más facilidad fuesen enseñados en las cosas de nuestra santa fe católica, acrecentar ocho iglesias que constituyó y fundó el señor don Francisco de Toledo sobre seis que había. Y con ser esta población un asiento de minas, sin los templos de los españoles (que es la iglesia mayor, Nuestra Señora de la Merced, San Francisco, Santo Domingo, la Compañía del Nombre de Jesús, un templo que ahora se acabó, suntuosísimo, y San Agustín, que se fundó de año y medio a esta parte) hay catorce parroquias, cuyas advocaciones son: Nuestra Señora de la Concepción, San Cristóbal, estas dos doctrinas tienen religiosos de la Orden de la Merced; San Francisco y San Pedro, doctrinan religiosos de Santo Domingo; San Pablo, San Sebastián, San Agustín, Santa Bárbara, Santiago, San Benito, San Juan Bautista, Nuestra Señora de la Encarnación, San Bernardo, San Martín, que es la última que se fundó.

Esta [es] una capilla en que dicen misa, sin reducir mil y cien indios de la provincia de Chucuito, que mandó acrecentar el señor virrey don Francisco de Toledo, sobre otros tantos que había días que estaban acá. No están congregados por no haber habido quién tenga este cuidado. Viven repartidos en tres o cuatro doctrinas, sin poderlos el sacerdote confesar ni hacer que oigan misa, por estar derramados por parroquias ajenas, donde tampoco pueden administrarles sacramento, pues tienen bien en qué entender con sus feligreses, y como no están escritos, no pueden tener cuenta con ellos, que es lo que desean por ser mal inclinados. El sacerdote que al presente tienen no los ve sino de ocho a ocho días (y ésos los que se quieren juntar) ni los conoce. Conven-

dría mandase Vuestra Excelencia reducirlos, que el sitio es bueno y espacioso, junto al pueblo, por donde pasa el camino
de Chuquisaca. Hay mucha piedra, que es
grande ayuda, y el agua para hacer pozos
no está honda, y tienen cerca la de Tiopampa.

Al tiempo de la reducción general mandó Su Excelencia reservar a los indios de
alguna parte de sus obligaciones, quitándoles el tercio de su tasa, así a los que
están en la Corona real como a los de los
particulares, por seis meses, en cuyo espacio habían de acabar la reducción. Y porque este tiempo no fué suficiente, les des-
obligó de la mitad de sus tributos y lo
alargó a un año; pero no gozaron de este
beneficio, porque al fin se cobró de ellos
y se convirtió en los ministros de la visita, y parte se metió en las cajas reales,
y lo que se cobró aquí se llevó a Lima.
Por mandato del señor virrey nombráron-
se reducidores a costa de los pueblos; y
éste se podía excusar porque lo hará el
administrador que asiste con ellos.

Todas las demás doctrinas las tienen
clérigos, y después de la reforma-[f. 83 v.]
ción que resultó de la visita tienen de estipendio ochocientos pesos ensayados por
no pagar diezmo, que cuando lo haya ce-
sará esto; y algunos prelados han pretendido llevarlo en plata de lo que montan
las tasas del reino, y no han salido con
ello. Quitóse a los sacerdotes los cama-
ricos, que son raciones y presentes, y el
servicio personal que tenían (porque casi
[todo] lo que les daban los indios era
en comida y ganados, origen y principio
de sus contrataciones y granjerías, y ocasión para engañarlos en las contrataciones que hacían, ocupando muchos indios
en su beneficio y en chacras que les sem-
braban y de muchos regalos de que los
proveían y para su sustento en punas, donde se carece de todo, y les costaba mucho
el traerlos de los llanos y costa de la mar),
quitándoles todo género de jurisdicción
temporal; quebrando los cepos y prisiones que habían tenido para los indios,
con que los tenían supeditados y temerosos y pendientes de su voluntad; y que
no pudiesen castigar pecados públicos,
que para esto Su Excelencia nombró a
los corregidores, librando los indios de
gran sujeción, sin hallar ningún cuidado

de su salvación, como se vió por las averiguaciones que personalmente hizo.

Y porque se halló algún desorden en
servirlos en su casa y cocina las muchachas más hermosas del repartimiento, hijas de los caciques principales, haciéndoles mita por semanas, proveyó que no lo
hiciesen de allí adelante por el escándalo
que se seguía, y habíase pervertido este
loable precepto. Y para corroboración de
él, despachó esta Real Audiencia provisión, la cual anduvo notificando por las
parroquias personalmente don Francisco
de Zárate, juez de naturales, y un clérigo
que estaba en una de ellas respondió que
apelaba, que era tan discreto como esto,
y luego se la quitaron.

Encargó el señor virrey la ejecución de
todo a los corregidores en lo que tocaba
a las temporalidades, satisfaciendo a los
indios, y que adviertan a sus prelados la
corrección de los doctrinantes cuando en
alguna cosa se entremetiesen en perjuicio
de los naturales. Las doctrinas de la provincia de Chucuito también son a ochocientos pesos, y las demás de todo este
obispado a setecientos pesos; y las del
obispado del Cuzco a quinientos y cincuenta pesos, y algunas pasan de aquí;
y las de los llanos y provincia de Lima, a
quinientos y a cuatrocientos.

Y mandó Su Excelencia que el sacerdote que no supiese la lengua general, que
es la que llaman quichua (por decirse así
el pueblo principal donde se habla y usaban de ella los incas en el Cuzco, que
era la cabeza del reino como hoy es, aunque no era la materna que la tierra tenía),
se le quitasen cien pesos ensayados de su
salario, por darles ocasión que la apren-
diesen, por haber visto por experiencia el
descuido y remisión que habían tenido en
doctrinarlos [f. 84] por este defecto, en
cosa que tanto iba a sus conciencias. Y
fué muy de loar el gobierno que tuvo el
Inca—por ser sacado de lumbre de pajas,
por carecer del derecho común y no tener
noticia del estilo y costumbre de otras
naciones políticas—en dar orden como sus
vasallos supiesen la lengua de su corte para poderlos mejor entender y gobernar,
y que hubiese entre ellos más amistad y
amor por comunicarse con un lenguaje,
pues siendo tan diversas naciones y de tan
diferentes lenguas, los hacía de una por

entenderse, volviéndose los extraños y extranjeros naturales. Y esto más parece que fué providencia del cielo que curiosidad suya, para que cuando se predicase el Santo Evangelio a estas gentes, que no habían de gozar los predicadores del primer milagro y maravilla, con solo aprender una lengua que es tan fácil y clara, pues se escribe con nuestros caracteres, se pudiese predicar la palabra de Dios entre ellos.

Pero como la tierra es rica y las granjerías muchas, no sintieron en nada los cien pesos, sin saber un día más que otro, confesándolos por un memorial que breve y sucintamente les preguntaban, sin poder confesar circunstancias más de responder al número de los pecados y predicarles, por voz de un yanacona, el cual les declaraba lo que el padre les decía, interpretándolos como mejor lo comprendía y a las veces como quería. Y Su Majestad, con el cristianísimo celo que tiene en la conversión de estos naturales, envió a este reino una cedula los años pasados, en la cual, como patrón universal, mandó que las doctrinas que vacaren se den por oposición a los sacerdotes que supieren la lengua y sean de buena vida y opinión, y que en cada obispado haya una cátedra donde se enseñe. Y en conformidad de esta cédula, cuando en este obispado vaca alguna doctrina, se pone a la puerta de la iglesia un edicto que lo dice y luego se oponen, y el señor obispo nombra dos sacerdotes que ante todas cosas han de haber exhibido la aprobación del catedrático de que es hábil y experto en la lengua para poder administrar los sacramentos y predicarles; y estos dos sacerdotes presenta el prelado al gobernador, que elige de estos dos al que le parece y a quien más merced quiere hacer, porque entrambos se presupone suficientes en un grado. Declara esta cédula que todos los sacerdotes que tuvieren doctrina, dentro de un año de su publicación sean obligados a traer la aprobación de su catedrático y pasado este término, da por vacas las doctrinas.

El señor presidente puso esta lección en el colegio de la Compañía de Jesús; es catedrático el padre Alonso de Bárzana, de la dicha Compañía del Nombre de Jesús, letrado y siervo de Dios y gran predicador, y que ha tenido particular gracia suya para la conversión de estas gentes en saber la lengua quichua y aymará, que es también muy general en los distritos del Cuzco, Arequipa, Collao y Charcas. Y fué cosa muy acertada y conveniente lo que hizo el señor presidente en poner esta cátedra en este colegio, por el cuidado que han tenido los de esta religión en aprender estas lenguas y mostrarlas [f. 84 v.] antes de ahora, haciendo gran fruto en los naturales. Y también convino porque si se pusiera en otro estado, por ventura no hubiera la libertad que tiene el padre Bárzana en dar las aprobaciones a quien verdaderamente las merezca y, no estando en persona de tan reformada vida, era cargo muy dispuesto para hacer grandes sobornos. Y este lugar es más cómodo para leerla que la ciudad de La Plata, por asistir aquí muchos clérigos que hospedan a los que la oyen en sus doctrinas. Señalósele por estipendio de esta lección mil pesos de plata ensayada.

Y Su Majestad ha proveído ahora últimamente una cédula, dada en veinte y seis de octubre de ochenta y tres años, en que habla con los prelados de este reino, diciendo que la causa de haber proveído religiosos en las rectorías de las doctrinas y curatos de los naturales había sido la falta que había habido de sacerdotes clérigos de la orden de San Pedro, a quien pertenece por derecho antiguo de la Católica Iglesia la administración de los santos sacramentos, encargándoles que desde allí adelante en las doctrinas que vacaren sean preferidos los clérigos a los religiosos, y que repartan las que quedaren entre las órdenes.

Púsose en ejecución esta cédula por el ordinario con más rigor que ella dice, pues da lugar a que vaquen las doctrinas, y el clero se anticipó a despojar a los frailes de las que tenían, poniendo clérigos en su lugar; que no lo sintieron poco, por el socorro que tienen los conventos y ser los primeros que extirparon la idolatría de estas naciones. Tornáronselas a restituir hasta la decisión de la causa.

La iglesia mayor de esta villa se sirve bien y con ricos ornamentos, y todas las demás iglesias y doctrinas; y este año pasado se acabó y es buen edificio, y el cura que tiene, ha poco que vino de Castilla, proveído por Su Majestad; y la vicaría usa por el señor obispo con audiencia eclesiástica, donde no faltan negocios.

Hay un hospital que llaman de San Bartolomé, donde comúnmente se curan muchos enfermos, así españoles como naturales. Tiene de renta al pie de catorce mil pesos corrientes y con las limosnas veinte; y los diez mil se gastan en salarios de los ministros y en el sustento de sus personas, sin lo que se gasta en la botica y con los enfermos, que es mucho, pues solos los sanos consumen la mitad.

[f. 85] *De la provincia de Chucuito y del administrador que asiste en esta villa para la cobranza de los tributos*

Esta provincia es un pueblo de naturales con título de ciudad, que tiene seis pueblos principales de la nación lupaca en el Collao sujetos a ella. Está asentada en el camino real que de esta villa va al Cuzco junto a la laguna grande de Titicaca, que tiene más de ochenta leguas de contorno y de hondo setenta y cinco u ochenta brazas, en la cual entran caudalosos ríos, y ella tiene por desaguadero un río grande que desagua en otra laguna, de donde por debajo de tierra van a dar sus aguas al Mar Austral, y ésta lo parece por su grandeza. Es abundante de pescado y cerca de su ribera están estos pueblos que son de la corona real. Y los señores virreyes, antecesores de Vuestra Excelencia, proveían para su gobierno un corregidor y de pocos años a esta parte Su Majestad la ha hecho gobernación y provee los gobernadores. Es oficio de importancia y de muchos aprovechamientos por ser rica la provincia y sus moradores, y está cerca de la costa y de los valles de Arequipa, y ser abundantísima de ganado de la tierra y de mucha ropa, y de paso real de todo el reino; no se coge en ella más que papas de que se hace el chuño, que es su principal mantenimiento, y quinua.

Desde el principio de la conversión de esta nación, fueron los primeros que les predicaron el evangelio los religiosos de la orden de Santo Domingo, los cuales edificaron suntuosas casas y monasterios, que pueden ser buenos en España, y sobre esto tiene Su Majestad mandado que cuando se fundare y edificare alguna iglesia de indios, sea su edificio humilde y sin grandeza, por no fatigarlos con la demasiada obra. Sucedió que al tiempo que el señor virrey don Francisco de Toledo llegó a visitar esta provincia, por causas que le movieron quitó a estos padres las doctrinas, y la una tienen los de la Compañía de Jesús y las demás, clérigos con su vicario.

Ya he dicho como de esta provincia residen en esta villa dos mil y doscientos indios tributarios, los cuales se truecan por sus mitas como los demás. Y el señor virrey don Martín Enríquez, para el gobierno y administración de estos indios, nombró y puso un receptor y administrador con vara de justicia, para que [f. 85 v.] cobre de ellos los treinta y cinco mil y doscientos pesos ensayados que están obligados a dar a Su Majestad en plata, porque la ropa que pagan la entregan a los oficiales reales sin estar a cargo del administrador. Para recoger esta plata hay una caja de tres llaves, que está con las demás cajas reales en el quinto; la una de ellas tiene el tesorero de Su Majestad, y la otra el administrador, y la tercera el capitán de la provincia.

El cuerpo principal de la tasa se cobra de los dos mil indios, y los doscientos vienen para que con ellos se suplan las mermas y faltas que podía haber en la cobranza de los dos mil, cobrando de los unos y de los otros su tasa y si alguna cosa sobrare, queda en la caja para faltas. Por cuenta aparte mándasele al dicho administrador cobre cada mes de cada indio el peso y medio que les cabe de pagar, a cumplimiento a los diez y ocho que tienen de tasa, con asistencia del capitán y principales, y que luego otro día después de la cobranza lo metan en la caja, asentándolo en el libro que para esto tiene ante escribano que nombró Su Excelencia. Y que cada seis meses, por San Juan y Navidad, sea obligado a entregar la plata que así hubiere cobrado a los oficiales reales; y si se quedaren algunos indios en esta provincia, se cobre de ellos los diez y ocho pesos y lo que va a decir de tres pesos que pagan por su tasa en los pueblos, se meta en la caja para las dichas mermas.

Ocúpanse en la administración y buen gobierno de estos indios el receptor, a quien se da de salario mil y doscientos pesos ensayados, y a quince principales a cuarenta, y a seis alguaciles a veinte; y esto han de cobrar enterando la tasa en la caja porque, de otra manera, no han de llevar los unos y los otros más que la mitad de sus salarios. Y esto ha de ser del interés que se gana de barras a reales, porque el indio cumple con meter y pagar la tasa en plata ensayada. Y porque se va cobrando de ellos cada mes, y en reales, está ordenado que con ellos se compren barras, en las cuales se suele ganar a dos pesos y medio por ciento del cambio. Ahora tres o cuatro años se interesaban a ocho y, de esta [f. 86] ganancia y del más aumento que hubiere de la resulta de los doscientos indios, se han de pagar los dichos salarios, aunque es verdad que al tiempo de despachar la plata para las armadas valen más las barras que reales, y se suele dar interés por ellas.

El escribano de la cuenta de esta caja, que es Felipe de León, tiene trescientos pesos ensayados de salario y es uno de los públicos, de cuatro que hay en esta villa, con tantos negocios así criminales como civiles, que de día y de noche tienen que hacer con las marañas de este pueblo. Esta gente de la provincia ha servido siempre mal a las personas en quien están repartidos, porque ausentan y hacen muchas faltas, por ser de tierra rica y tener muchos aprovechamientos de ganados y otros útiles, y con el cuidado que puso en esto el señor virrey don Martín Enríquez y el que tiene el administrador, se van enmendando y haciéndolo bien.

[f. 87] *De los indios mingados y del desorden que hay con ellos*

[Es grande] la necesidad que tienen los vecinos de esta villa de indios para el aviamiento de sus haciendas, por no ser bastante el número de los repartidos por las muchas minas que hay y los ingenios que se han ido cada día haciendo (contra lo que está proveído acerca de esto en que se prohibe no se edifiquen más ingenios, con apercebimiento de que no se les darán indios para ellos, y por esto no

los han dejado de hacer, confiados que cuando los visitan no tiene cuidado de dejarlos aparte, como hijos bastardos que no es razón que entren con la participación de los legítimos, para quien fueron adjudicados el tercio de indios), y por haberse hecho tantos—y muchos que no tienen más que el nombre para con esto defraudar a los antiguos—quedan los unos y los otros con necesidad. Y caso que fuese justicia el repartirles indios, debíanseles de dar de los inciertos y que no están aquí, para que tuviesen cuidado de solicitar su venida. Y si esto no se corrige y reforma, así en lo de los acrecentados como en otros muchos artificios de moler que son impertinentes, irá cada día creciendo más la necesidad.

Y por la que ahora tienen, les es forzoso alquilarlos de muchos [indios] que de la parte reservada tienen este modo de granjería, poniéndose en algunas plazuelas donde los van a buscar los que los han menester, que son todos, porque a cada ingenio le faltan otros tantos como tienen. Danles cada día cuatro reales y un cuartillo, y algunos les añaden coca por tenerlos más ciertos y que con más voluntad vayan a trabajar en el beneficio, porque para el moler no se hallan, por ser cosa de más trabajo, que es lo que hacen los de cédula.

Tienen costumbres los mingados de, antes que vayan donde son llamados, recibir la plata, por abonado y conocido que sea el que los lleva, y por aventajado tratamiento que les haga para que continúe toda la semana, [que] no lo harán aunque se lo paguen de contado, que se lo ofrecen de buena gana, que tan desavenidos son en lo que queda en su mano. Lo cual hacen, por no tener obligación y cuidado de volver otro día de mañana a hora de poder hacer hacienda, y tener libertad de irse a alquilar a mediodía con amo nuevo que no les riña el no haber venido con tiempo a la obra, de que se siguen muchos inconvenientes, además de la injusticia de llevarles el jornal por entero. Y sobre venir a las diez se van a las cuatro, y muchas veces como tienen el dinero en su poder, entran por una puerta y salen por otra sin ninguna vergüenza. Y lo que hacen es con tanta flojedad y pereza, que dejan por acabar de repasar el metal en los buitrones, cosa en que se recibe gran daño y perjuicio porque el metal que, yendo por orden de los repasos y fuegos, se lava y tiene sazón en seis días, que es lo ordinario, por hacer estas faltas se va interpolando, de manera que con nueve o diez repasos y fuegos no está maduro, por irse acabando el calor y volverlo de nuevo a dar, y se pierde más azogue y acude menos plata, y es la costa al doble y sobre todo se pierde el tiempo y no se pueden cumplir los fletamentos con los beneficiadores porque [f. 87 v.] viene a faltar el agua de esta ribera. Y suceden muchos hurtos, por andar la plata entre tantos indios sin hombre, y en todo hay mucho descuido, porque como no pretenden volver otro día no les da pena lo que falta ni dejarlo mal acabado.

Y así se va continuando este desconcierto y desorden, por malicia de esta gente que no tienen más virtud que ésta y parecen de otra nación y lo que tienen de corregidos, siendo de cédula, tienen de malos y perversos cuando se alquilan.

Los que se mingan para la labor de las minas no vienen a estos lugares, porque en sus casas y rancherías se conciertan con las partes dándoles cuatro reales y el aprovechamiento del metal, aunque los mineros dicen que no lo conciertan expresamente ni es su intención dárselo, sino que es hurto que disimulan por haberlos menester; y no por esto deja el indio de adquirirlo con buen título porque el minero diga que le falta la intención, pues da el consentimiento. Y como quiera que sea, si esto faltase no irían a las minas; porque claro está que para servir en una cocina hallarán cuatro reales y de comer, luego desatino sería no teniendo más interés que éste ir donde con tanto trabajo y riesgo lo ganan. Y ésta es conclusión con que [se] justifica la contratación del rescate y se responde a lo que dicen los mineros: que por no tener los indios que han menester les es forzado mingarlos, de donde se sigue el robarlos. Yo no hallo obligación para dárselos y hay muchas para lo contrario, y cuando hubiera número suficiente, no fuera justo sujetarlos a esta servidumbre, como antes tengo dicho. Y alegarán que tenían todos los indios por repartimiento y tasación de jornal, y

que era hurtado el jornal que los indios poseyesen; y cuando hubiera cantidad tan bastante que se pudieran dar los que eran menester, no convenía hacerlo por este respecto. Y caso que se declare ser ilícito el rescate del metal, quedaba por remedio para su conservación el quitar los indios del cerro por vía de cédula, obligando [a] aquella parte que se había de repartir a las minas que el lunes estuvieran en la plaza y que allí se alquilaran con quien los hubiera menester, que de creer es que fueran con quien mejor partido les hiciera y de esta manera poseyeran metales cuando cesara por esta otra. Pues ellos dicen que no son señores de sus minas, justo es que lo sean los indios de su libertad sin coartársela por jornal. Vuelto a las minas [los mingas], conviene dar orden de manera que, pues que se les paga lo que se concierta con ellos, tengan cuidado de trabajar como los de cédula, que mandó el señor don Francisco que comenzasen hora y media salido el sol, y les diesen una hora a mediodía para comer.

Con ellos se padece mucho y son causa que haya ventas que se hacen de su trabajo por tener los de cédula visto cuán mal [f. 88] lo hacen por jornal. Y pues éste es mayor que el ordinario real y medio, cosa justa será y buen gobierno que tengan obligación de trabajar como los demás y seguir la semana, sin que pierdan los amos y mozos de los ingenios tanto tiempo en irlos a buscar cada día, que es trabajo intolerable, y que no tienen todas [las] veces los reales para ello y que cumplan con pagarles el sábado.

Otra manera hay de indios mingados, que son los que alquilan los caciques para poder cumplir con los que tienen obligación de repartimiento, por la falta que tienen de ellos por acudir a muchas cosas, así por las nuevas distribuciones que se han hecho como los que dan de ruego a personas privadas, bien contra su voluntad por no poder más, que no es pequeña carga. Y a éstos pagan tres pesos por cada semana que van a trabajar, aunque tengan fiestas; y éste cobra del español, además de los tres pesos, el jornal ordinario, vejación digna de remediar por lo que padecen los caciques y principales en la minga de estos indios con dejarlos con la carga de su primera obligación sin echarles otra, y también lo podían hacer por no tener en la villa los indios que han de residir aquí, por no haber quien tenga cuidado de que se truequen las mitas, que es cosa muy necesaria e importante. Y de esta manera de mingar usan también algunos indios cuando por alguna indisposición u otro respecto y ocupación no quieren ir a servir y hacer su mita, dando de su casa los tres pesos al que se ofrece a ir por él, el cual goza también del jornal. Quien tuviese discurso para considerar estas cosas, y la poca obligación o ninguna que tienen estos indios para hacer esto por cumplir con nosotros, no se maravillará aunque les viesen algunos excesos.

[f. 89] *Del abuso de la coca y de los daños que de ella se siguen a los indios*

Una de las cosas que ha tenido necesidad de remedio y que mucho importaba a la reputación y cristiandad de nuestra nación darlo, por ser gobernada de tan santas leyes, es la extirpación y uso de la coca, por ser abuso en que tienen los indios con ella nacido del error de sus vanidades e ignorancias, ni tener más fundamento que una antigua costumbre de este supersticioso vicio. Y así ha parecido a muchas personas espirituales que convendría quitarla, si nuestro interés diera lugar a cosa tan justa.

Es la coca hoja de unos arbolillos que se crían en los Andes, que están veinte leguas de la ciudad del Cuzco, en tierra húmeda y lluviosa y de grandes montañas de arboleda, donde se crían diversos animales como en Africa, y es tan calurosa como Tierra Firme. Estos árboles, que serán de alto como un estado y menos, los pelan y deshojan cuatro veces en catorce meses, porque cada tres meses y medio se tornan a cubrir y hermosear con ellas, sin otro fruto más que la semilla de que se planta. Benefíciase con indios, en que se ocupan gran cantidad. Es trato grosísimo y necesario al comercio del reino por el interés que se sigue de él, no sirviendo de otra cosa sino que gasten los indios cuanto adquieren en ella, sin ser cosa comestible ni les pasa de los dientes. Y es tanta la afición que le tienen que, si les faltase, dicen no sería posible servirse de ellos. Aquí gastan los de esta provincia al pie de un millón de pesos corrientes cada año, y por esto se entenderá lo que se consumirá en la coca en todo lo demás restante, porque como los indios la compran por menudo, les cuesta y sale cada cesto, que tiene de hoja diez y ocho libras, a diez pesos corrientes; y cuando hay falta suele valer a diez y quince pesos ensayados, y por ningún precio la dejarán de comprar. Y si gasto tan excesivo y exorbitante es lícito, no sé en qué se fundan las leyes que defienden que no coman los pueblos mantenimientos caros y costosos (porque no gasten sus haciendas en ellos) si en una cosa que notoriamente sabemos que no es mantenimiento, y permitimos que les cueste a estos pobres cuanto tienen.

El señor don Francisco de Toledo visto la vanidad que en esto había y como los indios estaban pobres por estas causas, y ser gasto perpetuo el que con estas [f. 89 v.] hojas secas y sin sustancia tienen, y que interviene en sus sacrificios e idolatrías y que hoy la ofrecen al demonio, y que su beneficio cuesta infinitas vidas, por ser la tierra de diferente temple y enfermar los indios de un mal incurable que llaman de los Andes, que es peor que bubas y de aquella especie su humor, consumiéndolos de manera que no les deja más que los huesos y el pellejo lleno de llagas, de que se vienen a morir. Y pareciendo a Su Excelencia que convendría al descargo de la conciencia real y bien de los naturales quitar las chacras de coca, así de los Andes del Cuzco como la que se cría en los de la ciudad de La Paz, Guamanga, Chuquisaca y en los llanos, haciendo muchas averiguaciones en el Cuzco sobre ello, a que salieron los vecinos de aquella ciudad, por ser interesados en este trato, y los prelados dijeron sustentarse con lo que les valía los diezmos de ella, y porque es de prudente cuán arduo y dificultoso fuere un negocio tan grave sea el consejo y resolución que sobre él se tomare, hizo juntar los letrados y personas doctas de aquella ciudad Los cuales el parecer que dieron fué con cierto resguardo que era el estilo viejo de hablar a los señores virreyes, diciendo que aunque era justo quitar la coca, o por lo menos dar orden como no se acrecentasen más chacras y que se fuese consumiendo, de manera que poco a poco fuesen sintiendo la falta que les había de hacer este socorro, que era mucho, convenía conservarla por ser más de cuatrocientos hombres los que en aquella ciudad se ocupaban en este entretenimiento, y que los vecinos no se podían sustentar en el aparato que tenían, por no bastar los tributos de los indios a lo que gastaban; y que en el Collao se ocupaban más de trescientos hombres rescatando ganado de la tierra, que es en que se trajina la coca, y los indios tenían salida de su ganado para la paga de la tasa; y que en esta villa estaban otros cuatrocientos hombres que trataban en ella, y que faltando este trato quedaban ociosos y perdidos; y que estas dos cosas habían sido ocasión de las alteraciones pasadas y que era cosa importantísima al bien general, y que no habría más Potosí de cuanto durase la coca.

Y fué tanto el odio que todos tomaron a las diligencias que se hacían, que decían por los rincones que no bastaba [f. 90] que había venido el señor virrey a tomar una residencia general a todos los estados, sino que quería quitar los bienes de la Iglesia, y que siendo Dios servido que, ya que faltaba el fruto a los árboles por la esterilidad de la tierra daba valor a las hojas para con ellas sustentar a sus ministros, se lo quería quitar.

Y sobre esto escribió a Su Majestad, enviando lo que se había escrito tocante a esta materia. Y el Consejo Real de Indias envió una provisión en que se les remitía el negocio, advirtiéndole por cartas de cosas que le movieron a pasar por lo que hasta allí habían hecho sus antecesores, siendo de contrario parecer, como lo dijo cuando quiso hacer las ordenanzas, que no se lo agradeciesen a él sino a Su Majestad, las cuales hizo con la mayor justificación que fué posible. Y entiendo no se han guardado en cuanto al plantar, y por las tasas parece haber mandado a algunos indios pagar la suya en coca, en tierra donde tienen los indios chacras de propiedad y no ser tan enfermas como las del Cuzco.

[f. 91] De la Hacienda Real y comercio general de esta villa y reino

En el discurso de esta relación he tratado de cuánta importancia es a la conservación y aumento de este reino la riqueza de esta villa y cerro. Y aunque esto se deja bien entender, pues no hay otro recurso que importe sino el de sus metales, quise especificarlo a Vuestra Excelencia porque por este cuaderno se deja comprender lo que es Potosí y su armonía, pues no será mayor su grandeza y calidad cuanto fuere su aprovechamiento, así por el que tiene Su Majestad como el general de todos. Y de esto nacerá el cuidado que tendrá Vuestra Excelencia de él, hallándole agradecido y que responde a la merced y beneficio que se le hiciere, por ser la fuente de donde mana y procede la plata y el fiador que acredita y abona a los del Perú para enviar en su confianza de Castilla tan gruesas armadas cargadas de mercaderías.

Por esto verá Vuestra Excelencia lo que fué la riqueza pasada, y como vino de lance en lance a faltar su prosperidad y a llegar a la miseria y calamidad en que estuvo y como, por medio de azogue, ya que se iba acabando, tornó otra vez a convalecer y restaurarse con gran pujanza, y el estado en que está hoy, y lo que valen los quintos reales, y el consumo y gasto de las mercaderías y coca, y lo que se puede colegir será en lo de adelante, razón era que pertenecía a los oficiales reales y débolo yo hacer por cumplir con el título que le puse de Relación general, que entiendo lo ha sido en la parte exterior y pública; la interior y secreta, tocante al gobierno resultará de la visita, si no padeciere algún detrimento, de que advertirán a Vuestra Excelencia los procuradores de esta villa dando relación por palabra viva de muchas cosas que no se hace tan bien en escrito, especial si son odiosas. Y ésta será tan bastante y verdadera, cuanto es necesaria para que lo que se proveyere sea con la rectitud y discreción que conviene.

Debajo del título de Hacienda Real se comprende en esta nueva tierra los derechos reales, que propiamente son los pechos y tributos, y las rentas de los puertos almojarifazgos, con lo que pertenece por los quintos. En esto hay en España alguna distinción, por los servicios, y moneda [f. 91 v.] forera, y martiniega, y los pedidos, que cesa acá por estar la tierra privilegiada. Y así escribo sólo de esta real caja, y de los quintos que entran en ella de la plata, y de los tributos que se cobran aquí con los repartimientos puestos en la corona real y los consignados a la compañía de los gentiles hombres, lanzas y arcabuces, y lo que valen los azogues, y finalmente lo que pertenece a la real hacienda.

Y para que se vea el discurso del cerro y sus mudanzas, pongo los quintos de los primeros años de su descubrimiento y población, cuando lo gobernaba el señor licenciado Polo Ondegardo, suegro del muy ilustre señor don Pedro de Córdoba Mesía, y que por sus muchos servicios, nobleza y valor de su persona mereció, después de haber servido a Su Majestad en la batalla de Jaquijaguana y vencimiento de Gonzalo Pizarro y sus secuaces, tener el gobierno de estas provincias y ser dos veces corregidor del Cuzco, en cuyo tiempo estaban en su casa las cajas reales, en las cuales se metía a quintar cada sábado de ciento y cincuenta mil pesos a doscientos mil y valían los quintos treinta y cuarenta mil pesos, y cada año más de un millón y cuatrocientos mil pesos. Y esta riqueza se fué enflaqueciendo y delgazando en tanto extremo que lo que valían los quintos al principio en un mes no valían más en un año, yendo cada día en disminución. Y desde el beneficio del azogue, que comenzó año de setenta y cuatro a dar fruto, tornaron poco a poco a crecer y a aumentarse, así como se iban ensanchando los beneficios y a edificar los ingenios, como verá Vuestra Excelencia por esta tabla, que es de los quintos que ha habido desde el año de mil y quinientos y setenta hasta el de ochenta y cuatro:

año de 1570	177.275	pesos
año de 1571	167.864	pesos
año de 1572	129.532	pesos
año de 1573	105.926	pesos
año de 1574	193.786	pesos
[f. 92] año de 1575	256.732	pesos
año de 1576	336.144	pesos
año de 1577	475.483	pesos
año de 1578	530.021	pesos

año de 1579	688.164	pesos
año de 1580	749.516	pesos
año de 1581	802.923	pesos
año de 1582	860.729	pesos
año de 1583	768.599	pesos
año de 1584	764.143	pesos

Los dos años últimos tuvieron mucha diminución los quintos por haber sido estériles de agua y por esta causa haber molido poco los ingenios de esta ribera; y por ser fértil éste de ochenta y cinco han valido los quintos desde primero de enero hasta San Juan quinientos y diez y seis mil y ochocientos y tres pesos, y entiendo llegarán a un millón, porque aunque es pasada la molienda de esta villa quedan muchas harinas por beneficiar (por no tener indios para acudir a todo y la gran falta de azogue que ha habido y hoy hay) y lo que procederá de lo que se beneficia en Tarapaya y en algunos ingenios de caballo.

Los quintos del azogue son conforme anda la labor en las minas de Huancavelica donde parece se saca un año con otro de ocho mil y quinientos a nueve mil quintales a lo menos. Estos tres años de este arrendamiento de Juan de Pendones, que comenzó a correr desde el de ochenta hasta ochenta y tres, se han entregado con el azogue de los quintos veinte y ocho mil y veinte y nueve quintales, que ha salido cada año a nueve mil y trescientos y cuarenta y dos quintales, que han valido a Su Majestad los derechos, de a treinta pesos por quintal que se cobra en esta caja, doscientos y ochenta mil y doscientos y sesenta pesos, sin lo que ha montado el azogue que se ha entregado en cada un año a los factores por los quintos que se cobran en Huancavelica, que están obligados a pagarlos en Lima a cuarenta y dos pesos como el azogue de los particulares; y ha montado el que se ha entregado por cuenta de quintos doscientos [f. 92 v.] y treinta y ocho mil pesos, que salen en cada un año del trienio a ochenta mil pesos escasos, procedidos de mil y ochocientos y ochenta y ocho quintales, que es lo que han montado los quintos de un año.

Y toda esta plata que es de los quintos deben hoy los factores, y crea Vuestra Excelencia que si Juan de Pendones no estuviera en este arrendamiento importara

poco haber subido el azogue a setenta y
dos pesos, pues todo se hubiera perdido y
los vecinos de esta villa lo estuvieran como fiadores de este arrendamiento, y no
fuera posible haber salido bien de este
negocio si no estuviera él en él, pues sus
amigos y la mucha hacienda que tiene
ha sido parte para tener en pie la hacienda
real, y toda la merced que Vuestra Excelencia le hiciere cabe bien en él por sus
canas y virtud y por lo que en esto ha
servido a Su Majestad.

La cuenta del azogue no está por los
libros reales con entera claridad, por no
tenerla los oficiales de aquí para poder cobrar los treinta pesos que pertenecen por
quintal a Su Majestad del azogue que entra
en este almacén, por no estar dado orden
que baste a obviar la malicia que puede
haber en dilatar los factores la paga; y
vale a la real hacienda en cada un año lo
que se interesa en el azogue más de trescientos y sesenta mil pesos. Tiene Su Majestad, de trece repartimientos que están
puestos en su real corona que se cobran
en esta caja, ciento y cuarenta y tres mil
y tres pesos, sin la ropa de la provincia
de Chucuito, que son siete mil y ochocientos y veinte y tres piezas, y los mil y quinientos cestos de coca de Pocona, y las
seiscientas fanegas de maíz de Zipizipi, y
lo que se cobra de la tasa de los yanaconas; que montan estas partidas poco más
[de] cincuenta mil pesos, que es conforme
el tiempo, por la variación que hay en los
precios. Quien saca la ropa gana largo
en ella.

También se cobra en esta caja, de nueve
repartimientos consignados para la paga
de las lanzas, veinte y cinco mil y trescientos y ochenta y seis pesos. También
tiene de aprovechamiento Su Majestad en
la casa de la moneda, de lo que se labra
y bate en cinco hornazas, que un año con
otro es más de ciento y cincuenta mil marcos. Y de cada [f. 93] uno pertenece por
el señoraje un real, que viene a montar
doce mil pesos ensayados, que está a cargo
de los oficiales reales el cobrarlo del tesorero de esta casa. Vale asimismo a Su
Majestad el tercio que se aplican de con-
denaciones de cámara, un año con otro de
cinco a seis mil pesos, y el de ochenta y
cuatro fueron cinco mil y seiscientos y

diez y siete pesos ensayados, por ser grande el número de los jugadores y amancebados, de donde se sigue mucho escándalos por las continuas pendencias y muertes que suceden cada día. Y de extraordinario que se recibe en plata, así de cosas
rezagadas que se van cobrando como de
oficios cuando se venden, vale de quince
a veinte mil pesos, y el dicho año montó
veinte y nueve mil y cuatrocientos y veinte y nueve pesos. Y en las cuentas que se
tomaron en Chuquisaca desde el año de
setenta y nueve hasta el de ochenta y tres,
se halló en la caja, de sobras de la plata
que se recibe, más de diez y nueve mil
pesos ensayados, que sale cada año a seis
mil.

Hay orden para que en cada un año las
den a un oidor de la Audiencia que acos-
tumbra venir a esta villa a tomarlas, y como ha habido falta [de oidores] y copia
de ellas [de cuentas], se dilató tanto. Hay
instrucción de que en habiendo en las
cajas cincuenta mil pesos, los despachen
al puerto de Arica para que se vaya recogiendo en la de Lima para el despacho
de la armada.

De manera que vale a Su Majestad en
cada un año lo que entra en esta caja
por su Real Hacienda, un millón y trescientos y noventa y un mil y seiscientos
pesos ensayados, sin los veinte y cinco
mil y tantos de las lanzas y echando ochocientos mil pesos de quintos, y en esto
antes quedo corto que largo, pues espera-
mos que los de este año llegarán a un millón, y con el nuevo orden de Vuestra Excelencia los habrá cada año.

Está en esta casa real la fundición, con
cinco fuelles, donde se funde la plata que
se viene a quintar y hacen las barras, que
son de doce a trece mil; y el año pasado
de ochenta y cuatro, que es en el que fijó
la cuenta, fueron once mil y doscientas y
nueve barras de plata de azogue, y las mil
y treinta y nueve tejos de guaira, que
valieron doscientos y noventa y nueve mil
y ciento y setenta y ocho pesos. Y por esto
se entenderá la falta que hay en el metal
de guaira, pues el año que menos ha valido los quintos fué el de setenta y tres,
y se metieron a quintar más de quinientos
y treinta mil pesos, sin más de otros tantos que se consumían y andaban en plata

corriente por no haber reales; y ahora valen los quintos de la guaira de sesenta y tres mil a sesenta y cuatro mil pesos; [f. 93 v.] verdad es que era el tercio de plomo. También creo que va esta falta en que todo el metal se guairaba entonces y ahora lo benefician muchos por azogue por rico que sea, porque en el tiempo de que voy tratando no era mayor el número de los indios que lo vendían que es el de ahora, aunque era mayor el de los que lo rescataban.

El rescate de estos tejos es de grande interés, por ganarse más de a diez por ciento de una mano a otra y con poco caudal, por comprar plata con plata. En tiempo del capitán Martín García de Loyola, mandó que el ensayador los viera y a la vista los ensayara, porque fuera mucho trabajo haberlo de hacer por el bocado y costa que se les recrecía a los indios, y que les pusiera una marca de los reales que valía cada peso, porque son de diferentes leyes. Y hase pervertido esta orden y entiendo que no es necesario, porque el indio sabe lo que vende. Tratan muchas personas en ellos y acuden los indios a quien más amistad quieren hacer y con facilidad se acuestan a donde los inclinan.

Hay también otra contratación riquísima que es la del rescate de las piñas, que serán más de treinta mil; y las veinte y cinco sabemos que se funden, y las demás se sacan para labrar vajillas y lo que corre en el pueblo, con que se compra en las tiendas; y la mayor parte se rescatan, porque los ingenieros y beneficiadores los van trocando a reales. Y de esto hay bancos que no tiene otra cosa, donde los van a vender; gánase en cada dos piñas, de que se hace una barra, de sesenta y cuatro a sesenta y cinco marcos. También se rescatan tejos de plata de azogue que, por hallar los reales cuando hay falta de ellos, suelen fundir las piñas y son de mayor ganancia para quien las compra, por no tener merma como las piñas y barras ensayadas y marcadas. Se rescatan y tienen el interés conforme al tiempo, como dije en [el capítulo de] la provincia de Chucuito.

También es grosísimo el trato que hay en esta villa de ropa de Castilla y es tan grande, que monta cada año más de un millón y doscientos mil pesos lo que se consume y entra por mar por el puerto de Arica como lo que viene del Cuzco, sin más de cincuenta mil pesos de paños, bayetas, y cordellates de Quito, de Guánuco, y La Paz, y cien mil pesos de ropa de la tierra, y veinte y cinco mil de ropa de Tucumán, que es mucho lienzo de algodón, alfombras y reposteros, miel, y cera y ropa de indios. El hierro que se gasta en los pertrechos de los ingenios es cantidad de más de tres mil quintales; el vino de Ica, Camana, Arequipa, que son vinos de la costa y de [f. 94] otros valles de ella, y lo de Caracato, que es del distrito de La Paz, es grande la cantidad que entra, que debe llegar a más de quince mil botijas, que se venden de ocho pesos y medio a nueve ensayados. De Castilla entran más de ocho mil botijas que valen de quince a diez y seis pesos ensayados; las conservas y azúcar es mucho lo que se gasta. Y finalmente, su contratación parece una gran ciudad y con la riqueza de la plata es muy de ver este asiento, y por otra parte es de considerar que la primera cosa que han de decir los procuradores a Vuestra Excelencia es que está esta villa perdida y sus vecinos pobres, y que si no les bajan el azogue y el jornal de los indios no se podrán sustentar.

Y por esta relación verá Vuestra Excelencia, como los quintos cada año han ido aumentando y que la caja se entera en los tributos, como las demás del reino, y que es grande el consumo de azogue y coca, cuya contratación monta un millón de pesos corrientes, por gastarse de noventa a noventa y cinco mil cestos de coca, y el año de ochenta y tres fueron cien mil. Vale en el Cuzco un cesto de dos pesos y medio a tres, y vale aquí, de contado, de cuatro y seis tomines a cinco pesos ensayados, y es el género sobre que se hacen todas las mohatras, por la grande expedición que hay de ella.

El traje y ornamento de este pueblo ya he dicho que es tan lucido y costoso como en Madrid, y que la parte de ejercicio y ocupación es mucha, pues dan a siete y ocho reales cada día a un indio; los juegos y rifas no tienen cuenta; al juez de la pelota le vale más de seis mil pesos cada año y el señor virrey don Francisco no quiso que en su tiempo la hubiese, porque todos acudiesen a ocuparse en el beneficio de metales y en trajinarlos, por el inconveniente que se sigue de haber gente ociosa, especial en este asiento. Las limosnas son magnificentísimas, pues vemos que de pocos años a esta parte los padres de la Compañía de Jesús han hecho y acabado la casa e iglesia que tienen y otras muchas posesiones, y se suele sacar, en una demanda que se hace para obras de esta manera, catorce o quince mil pesos. Cosas son que ponen admiración y por otra parte, ver cuán arruinado está el cerro y los metales sin ley, y todos con tan gran querella y miseria. La concordancia de estas cosas remito a los procuradores que tienen obligación de dar razón de todo.

Los años pasados se echó por este cabildo una imposición, que está confirmada por la Audiencia, de medio peso por ciento sobre toda la ropa que entra en esta villa, así de la Castilla como de la tierra, coca, y mantenimientos, para un puente y otros reparos y se ha quedado con haber cesado la causa para que se echó. Dan quinientos pesos a un hombre que tiene cuidado de cobrarlo, y algunos intentan de hacer postura por arrendamiento; y la Audiencia dió ahora vara a quien lo cobra, que hasta aquí no la ha tenido.

Cuán grande haya sido la riqueza que ha procedido de este cerro, testigos son de esta in- [f. 94 v.] creíble grandeza la que ha tenido este reino, Castilla, y el de Tierra Firme. Y para que Vuestra Excelencia vea la cantidad que de él ha salido, he hecho la cuenta de lo que se ha metido a quintar en esta caja, aunque no permanecen los libros de sus primeros quintos con la claridad que hoy hay, porque los primeros años se hacían las cobranzas por romana, tanta era la grosedad que había, y no me fuera posible dar razón de esto si no me hubiera quedado en la memoria la averiguación que hizo el señor virrey don Francisco el año de setenta y cuatro, antes que comenzasen los azogues, y halló que fueron setenta y seis millones; y desde este año hasta el día de San Juan de ochenta y cinco, parece por los libros reales haberse gastado [quintado?] treinta y cuatro millones y setecientos y quince mil y doscientos y quince

pesos; de manera que es por todo, ciento y diez millones y setecientos y quince mil y doscientos y quince pesos ensayados, sin la plata que por quintar se ha sacado, que es sin número y se ha venido a quintar en las demás cajas reales, porque, aunque de otras minas han sido ayudadas, es poco respecto de lo que ha dado y da este riquísimo cerro; el cual de hoy más, con el nuevo favor y merced que Vuestra Excelencia ha de hacer a esta villa, volverá a servir con la riqueza que tiene escondida en sus entrañas a Dios que la crió y a Su Majestad, cuya es, y a Vuestra Excelencia, y a todo el reino y al de Tierra Firme y Castilla, y de esta manera tendrá Vuestra Excelencia contenta a toda la Cristiandad.

[f. 95] De las tasas del reino y encomenderos, sacerdotes, corregidores protectores y caciques

La materia más grave que hay en este reino es la de las tasas, por ser en ellas interesados partes, y proceder del sudor y trabajo de estos nuevos vasallos de Su Majestad, y ser cosa en que resplandece mucho su real conciencia, siendo tolerables y justas como lo serán las de ahora entretanto que se conservare esta villa en aumento. Y por ser sujeto de tanta calidad no quise que esta relación quedara sin darla de ellas a Vuestra Excelencia, y de las causas por que se ordenaron en la manera que están, por donde se entenderá mejor su justificación y el rigor y desorden de las pasadas, y de lo que de estas últimas ha resultado en favor de los naturales, y los inconvenientes que ha mostrado el tiempo dignos de saber para que los indios no sean damnificados en negocio tan confuso. Conozco que era menester otro ingenio que el mío para tratarlo y si a esto hubiera de tener consideración, mil causas había para dejarlo de hacer por mi rudeza. Y excúsame el haberme hecho merced que tuviera este cuidado el muy ilustre señor don Pedro de Córdoba Mesía cuando vino a esta villa, para poder dar razón a Vuestra Excelencia, por vista de ojos, del estado de sus cosas. Y con su aventajado y claro entendimiento lo llevó tan comprendido y sondado el golfo de sus negocios y gobierno, como habrá intimado a Vuestra Excelencia la necesidad que hay de dar orden y remedio en ello, y así suplico a Su Merced sea servido de favorecerlo como cosa suya, para que con esto quede digno de ser acepto de Vuestra Excelencia, pues yo he hecho lo que he sabido y aun más de lo que he podido sin faltar en la verdad.

Después que el licenciado Pedro de la Gasca hubo acabado la pacificación de estos reinos, procuró dar en su gobierno la mejor orden que fué posible en el breve tiempo que en ellos estuvo. Y entre las cosas que más necesidad tenían de remedio era hacer las tasas de lo que habían de tributar y dar los naturales, por vía de reconocimiento y vasallaje, a la majestad de los ínclitos reyes de Castilla, cuyos vasallos eran, y a las personas en quien estaban encomendados en su real nombre, por haber ayudado en la conquista y descubrimiento del reino y no haber en la tierra cosa con que se les pudiera satisfacer el servicio que en esto hicieron (1). Y aunque no se pudo hacer la tasa con la justificación e igualdad que se requería (contando el número de indios que la podían pagar, sino haciendo la cuenta por las casas de los pueblos [f. 95 v.] contándolas con la lanza en la mano, sin saber la cantidad de gente que había ni los que eran impedidos por viejos y mancos, y las viudas y gente inútil, como por estar los indios dispersos en partes que no se podía saber con precisión su número, haciendo los encabezamientos por universidades, ni saber la disposición de sus tierras, tratos, y granjerías; y los caciques se aprovechaban para hacer la derrama y distribución del quipo y visita general que había hecho Guaina Cápac, señor que fué de estos reinos y padre de Atagualpa [sic],

que fué el rey o tirano en cuyo tiempo entraron los españoles en la tierra) [y] aunque este orden padecía gran yerro, por la mucha gente que faltaba de la persecución y mortandad de la guerra, a la verdad la fruta era tan temprana que no podía tener más sazón, ni la disposición de negocios daban lugar a otra cosa y pareció harta reformación la de entonces, por remediar alguna parte de la confusión que tenía el modo de encomienda que había hecho el marqués don Francisco Pizarro, depositando los pueblos en las personas a quien los daba, y remitiéndoles llevasen de los indios aquello que buenamente pudiesen contribuir; de donde se siguieron grandes injusticias, que recibieron en las demasías de tasas que les llevaron.

Pues, como el señor virrey don Francisco de Toledo tuviese acabada la reedificación y reducción de todas las poblaciones del reino por la cual constaba el verdadero número de indios que podían tributar; y la calidad de sus tierras; y si tenían o labraban minas de plata u oro o las había en su comarca; y los rescates, tratos, y granjerías que tenían; mantenimientos, ganados, y otros aprovechamientos, como estar cerca y en contorno de ciudades y caminos reales, por la salida y expedición que de sus frutos tenían por aprovecharse de la hierba, paja y leña, huevos, aves y acarreos, porque los que están en partes remotas no se valen de estas cosas se hicieron las tasas declarando la cantidad que cada repartimiento había de pagar por universidad, y luego haciendo distinción personal de cada indio por su nombre y ayllo con lo que le cabe y está obligado a pagar y contribuir, así de lo que han de dar en plata como en oro, los que son de tierra que hay presunción tienen minas para que sea ocasión labren las que tienen ocultas y los demás se animen a venir a Potosí y buscarlo, como en ropa, ganado y comida, apreciando y tasando cada cosa a los precios [f. 96] que comúnmente valen en sus tierras reduciéndolos a plata, quedando libertad a los indios y comunidades de darlo en especie o en la plata que cada género se tasó.

Lo cual se hizo para que entendiesen

---

(1) Es imposible dar una versión orgánica y claramente inteligible de la cláusula que sigue hasta el fin del párrafo, tanto porque sería necesario modificar la estructura de las numerosas oraciones intercaladas que se suceden, como porque todo hace pensar que ambas copias omiten elementos indispensables para la correcta ilación. Pareciera que la cláusula fundamental sería: *Y aunque no se pudo hacer la tasa con la justificación e igualdad que se requería, a la verdad la fruta era tan temprana que no podía tener más sazón, y pareció harta reformación la de entonces, etc.* (G. M. L.)

que aquellos géneros y cosas, si las criaban y adquirían los que carecían de ellas, las tenían vendidas a sus encomenderos en aquel precio; y si el tiempo lo aumentase, gozasen de él; y si otra cosa sucediese cumpliesen con darlo en especie; fundándolo en que la tasa que se les echó sea justa su cantidad con el precio más bajo, y, pues esto era así, el crecido y mayor quedase para ellos si quisiesen aprovecharse de este beneficio. Y en este artículo tienen los indios de la provincia de Chucuito puesta demanda a Su Majestad diciendo que no están obligados a entregar la ropa que dan sino cumplir con los tres pesos ensayados en que se tasó, y que la demasía, que es más de dos pesos, en que ordinariamente se vende, es suya y ha de quedar en la caja por su cuenta. A lo cual satisfacen los oficiales reales con que antes que entregaran podían escoger lo que más les convenía y que con esto hubieran cumplido alegando la cláusula de la tasa que dice: «cumplan con lo que quisieren elegir de las dos cosas para pagarlo», pero que no tienen derecho al precio que se vendió porque también pudiera ser menos. Y la Real Audiencia proveyó auto en que declara cumplir los indios con dar la plata en que se tasó, pues no tienen discurso ni capacidad para escoger lo mejor.

Empadronáronse, para pagar tasa, todos los indios de diez y ocho años hasta cincuenta, y, en casándose, por muchacho que sea, debe al tributo. No se reservaron más que al cacique principal, y segunda persona del repartimiento, y el primogénito, y a los músicos y cantores de la iglesia, y el fiscal que tienen todos los sacerdotes, para que recojan la gente a la doctrina y den noticia de los amancebados, y a los alcaldes y regidores por el año de su elección pagando la comunidad por ellos por estar ocupados en el ministerio de su república. Y a algunos ha parecido que fué mucho rigor que los hijos legítimos de los principales y señores se empadronasen por pecheros tributarios y que no sea de mejor condición que los sujetos a servidumbre, lo cual se hizo porque antiguamente no eran privilegiados ni exentos, aunque no pagaban tributo que realmente diesen, sino encargándose

[f. 96 v.] de la administración de alguna cosa en que se ocupaban en servicio de príncipe.

Y es de saber que los tributos y derechos que tenían los Incas no eran a nuestro modo, porque no había en el reino alcabalas ni almojarifazgos ni ninguna imposición sobre la ropa y mantenimientos. Servíanle dándole sus vasallos todo lo que había menester para sustentar con pompa y grandeza el estado real. Y así le daban unos el servicio personal de su casa, que era infinito el número de ministro que tenía; otros pueblos la gente que había de asistir en las guarniciones y fronteras, y los bastimentos para el gasto ordinario y el que hacían los gobernadores y capitanes que estaban en su corte, como el de la gente de guerra y depósitos que había donde se encerraba mucha comida y ropa. Tenía grandes hatos de ganado con quien traía gran número de pastores, y muchos indios que le labraban las chácaras y minas, dándole muchos oficiales plateros que continuamente estaban haciendo diversas vajillas. Otros se ocupaban en cazar y otros en pesquerías, y las mujeres hermosas que estaban en los recogimientos de las huacas y otros lugares dedicados para él, se ocupaban en hilar finas lanas de que hacían curiosa ropa que se vestía. Y finalmente todo el reino le servía y presentaba las cosas de estima y valor que había en él, siendo su casa una aduana de varios presentes que de todas partes le traían.

Fundóse también Su Excelencia en echarles tributo, por impedir el daño que habían recibido los indios con los muchos principales y mandones, por el subsidio y servidumbre que con ellos se le seguían, que cesan con hacerlos tributarios, quitándoles el brío para mandar con título de señores. Mucho sintieron los padres y caciques ver declarar por las nuevas tasas a los muchachos por tributarios y mucho más los hijos, que lo habían de pagar aunque estuviesen sujetos al poderío paternal ni tuviesen bienes. Y caso que parezca esto riguroso, por ser la edad tan tierna obligarlos a tributar siendo pobres y con obligación de socorrer a sus padres y tener la naturaleza necesidad de reservación de trabajo para su aumento, se tuvo consideración a que si se les hubiera de echar el tributo conforme a la hacienda y patrimonio [f. 97] que tenían, todos quedaran libres de él, y por este mismo respecto no la adquirieran.

Impusiéronselo [el tributo] de su propio trabajo personal, para que les fuese forzoso trabajar y hacerse inteligentes de sus granjerías, por ser gente viciosa y desinclinada a sus propios aprovechamientos, sin concierto de policía, y porque desde esta edad hasta los cincuenta es la más apta para tener de ellos fruto y si más tiempo quedaran reservados, fuera darles ocasión que no se casaran y que anduvieran viciosos, especial, que desde el tiempo del Inca estaban en esta costumbre de tributar con la persona, ocupándose los muchachos en muchos ejercicios, cultivando las sementeras y chacras, y las mujeres que tenían sus maridos ausentes en servicio del Inca o en la guerra y en hacer edificios y reparos públicos. Y porque estas cosas son servicio personal, que es trabajo sin premio, se consideró que no recibían nueva carga en tributar desde esta edad, pues su ocupación traía provecho y los caciques se aprovecharan de ellos. A algunos ha parecido que para venir a esta villa, por ser el trabajo mayor que el que tienen en sus pueblos, sería bien hubiesen llegado a los veinte y no cumplidos los cuarenta y ocho.

Hallóse generalmente en el reino, con cada mil indios tributarios, cuatro mil personas y tantos varones desde diez y ocho años hasta cincuenta, como de los diez y siete a los que tenían las madres en sus pechos; y la décima parte de los varones, desde los cincuenta a la decrépita con los mancos, ciegos, e inútiles, y tantas mujeres como el número de todos los varones. Y fueron los indios tributarios. Hiciéronse las nuevas tasas con gran rectitud y consideración y documentos muy políticos y cristianos, descargando a los indios de grandes vejaciones y tiranías en que estaban puestos, así por los encomenderos como por sus caciques y sacerdotes.

Y para redimirlos de los servicios personales y de las muchas derramas que les echaban con título de tasa, en que eran muy damnificados, se hizo un cuerpo de los que había de pagar la comunidad con

tanta justificación que, aunque faltaran las nuevas personas en quien se había de distribuir parte de la tasa, para descargo de las obligaciones de los encomenderos, los que se les señaló y mandó que diesen y tributasen fué lo que buenamente debían dar.

De la cual cantidad y suma, ante todas cosas se manda sacar el estipendio del sacerdote, por deberlo el encomendero como persona que tiene obligación de darles doctrina, pues la principal causa por que se los encomendaron fué por esto, [f. 97 v.] y que de la caja de comunidad se les pagase por orden del corregidor, sin que el encomendero se entrometiese en ello, porque antes se les pagaba por su mano, como patrones que decían ser, y no siendo a su gusto el sacerdote los quitaban y ponían a los que muchas veces les prestaban plata por ello; y había vacaciones, de manera que estaban mucho tiempo los indios sin doctrina, proveyéndose que las que hubiese desde allí adelante se quedase en la caja lo que montase para los indios, porque antes se lo tomaban los encomenderos y a veces los prelados cuando visitaban, y lo convertían en ornamentos. Y esta falta de doctrina montó gran suma en lo que fueron condenados [los encomenderos] cuando se hizo la visita general, y no han sido satisfechos en ella, preguntando por la que había habido desde don Francisco Pizarro. Y después pareció a Su Excelencia haber en esto rigor, por las guerras y batallas que había habido, en que se habían hallado los vecinos, y la falta y copia de sacerdotes, mandó se hiciese la averiguación desde que el presidente Gasca repartió la tierra e hizo las tasas, que fué el año de mil v quinientos y cuarenta y nueve.

Y porque Su Majestad en los indios que están puestos en su real corona, como los particulares, están obligados a la defensa y amparo de los naturales, se saca asimismo del cuerpo de la tasa el salario del corregidor, cargo importantísimo para la conservación del estado en que quedaron puestos los indios por la visita y reducción, porque faltando este ministro y ejecutor y conservador, no es posible llevarse adelante el orden que se dió para que no sean molestados, y se tenga el cuidado que conviene en enterar las tasas en la caja (1), y que se cobre y haga la distribución con igualdad, cosa que tanto importa a la conciencia de Su Majestad. Y también parece conviniera que tuviesen obligación de hacer cada año padrón de nuevo, yendo borrando del pasado los indios muertos y lós que pasan de cincuenta años y metiendo en su lugar los que van cumpliendo los diez y ocho. Por segunda orden mandó el señor virrey que no lo hiciesen los corregidores, por no convenir darles comisión y poder con el cual pudiesen innovar y alterar las tasas, y no faltan corregidores en esta provincia que oyen a indios sobre decir que no pueden cumplir con la tasa, por los muchos que se han muerto y ausentado como por haberse empadronado en la visita los indios ausentes, conforme al capítulo de la instrucción que lo mandaba así, y no haber vuelto a sus pueblos.

Y teniendo consideración a estas cosas el señor virrey, en los poderes que dió a los [f. 98] protectores fué sin facultad de esta defensa, pareciéndole que de otra manera fuera dejar la puerta abierta a grandes inconvenientes y novedades; y aunque es pío y justo oír y desagraviar a los que lo están, son estos casos de los que se han de pedir y proveer en cortes y no en otro tribunal, precediendo visita con autoridad de virrey porque por este camino pedirían todos los repartimientos lo mismo. Conviene también que los corregidores defiendan que si un ayllo de indios se empadronó por cincuenta y se hubieren muerto los veinte, no paguen los treinta por los cincuenta, que era uno de los inconvenientes con que más daño y perjuicio padecían, sino que toda la comunidad del tal pueblo supla aquella falta y no la padezcan éstos en particular; pero no podrá hacer esto en general con todo el pueblo, aunque le constase de notable diminución por estar encabezonado por universidad, sino dar aviso al superior.

Sacóse asimismo el salario del letrado y procurador y protector que Su Excelencia mandó que hubiesen para que los desengañasen en los pleitos que quisiesen intentar, siendo injustos, y ayudarles en los útiles y provechosos, amparándoles y defendiéndoles en los que se les pusiesen. Los cuales ministros han de estar, así en la corte de los señore virreyes como en las Reales Audiencias y ciudades principales cabeceras de sus distritos.

Asimismo fué cosa muy conveniente sacar de las tasas, por haberlo incorporado en el cuerpo principal de ella, lo que había de dar la comunidad de los indios a sus caciques, de que estaban bien descuidados, pareciéndoles que no se había de tratar de ellos, dejándoles mano y en libertad para continuar sus robos; porque es cosa averiguada que el mayor tirano que han tenido han sido sus caciques y gobernadores, por haberlos fatigados con el rigor en que los tenía el Inca. Y para inclinarlos el señor virrey a la virtud y que tratasen bien a los indios, como personas que tenían los cacicazgos por título y merced de los serenísimos y católicos reyes de España, por haber mandado el invictísimo césar Carlos Quinto, que sea en gloria, en cuyos días se descubrió este reino, que los caciques y gobernadores que le diesen la obediencia, aunque fuesen los que tenía puesto el Inca como capitanes y corregidores que no tenían otro derecho más que su voluntad, aquéllos quedasen con el señorío, mando y gobierno de los pueblos en que se hallasen, y les tomase la voz real; y en los títulos que les dió de sus cacicazgos, acabada la [f. 98 v.] visita, fué con cargo y aditamento que vivirían bien como cristianos, temiendo a Dios y obedeciendo a Su Majestad como verdadero rey y señor, advirtiéndoles que si sus hijos lo fueren así, sucederán en sus cargos y, faltando esto, se nombrarán de nuevo personas virtuosas, mandándoles, en conformidad de un capítulo de instrucción de Su Majestad, que críen a sus hijos en casa de los sacerdotes donde aprendan nuestra lengua y a leer y escribir, y tomen sus buenas costumbres, modo y policía de vida, dejándolos pendientes de la voluntad real y de la de los señores virreyes, para que con este recelo de no tener propiedad a sus principalazgos los usen sin agraviar a los pobres por el temor de perderlos. Y de esto no han apelado, aunque los ladinos lo quisieron intentar en vida del señor don Martín Enríquez. por decir ser señores naturales con legítimo

_____

(1) *En enterar las cajas en la tasa*, en el manuscrito.

título y derecho de los repartimientos y provincias en que se hagaron al tiempo de la conquista, y que como buenos y leales vasallos dieron la obediencia a estos cristianísimos príncipes, debajo de cuya protección y amparo están, y que no les debían de enajenar de esta propiedad y del señorío que tienen a lo que poseen y que, caso que algunos caciques gocen de los cacicazgos por la primera merced y bando, serían pocos a los que no les pertenecía por derecho.

Fundóse también Su Excelencia para hacerlo de esta manera [en] saber que todos los señores principales y gobernadores tenían lo que poseían por nombramiento y título del Inca, que hacía la conformación [confirmación ?] y así, cuando moría algún principal, se presentaba ante él el sucesor, a quien daba la investidura hallándole hábil y suficiente para gobernar; porque faltando esto, aunque le perteneciese legítimamente, era preferido el hábil al insuficiente, pero que eran los nombrados de la misma familia, linaje y casa y a quien pertenecía el título según su fuero. Y pues el Inca que era un gentil tenía este derecho, mejor pertenecía a un príncipe católico y clementísimo, y que lo que pretende es que sean virtuosos y buenos cristianos, y que para esto puede tomar todos los medios más convenientes y necesarios. Y este fué el intento del señor virrey, y no supeditarlos para que no reclamasen de las tasas. Y algunos dicen que fué contra su conciencia el quitarles la defensa en este artículo y la libertad para expresar agravios, y que no lo osaban hacer porque los amenazaba que los enviaría a Tierra Firme, cosa que temen mucho.

[f. 99] Después de sacadas todas estas cosas de la tasa lo que queda y resulta de ella se da a los encomenderos, pareciéndoles que todo lo que se les rebajó y quitó en las cosas que se han referido por el nuevo orden les pertenecía y que, sacado el salario del sacerdotes, todo lo demás que se ordenó fueron cosas en que agraviaron a los indios, haciéndose de los desentendidos en que no conocen que los naturales no reciben de esto ninguna vejación, antes mucho alivio, por no ser a su costa los gastos acrecentados antes, después de hecha

la tasa de lo que justamente habían de pagar y contribuir, como se debe presumir de la conciencia del señor virrey y la de tantas personas graves y doctas con cuyo parecer se hicieron, pues no eran interesados y tuvieron consideración a lo que antiguamente daban al Inca, y lo que ofrecían a infinitas huacas que tenían, a quien tributaban con gran suma de riquezas y otros servicios personales que junto con el tributo real era intolerable, sin quedarles así cosa conocida, y lo que ahora les impusieron ser con suavidad y sin el perjuicio que recibieran, si les cargaban más de lo que buenamente y con moderación pudieran dar.

De los indios de los repartimientos que tienen obligación de venir a esta villa a la labor y beneficio de minas e ingenios, como de otras partes donde las tienen, no se determinó por las tasas generales lo que habían de pagar a los pueblos de donde son naturales y sujetos, remitiéndolo a los corregidores de los partidos, dándoles primero luz del orden que habían de tener por lo que debían hacer con los indios de Su Majestad de la provincia de Chucuito, a quien tasaron diez y ocho pesos a los que asistiesen en esta villa, para que con este supuesto tuviesen atención a lo que habían de hacer con los indios de sus jurisdicciones que residiesen aquí.

Y así hicieron diferentes tasas, con asistencia de los caciques, considerando los grandes intereses que tienen por sustentar este pueblo de madera, carbón, leña, hico o paja, y de ganado, de que tienen sus carnicerías, y velas, y maíz, y harina, y sus comidas de chuño y papas, y fruta que traen de los valles calientes. Otros trajinan metal a Tarapaya [f. 99 v.] en ganado, y traen sal de las salinas por su cuenta; otros se ocupan de la labor del cerro y contratación de metales; y finalmente, hasta del estiércol de sus ganados tienen provecho, porque se gasta y sirve para dar fuego a los buitrones, y hasta los huesos tienen precio, para hacer las cendradas de sus fundiciones. También les ha valido mucho los metales de soroche que venden en la plaza para mezclar con los metales de plata; al presente es poco, por no gastarse como solía. Y de los jornales que se les pagan en el discurso del año, así a los de cédula como a los mingados, montan más de quinientos mil pesos ensayados, porque solo lo del tercio de cédula pasa de doscientos y ochenta mil pesos.

Y teniendo respecto a estos útiles y aprovechamiento y a la lejanía o cercanía en que estaban de esta villa, por consumir en ella las cosas de sus pueblos, a unos echaron y repartieron a diez y ocho pesos, como a los de Chucuito, y a otros a veinte, y a diez y seis, y a diferentes cantidades hasta doce, que es la tasa más baja. Y no porque a los corregidores se les remitió la de aquí después que la declararon, no les quedó poder para innovar y exceder de lo que una vez hicieron.

Con este acrecentamiento y demasía de tasa que pagan los indios que residen en este asiento, se suple la de los pueblos [de origen] y se ha de descontar del cuerpo principal que se les echó; de manera que, si un repartimiento tiene mil indios tributarios y por la tasa se les echaron seis mil pesos y de este pueblo están en esta villa ciento y setenta indios, que pagan a diez y ocho pesos, que montan tres mil y setenta pesos, sobre todo se ha de echar la derrama de lo que cabe a los ochocientos y treinta que quedan en el pueblo, de suerte que les viene a caber dos mil y novecientos y cuarenta pesos, rebajando a cada indio de seis pesos que le cabía en tres pesos y medio, aunque esta distribución algunos corregidores no la hacen con igualdad, cobrando de cada indio de los ochocientos y treinta los tres pesos y medio que les cabe, sino haciendo derrama en que echan al rico mucho, y al no tanto menos, y al pobre poco; que para gente de razón bien se dejan entender cuán en ella está todo.

Y ha parecido que no se debía hacer distinción en el cobrar de las tasas, cargando [f. 100] más al rico que al pobre, y este orden guardan algunos corregidores, porque es quitarles la codicia de acrecentar sus haciendas visto que por tenerla tributan más, y ha habido muchos que han vendido sus bienes y ganado, y el pobre se desinclina a aumentarla por el mismo inconveniente; y para sacarlos de él, los anima el señor virrey a que se apliquen a adquirir hacienda y tener que dejar a sus hijos, certificándoles que por mucho que tengan no se les acrecentarán

ni subirán los tributos, antes serán en ella amparados y defendidos, porque así lo manda Su Majestad.

Y aunque los indios que residen en esta villa hacen con su trabajo y riesgo de su vida este aprovechamiento a los pueblos de donde son naturales (pues ellos pagan casi tanto como todos los restantes, y en plata, y los demás en lo que poseen que es ropa, comida, y ganado, por donde se ve lo que importa este asiento y los útiles que de él se siguen), y de este mismo beneficio gozan éstos cuando se vuelven a sus pueblos, porque los que vienen a servir en su lugar hacen otro tanto en favor de los primeros, y así va procediendo de unos a otros esta comunicación.

Procuróse con todos los medios posibles, dejar tan fijas las tasas que no tuvieran que hacer los caciques derramas, por haber mostrado la experiencia los inconvenientes que de esto se han seguido a las comunidades (y no fué posible) especial a los repartimientos que sirven en esta villa, aunque los demás podrían tener derrama conforme los bienes de comunidad y al de cada indio. Pero esto se deja bien entender y no es como la confusión de los de aquí, y entiendo que en los unos ni en los otros no se guarda ninguna regla ni concierto. Y debían tener los corregidores gran cuenta, por el riesgo que corre en los pobres por tener la ocasión en la mano para defraudarlos cobrando la tasa por entero, como hacen en los repartimientos, dándoles a entender que la demasía que pagan los de Potosí es para suplir la falta de muertos, ausentes y enfermos.

Para remedio [f. 100 v.] de esto hay orden que el cura del pueblo tenga dos libros; el uno en que asiente los que bautiza, y el otro los que se mueren, y del *ayllo* que son, para que se pueda entender en lo de adelante, si hubiese otra visita, si la gente del tal pueblo va en crecimiento o diminución, y que los caciques no puedan usurpar las tasas, no metiendo en ellas, por los muertos y los que van cumpliendo los cincuenta años, los mozos que llegan a los diez y ocho, o por ventura cobrando de los viejos. Y no habiendo otra visita, ninguna razón bastará para poder dispensar de lo que ahora tributan y del número de los que lo dan, caso que tuviesen alguna diminución que no se debe presumir, que también podrían tener crecimiento, no habiendo peste general y notable mortandad. Y así, dice, la tasa se compensa lo uno con lo otro. Y de aquí es lo que me han dicho algunos oidores y ministros de Su Majestad, que las tasas se habían de hacer por universidad o por el número verdadero de los indios tributarios, y no por regla que comprenda estas dos cosas; porque si se hace por universidad ha de ser con moderación que la tasa que les echaren la puedan pagar, sin perjuicio de que falte el número de gente que baste holgadamente a suplir y pagarla; y si se hace personal, con distinción de cada cabeza, no la deben más que los vivos. Y por [no] haberlos hecho de esta forma, cobran por universidad pagando vivos por muertos.

Y este argumento no concluye, y antes convino que se hiciese por las dos vías, porque no se vayan haciendo remisos y descuidados los caciques en la inteligencia de ir metiendo gente tributaria, que son los que se van casando y cumpliendo los diez y ocho años. Y es bien tengan ellos este cuidado, como personas obligadas a él, y que entiendan que por universidad lo deben, por haber hecho la cuenta en particular de los indios que han de pagar aquel entero por encabezonamiento. Porque si no encabezonaran la tierra fuera de poco fruto la visita, por los inconvenientes dichos, y por los que se fueren muriendo, les queda suficiente número de vivos para poner en su lugar. Y esto se funda en razón y justicia.

Y porque todos los yanaconas que están ausentes de los repartimientos de donde son naturales, que viven en las ciudades y pueblos del reino, así sirviendo a españoles como ocupados en diversos oficios, son de Su Majestad y están obligados a pagar [f. 101] y contribuir tasa que cobran los oficiales reales. Y antiguamente no la pagaban los yanaconas de aquí, y cuando el señor don Francisco de Toledo visitó este pueblo los hizo empadronar, estando hasta allí en posesión de personas libres; y les echó de tasa a nueve pesos ensayados y eran pocos los que habían quedado, por haberles faltado el aprovechamiento del metal rico, que era el entretenimiento que tenían y con empa-

dranarlos se acabaron de ir. A estos yanaconas, no tienen derecho para cobrar de ellos la tasa los caciques de sus repartimientos, por no estar visitados en ellos, pero si de los indios que vienen a servir a esta villa se quedasen algunos en ella o en los valles de Chuquisaca, han de pagar conforme la tasa que dan los demás que hacen la mita, aunque hayan cumplido con esta obligación. Y no bastará pagar la tasa que dan en sus pueblos, que porque se reduzcan a ellos y no se vayan desnaturalizando se proveyó así.

Para salarios de corregidores, abogados, y procuradores, y otros buenos efectos no menos útiles y necesarios, como lo dice la tasa, se señaló para ella que cada indio tributario diese un peso ensayado en cada un año. Y aunque era mucho, para lo que conocidamente se entendía no era menester tanto, pretendió aplicar la demasía el señor virrey a Su Majestad, echándola como por vía de pensión sobre todos los repartimientos por cierto respecto, como escribió a Su Majestad. Y parece no lo aceptó. Y como quien sabía cuán fatigados y pobres quedaban los indios de la visita y reducción, y que los pueblos tenían necesidad de propios para con ellos ayudar a los pobres a pagar la tasa, proveyó un auto en que declaró que lo que señaló para las dichas justicias, letrados, y defensores, en muchos de los repartimientos era más de lo que para el dicho efecto era necesario, respecto de la tasación y moderación que de los dichos salarios había mandado hacer, y que lo comunicó con letrados y con su acuerdo pareció que convenía desobligarlos de aquella imposición y demasía, y que lo corrido hasta entonces pertenecía a los indios, a quien lo adjudico como hacienda suya, y que desde allí adelante pagasen aquello menos, enriqueciéndoles con lo corrido para que con ello pudiesen darlo a censo y comprar haciendas, y con ellas pagar la tasa de los pobres y convertirlo en lo que fuese más utilidad suya, por la dificultad que hubiera en repartirlo [f. 101 v.] en particular a los indios y no ser tan provechoso.

Y sobre esto despachó provisión el señor virrey don Martín Enríquez, en que mandó que los dos tercios de los réditos que tenían las comunidades se distribuyesen en ayudar a pagar la tasa de los pobres, y el otro tercio se guardase por bienes de la comunidad. De donde se ha enriquecido y engrosado el reino con la plata que está en poder de los naturales desde el año de mil y quinientos y setenta y cinco, que se publicaron las tasas, hasta el de ochenta. Y el dicho señor virrey, en ejecución de lo que halló proveído, mandó hacer la cuenta de lo que verdaderamente se gastaba en los dichos oficios, contando los salarios de los ministros que había, y se halló que bastaba el cuarto de la moneda que estaba consignada para esto. Y así cupo a cada indio de la tasa dos tomines de plata ensayada, desatribuyéndolos de los seis que hasta allí habían pagado de más para ellos mismos.

Muchos entienden que se pudiera esta costa excusar, porque no dejan de pagar los indios en particular sus negocios a otros ministros, sin embargo del concierto general. Y la razón está clara, porque los caciques son los que tienen los pleitos y diferencias con otros vecinos suyos y, como la comunidad es la que paga los salarios, ellos satisfacen de nuevo sus pleitos. Y por haber informado a Su Majestad estas cosas ha enviado cédula, que ha pocos días que se recibió, en que manda quitar los protectores.

Y entiendo que el de esta villa es muy necesario para la defensa de los indios, porque sería grande inconveniente faltarles esta ayuda, pues los encomenderos los dotan de la costa que en esto tienen (como dije en lo pasado), porque no les ha de faltar agravios y malos tratamientos y otras muchas vejaciones, y que han de acudir forzoso a los abogados y procuradores a que les ordenen sus peticiones y querellas, y por sus intereses les harán entender lo que quisieren; y los intérpretes sucederán por los protectores, que no es pequeño perjuicio. Y pareciendo que quedan libres de la servidumbre de uno, quedan sujetos a todos. Y los pobres lo lastarán, porque no tienen a quien quejarse de los agravios que les hicieren sus caciques y capitanes, [f. 102] porque teniendo contentos a las justicias a costa de la comunidad, dándoles indios y otras cosas, no podrán alcanzar justicia. Y los delitos que les hicieren los españoles no se castigarán, y aunque a esta parte requiere acudir con defensa, es mayor la que es menester para librarlos de las minas, justicias, que con este título les hacen mil molestias. Y por esto y lo que dije, en el oficio de juez de naturales no conviene remitirles su defensa.

Además de lo dicho, tiene el protector de esta villa obligación de hacer que sean bien pagados y en su mano, sin que los curacas y capitanes lo reciban por ellos, ni consientan que en las minas e ingenios trabajen más de lo que está ordenado, sin darles tareas; y haga que se quiten a los que labraren minas peligrosas o arrendadas, porque por la mayor parte suceden en ellas muchos desastres por disfrutarlas sin ir reparando lo que van labrando, y que no los ocupen en otras cosas más que en aquéllas en que están aplicados por el repartimiento; ni consientan que los carguen y den aviso de los que se vendieren y alquilaren, hallándose presente al repartir de los quinientos indios de meses y semanas, y trajines y salinas, y que sea conforme la orden que se diere, sin fraude, ni dé lugar a que se saque ningún indio de la parte que quedare reservada de huelga, y que pida vacación de ellos cuando se vendieren los ingenios, hallándose en la visita de la cárcel para pedir su soltura; y que los asientos que hicieren de servicio sea el salario equivalente; y los que los traen trajinando coca y otras mercaderías, les paguen conforme al tiempo que los han servido y no por el viaje, que suelen ser en esto damnificados; y que enteren sus tasas en la moneda que tienen obligación en esta real caja, aprovechándose de lo que mejor les estuviese, porque muchas veces suelen entregar en reales lo que cumplen con dar en barras. Y finalmente, el protector es un fiscal de todos los estados y el que va dando aviso del que tienen los indios en sus negocios.

He dado razón larga a Vuestra Excelencia de las cosas en que se ha de ocupar el protector, para que se vean los efectos [f. 102 v.] que de él se siguen siendo los que deben. Y podrían resultar cosas que no se pudiesen seguir ni sustanciar las causas sin ellos, ni bastaría dar la voz a los oficiales de las audiencias en las cosas generales del reino, así consintiendo y aceptando lo que en su favor fuese como suplicando de lo contrario. Esta Real Audiencia nombró por protector de esta villa al licenciado don Francisco de Vera, persona virtuosa y capaz de mayor oficio por su calidad y letras. Antes de él no han tenido este oficio letrados.

Para la custodia y guarda de los bienes y hacienda de los indios se ordenó que en los repartimientos hubiese una caja de la comunidad con tres llaves; la una tiene el corregidor del partido, y la otra el cacique principal, y la tercera la segunda persona, y por su impedimento o inhabilidad, uno de los alcaldes ordinarios, aunque es verdad que pocas veces tienen fuerza los indios para guardar esta ordenanza, y en los demás repartimientos las tienen los corregidores, sin poderles ir a la mano, y con la plata de estas cajas se han hecho muchos ricos por seguírseles muchos intereses y granjerías, que son con vejación y perjuicio de los indios. Y sobre esto quiso intentar el señor virrey don Francisco de Toledo de mandar reducir a esta villa las cajas de la comunidad de los repartimientos de la provincia, nombrando tesorero que tuviera cuenta y razón con los indios. Era negocio de tanta calidad que no había en este asiento cosa de mayor aprovechamiento. Y por haber en todo peligro lo dejó, creo [que] éste es el mayor.

Presumen algunos que a este dinero de las cajas tienen derecho los encomenderos, fundándose en que las causas por que se les quitó del cuerpo de la tasa fué por la obligación que tenían de la defensa de estas gentes, y quieren sentir que, por tener Su Majestad la jurisdicción y potestad suprema, está a su cargo poner los ministros que la ejerzan y por esto y [por] sustentar los [f. 103] reinos en paz y justicia, son permitidos por derecho divino los tributos y pechos. Pero esto se entenderá cuando no tuviera hecha merced a sus vasallos de ellos y cuando esto cesare, que tan sólo deben lo que verdaderamente montó las costas de las justicias y abogados, y que así les pertenece la demasía que les quitaron para esto, pues las tasas se hicieron con justificación de lo que habían de tributar los indios.

Y algunos encomenderos han puesto demanda y el señor virrey, en el auto que referí, dijo que si algún escrúpulo hubiese que algunas de las tasas estaban subidas y los indios cargados en ellas, les hacía esta recompensa y suelta con que se asegura su conciencia. Sólo quedaron libres de tasa los indios cañares, que es una nación que tiene su asiento y naturaleza en tierra del Quito y el Inca se servía de ellos en la guerra, por ser gente belicosa, y eran reservados de tributos. Hoy permanece alguna parte de ellos en el Cuzco y Chuquisaca y han servido, así en las guerras civiles como en la conquista, por ser de suyo animosos e inclinados a la guerra, y han ayudado a buscar y prender a los delincuentes y lo hacen con brío y maña, a modo de cuadrilleros, y acompañan a las justicias en las ejecuciones de las sentencias con sus chuzos, que son ciertas piezas de que usaban para pelear antiguamente, y parecen bien. Y esta exención no la tienen por las tasas, sino por ejecutoria y privilegio que sacaron en la Real Audiencia de Los Reyes los del Cuzco.

Acabóse esta relación de escribir en la villa de Potosí por mano del padre fray Nicolás Venegas de los Ríos, comendador de la orden de Nuestra Señora de las Mercedes, del Monasterio de la villa de San Juan de la Frontera, en nueve de agosto de este año de mil y quinientos y ochenta y cinco.

APENDICE PRIMERO

INFORMACION SOBRE LOS TEXTOS USADOS PARA ESTA EDICION

Vicenta Cortés, del Archivo General de Indias de Sevilla, y Gunnar Mendoza L., de la Biblioteca Nacional y el Archivo Nacional de Bolivia, en Sucre, han examinado los dos manuscritos actualmente conocidos de la *Relación* de Capoche. Ambos estudiosos han proporcionado una inapreciable ayuda para la composición del texto adoptado, y ambos han preparado informes tan esclarecedores sobre las características y las variaciones de los manuscritos q u e consideramos necesario acompañar dichos informes *in toto*.

El texto de la *Relación*, tal como se encuentra impreso en este volumen, si bien debe mucho al trabajo de la doctora Cortés y del doctor Mendoza, es, en última instancia, de mi propia responsabilidad. Se subordina enteramente al manuscrito que el doctor Mendoza denomina Ms. I, mucho más completo y satisfactorio que el Ms. II. Las variaciones entre ambos son de tan escasa importancia para los fines historiográficos de la edición. que no hace falta señalarlas. Mr. Charles L. Eastlack, graduado de la Universidad de Texas, y yo hemos intentado lograr una versión tan clara y fiel como era posible; ciertos puntos dudosos fueron resueltos cuando visité a Sevilla en septiembre de 1957, comparando dicha versión con el manuscrito mismo.

No se ha considerado necesario identificar personas ni hechos mencionados por Capoche, ni determinar exactamente la grafía de los topónimos. Creemos con Marcos Jiménez de la Espada «que pierde lastimosamente su tiempo el investigador de la forma ortográfica exacta de los nombres geográficos peruanos» (1). He contado, empero, con la ayuda del doctor Mendoza para la trascripción de estos nombres así como de numerosos vocablos indígenas usados por Capoche. Mi criterio ha sido el de presentar el texto simplemente y no hacer una edición pesadamente anotada. Esta última solución, si bien muy valiosa, habría requerido mucho tiempo de preparación, y, aún así, nuestro conocimiento actual de la historia temprana de Potosí es tan escaso, que las anotaciones habrían estado muy lejos de ser completas.

Quizá algún día se encuentre en archivos americanos o europeos el manuscrito mismo remitido por Capoche al virrey, con sus ilustraciones originales, o el que Capoche debió de guardar en su poder. Por entonces es posible que la historia de Potosí sea mucho mejor conocida y se pueda hacer otra edición adecuadamente anotada. Nuestro propósito actual es más modesto: presentar el mejor texto posible en las circunstancias actuales, con la esperanza de que ella estimule nuevas investigaciones y publicaciones complementarias de documentos de primera mano sobre la historia de la Villa Imperia de Potosí.

(L. H.)

A. *Observaciones sobre los dos manuscritos de la obra de Capoche, por Vicenta Cortés.*

Dos son los ejemplares que de la primera historia de la famosa Villa Imperial

---

(1) *Relaciones geográficas de Indias*, IV, ccvi.

de Potosí, obra del minero Luis Capoche, sabemos existen en el Archivo General de Indias. Ambos se hallan reunidos en el legajo de la Audiencia de Charcas número 134, siendo uno el manuscrito original ·de la *Relación*, escrito en 1585 por el «padre fray Nicolás Venegas de los Ríos, comendador de la orden de Nuestra Señora de las Mercedes», según reza el párrafo final de la misma, y el otro una copia que puede calcularse escrita poco menos de una centuria más tarde

El original, de clara y elegante letra que demuestra la buena mano del mercedario, está encuadernado en pergamino y manifiesta, por su presentación, el interés con que se pretendía conseguir la buena acogida del personaje al que iba dedicado

el contenido, de trascendente importancia para la política y la economía indiana, y aún diríamos, universal.

La copia, pese a que la materia merecía tanta atención, adolece de muchos de los males que pueden aquejar a tal categoría de documentos. Estas plumas, pues dos son los amanuenses, probablemente asalariadas a juzgar por el resultado, no encontraron gran interés en el tema que reproducían, cometiendo omisiones y errores propios del trabajo mecánico. La sola cuantía de los folios, aún teniendo en cuenta la diferencia del *ductus* en ambas épocas, ya está señalando parte de lo que apuntamos porque, los 103 folios del original quedan reducidos a 90 en el ejemplar del siglo XVII (2).

---

(2) Tabla de la diferencia de foliación de los dos ejemplares:

1585		*COPIA*	
Portada	I		
Indice	II-III		
Propiedad	IV		
(en blanco	V		
Dedicatoria	VI	Dedicatoria	1-1 v.
Descripción del cerro y villa de Potosí	1-2 v.	Descripción	1 v.-3
Descubrimiento del cerro	2 v.-4	Descubrimiento	3-4 v.
De las vetas que hay	4-5 v.	De las vetas	4 v.-5 v.
Veta de Diego Centeno	5 v.-6	(sólo los títulos)	5 v.-8
... ...			
De las vetas y minas que	21 v.-23	De las vetas	8-9 v.
De los socavones que hay	23-26 v.	De los socavones	9 v.-12 v.
De los socavones que están	26 v.-27 v.	De los socavones	12 v.-13 v.
De los pozos del cerro	27 v.-28	De los pozos	13 v.-14
De las catas del cerro	28	De las catas	14
Del modo antiguo	28-31	Del modo antiguo	14-17
Segunda parte	31-41	Segunda parte	17-27
Del asiento y minas de Porco	41-42	Del asiento	27-28
Vetas	42-43 v.	Vetas	28 v.-29 v.
Del asiento... Los Lipes	43 v.-45 v.	Del asiento	29 v.-32
Del asiento... Berenguela	45 v.	Del asiento	32-32 v.
Descubrimientos... Charcas	45 v.-47	Descubrimientos	32 v.-34
Síguense	47-48	Síguense	34-36
Descubrimiento... Guari	48-50	Descubrimiento	36-38
De las capitanías	50-61	De las capitanías	38-52
Del estanco del azogue	61-64 v.	Del estanco	52-55
(Un folio blanco sin numerar)			
Del trato y contrato	65-71	Del trato	55-62 v.
(Un folio blanco sin numerar)			
Del peligro	72-74	Del peligro	62 v.-64 v.
De la manera	74-78 v.	De la manera	64 v.-69
Resolución en la	78 v.-80 v.	Resolución	69-71
(Un folio blanco sin numerar)			
De las ventas	81-82	De las ventas	71-72 v.
De las parroquias	83-85	De las parroquias	72 v.-74 v.
De la provincia	85-88	De la provincia	74 v.-75 v.
De los indios mingados	87-88	De los indios mingados	75 v.-77
Del abuso de	89-90	Del abuso de	77-78 v.
De la Hacienda real	91-94 v.	De la Hacienda	78 v.-82 v.
De las tasas del reino	95-103	De las tasas	82 v.-90

Vemos que el primero de los dos copistas, que trabajo hasta llegar al folio 50, tenía una escritura de sencillo y uniforme trazado, utilizando una tinta negra que ahora, debilitada, está un poco más clara. Tuvo a bien suprimir la portada, el índice, y la propiedad, partes que, si podían resultar enojosas o superfluas en su criterio, puesto que el segundo hubiera tenido que componerlo para acomodar sus propios folios a los capítulos, privan a la obra de su filiación inicial.

Pero no es ésta su mayor falta, pues al llegar a la enumeración de las vetas que había en Potosí, con sus circunstancias expuestas por Capoche en claro y valioso casillero casi estadístico, cuyos datos son de relevante importancia para la vida toda del Cerro, los suprime por completo, tal vez soslayando la enojosa labor de copiar tanta cifra y nombre propio, dejando las tales vetas reducidas a sus simples epígrafes, y aún así olvida incluir la del Carpus Cristi (fol. 11). Siguió hasta alcanzar el capítulo de las minas de Porco, y, quizá por rutina de tarea, empezó a copiar fielmente los números, pero al llegar al cuarto lo dejó (f. 28 v.).

Su afán de abreviar se manifiesta no solo en la poda del árbol sino en el recorte de las hojas. El suntuoso título de Potosí, de Villa Imperial, queda reducido a sola villa (f. 1 v.) y esta, luego, a la sigla va (f. 38). En cuanto a la ortografía, no respeta la original y en ocasiones hay malas lecturas (3).

Al llegar al folio 50, como habíamos dicho, se nota el cambio de escribiente, tanto en la letra como en la tinta. Aquella es más historiada y de trazo más grueso en los finales, que en las letras de rasgo bajo vuelve en bucle grueso y destacado, con su tinta de tono rojizo. El autor, desde el principio también, se manifiesta como un hombre más fiel a su trabajo de copista respetando con mayor atención el contenido y la ortografía. Su nota típica es la transcripción de los números por cifras y no por letras, sea para cantidades o para fechas. Hay que hacer notar que sus errores en la lectura del texto se dan, como sucede en todo tiempo, al encontrarse ante toponímicos y onomásticos desusados (4).

De lo expuesto se deduce que, sin duda, es el original el que hay que utilizar en todo momento, sirviendo la copia para confirmar la reserva observada al valerse de ellas cuando, por desgracia, la fuente primitiva se ha perdido. Pero Potosí fué también buena cantera en este sentido, porque tuvo un Luis Capoche que relató minuciosamente su vida y tal crónica ha llegado hasta nosotros.

B. *Análisis y comparación de los dos manuscritos de la «Relación» de Capoche, por Gunnar Mendoza L.*

1. Para esta transcripción se han tenido a la vista las micropelículas de dos manuscritos (en adelante ms. I y ms. II) existentes en el Archivo General de Indias (Charcas 134).

2. El ms. I: *a*) Consta de 103 folios con 35 a 40 renglones por folio y 10 a 16 elementos por renglón. *b*) Es una copia hecha para el presidente de la audiencia de Charcas, según se ve por el título de propiedad que en la misma letra del texto figura en folio que corre entre el índice y la dedicatoria, todos ellos sin numerar: «Es del ilustrísimo señor licenciado Juan López de Cepeda, del consejo de su majestad y su presidente de la real audiencia de los Charcas, reinos del Pirú.» *c*) En el último folio consta una nota de copia, también en la misma letra: «Se escribió esta *Relación* por mano de fray Nicolás Venegas de los Ríos, comendador de la orden de Nuestra Señora de las Mercedes, del monasterio de la villa de San Juan de la Frontera, en 9 de agosto de este año de mil y quinientos y ochenta y cinco.» *d*) Se trata de una copia incompleta en el sentido de que le falta el «dibujo» o «demostración» del Cerro, la Villa y los alrededores de Potosí, y la otra «demostración» de la guayra, dibujos insertos sin ningu-

(3) Ejem.: llueve-lluebe (copia); bientos, beta, etcétera; ensayados-ensaiados (c.); ianaconas; colegio-colexio (c.). Malas lecturas: Hachacachi-Hachachari (c.); Llampa de Xara-Llampa de Gara (c.). Existe además la supresión de las letras dobles sin valor: cossa-cosa.

(4) En las capitanías de indios leyó Visita por Vissisa; Collequi por Collqui; Callapan por Callapata; Yungiyo por Yungayo, y Ullacage por Ullacache.

na duda en el ejemplar remitido al virrey de conformidad a las patentes referencias que cursan a fs. 1v., 27, 29 v., y 48 (salvo indicación expresa los folios se refieren al ms. I). *e)* El texto se muestra asimismo trunco por la falta obvia de elementos en diversos pasajes (p. ej., la enumeración incompleta de las llaves de la caja de granos, f. 60 v.). *f)* Al pie de la dedicatoria al virrey, que es todo un alarde de letra esmeradamente trazada, figura, en la misma letra, el nombre de Luis Capoche, que cotejado con muestra de la firma auténtica en documentos judiciales coetáneos en el Archivo Nacional de Bolivia (véase el facsímil) resulta no ser la firma del autor sino una mera versión caligráfica. *g)* Respecto a la fecha probable de esta copia véase infra 8.

3. El ms. II: *a)* Consta de 90 folios escritos en dos tipos de letra sucesivamente (fs. 1-50 y 50-90) con 30 a 40 renglones por folio y 10 a 16 y 9 a 14 elementos por renglón, respectivamente. *b)* Faltan los dibujos de Potosí y de la guayra. *c)* No consta al comienzo el título de propiedad, pero sí al final la misma nota de copia que en el ms. I. *d)* No consta el título de *Relación* (por lo menos en la micropelícula). La copia entra directamente a la dedicatoria con el f. 1 y en la parte superior derecha se lee la inscripción «Duplicado» en letra diferente de la del texto. *e)* Ha sido eliminado el índice del contenido. *f)* La enumeración particular de las minas del cerro ha sido deliberadamente eliminada y sólo se hace la general de las vetas. *g)* Hay otras variantes con relación al ms. I: errores de copia, supresiones menores, modificaciones deliberadas que a veces constituyen verdaderas reelaboraciones del texto, desde la substitución de vocablos hasta la de pasajes completos (cf. especialmente del capítulo «Del peligro con que sacan los indios el metal...»). Generalmente las modificaciones manifiestan un propósito de abreviar; otras revelan una diferencia regional o cultural entre los escribientes: apadronaron (ms. II, f. 84) por empadronaron (ms. I, f. 96 v.), gruesísimo (ms. II, f. 81) por grosísimo (ms. I, f. 93 v.). *h)* Respecto a la época de esta copia véase infra 9.

4. Del examen de ambos manuscritos resulta obvio que ninguno es el original,

entendiendo por tal, como no puede ser de otra manera, el que presumiblemente íntegro, se remitió al virrey.

El ms. I no puede ser el original, pues aparte de las faltas anotadas es definitivo el título de propiedad. No tendría sentido que Capoche obsequiase dicho original a Cepeda y al propio tiempo le pidiese transmitirlo al virrey que era el destinatario expreso y oficial de la *Relación*. Capoche contaba con personas influyentes en la corte vicerreal, como don Pedro de Córdova Mesia (cf. Ms. I, fs. 91 v. y 95) por cuya mano es forzoso suponer que se entregó la obra al Conde del Villar, mucho más si se tiene en cuenta que Córdova Mesia indujo a Capoche a trabajar la *Relación* (ms. I, f. 95).

El ms. II menos aún puede ser el original, si apenas es una copia disminuida.

5. En consecuencia, el ms. original debe considerarse perdido por de pronto y queda por averiguar qué destino le dió el virrey una vez que lo recibió y utilizó, como se transluce en su correspondencia a la corona (Levillier: *Gobernantes del Perú*, X), si bien no cita *nominatim* a Capoche. Este punto no es indiferente, pues servirá para orientar buscas futuras con el interés principal de localizar el «retrato» o «demostración» de Potosí dado el valor que asumiría en la iconografía del tema.

Hay que dar por seguro que existió además otro códice: el de uso propio de Capoche.

Mas presumiblemente otras copias debieron de sacarse. No hay razón para que las dos conocidas hoy hubieran sido las únicas. La conservación de dos de ellas en un solo repositorio, junto con las inconfundibles huellas de Capoche, todavía perceptibles en los decenios subsiguientes en el Perú—Calancha—y España—Acosta, Herrera, León Pinelo—(a una mera encuesta preliminar) demuestra que la *Relación* se publicó al modo como se publicaban por entonces los libros—la imprenta apenas entraba en el Perú—, es decir, circuló en códices.

6. Siendo inexplicable que la firma de Capoche en la dedicatoria del ms. I no sea la auténtica de haberse hecho esta copia en Potosí, cabría suponer que se hizo afuera, quizá en La Plata, pues Ca-

poche pudo remitir su propio ejemplar a Cepeda para el examen y conocimiento de éste, y Cepeda mandó hacer la copia ex profeso para sí. Esto explicaría asimismo la falta de los dibujos, cuya reproducción exigía un trabajo muy prolijo.

7. En este caso la nota de copia dejaría de tener validez para el ms. I, más aún si el ms. II también la lleva. En ambos códices dicha nota pudiera ser una simple trascripción de la del códice realmente trabajado por fray Nicolás Venegas de los Ríos, y ese sería el original remitido al virrey.

8. Sólo podría precisarse relativamente la fecha de la copia del ms. I entre 1585, año de remisión del original al virrey, y la muerte de Cepeda, 1601-3-V,

9. A estar con las características caligráficas del ms. II, cotejadas con profusas muestras procedentes de La Plata, Potosí y Lima en el Archivo Nacional de Bolivia, esta copia pudiera ser incluso contemporánea del ms. I. «Poco menos de una centuria» (doctora Cortés) de posterioridad con respecto a éste nos parece un lapso demasiado largo. Mantenemos este punto en reserva una vez que nuestro examen sólo ha tenido por base las micropelículas. La existencia de marcas de fábrica en el papel sería decisiva.

10. No hay ninguna razón para considerar el ms. II como copia forzosa del ms. I. El escolio «No falta nada» que figura al f. 52 v. de este códice pudiera responder a un cotejo de dos textos. Cabe preguntarse si Antonio de León Pinelo no tuvo algo que ver con esta copia. Pinelo residió en Potosí como asesor del corregimiento entre 1619 y 1621, año este último de su traslado a España. En su *Epítome de la Biblioteca Oriental*..., publicado en 1629 se cita ya el ms. de Capoche. Dado su espíritu inquisitivo y estudioso Pinelo pudo conocerlo en Potosí y haber hecho tomar la copia. Recuérdese que poco más tarde Pinelo era funcionario del Consejo de Indias. Es interesante reiterar que las reelaboraciones que el texto de esta copia ofrece con respecto al ms. I tienen que haber sido hechos con toda seguridad por una persona versada en el ejercicio literario, como puede apreciarse en el capítulo «Del peligro con que sacan los indios el metal...».

11. La distribución del contenido de la *Relación* ofrece algunas peculiaridades de notar. El título especial de la parte I falta en absoluto: la obra entra directamente al capítulo intitulado «Descripción del cerro y la villa de Potosí». El título de la parte II resulta muy estrecho para todo el material luego comprendido, y es forzoso interrogar si los capítulos no anunciados en el título de esta parte II (claramente circunscrito a la introducción del azogue, la edificación de los ingenios y el beneficio por amalgama) constituyen, en realidad, otra u otras partes cuyos títulos faltan, así como el de la primera. Por otra parte, después de tratar el rescate de plata por los indios (cap. XII de la parte II) y de pasar en el cap. XIII a otra materia, vuelve en el cap. XIV al tema del rescate, cuando lo lógico era tratar el tema en un capítulo o dos sucesivos. Todo esto sugiere que a medida de irse escribiendo o copiando la *Relación*, el autor introducía elementos en que no había pensado inicialmente.

12. El texto, por otra parte, opone con frecuencia al transcriptor el obstáculo de una redacción con características eminentemente *sui géneris*, en especial el retorcimiento suscitado por la inclusión, dentro de una cláusula principal, de otras dos, tres y hasta cuatro cláusulas subsidiarias embutidas unas dentro de otras, de suerte que el sentido queda suspenso en definitiva o completado apenas en una cláusula distinta. Véase este ejemplo típico: «Está la plata en este metal en ojos que se hallan quebrando las corpas, y está como pólvora y casi tan suelta, y es la mitad plata [y], cría mucho polvo con ello a pedazos como medios de dos, que tienen de ley más de mil y ochocientos [maravedís]» (f. 49 v.), rompecabezas que, en realidad, quiere decir esto: «Está la plata en este metal en ojos [tan grandes] como medios de dos, que se hallan quebrando las corpas a pedazos; y está como pólvora, y casi tan suelta, y cría mucho polvo con ello; y es la mitad plata que tiene de ley más de mil ochocientos maravedís.» Estas características no pueden justificarse como «detalle de época», pues es notoria la existencia de innumerables textos coetáneos o anteriores que constituyen un de-

chado, no de perfección literaria ciertamente, pero de expresión ordenada y clara.

13. En contraste, hay otros pasajes donde la redacción fluye sin trabas, linealmente. Uno se pregunta, ante estas diferencia, si, por ejemplo, el capítulo sobre el beneficio del azogue está escrito por la misma persona que trazó las adiciones al padre Acosta o la resolución sobre el rescate.

14. Los nombres indígenas se trascriben fielmente. Si ambos ms. dan una lección obviamente incorrecta o la grafía

actual ha cambiado, se hace la advertencia correspondiente en nota. La importancia de la *Relación* en este aspecto es, dados el tiempo y el lugar en que se escribe. muy grande y merece un cuidado escrupuloso, tanto más si, por inadvertencia o desaprensión lamentables, publicaciones de suyo interesantes pierden valor y quedan expuestas a graves reparos.

15. Como en los ms. apenas hay una separación relativa de cláusulas, se ha adoptado la más adecuada y sistemática, según una compulsa cuidadosa del sentido.

APENDICE II

ICONOGRAFIA POTOSINA EN LA HISPANIC SOCIETY DE NUEVA YORK

Se tiene otro ejemplo de la eficaz cooperación de los amigos de la Villa Imperial de Potosí en el descubrimiento que Clara L. Penney hizo de tres hasta entonces no conocidas ilustraciones relativas a Potosí y más o menos contemporáneas con la *Relación* de Capoche, las cuales se publican en este volumen teniendo en cuenta la gran escasez de material iconográfico potosino en el período comprendido en la *Relación*. Habíamos pedido a Miss Penney, integrante del experimentado personal de la Hispanic Society of América que durante tantos años viene prestando su eficaz ayuda a los hispanistas, que se mantuviese alerta con respecto a todos los ítems relativos a Potosí mientras llevaba a cabo su paciente trabajo de cada día en los materiales, casi increíblemente ricos, de la Sociedad. Oportunamente tuvo el privilegio de encontrar las tres ilustraciones reproducidas en esta edición. En mi primer arranque de entusiasmo pensé que ellas podían ser las láminas originales con las que presumiblemente Capoche acompañó el ejemplar de la *Relación* remitido al virrey. La vista general de Potosí está delicadamente coloreada de rojo, y la reproducción en blanco y negro no sugiere una completa idea de su sencillo encanto.

Con su pericia y penetración acostumbradas, Gunnar **Mendoza** L. ha examinado las láminas de la Hispanic Society a la luz de las referencias que Capoche hace a las láminas originales que acompañaron a la copia remitida al virrey, y concluye en que, por lo menos dos de ellas, son diferentes. Sus observaciones presentan el problema tan bien, que se las reproduce con el propósito de que se las tome en cuenta para el estudio de cualquier otro material gráfico que apareciera en los archivos y hubiera alguna probabilidad de que fuese el mismo que Capoche remitió al conde del Villar, cientos de leguas distante en la corte de Lima, para sugerir una idea **visual del Cerro** y la Villa que tan esenciales se habían hecho para el bienestar económico del Perú.

(L. H.)

Las láminas potosinas de la Hispanic Society de Nueva York, por Gunnar Mendoza L.

Creo que los apartes de la *Relación* de Capoche a tenerse en cuenta para la identificación del material gráfico que la acompañó originalmente son:

1. «Está [el cerro] exento, suelto y

dividio de la demás tierra, aunque por la parte del mediodía se le pegan unos collados y por la del poniente le nacen otros, de la hechura y facción que aquí va retratado (que está al natural, reduciendo su grandeza a esta pequeña demostración en su población e iglesias en los sitios que les pertenecen)» (f. 1 v.).

2. «A la parte del poniente de este cerro [de Potosí] se dió un socavón [...] cuya obra se dejó por parecer haber dado muy bajo como parece por el retrato del cerro» (f. 27).

3. «En tiempo del corregidor Martín García de Loyola se halló un manto de metal de plata sobre la haz de la tierra en un cerrillo que llaman Vilasirca, que va señalado con una cruz en el retrato y estampa de esta villa» (f. 48).

4. «Y el tiempo enseñó a hacer de barro [...] unas formas de barro de la hechura de esta demostración, que llamaron guayrachina o guayra» (f. 29 v.).

El párrafo 1 sugiere claramente que la lámina de referencia incluía tanto el cerro como la población e iglesias de Potosí. Los párrafos 2 y 3—«retrato del derro» y «retrato y estampa de esta villa», respectivamente—pudieran referirse en consecuencia a esa misma lámina. Sin embargo, las palabras no son tan precisas como para desechar la posibilidad de que se tratase de láminas diferentes y particulares para el cerro y la villa por separado. En el primer caso tendríamos un solo retrato general del cerro y la villa de Potosí. En el segundo caso tendríamos tres láminas: una general del cerro y la villa; otra especial del cerro; otra especial de la villa.

El párrafo 4 se refiere sin lugar a dudas a una «demostración diferente de las demás, que presentaba en particular la hechura y traza de la guayra.

El total de láminas de la *Relación* original debió ser, pues, de dos o cuatro. En consecuencia, numéricamente el material descubierto por Miss Penney no coincide con ninguno de esos extremos.

Es necesario destacar luego, para una consideración cualitativa, los elementos siguientes en las palabras con que la *Relación* alude a sus ilustraciones: *a*) collados anexos al cerro por el sur y el oeste; *b*) el socavón real; *c*) el cerrillo de Vila-

sirca señalado con una cruz; *d*) la hechura de la guayra. Cotejando estos elementos con cada una de las láminas que podrían corresponderles entre las descubiertas por Miss Penney, tendríamos:

La «Planta general de la Villa Ymperial de Potosí» (en adelante lámina MP 1), es un plano y no un «retrato o estampa». En ella no constan ni los collados, ni el cerrillo de Vilasirca marcado con una cruz, ni el socavón real. Además las advocaciones de las catorce parroquias que figuran en este plano no corresponden exactamente con las de la *Relación* (f. 83): el plano menciona la parroquia de Nuestra Señora de Copacabana, que no figura en la *Relación*, y ésta menciona la parroquia de San Agustín que no figura en aquél (el San Agustín marcado con el número 2 en el plano se refiere al convento y no a la parroquia).

La lámina sin título (en adelante lámina MP 2) es, sin duda, un «retrato» del cerro, parte de la villa y sus alrededores, pero tampoco se ven los collados del sur y el poniente, ni el socavón real, ni el cerrillo de Vilasirca, ni las iglesias que también menciona la *Relación* (supra, párrafo 1).

La lámina intitulada «Estos yndios estan guayrando» (en adelante lámina MP 3), coincide con el asunto del párrafo 4, supra, aunque las palabras de éste sugieren una representación más próxima, detallada y particular de la guayra.

En cambio, el material localizado en la Hispanic Society contiene, por su parte, elementos no particularizados por la *Relación*. Así es de extrañar que ésta no aluda en el capítulo correspondiente a las referencias numeradas que figuran en la lámina MP 1, o al Cerro de las Guayras, o a las partes del Tiopampa, etc. En la lámina MP 2 figura, junto al cerro de Potosí hacia el poniente, un cerro pequeño con el nombre de Tollochi, que la *Relación* no indica (a fs. 47 v. se habla del cerro de Tollocsi, situado a cuatro leguas del de Potosí, pero no se menciona ninguna representación gráfica del mismo); aún más: parece definitivamente imposible que la *Relación* no se refiera a la casa de beneficios con todos sus importantísimos detalles, que figura en esta misma lámina. La lámina MP 3, en fin, no sólo se limita a presentar la guayra sino el modo de guayrar que tenían los indios.

Mi impresión preliminar es que este material no es el que acompañaba al códice original de la *Relación*, sobre todo, por lo que hace a las láminas MP 1 y MP 2.

Quedarían en pie dos problemas: época y procedencia de estos dibujos.

La diferencia de advocaciones de una de las parroquias, entre la lámina MP 1 y la *Relación* proporciona un punto de referencia seguro para concretar relativamente la época de ella. En todo caso el plano corresponde a un lapso posterior a la *Relación* original, si se tiene en cuenta que la advocación de Copacabana es también posterior a la de San Agustín, pues eria la vigente en 1620-1630 (5). Este cambio de advocación pudo acaecer en 1589, cuando los agustinos entraron en posesión del santuario de Copacabana, a orillas del Titicaca; más o menos simultáneamente se cambiaría la advocación de la parroquia de Potosí, que quizá estaba a cargo de dicha orden.

Las otras dos láminas seguirían la suerte cronológica de la primera si, a base

(5) Antonio Vázquez de Espinosa: *Compendio y descripción de las Indias*, (Wáshington, 1948), pág 588.

de un examen del papel y otros particulares, se estableciera que todas tres corresponden a un solo conjunto, como pareciera sugerirlo el examen caligráfico. Si se establece que corresponden a conjuntos diferentes, hay que tantear otros rumbos. Lo seguro es que la lámina MP 2 es posterior a la introducción del beneficio del azogue. La lámina MP 3 plantea un problema más difícil, en caso de no corresponder a un solo conjunto, pues tanto pudiera pertenecer a la primera fase de la metalurgia potosina que parece ir desde el descubrimiento del cerro hasta la introducción del azogue, como ser posterior.

Sobre la procedencia de las láminas es inútil decir nada mientras no se disponga de nuevos antecedentes. Usted ha señalado muy bien que Potosí atrajo desde temprano la atención de dibujantes y pintores y es posible que la bibliografía de que dispone hasta hoy pudiera ofrecer algún indicio.

En suma:

1. Me parece problemático que este material, en particular las dos láminas MP 1 y MP 2, corresponda a la *Relación*.

2. El material es altamente valioso y, por consiguiente, es de todo punto aconsejable su publicación con la obra de Capoche, aun en el caso de encontrarse las ilustraciones originales.

APENDICE III

GLOSARIO DE VOCES RELATIVAS AL TRABAJO MINERO·

Gunnar Mendoza L.

Se han tenido presentes dos propósitos en la formación de este glosario: explicar los vocablos y locuciones ininteligibles que se hallan en el texto de Capoche, y concentrar en un repertorio organizado los que, aun siendo inteligibles según dicho texto, conviene, por su interés, tener de inmediato a mano. Se ha prescindido de todo elemento obvio o corriente en la bibliografía general. Por el contrario, se han incluído los que si bien son fonéticamente comunes, asumen en éste y otros textos correlativos una calidad semántica peculiar o de cualquier modo distinta de la que ordinariamente se les asigna. Se espera haber acumulado así un material adecuado tanto para los fines de la información inmediata como del análisis posterior.

Dado lo circunscrito del tema se ha recurrido en lo posible a fuentes directas sobre el trabajo minero potosino y sobre las lenguas nativas —aymara y quechua—, que con el castellano concurrieron a la formación de la terminología anexa a dicho trabajo. La mayor parte de esas fuentes se encuentra inédita. Se mencionan las principales:

1. Anónimo: «Directorio para los inclinados a beneficiar toda laya de metales de plata por azogue», ca. 1750. ms.. 30 fs., Biblioteca Nacional de Bolivia.

2. Archivo Nacional de Bolivia, Audiencia de Charcas: Reales cédulas, cartas y expedientes de minas, años 1561-1825. Colegidos y catalogados por Gunnar Mendoza L., ms., 150 vols.

3. Barba, Alvaro Alonso: *Arte de los metales*, Madrid, 1770, 232 pág.

4. Bertonio, Ludovico: *Arte de la lengua aymara*, Juli, 1612, 473 y 399 pág.

5. Cabildo de la Villa Imperial de Potosí: Libros de acuerdos, años 1585-1817, ms. 31 vols., Biblioteca Nacional de Bolivia.

6. Cañete, Pedro Vicente: *Código carolino de ordenanzas reales de las minas de Potosí y demás provincias del Río de la Plata*, Potosí, 1794, ms., 504 pág.

7. González Holguín, Diego: *Vocabulario de la lengua general de todo el Perú llamada quichua*, Los Reyes, 1608. 375 y 332 pág.

8. Gutiérrez de Escobar, Francisco: «Instrucción forense ... según el estilo y práctica de esta real audiencia de La Plata», La Plata, 1804, ms. 187 fs. A fs. 102 un vocabulario de «Voces propias de la minería».

9. Rück, Ernesto O.: *Diccionario minero para Bolivia*, Sucre, 1890. ms. 311 páginas, Biblioteca Nacional de Bolivia.

ABREVIATURAS

adm. col.: Administración colonial.
etn.: Etnografía y etnología.
f.: Sustantivo femenino.
loc.: Locución.
m.: Sustantivo masculino.
soc.: Sociología.
top.: Toponimia.
vi.: Verbo intransitivo.
vr.: Verbo reflexivo.
vt.: Verbo transitivo.

acarreto, m. Transporte de minerales y bastimentos. *De acarreto*, loc. De fuera: aplicábase a las mercancías que no eran del lugar.

acudir, vi. Tomar el metal la ley. *Acudir bien*, o *mal*, rendir ley alta o baja.

aguas, las, loc. Estación lluviosa.

alcalde de minas, adm. col. Juez encargado de ver en asuntos de minas, ingenios e indios.

alcanzar la mina, loc. Llegar el socavón a ella.

al paso del socavón, loc. Al nivel del socavón.

altos, m. Las paredes de la mina en su porción más próxima a la boca. Las vetas de Potosí tenían una declinación casi vertical.

andes, m. (Del quechua *anti*.) Tierra accidentada, montuosa, húmeda y cálida.

año estéril, loc. Año de lluvias escasas, malo para el sistema hidráulico que accionaba los ingenios.

año fértil, loc. Año de lluvia abundante, propicio para el sistema hidráulico que accionaba los ingenios.

apachita, f. (Del quechua.) Túmulo funerario de guijarros junto a un camino.

apo, m. (Del quechua y aymara *apu*.) Señor o jefe supremo.

armada, f. Flota para el transporte de la plata de Arica al istmo de Panamá, y de aquí a España.

artificios secos, loc. Todos los mecanismos para mover minerales, accionados por otra fuerza que la hidráulica.

asanaques, etn. Parcialidad de indios quechuas en la provincia de Charcas.

asiento, m. Caserío estable levantado con motivo de la labor de una mina.

atacamas, etn. Nación de indios, con idioma propio, en la provincia de Charcas.

aviamiento, m. Provisión de recursos para la extracción y el beneficio de minerales. //2. Provisión de minerales para tener corriente un ingenio.

ayllo, soc. (Del quechua y aymara *ayllu*, parentesco, linaje, nación.) Unidad social pre-hispánica de los indios quechuas y aymaras.

ayudar, vi. Ser la plata dócil para el beneficio.

azogue, m. Beneficio por amalgama del azogue con la plata.

azogues, los, loc. Epoca de restauración de Potosí, inmediata a la introducción de este sistema de beneficio en 1572.

azua, f. (Del quechua.) Véase chicha.

barra, f. Lingote de plata cendrada resultante de la fundición de dos piñas desazogadas con un peso total de 65 o 66 marcos.

barrenar el cerro, loc Perforarlo en sentido horizontal o poco oblicuo.

barretear, vt. Labrar la veta separando el mineral de la caja con ayuda de barretas.

barrial, m. Paraje anegadizo encontrado al labrar la veta.

barriga, f. Parte prominente de la caja donde quedan residuos de mineral beneficiable.

beneficiar, vt. Separar el metal de las impurezas por un procedimiento cualquiera.

beneficio, m. Conjunto de labores mineras. //2. Proceso de separación del metal de las impurezas.

boca de la mina, loc. La entrada de ella.

bocado, m. Trocito que se separaba del metal cendrado para ensayarlo y conocer la ley.

bolsa, f. Acumulación más o menos grande de mineral en depósitos esporádicos que no formaban veta.

buitrón, m. Receptáculo de madera o piedra en que se hacía la amalgama del azogue y la plata, dividido en seis compartimientos llamados *cajones*, todo sobre un suelo de bóveda para poder dar fuego por debajo.

cabeza de ingenio, loc. Cada uno de los mecanismos (compuesto de rueda hidráulica, eje y mazos) destinados a la molienda del mineral en el ingenio.

caja, f. Rocas o tierras no minerales dentro de las cuales core la veta y que, a medida de irse labrando ésta, iban formando las paredes de la mina.

caja de la comunidad, loc. El arca donde se guardaba la plata de los repartimientos de indios.

caja del sol, loc. La parte de la caja de la veta que daba al oriente.

caja derecha, loc. La que corría en sentido rectilíneo.

caja fija, loc. La que corría derecha, vertical y compacta.

caja umbría, loc. La parte de la caja que daba al poniente.

cajón, m. Cada uno de los seis compartimentos del buitrón, con capacidad para cierto número de quintales, 50 en Potosí.

camarico, m. Del quechua *camarícuj*, la persona que prepara o dispone algo, del verbo *camarayani*, preparar. Cosas dispuestas por los indios en obsequio de curas, corregidores, etc.

canas y canches, etn. Nación de indios quechuas en el distrito del Cuzco.

cancha, f. Del quechua. Campo cerrado.

cañaris, etn. Nación de indios quechuas en el distrito de Quito.

caperuza, f. En el beneficio de azogue, el molde de barro cocido en que se hacían las piñas.

capitán, adm. col. Funcionario indio, generalmente un cacique, que tenía a cargo cierto número de mitayos.

capitanías, f. El conjunto de mitayos a cargo del capitán.

caracaras, etn. Nación de indios quechuas en el distrito de Charcas.

carangas, etn. Nación de indios quechuas en el partido de Charcas.

carneros, m. Llamas.

carneros de la tierra, m. Llamas.

casa de beneficios, loc. Establecimiento donde se llevaba a cabo el beneficio por azogue una vez reducido el mineral a harina en el ingenio.

casas reales, loc. El edificio del corregimiento y otras dependencias gubernativas.

casilla, f. (Etimología ignorada.) Véase *metal rico*.

cata, f. Labor de tanteo en una mina.

catilla, f. Cata superficial.

cédula, f. Mita //2. m. Mitayo. También *indio de cédula*.

cendrada, f. El suelo del horno de fundición o de afinación, hecho con magras, cenizas de plantas y de huesos y otras sustancias. //2. Residuo de una fundición de mineral (generalmente en prural).

cocha, f. (Del quechau *kjocha*, laguna, estanque.) Estanque donde se lavaba la amalgama del mineral y el azogue para separar la plata de las impurezas.

collas, m. etn. Parcialidad de indios aymaras en el distrito de La Paz.

comida, f. Víveres.

comunidad, f. Conjunto de ayllus sujeto a un cacique

condes, etn. Parcialidad de indios quechuas en el distrito de Cuzco.

congelarse, vr. Pasar el metal del estado líquido al sólido.

corona, f. Cumbre de un cerro.

corpa, f. (Del quechua *kjorpa*, terrón). Trozo grande y macizo de mineral.

corregir, vt. Hacer subir la ley de un mineral mediante un procedimiento dado.

Cotamito, top. Paraje del cerro de Potosí. Derivación de cotama (del quechua *cutama*, costal), f., bota de pellejo a modo de zurrón, con capacidad para dos arrobas, en que se acarreaba el mineral desde la labor a la boca de la mina.

craza, f. Residuo de mineral, resultante de la fundición.

crucero, m. Punto de encuentro entre el socavón y la veta.

cuadras, f. Superficie legalmente adjudicable sobre la veta a un peticionario.

cueva del socavón, loc. La entrada del socavón.

curaca, m. (Del quechua *cúraj*, mayor, y *caj*, ser: mayorazgo, señor hereditario). Cacique.

charcas, m., top. Parcialidad de indios quechuas en la provincia del mismo nombre.

chicha, f. Brebaje alcohólico de maíz fermentado. También azua.

chichas, etn. Parcialidad de indios quechuas en la provincia de Charcas.

chile, m. (Del quechua y aymara *chjilli*, entrañable, profundo) Plan o fondo de la mina.

chuco, m. (Del quechua *ch'ucu*.) Sombrero o gorro.

chumbivilcas, etn. Parcialidad de indios quechuas en la jurisdicción del Cuzco.

chuño, m. (Del quechua *ch'ñu* y del aymara *ch'uñuta*, chupado, enjuto.) Papa desecada mediante el congelamiento y exposición al sol.

Chuquisaca, top. Uno de los nombres de la ciudad de La Plata, cabecera de la provincia de los Charcas. Llamóse también Charcas. Actualmente, Sucre.

dar en quijo, loc. Hacerse la labor difícil por la dureza de la caja. También *topar en quijo*.

dar la vuelta, loc. Acabar de exhalar el plomo del *sorojchi* en la estación final de refinación de la plata en el beneficio por fundición.

dar un socavón, loc. Labrar un socavón.

demostración, f. Manifestación legal del mineral de un descubrimiento.

descendida, f. Hondura.

descubridor, m. La primera persona que halla una veta, y en caso de duda la primera que manifiesta el mineral procedente de ella.

descubridora, la, loc. Mina concedida al descubridor.

descubrimiento, m. Veta recién descubierta.

desencajar, vt. Despejar una mina de la tierra, roca y mineral pobre sueltos, procedentes de las cajas, para poder seguir labrándola.

desengrasar, vt. Quitar la lama al mineral por beneficiarse.

desflorar, vt. Tomar lo más rico de una mina o del mineral.

desmonte, m. Tierra de desecho o mineral de ley muy baja echados fuera de la mina. //2. Mineral recogido en el desmonte.

desmonte con ley de plata, loc. Mineral todavía beneficiable, procedente de un desmonte.

doctrina, f. Pueblo de indios a cargo de un cura.

echar, vt. En el beneficio de azogue, agregar el azogue a la harina mineral en el buitrón.

echar indios a minas, loc. Véase *echar indios al cerro*.

echar indios al cerro, loc. Ponerlos a labrar las minas.

ensayado, m. Peso ensayado.

estacarse, vr. Hacer petición legal de una mina y tomar posesión de ella.

estar a estacas, loc. Colindar una mina con otras.

firmamento, m. Principio u origen imaginario de la veta en los chiles o planes del cerro. También *raíz*.

fiscal, m. El indio designado por el párroco para hacer las veces de bedel o mayordomo en una doctrina.

fletamiento, m. Convenio entre el dueño del mineral y el dueño del ingenio para la molienda de una cantidad dada en un tiempo dado.

fletar, vt. Moler minerales ajenos en un ingenio.

flete, m. Precio del fletamiento.

fortaleza, m. Sostén labrado en la roca para afirmar las cajas.

fuego, m. La operación de calentar la mezcla de mineral y azogue en el buitrón para facilitar la amalgama.

fundición de fuelles, loc. La que se hacía en hornos a fuelle. También *fundición grande*.

fundición grande, loc. Fundición de fuelles.

fundición pequeña, loc. La que se hacía en las guairas.

fundición real, adm. col. Casa donde se hacía el ensaye legal de los metales para la deducción del quinto real.

ganado de la tierra, loc. Llamas.

gato, m. (Del quechua y aymara *kjatu*.) Mercado.

gobernar, vt. Tener entrada y salida una mina o veta por un socavón.

granos, m. Imposición que con destino al hospital, la cátedra de quechua y otros efectos se deducía del jornal de los mitayos.

granzas, f. Residuos pequeños de mineral, a modo de guijarros menudos, resultantes del lavado.

gruesa, f. Suma total que ingresaba en las cajas reales por los tributos impuestos a los indios. //2. Número total de indios sujetos a la mita.

guaca, f. (Del quechua *huaca*.) Monumento religioso, adoratorio.

guaira, f. (Del quechua *huayra*, viento.) Horno pequeño de fundición que puesto al aire libre en sitios adecuados ardía al soplo del viento. //2. Beneficio de minerales por este sistema.

guairachina, f. (Del quechua *huayrachina*. vt. aventar.) Guayra u horno de fundición.

guairador, m. Experto en el beneficio de guayra.

guairar, vt. Beneficiar por fundición de guayra.

guancas, etn. Parcialidad de indios quechuas en la jurisdicción del Cuzco.

guancavélicas, etn. Parcialidad de indios quechuas es la jurisdicción del Cuzco.

guazábara, f. (Etimología ignorada.) Asalto o emboscada de los indios contra una partida de españoles.

hacer curso, loc. Véase *hacer punto*.

hacer punto, loc. Quedar cendrada la plata. También *hacer curso*.

haciendas, f. Bienes de minas e ingenios.

harina, f. Mineral reducido a polvo mediante la molienda.

hebra, f. Trozo de mineral.

hicho, m. (Del quechua y aymara *hichju*.) Variedad de paja de la puna, llamada en español paja brava.

hornaza, f. Horno de fundición.

huelga, f. Cada uno de los dos tercios del número total de mitayos asistentes en Potosí que descansaban por semanas, mientras el otro tercio asistía al trabajo. Véase *mita ordinaria*.

humedecerse, vr. Tornarse más fácilmente fusible el mineral.

incorporación, f. Amalgamación del mercurio y la plata.

incorporarse, vr. Amalgamarse la plata con el azogue.

indio ladino, loc. Indio que hablaba y entendía el castellano.

indios advenedizos, loc. Mitayos de provincias diferentes de la de Charcas. También *indios extranjeros* e *indios forasteros*.

indios de cédula, loc. Mitayos. El nombre proviene de que su concesión al señor de minas se hacía por cédula del virrey. También *cédulas*.

indios de lagunas, loc. Mitayos asignados a la limpieza y vigilancia de las lagunas del sistema hidráulico que hacía correr los ingenios.

indios de meses, loc. Mitayos repartidos en la plaza de Potosí a particulares para trabajos caseros por el término de un mes.

indios de metal, loc. Mitayos asignados al barreteo del mineral.

indios de metal de guaira, loc. Indios libres que vendían mineral beneficiable por fundición de guaira en el mercado.

indios de parroquias, loc. Mitayos residentes en las diferentes parroquias destinadas al efecto en Potosí.

indios de plaza, loc. Mitayos que se distribuían en la plaza de Potosí a particulares para trabajos caseros.

indios de salinas, loc. Mitayos asignados a la extracción y acarreo de sal que se empleaba en el beneficio por azogue.

indios de semana, loc. Mitayos repartidos a particulares en la plaza de Potosí para trabajos caseros por el término de una semana.

indios de tasa, loc. Véase *indios tributarios.*

indios de trajines, loc. Mitayos asignados al transporte de plata, azogue y bastimentos entre Potosí y otros puntos.

indios empadronados, loc. Véase *indios tributarios.*

indios extranjeros, loc. Véase *indios advenedizos.*

indios forasteros, loc. Véase *indios advenedizos.*

indios mingas, loc. Indios no mitayos que trabajaban por propia voluntad o alquilados por los caciques.

indios reducidos, loc. Los que vivían en pueblos.

indios repartidos, loc. Indios concedidos a un señor de minas para el trabajo minero.

indios reservados, loc. Los que no se distribuían a encomenderos y quedaban a disposición de la corona.

indios tributarios, loc. Los sujetos al pago del tributo o tasa. También *indios de tasa, indios empadronados.*

indios vacos, loc. Los que habiendo sido repartidos para el trabajo de minas cesaban en él por muerte, ausencia o abandono de la persona a quien se habían dado.

indios varas, loc. Los que se concertaban libremente con el señor de minas para trabajar un número dado de varas en la mina. Véase *vara de mina.*

ingeniero, m. Dueño de ingenio.

ingenio, m. Artificio mecánico empleado para moler el mineral.

ingenio de agua, loc. Ingenio movido mediante la fuerza hidráulica.

ingenio de caballo, loc. Ingenio accionado por acémilas.

ingenio de grúa, loc. Ingenio accionado por engranajes como los de las grúas.

ingenio de mano, loc. Ingenios cuya rueda de moler se movía a mano.

ingenio de mazos de pies, loc. Ingenio cuya rueda de moler era accionada con los pies.

ingenio de rodezno de alavez, loc. Ingenio a manera de los de trigo.

interpolarse, vr. Detenerse el proceso de la amalgama por falta de fuego y movimiento.

labor, f. 1. Mina, socavón, veta, pozo o cata. //2. Trabajo de separar el mineral de la caja. //3. Paraje donde hay o hubo algún trabajo minero.

labrar, vt. Trabajar una mina.

lado, m. Ladera de un cerro.

lama, f. Ultimo residuo de mineral con alguna porción de azogue, resultante una vez lavada la amalgama en las tinas en el beneficio del azogue. //2. Polvo muy fino que acompaña a cierto tipo de minerales.

lavadero, m. Cuba en que se lavaba la amalgama de plata y azogue para separarla de las impurezas

lavadero de agua, loc. Véase *lavadero de rueda de agua.*

lavadero de rueda de agua, loc. El accionado mediante una rueda movida hidráulicamente. También *tina.*

ley, f. Proporción de metal contenida en el mineral, medida comúnmente en marcos o pesos por quintal.

lipes, etn. Parcialidad de indios, con idioma propio, en la provincia de Charcas.

lupacas, etn. Parcialidad de indios aymaras en la jurisdicción de La Paz.

macizo, lo, loc. Cuerpo principal de la veta.

madura, m. Mineral listo para la amalgama con el azogue.

manifestación, f. Exhibición legal de la muestra de mineral al efecto del registro.

manto, m. Yacimiento mineral estratiforme.

materia de fuego, loc. Fundición.

mazo, m. Parte del mecanismo del ingenio, hecha de hierro o bronce en forma de pirámide trunca, que servía para golpear el mineral y reducirlo a polvo. //2. Unidad de medida de la capacidad del ingenio.

merma, f. El peso en onzas a descontarse de las piñas no quemadas o mal quemadas, a cuenta de la impureza de azogue que todavía llevaban consigo. Véase *quemar* y *requemar*.

metal, m. Mineral.

metal blando, loc. Metal fácil de moler y difícil de beneficiar por no poder amalgamarse.

metal común de reales, loc. Mineral que se vendía a cambio de moneda corriente.

metal de azogue, loc. Mineral beneficiable por azogue.

metal de coca, loc. El mineral pobre que se cambiaba por coca.

metal de chile, loc. Mineral extraído del fondo de la mina.

metal de fundición, loc. Véase *metal de guaira*.

metal de guaira, loc. Mineral de ley alta, beneficiable por guaira. También *metal de fundición y casilla*.

metal desflorado, loc. Mineral del que se ha separado lo más rico.

metal en ojos, loc. Mineral granuloso y pulverulento acumulado en pequeñas cuencas a manera de ojos.

metal fijo. loc. Mineral en veta continua.

metal húmedo, loc. Mineral dócil a la fundición.

metal inútil, loc. Mineral cuyo valor no compensa al costo.

metal lamoso, loc. Mineral blando, con mucha lama.

metal malo de corregir, loc. En el beneficio de azogue, el mineral en que la pérdida de azogue era muy subida.

metal plomizo, loc. Mineral de plata con plomo.

metal pobre, loc. Mineral cuya ley no igualaba el costo de la explotación. //2. Mineral que no podía beneficiarse por fundición de guaira.

metal rico, loc. Mineral de ley alta. //2 Mineral de guaira.

metal suelto, loc. Mineral de desecho que queda en el fondo de la mina.

mina de a dos pesos, de a tres pesos, etc., loc. Aquella cuyos minerales tenían esa ley.

mina despoblada, loc. La que se registró y después se abandonó hasta que caducó su concesión.

mina disfrutada, loc. Mina agotada.

mina entera, loc. La mina de plata que medía las 60 varas de la ordenanza.

mina indivisa, loc. Véase *mina por partir*.

mina moderna, loc. Mina recién empezada a trabajar.

mina peligrosa, loc. Mina en condiciones malas para la labor.

mina por partir, loc. Mina poseída por varias personas en común sin haberse hecho la partición. También *indivisa*.

mina tapada a manos de indios, loc. Mina prehispánica escondida por los indios.

mina pública, loc. Mina conocida.

mina virgen, loc. Mina donde aún no se ha hecho ningún trabajo.

mineral, m. Asiento minero.

minero, m. Experto a cuyo cargo se encuentra la labor de la mina. //2. Dueño de la mina.

minga, f. Del quechua y aymara *minkja*, alquiler. Sistema de trabajo basado en el convenio entre el indio y el señor de minas. //2. m. Indio de trabajo voluntario. También *mingado*.

mingado, m. Véase *minga*, 2a. acepción.

mingar, vt. Tomar un operario para el trabajo según el sistema de la minga. //2. vr. Convenirse con el dueño de minas para el trabajo por el sistema de la minga.

mita, f. Del quechua y aymara *mit'a*, trabajo por turno. Sistema de trabajo minero forzado y arreglado al principio de la alternabilidad por turnos. //2. Conjunto de indios, según su procedencia territorial, sujetos a la mita.

mita ordinaria, loc. Cada una de las tres partes en que se dividía el conjunto de mitayos asistentes regularmente en Potosí, para trabajar por turnos semanales.

molienda, f. Proceso de reducción del mineral a polvo en el ingenio para su beneficio por azogue. //2. Temporada anual en que se molía en Potosí, generalmente de noviembre a abril o mayo.

molienda de flete y maquila, loc. Fletamiento cuyo precio se computaba en mineral.

molienda en agua, loc. La que se hacía en ingenios de agua.

molienda en sangre, loc. La que se hacía en ingenios movidos por acémilas.

molienda perpetua, loc. La que duraba todo el año.

molienda seca, loc. Operación de reducir el mineral a harina. //2. La que se hacía por otros medios que la fuerza hidráulica.

molinete, m. Instrumento con que los indios agitaban el agua en que se lavaba el metal en tina o lavadero.

montera, f. Parte superior de la bóveda del socavón.

mortero, m. Compartimiento del ingenio donde se llevaba a cabo la molienda.

mortificar, vt. Tratar con salmuera la harina cernida del mineral.

movimiento, m. Véase *repasos*.

naturales, m. Indios.

nuevo descubrimiento, loc. Descubrimiento recién hecho.

pacajes, etn. Parcialidad de indios aymaras en la jurisdicción de La Paz

padrastro, m. Formación rocosa, difícil de labrar, que obstruía la continuación de la labor de la veta.

pallar, vt. (Del quechua *pallayta*, recoger.) Escoger y recoger en los desmontes los trozos de mineral aptos aún para el beneficio.

parcialidades, f. Grupos territoriales de indios.

parte del sol, loc. La parte del cerro que daba al oriente.

pasar, vt. En el beneficio del azogue. mover la harina en los cajones a tiempo de irse rociando el azogue para facilitar la distribución uniforme de éste.

pastos, m. top. Parcialidad de indios quechuas en la jurisdicción de Quito.

pella, f. La plata en bloques en forma de manzana, con peso de 60 libras, resultante de lavar en agua y exprimir la amalgama de plata y azogue.

pérdida de azogue, loc. La que había por cada quintal de mineral beneficiado por el procedimiento de la amalgama.

pertenencia, f. La parte de la mina concedida a cada peticionario.

peso corriente, loc. Moneda de plata corriente de 4 pesos el marco.

peso ensayado, loc. Moneda de plata ensayada de 450 maravedís.

piña, f. La plata en bloque en forma de piña, con peso de 32 a 33 marcos, re-

sultante una vez eliminado el azogue por exhalación.

planes, m. Véase *chiles*.

planta, f. La base de un cerro.

plata corriente, loc. Plata de 4 pesos el marco, en trozos y tejos con residuo de plomo resultante de la fundición de guaira y empleada corrientemente en las transacciones en Potosí antes de la introducción del azogue.

plata de azogue, loc. Plata beneficiada por azogue.

plata de fundición, loc. Plata beneficiada en la guaira.

plata en piña, loc. Piña.

plata por quintar, loc. Plata no ensayada legalmente.

poner el metal en piña, loc. Beneficiar el metal desde la molienda hasta su reducción a piñas desazogadas.

pongo, m. (Del quechua *puncu*, puerta.) Indio encargado de cuidar las puertas de las minas.

pozo, m. Labor exterior o interior hecha en la mina para ganar distancia o salvar algún obstáculo.

principal, m. Gobernador indio con jurisdicción sobre una parcialidad. También *cacique, curaca* o *primera persona*.

principalazgo, m. La calidad de principal. Véase *principal*.

puentes, m. Arcos excavados en la roca de trecho en trecho para sostener las paredes o cajas y para facilitar el tránsito.

puna, f. Quechua, páramo elevado y montañoso.

punta, f. Cumbre de un cerro.

quemar, vt. En el beneficio del azogue, tratar las piñas por el fuego para hacer exhalar las impurezas de azogue. Véase *requemar*.

quemazón, f. Gangas que obstruían la continuidad de la veta.

quijo, m. Piedra cuarzosa muy dura.

quillacas, m., etn. Parcialidad de indios quechuas en la provincia de Charcas.

quintar, vt. Deducir de la plata presentada legalmente la regalía del rey. Ver *quinto*.

quinto, m. Regalía a favor de la corona que se descontaba de la plata de los particulares y correspondía a la quinta parte del metal beneficiado. //2. Regalía que el dueño de una mina pagaba al dueño del socavón por la salida de sus minerales. //3. Dependencia de la Casa de la Moneda donde se hacía el pesaje de la plata para la deducción del quinto real.

quinua, f. (Del quechua.) Gramínea de hojas y frutos comestibles cultivada en la puna.

quiñua, f. (Del quechua *kjeuña*.) Arbol propio de ciertas comarcas de la puna, muy apto para combustible.

quipocamayo, m. (Del quechua *kjipu*, cordón usado para registrar cuentas y otras cosas, y *camáyoj*, sufijo de obligación o encargo.) Persona encargada de llevar la cuenta por quipos.

raciones, f. Presentes en víveres que los indios hacían a los curas doctrineros.

raiz, f. Véase *firmamento*.

ramo, m. Veta secundaria, derivada del tronco principal.

ranchería, f. El caserío de los indios libres residentes en Potosí.

rastro, m. Noticia o conocimiento de alguna mina.

regatones, m. Rescatadores de mineral para revenderlo por partidas.

registro, m. Inscripción legal de una propiedad minera.

relaves, m. En el beneficio de azogue, residuos de mineral beneficiable resultantes del lavado de la amalgama en las cochas.

repartimiento, m. La acción y efecto de repartir indios de mita para el trabajo en general y en particular para el trabajo minero. //2. El conjunto de indios repartidos para dicho objeto, según su procedencia regional: repartimiento de Pocona, de Quillacas, etc. //3. La acción y el efecto de señalar los tributos que debían pagar los indios

repartimiento general, loc. Repartimiento de mitayos para todo el proceso minero de Potosí que hacían los virreyes.

reparo, m. Obras de fortificación hechas para la estabilidad de la mina.

repasar, vt. Revolver los indios con los pies la mezcla de mineral y azogue en los cajones del buitrón, con objeto de acelerar el proceso de la amalgama.

repasos, m. Operación de repasar.

requemar, vt. Tratar la piña por el fuego por segunda vez para quitarle los residuos de azogue.

rescate, m. Compra y venta de minerales de plata que se hacía en la plaza del metal en Potosí.

rivera, f. Sucesión de ingenios de agua edificados en el arroyo o rivera que pasaba por Potosí.

ropa de la tierra, loc. Ropa tejida por indios.

rumbo, m. Dirección de la veta.

saca, f. Labranza del mineral en la veta. //2. Exportación de mineral. //3. Extracción del mineral fuera de la mina.

sacar el metal, loc. Transportarlo mina afuera.

sacar la plata, loc. En el beneficio del azogue, lograrse la amalgama en los buitrones.

salteada, la, loc. Mina de oro que se concedía al descubridor después de la del rey.

sazón, f. En el beneficio por azogue, punto en que se completaba la amalgama en los buitrones después de cinco o seis días de repaso cuando la operación se hacía ininterrumpidamente.

seca, f. Temporada, generalmente de marzo a abril, en que por haber cesado las lluvias se abrían las compuertas de las lagunas que surtían de fuerza hidráulica a los ingenios para la molienda.

segunda, f. Véase *segunda persona*.

segunda persona, f. Vicegobernador indio, que asistía junto al cacique, curaca, primera persona o principal. También *segunda*.

señalar indios, loc. Conceder indios de mita para el trabajo minero.

señoraje, m. Impuesto de un real por marco de plata de particulares fundidas en la Casa de Monera de Potosí, por la fundición del metal en sus hornazas.

señor de minas, m. Dueño de minas.

sique, m. (Del quechua *sik'i*.) Piedra muy dura como el pedernal.

sircar, vt. (Del quechua *sirk'a*, veta.) Modo especial de labrar las vetas muy ricas, descubriendo primero la caja del poniente, donde el metal solía ser menos rico, a fin de evitar su desperdicio.

socavón ciego a manos de indios, loc. Socavón prehispánico escondido por los indios.

socavón general, loc. El que se dirige a todas las vetas de un cerro.

socavón particular, loc. El que se dirige a una veta dada.

sorojchi, m. (Del quechua *sorojchi*, pirita, o *suruchej*, hacer chorrear.) Mineral de plata y plomo, de punto de fusión bajo, que se empleaba para ficilitar la fundición de los minerales en la guaira.

tacana, f. (del quechua *tacana*, mazo o martillo.) Mineral de plata de ley muy alta, beneficiable únicamente por fundición por no poderse reducir a polvo en los ingenios dada su consistencia.

tajo abierto, loc. Trabajo al descubierto en vetas superficiales.

tarea, f. Cantidad medida y fija de mineral que de antemano se asignaba a los indios para barretear o sacar, con penas en caso de no alcanzarla.

tasa, f. Tributo de vasallaje, en plata o especies, que pagaban los indios en el sistema colonial.

tejo de guaira, loc. Bloque de metal resultante de la fundición de guaira.

tener cantidad, loc. Ser la mina abundante en mineral

tener raíz, loc. Ir el mineral en veta formal y continua.

tercio, m. Véase *mita ordinaria*.

testero, m. Aplicado a los socavones, el plano o pared en la que continúa haciéndose la labor de perforación en procura de la veta.

tianguis, m. (Del quechua *tiachini*, sentarse a vender algo.) Mercado.

tierra muerta, loc. Tierra inaprovechable que acompaña al mineral.

tierras, f. Soluciones de continuidad de tierra estéril, sin mineral, en una veta.

tina, f. Lavadero.

tinar, vt. Lavar el mineral o el relave para extraerle la amalgama.

tocar en cobre, en plomo, etc., loc. Tener el mineral de plata de mucha proporción de estos metales.

tomahavi, m. Viento impetuoso y frío que sopla en Potosí de mayo a agosto.

tomar la ley, loc. En el beneficio del azogue, amalgamarse éste con la plata separándola de la tierra y otras impurezas con que estaba mezclada en el mineral.

topar agua, loc. Llegar la labor de la mina a un paraje anegado o anegadizo.

topar en duro, loc. Véase *dar en quijo*.

topar en hueco, loc. Salir el socavón por encima de la veta a que iba dirigido.

topar en lo fijo, loc. Encontrar veta formal y continua después de haberse labrado sólo bolsas o depósitos esporádicos.

topar la veta, loc. Hallarla nuevamente habiéndola perdido.

topar rico, loc. Encontrar mineral rico después de mostrarse la veta dudosa.

traza, f. Calidad de una labor.

uros, etn. Nación de indios, con idioma propio, en la jurisdicción de La Paz y Charcas.

uruquillas, etn. Parcialidad de indios quechuas en la provincia de Charcas.

varas, m. Véase *indios varas*.

varas de mina, loc. La longitud de las minas, apreciada en varas españolas, que era la unidad empleada para medirlas.

veedor, adm. col. Funcionario encargado de ver el estado de las minas.

veneral, m. Venero.

veta atravesada, loc. Veta horizontal entrecruzada con otra u otras.

veta descaecida f. Véase *veta ladeada*.

veta de seguir, f. Veta promisora.

veta encajada, loc. Veta de mineral estéril.

veta ladeada, f. La que corre con rumbo oblicuo. También *veta descaecida*.

veta no de seguir, f. Veta pobre.

veta perpendicular, f. La que tiene rumbo vertical.

veta principal, loc. La que por su permanencia, longitud y volumen se consideraba como el tronco de otras. Ver *ramo*.

vetilla, loc. Veta delgada, hasta «el espesor del lomo de un cuchillo».

visita, f. La inspección hecha a alguna labor o establecimiento asignado al trabajo minero.

visita general, loc. La inspección hecha en todas las secciones y establecimientos del trabajo minero.

vuelta, f. Cada uno de los lavajes que se

hacían de las lamas y relaves para ex-
traerles todo el provecho posible.

yanacona, m. Del quechua *yana*, esclavo y
negro, y el sufijo *cuna*, que denota plu-
ralidad; los esclavos, los negros. Indios
sujetos a servidumbre.

yamparaes, etn. Parcialidad de indios quechuas en la jurisdicción de la provincia
de Charcas.

zoras, etn. Parcialidad de indios quechuas
en la jurisdicción de la -provincia de
Charcas.

INDICE ALFABETICO DE LA «RELACION» (1)

(1) Los números remiten a ﬂos folios del ma-
nustrico.

Arriaga, Juan de, 18 v.

Arroyo, Pedro de, 9.

Arteaga, el doctor, 70 v.

Artiaga, Cristóbal de, los herederos de, 20.

Artiaga, Juan de, los menores de, 14.

Artiaga, Juanes de, los menores de, 14.

Arupo, Catalina, india natural del Cuzco, 47 v.

Asanques, los, del partido de Urcusuyu de los Charcas, 52 v.

Asillo, 53 v.

Asillos, 59.

Atacamas, 43 v.

Atahualpa, 95 v.

Aullagas, 48, 52 v.

Avila, Juan de, 9 v.

Avila, Pedro de, 18, 19.

Avilés, Juan, 16.

Ayala, Tomás de, veta que registró, 12 v.

Ayaviri, Hernando, don, cacique principal de Sacasa y capitán de las naciones Charca y Cora, 52.

Ayavirichichero, 53 v.

Ayerdi, Amador de, 18 v.

Ayllón, Juan de, 9 v.

Aymaraes, 43 v.

Azángaro, 26 v. 53 v.

Badajoz, 70.

Baeza, Marcos de, los herederos de, 13 v.

Balboa, Nuño de, 6 v., 13 v., 14, 15 v., 17 v., 34 v., 37 v.

Baldelomar, 47 v.

Ballesteros, Francisco, 21.

Ballesteros Narváez, Juan de, 19 v.

Baranda, Cristóbal de, 22 v.

Barba, Juan, 10; los heredores de, 12.

Barragán, Juan, 21 v.

Barreño, veta de, 16.

Barzana, S. J., Alonso de, 84, 84 v.

Basualto, Juan de, 47 v.

Basurto, Domingo de, 45.

Bautista de Solís, Juan, 14.

Bautista Savando, Juan, 7 v.

Beltrán, Diego, 42 v., 43.

Beltrán, Domingo, 13 v., 37 v.

Beltrán, Pedro, 43.

Benavente, Rodrigo de, 17.

Benino, Nicolás del, 6 v., 25; un socavón que llaman del, 25, 26 v.

Benítez Melgarejo, Antonio, 35 v.

Berenguela, del asiento y minas de, 45 v.

Bernardino, don, veta de, 21 v.

Bernal de Acosta, Pedro, los herederos de, 6, 11.

Berrio, veta que llaman de, 16 v.

Berrio, Juan de, 10 v., 17.

Berrio, Quiteria de, doña, 21.

Betanzos, Domingo, 21.

Bohedo, Francisco de, 7 v.; los herederos de, 35.

Borja, Gaspar, 37 v.

Bozo, Francisco, 6 v.

Brasil, 1.

Bravo, Diego, 15, 18 v.; alcalde mayor de minas, 20 v., 22 v., 60; contador, 60, 60 v., 72 v., 74 v.

Briceño, Juan, 11 v.

Bruceña, Lope de, 46 v.

Bruceña, Bernabé de, 9 v., 10 v., 11, 14 v., 20 v., 21; veeedor del cerro, 60.

Brenos Aires, 1.

Caballos, Juan de, 13.

Cabrera, Hernán, 7.

Cabrera de Córdoba, Hernán, 8, 38.

Cáceres, padre, 6.

Cacha, 54.

Caguar, 47.

Caica, 52.

Cal, Pedro de la, 18.

Calamarca, 52 v.

Calatrava, hábito de, 65 v.

Calavana, cerro, 47.

Calderón Cristóbal, 42 v., 43.

Calisaya, Pedro, indio, 47.

Calissaya, Lorenzo, indio, 23.

Callao, 1 v.

Callapata, 53.

Camana, vino de, 93 v.

Camarena, Juan de, 18.

Cameros, Juan de los; los herederos de, 9 v.

Caminaca, 53 v.

Campo, Juan del, 42, 42 v., 43.

Campos, Juan de, 42 v.

Cana, nación, 53 v.

Canas, provincia de, 50 v.; distrito de la ciudad de Cuzco, 51; Canas de Urcusuyu, 53 v., 54.

Cancara, 53 v.

Canche, 53 v.

Canchis, provincia de, 50 v.; distrito de la ciudad de Cuzco, 51; Canchis de Umasuyu, 54; Canchis de Urcusuyu, 54.

Cangalla, 54 .

Cano, Marcos, 16.

Gómez Hernández, Juan, 7, 11 v.
Gómez Sotelo, Juan, 9.
González, Alonso, 47.
González, Alvaro, 18 v.
González, Andrés, 6.
González, Baltasar, 22 v.
González, Hernán, 10 v.
González, Sebastián, 8.
González Chamorro, Alonso, 37 v.
González Sancha, Alonso, 47 v.
González Sotelo, Juan, 11.
González de Alanis, Jerónimo, los herederos de, 36 v.
González de las Cuentas, Pedro, el licenciado, 13.
Gracia, Bartolomé de, 35.
Grado, Pedro de, 15, 16 v., 35 v., 48.
Guaca, Diego, don, indio natural de Pomata, 22 v.
Guacache, cerro, 47.
Guachacalla, Manuel, don, cacique principal de Pucarani, capitán de la nación Pacaz, 52 v.
Guacho, 53v.
Guaina Capac, 95 v.
Guaianacota, 54 v.
Guaina Potosí, 2, 21 v., 78.
Guaira, demostración que llamaron, 29 v.
Gualpa, 3 v.
Guamanga, 89 v.
Guamani, Bartolomé, indio cana, 22.
Guanca, 3, 3 v., 4.
Guancaso, 53 v.
Guanco, Juan, don, indio de Oruro, 21.
Guantara, 45.
Guánuco, paños, bayetas y cordellates de, 93 v.
Guaqui, 53.
Guari Guari, cordillera de, 47 v., 48 v., 57 v.; cerros de, 48, 48 v.; indios de, 59.
Guarina, 52 v.
Guerra, Francisco, 20.
Guerra, Gabriel, 11 v.
Guerra, Juan, 8, 16 v., 22 v., 37 v.
Guitián, Diego, 11 v., 13 v.
Gutiérrez, Ana, 16 v.
Gutiérrez, Antonio, 16 v.
Gutiérrez, Francisco, 29.
Gutiérrez, Juan, 10 v.
Gutiérrez, Sebastián, 5 v., 10, 34 v., 37 v.
Gutiérrez Bernal, Juan, 22, 47.
Gutiérrez Caballería, Francisco, 17.

Gutiérrez Flores, Pedro, doctor, fray, 67 v., 68.
Gutiérrez de Molina, Juan, secretario de Real Audiencia, 67.
Gutiérrez de Soto, Juan, 18 v.
Gutiérrez de Ulloa, Antonio, licenciado, inquisidor apostólico, 67.
Gutiérrez de Ulloa, Juan, 16 v.
Guzmán, Francisco de, 5 v., 64; los herederos de, 10 v., 11 v.
Guzmán, Pedro de, 11.

Hachacachi, 52 v.
Hanansayas, 55.
Hatuncolla, 53.
Hayohayo, 52 v.
Helo, Juan, 41.
Heredia, Antonio de, 19 v.
Hermandad, alcaldes de la, 58.
Hermosa, Juan de, 7, 18, 35.
Hernández, Alonso, 37 v.
Hernández, Andrés, 7.
Hernández, Antonio, 10.
Hernández, Diego, 10 v., 12 v., 16, 16 v., 17 v., 19 v.
Hernández, Francisco, zapatero, 17 v.
Hernández, García, 18 v.
Hernández, Gómez, 7 v.
Hernández, Gonzalo, los herederos de, 11.
Hernández, Jorge, 22.
Hernández, Luis, 7 v., 10, 10 v., 11 v., 12 v., 13, 15, 17, 18, 18 v., 21, 21 v.; veta que registró, 12 v.
Hernández, Pedro, 16 v.
Hernández Colmenero, Pedro, 42 v.
Hernández Escudero, Pedro, 7.
Hernández Hurtado, Alonso, 9, 11, 14, 14 v., 15, 18.
Hernández Ontiveros, Pedro, 42 v., 43.
Hernández Perales, Alonso, 21.
Hernández Ramírez, Luis, 6 v., 7 v., 35 v.; socavón de, 24 v.
Hernández de Castro, Diego, 9 v., 15, 19, 42 v.
Hernández de Herrera, Gonzalo, 63.
Hernández de Ontiveros, Pedro, 15.
Hernández de la Torre, Alvaro, 9 v.
Hernández de la Torre, Francisco, 17 v.
Hernández de la Torre, Gonzalo, los herederos de, 8 v., 9.
Herrada, Mayor de, 13 v.
Herrera, Diego de, 9 v.
Herrera Crespo, Pedro de, 7, 37 v.
Herrera Escobedo, Rodrigo de, 38.

Nieto de Morillo, Francisco, 36 v.

Niño, Juan, veta de, 18 v.

Niño de Figueroa, Juan, 16 v., 22, 48.

Niza, Pedro de, 21.

Nombre de Jesús, la compañía del, 83; monasterio del, 74 v.

Nuestra Santa Fe Católica, 32 v.

Nuestra Señora de la Candelaria, 25; veta de, 13, 20 v.

Nuestra Señora de la Concepción, 83.

Nuestra Señora de la Encarnación, 83.

Nuestra Señora de la Merced, el convento, 9v., 18, 83, 103.

Nuestra Señora de la Paz, ciudad de 50 v.; provincia de, 51.

Nuestra Señora de Luna, 47.

Nueva España, 70.

Nullu, Juan, indio natural de los Quillacas, 47 v.

Núñez, Pedro, 12 v.

Nuñez de Prado, Diego, 21.

Núñez Bazán, Diego, 17, 20; protector general, 65 v., 70 v.

Núñez Maldonado, Diego, 35 v.

Núñez Maldonado, Juan, 8 v., 34 v.

Núñez Téllez, Pedro, 7, 35.

Ñuñua, 54.

Ochoa, Juan, 16 v.

Ochoa de Uzueta, Juan, 49.

Olaeta, Diego de, 6 v., 36 v.

Olazabala, Cristóbal de, 19 v.

Olazaga, Juan de, 17 v.

Olivera, Inés de, 16.

Olmeda, veta de, 12 v.

Omachiri, 54.

Oñate, veta de, 9 v., 23.

Oñate, veta de, por el socavón de Medina, 10.

Ondegardo, Polo de, licenciado, los herederos de, 15, 91 v.

Ordóñez, Juan, 13 v.

Ordóñez de Villaquirán, Juan, 12, 35 v.

Orellana, Francisco de, 18.

Oropesa, villa de, 45 v.

Ortiz, Baltasar, 12, 21.

Ortiz, Catalina, 17.

Ortiz, Gaspar, difunto, 9, 11, 12, 17, 35, 47 v.

Ortiz, Hernando, difunto, 15 v.

Ortiz, María, 10, 21.

Ortiz, Picón, Juan, 9, 15, 21; el socavón de, 24 v.

Ortiz Picón, María, 14 v.

Ortiz de Leiva, Alonso, natural de Sevilla, corregidor y justicia mayor, 70.

Ortiz de Olestia, Francisco, 17.

Ortiz de Zárate, Juan, el socavón de, 24 v., 26 v.

Orúe, Francisco de, 11 v., 15 v., 16.

Oruño, Francisco de, 7 v., 8, 12 v., 15 v., 36, 72.

Oruño, Hernando de, veedor del cerro, 60.

Oruro, 21, 53 v., 54.

Osorio, Cristóbal, 12 v.

Osorio, Jerónimo, 7.

Osorio, Luis, 13.

Otaola, Sebastián, los herederos de, 7 v., 12 v.; minas de, 15.

Pacajes, los, 53.

Pacax, la nación, 52 v.

Pacheco, Hernando, 8 v., 12 v., 15.

Pachita, 47 v.

Padilla, Juan de, 22.

Palacios, Diego, los herederos de, 10.

Palma, Diego de, 15 v., 16.

Palmero, Luis, 11.

Palomino, Torres, 5 v.

Pamo, Gaspar, 12, 20.

Pampacoloa, 54 v.

Pancorvo, mina de, 23 v., 25.

Pancorvo, Juan de, los herederos de, 5 v.

Paniagua, Alonso, 20 v.

Paniagua, Diego, 7 v., 9 v., 10 v.

Paniagua de Loaysa, Gabriel, 9.

Panus, Pedro, flamenco, veta que registró, 15, 17 v., 47.

Parani, cerro, 47 v.

Pardo, Melchor, 6 v.

Paredes, licenciado, 79.

Paredes, Francisco de, 19.

Paria, 52.

Pascuala, hija de Antonia Morena, 15 v.

Pastos, los, 54 v.

Pati, Juan, indio, 20 v.

Pati Pati, cerro, 47 v.

Paucarcolla, 53 v.

Pavía, Diego de, difunto, 11, 35.

Paz, Antonio de, 15.

Paz, Isabel de la, 11.

Peñalosa, Benito de, 13.

Pendones, Juan de, 5 v., 7 v., 8, 9, 17, 36, 36 v., 64, 82, 92, 92v.; minas de, 27.

Peralta, Martín de, 22 v.

Pereña, Cristóbal de, los menores de, 19; los herederos de, 18, 20.

Pérez, Alonso, 13 v.

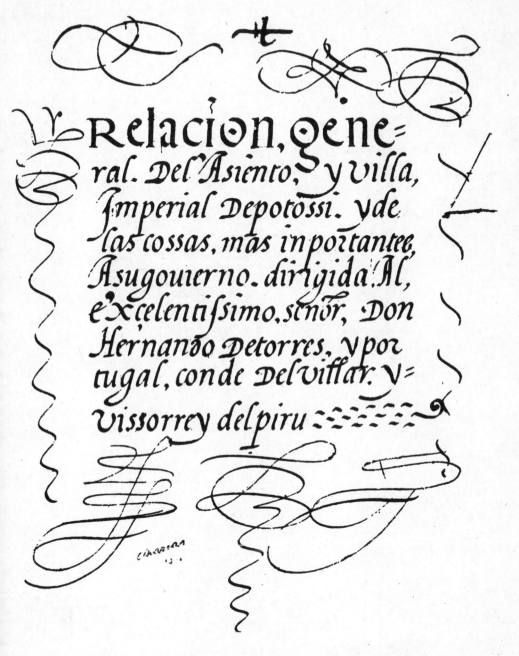

Relacion, gene=
ral. Del Asiento, y villa,
Jmperial Depotossi. yde
las cossas, mas inportantes
Asugouierno. dirijida Al,
excelentissimo, señor, Don
Hernando Detorres, y por
tugal, conde Del villar. V=
Vissorrey delpiru

Portada de la *Relación*. Del Ms. en el Archivo de Indias, Charcas, 134.

Don Hernando de Torres y Portugal, conde del Villar y virrey del
Perú (1585-1589).

Don Hernando de Torres y Portugal, conde del Villar, virrey del
Perú (1585-1589).

Don Francisco de Toledo, virrey del Perú (1569-1581).

El çerro y villa ymperial de Potosí está situado en tierra
fría de muchas nieues, estéril y de ningún fructo y casi yn-
habitable por su estéril y mal temple, antes del descubrimiento del çerro no tuuo población. Por su mal temperamento su calidad es seco y frío. Biéntase sobre manera especial
por mayo, junio, julio y agosto, que se leuantan unos lebeches
vientos que llaman tomahaui, son venir por un pueblo que
tiene este nombre, son ympetuosos y vienen furidíssi-
mos y son tanto relisio y arena que causan en la uista
caussan mucho descaimiento, aunque no son enfermos.
Llueue poco en este puerto y entran las aguas por fin
de nouiembre y su fuerça es en genero y febrero, sálen
por principio de março, no se cría el y sus términos ningún genero de mantenimientos, trego, açeite, açúcar, papas
que se dan como turmas de tierra y algaçer sin çucar,
que son de perpetuo el frío y en esto ecede a de la tierra
de Viola y se entiende por no auer tiempo y los elementos
tenían entre sí la paz y templança para que en ella de la
tierra se fundó, aún sin mencionar, que se possee la cual de el dal de
y pelada sin ninguna arboleda ni verdura. Dista de la
equinocial a esta parte del sur veinte y un grados y dos
tercios y paja está en el ventio de los trópicos y es frío a
uiendo de ser por lo demás caliente como son çi el çielo,
que está en esta estrella de Polo, lo cual ympide
el ynpinamiento y llena a bien esta tierra y de otros
de temploladas vientos de que ca bañada, al uiente se mi-
este çerro y respecto de nosotros la prouincia de san
cta cruz de la sierra, ciento y setenta leguas que son los
últimos pueblos en esta parte subre los al pira, y prosiguen-
do a velante de la la mar del norte y costa del brasil, a
cica en río de la plata, y se demora al sueste y hasta
las primeras aguas saladas que entran por el frío son
de esta la población y puerto de buenos ayres a que
trecientas y treinta leguas por jornadas de buen camino
y la nauegacion a costar ci tiene ya que yntentan y si
por açí ynuicos cosarían si tuuieran certidumbre de sacar

Primera página de la *Relación*. Del Ms. en el Archivo de Indias, Charcas, 134.

PONIEN

Cerro de Potosí (cerca de 1585). Del «Atlas of Sea Charts (K3)», en la Biblioteca de la Hispanic Society of America, Nueva York.

Planta general de la Villa Imperial de Potosí. Del «Atlas of Sea Charts (K3)», en la Biblioteca de la Hispanic Society of America, Nueva York.

«Indios guayrando». Del «Atlas of Sea Charts (K3)», en la Biblioteca de la
Hispanic Society of America, Nueva York.

La famosa laguna de Tarapaya. De Bartolomé Orsúa y Vela, «Historia de la Villa
Imperial de Potosí...», en la Biblioteca del Palacio, Madrid.

Ocho reales acuñados a Potosí en tiempo de Felipe II. De la colección de la
American Numismatic Society, Nueva York.

ſta que el año de mill y quinientos y quaren
ta y ſiete años, andádo vn Eſpañol llamado
Villarroel con ciertos Indios a buſcar metal
q̃ ſacar, dio eneſta grandeza q̃ eſta en vn co-
llado alto de la poſtura q̃ aqui va figurado: el
mas hermoſo y bien aſſentado q̃ ay en toda

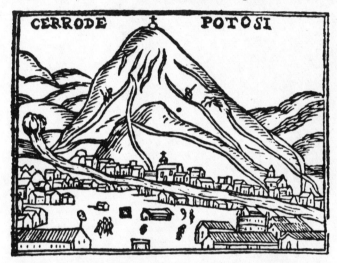

aq̃lla comarca. Y porq̃ los Indios llaman Po
toſsi a los cerros y coſas altas, quedoſele por
nombre Potoſsi, como le llamá. Yaunq̃ en e-
ſte tiépo Gonçalo Piçarro andaua dádo guer
ra al viſorey, y el reyno lleno de alteraciones
cauſadas deſta rebellió, ſe poblo la falda deſte
cerro: y ſe hizieron caſas grandes y muchas: y
los Eſpañoles hizieron ſu principal aſsiéto en
eſta parte: paſſandoſe la juſticia a el, tanto q̃
Ll   4   la

La primera representación del Cerro de Potosí, publicada por
Pedro Cieza de León en su *Crónica del Perú* (Sevilla, 1553).

fta que el año de mill y quinientos y quaren
ta y fiete años, andado vn Efpañol llamado
Villaroel con ciertos Indios a bufcar metal
õ facar, dio en ella grandeza q efta en vn co-
llado alto de la poftura q aqui va figurado: el
mas hermofo y bien affentado q ay en toda

CERRO DE POTOSI

aqlla comarca. Y porq los Indios llaman Po
tofi a los cerros y cofas altas, quedofele por
nombre Potofi, como le llama. Y aunq en e-
fte tiepo Gonçalo Piçarro andaua dado guer
ra al virey, y el reyno lleno de alteraciones
caufadas de fu rebellió, fe poblo la falda defte
cerro, y fe hizieron cafas grandes y muchas, y
los Efpañoles hizieron fu principal afsiero en
efta parte: paffandofe la jufticia a el, tanto q
Ll 4   La

La primera representación del Cerro de Potosí, publicada por
Pedro Cieza de León en su Crónica del Perú (Sevilla, 1553).

CONCOLORCORVO

EL LAZARILLO DE CIEGOS CAMINANTES

DESDE BUENOS AIRES HASTA LIMA

Con sus itinerarios, según la más puntual observación, con algunas noticias útiles a los nuevos comerciantes que tratan en mulas y otras noticias. Sacado de las memorias que hizo don Antonio Carrió de la Vandera, en este dilatado viaje y comisión que tuvo por la Corte para el arreglo de correos y estafetas, situación y ajuste de postas, desde Montevideo. Por don Calixto Bustamante Carlos Inca, alias Concolorcorvo, natural del Cuzco, que acompañó al referido comisionado en dicho viaje y escribió sus extractos.

CONCOLORCORVO

EL LAZARILLO DE CIEGOS CAMINANTES

DESDE BUENOS AIRES HASTA LIMA

Con sus itinerarios según la más puntual observación, con algunas noticias útiles a los nuevos comerciantes que tratan en mulas y otras noticias. Sacado de las memorias que hizo don Antonio Carrió de la Vandera, en este dilatado viaje y comisión que tuvo por la Corte para el arreglo de correos y estafetas, situación y ajuste de postas, desde Montevideo. Por don Calixto Bustamante Carlos Inca, alias Concolorcorvo, natural del Cuzco, que acompañó al referido comisionado en dicho viaje y escribió sus extractos.

DON ALONSO CARRIO DE LA VANDERA, AUTOR DEL LAZARILLO DE CIEGOS CAMINANTES [*]

Hallándose en Sevilla el marino don José de Espinosa y Tello, en el año 1790, recibió un oficio del capitán general de la Armada ordenándole se incorporara en Acapulco a la expedición que las corbetas *Descubierta* y *Atrevida* llevaban a cabo alrededor del mundo. Desde su salida de Cádiz nos ha dejado una relación sobre todo de las tierras del interior de América, que visitó (1).

Al describirnos la ciudad de Montevideo hace una llamada que transcribimos: «El autor del *Lazarillo*, don Alonso Carrió, dice que en 1731 con poca diferencia dió principio don Bruno de Zabala a su fundación...» (2).

Igualmente al describirnos a los «gauderios» inserta otra nota:

«Noticia del libro de Carrió en *Lazarillo de Ciegos*, impreso en 1773» (3).

Es la primera referencia que de tan discutido libro hemos encontrado.

Dos consecuencias podemos sacar de esta cita: la una, que a finales del siglo XVIII tenía la suficiente difusión como para que lo conociera y utilizara este marino; la otra, que no era problema la paternidad de la obra.

Un siglo después, no sólo se había perdido gran parte de la edición, y el libro era considerado como raro, sino que existía ya un problema: el de su autor.

Intentaremos en este estudio, y creemos poder conseguirlo, dejar sentado de una vez para siempre las incógnitas que el Lazarillo ha presentado. Pero busquemos unos antecedentes de las personas que intervienen alrededor del libro.

Incorporación de los Correos a la Corona (4)

Reinando Carlos III se decidió dar fin a la labor que había comenzado Felipe V respecto a los servicios de Correos: su incorporación definitiva a la Corona.

(*) Ediciones Atlas agradece a don José J. Real Díaz la autorización para publicar este interesante estudio que acaba de aparecer en el *Anuario de Estudios Americanos*, vol. XIII. Sevilla, 1656. Igualmente manifiesta su agradecimiento a don José Antonio Calderón Quijano, director de dicha revista y de la Escuela de Estudios Hispano-Americanos de Sevilla.

(1) *Viaje político-científico alrededor del mundo por las corbetas Descubierta y Atrevida al mando de los capitanes de navía D. José Bustamante y Guerra desde 1789 a 1794.* Madrid. 1885. Publicado por Pedro de Novo y Colson, 2.ª edición.

(2) Ibídem, pág. 557.

(3) Ibídem, pág. 561. Citado por Torre Revello en *Historia de la nación argentina*, Levene. tomo IV. Buenos Aires, 1940.

(4) Cfr. Alcázar, Cayetano: *Historia del Correo en América*, Madrid, 1920. Verdegay y Fiscowich, Eduardo: *Historia del Correo desde sus orígenes hasta nuestros días*, Madrid. 1894.

El Correo Mayor de Indias que, desde su creación en 1514, estaba vinculado como monopolio a la familia Carvajal, seguía presentando las máximas dificultades en cuanto que no era una cesión temporal, sino a perpetuidad. Nombrada la correspondiente Junta de Incorporación, se señaló un comisionado, don Pedro Antonio de Cossío, el cual, después de una gestión de tres años, consiguió del entonces propietario del cargo, don Fermín Francisco de Carvajal, conde de Castillejo, su cesión a la Corona mediante una serie de beneficios económicos y honoríficos. De acuerdo con éste se señaló el 1 de julio de 1769 para el traspaso de los correos terrestres a la Corona. La política centralizadora de los Borbones se manifestaba una vez más.

Se había dado el primer paso para lograr una mayor eficiencia en este servicio. El principal problema que se planteó a la Corona respecto al mejor funcionamiento de los correos era la necesidad inmediata de una reforma a fondo. La familia Carvajal, debido a acuciantes problemas económicos, se había visto obligada a arrendar gran número de postas y oficios. Estos nuevos poseedores, como es fácil suponer, poco se habían preocupado de la eficacia del sistema, y sí de su lucro personal, desatendiendo el número y puntualidad de los correos, sin aumentarlos, según iban creciendo las necesidades. Bien comprendió esto el superintendente de la Real Renta de Correos, marqués de Grimaldi, cargo éste reservado a los primeros ministros de Estado, que pensó en el nombramiento de un comisionado- visitador, el cual, mediante gestión personal, ayudaría al establecimiento de una eficaz red de correos. Recayó éste en don José Antonio de Pando, que se encontraba en Veracruz como administrador del Correo Marítimo, y que en la Península ya había desempeñado el cargo de administrador en Betanzos y Orense (5). Fué designado «por principal de los del virreynato del Perú y comisionado para el arreglo de los de Santa Fee» (6), extendiéndosele el nombramiento el 5 de abril de 1769. Desde Veracruz se dirigía a La Habana, de aquí a Cartagena y de ésta a Lima, pasando por Santa Fe. En Mompós contrajo una enfermedad de la que fué agravándose hasta llegar a Bogotá, en donde tuvo que permanecer algún tiempo, hasta que, mejorado, pudo continuar su visita. Llegado a Lima el 21 de mayo de 1772, se le reconoció oficialmente como administrador general de los Correos del Virreinato.

Don Alonso Carrió de la Vandera (7)

Al poco tiempo se pensó en nombrar un segundo comisionado, que reorganizando las postas desde Buenos Aires a Lima, pasando por Córdoba, Tucumán,

(5) Carta de Carrió a los Directores Generales en Madrid. Cuzco. 24 marzo 1773. A. G. I., Correos, leg. 116.

(6) A. G. I., Correos, leg. 86.

(7) A W. Bose debemos lo que hasta el presente se sabe de la figura de don Alonso Carrió y su visita. Aprovechando el material del Archivo General de la Nación, Buenos Aires, ha vertido sus investigaciones sobre el tema en varios trabajos:

Los orígenes del correo terrestre en el Río de la Plata (1707-69), Boletín de la Universidad de la Plata, 1934, núm. 6, págs. 93-112.

Santa, Potosí, La Paz, el Cuzco, complementara la labor ya iniciada por don José Antonio de Pando en el Reino de Santa Fe.

Don Alonso Carrió de la Vandera, que a la sazón se encontraba en la Península, por haber venido «al cuidado de doscientos regulares de los expulsos» (8) y había presentado un memorial al contador de la Real Renta de Correos, don Miguel de San Martín y Cueto, ofreciéndose voluntariamente para servir en cualquier comisión referente a correos, pidiendo a cambio el corregimiento de Guarochiri u otro similar, fué propuesto por los administradores generales al marqués de Grimaldi, pues por «su inteligencia, justificado modo de pensar y hombría de bien, de que parece se carece bastante en aquellos dominios» (9), les parecía apto para ocupar dicho cargo de visitador.

Una vez estudiada la proposición por el marqués de Grimaldi y pareciéndole bien la posible designación, fué consultado don Alonso, el cual aceptó la comisión. No obstante, no admitió Grimaldi la posibilidad de que, al término de la visita, se le diera el corregimiento de Guarochiri, como había solicitado Carrió, pero sí señaló la posibilidad de que, en caso de crearse el cargo de tesorero o interventor en la Administración de Lima, se le tuviera como candidato preferente.

Le fué extendido el título, al que acompañaron unas instrucciones particulares de los administradores generales, en Madrid el 12 de enero de 1771 (10).

Era don Alonso natural de «Xijón principado de Asturias, reino de España» (11), habiendo nacido hacia 1706 (12). De mozo pasó a América, donde se dedicó al comercio. Estuvo en Méjico y según propia referencia «yo, lo he traginado desde Vera Cruz hasta Chiguagua, en calidad de comerciante y en la de viajero desde el mismo México hasta Guatemala» (13). De allí pasó al virreinato

Evolución del Correo en el Perú, Asociación Filatélica de la República Argentina. Buenos Aires. 1945.

Alonso Carrió de la Vandera, visitador de la Real Renta de Correos en el Río de la Plata, 1771-72. *Revista de Correos y Telégrafos*, 1938, núm. 15-16.

El Lazarillo de ciegos-caminantes y su problema histórico. La Plata, 1941.

Sin pretender, por apartarse de nuestro tema, hacer una biografía de don Alonso y menos aun historiar la visita, señalaremos algunos datos que hemos ido encontrando, dando mayor extensión a aquellos que de una manera directa influyeron en la génesis del *Lazarillo*. Existe amplia documentación sobre el tema en A. G. I., Correos, leg. 1, 2, 3, 86, 116, 117, 185

(8) De los Directores Generales al Marqués de Grimaldi, 31-VIII-1770 y *Diario de un jesuíta desterrado desde Lima a Cádiz y desde este puerto a la ciudad de Ferrara, en Relaciones de viajes de los siglos XVII y XVIII*, con Introducción y notas de Vargas Ugarte, S. J. Biblioteca Histórica Peruana, tomo V. Lima, 1947.

(9) Oficios cruzados entre el marqués de Grimaldi y los Administradores Generales, 31-VIII-1770; 5-IX-1770; 12-I-1771. A. G. I., Correos, 116.

(10) Publicadas por W. Bose, última obra citada, pág. 235-244. Existen varias copias en A. G. I., Correos, leg. 116.

(11) De los autos formados a don Alonso Carrió por la publicación de un manifiesto. Lima, 4-II-1778. A. G. I., Correos, 116.

(12) Hay una notable contradicción en cuanto a la edad de don Alonso. En 1774 dice rayar en los sesenta años: carta de Carrió a Adm Grales, 21 mayo 1774. En cambio, en declaración jurada hecha en 1778, nos dice «de sesenta y dos años más o menos»; en los autos citados en la nota (11).

(13) Manifiesto que Carrió intentó imprimir del que ya nos ocuparemos. Lima, 7-X-1777.

del Perú, donde fué corregidor de las provincias de Chilques y Masques, vivió después en Lima, donde desposó con doña Petronila Matute Cano y Melgarejo, de la que tuvo una hija, y viajó con bastante frecuencia por todo el continente sudamericano, visitando Buenos Aires en 1749.

Pero volvamos otra vez a España, donde don Alonso preparaba su marcha a fin de cumplir la nueva misión.

Concedido pasaje franco para él y dos escribanos, que se le asignaron, en el paquebote-correo el *Tucumán*, se embarcó en La Coruña el 17 de febrero de 1771. Desde su salida de España, hasta la llegada a Montevideo el 11 de mayo, fué redactando un diario náutico (14). Al día siguiente de su arribada comenzó la visita de la Administración de Montevideo, en donde se detuvo hasta el 11 de julio, en que pasó a Buenos Aires (15). Desde el 12 de julio que terminó la visita de la Administración de Buenos Aires, hasta el 5 de noviembre que salió de la ciudad, se ocupó don Alonso, entre otros asuntos concernientes al establecimiento de reformas en los correos, a preparar su viaje. Como dato curioso señalaremos alguno de los utensilios que conducía la caravana: un gran toldo para guarecerse de la lluvia y humedad, seis vasos de asta para agua, una mesa de campo, tres taburetes, seis cuchillos, ocho petacas para bastimentos, una escopeta buena y otra ordinaria, etc. El equipaje iría en tres carretas, que a la vez servirían para dormir en las noches que se caminaba, y el visitador y sus acompañantes marcharían en ocho caballos.

Acompañaban a don Alonso, además de los dos escribanos que la Corte le asignó—don Juan Moreno Monroy, al que subcomisionó para el arreglo de las estafetas desde Saladillo de Ruy Díaz hasta Chile, y don Francisco Monteiro de Pedrosa, al que también dió el encargo de recorrer la ruta de Tucle—, dos mozos chapetones y tres negros, de los cuales uno hacía el oficio «de barbero con pretensiones de cirujano», otro de cocinero y el tercero de ayudante.

Como ya hemos indicado, el 5 de noviembre de 1771 se ponía en marcha la comitiva.

Desde Buenos Aires a Salta, donde se detuvo dieciocho días, transcurrieron ciento cincuenta y ocho jornadas. En esta ciudad quedaron los chapetones por enfermedad, y es aquí también donde se abandonan las carretas, comenzando lo más penoso del viaje a lomos de mulas, ocho de silla y siete de carga.

Emprendido de nuevo el camino arribaron a Potosí. En esta ciudad perma-

---

(14) En A. G. I., Correos, 116, hemos encontrado el *Extracto del viaje que hizo la fragata nombrada el «Tucumán», Correo de S. M. desde la bahía de la Coruña hasta el puerto de Montevideo*, hecho por Carrió.

En un pasaje del *Lazarillo* (pág. 288) se hace mención del diario náutico en cuestión. (Aquí y en las citas sucesivas de la obra, nos referimos a las páginas de la presente edición.)

(15) Por no aportar nada nuevo de la visita de la Administración de Montevideo y Buenos Aires nos limitamos a señalarla. Para mayor conocimiento cfr. W Bose, ob. cit., pág. 241 sigs. Rectificamos, sin embargo, la fecha de llegada a Buenos Aires, según Cuenta jurada de gastos presentada en Madrid y fechada el 12 de junio de 1773. A. G. I., Correos, 116.

Sres.

Muy Sres. mios: Por este correo aviso de los
dos Paquetes con 12 exemplares de mis Itinerarios
desde Montevideo, á esta Capital: Los 6. van con
destino para los Sres. S.n Martin, Otamendi, y
Ayllon, y los otros 6. para que VS. los repartan, á quienes les pareciere. Las continuas ocupaciones en que me hallé, hasta fin de el año
de 1774, no me dieron lugar á pensar en la
Impresion de mi Viage, hasta que los muchos
Amigos que tengo en la Sierra me importunaron tanto por ellos, que solo uno, que hice sacar, y con bastantes erratas, me tubo de costa á
8 pesos, sin el Papel, por lo que resolví hacer
una Impresion de 500. exemplares, para
repartir á todos los Administradores Mayores
de la Renta, desde Montevideo á Cartagena con
sus Travesias, y complacer á algunos Amigos,
reservando menos de la mitad, en que apenas sacaré el coste de Papel, y encuadernacion so-
cificando mas de 4000 p. de mi corto Caudal.

Disfraçé mi nombre por no verme
en la precision de regalar todos los exemplares.
No ignoran VSS. lo util de un Diario, par-
ticularm.te en Parages despoblados, por lo que
me fue preciso venirlo alguno del Parage

para que los Caminantes se diviertan en los
vi arriones, y se les haga el Camino menos rudo.
Yo recelo, que no sean de el Agrado de VSS. por
difusos, y en algunas partes jocosos. Lo primero
lo execute à Requerimiento delos Italianos en
Mulas, que no creo sea desagradable à ninguw
no, y aun pienso que ahi tendrán muchos la
Complacencia de haver àferido la distancia de con
genero de Tragin.

En lo segundo procedì segun mi genio, en que
no fallé un punto a la realidad, por que me pare
ce que lo demas es un engaño transcendente à
la posteridad. Los Itinerarios, asi por la via
recta, como transversales, estan formados sobre mi
practica, y especulación, con dictamen de otros hombres
inteligentes, como assi mismo la Descripción de los
Caminos, division de Jurisdiciones, y Provincias
que estan al paso de los Correos, como verán VSS
por el Apendice, ò conclusion de el Diario, de que
se aprovecharán mucho los Administradores de la
Renta, desde Cartagena, para la direccion de Cartas
y Pliegos, como asimismo los Dependientes de esta
Real Estafeta, y otros de el interior de el Reyno.

Yo culpo a Dn Joph de Pando en no haver
hecho igual Descripcion en los terminos de su Visita:
Lo primero por haver entrado ciegamente en el
Reyno de S Perú, y lo segundo por sus enferme
dades, y aunque Yo tengo noticias experimentales
dela Ruta de Piura à Lima, y mucho mas de la
de esta Capital à Arequipa, no quise tocar en ella
por no estar comprehendido en mi Comision. Lo sus
tancial de mi Viage, por lo que toca a la Historia
de Correos, se podrá reducir à la Quarta parte con
bastante claridad, y distincion, y aunque ocupe

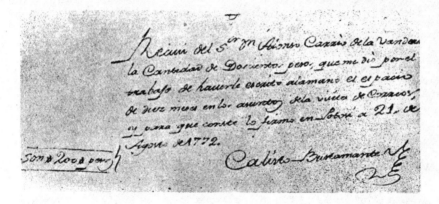

Comprobante que don Calixto entregó a don Alonso de haber recibido 200 pesos
por sus trabajos. Primer documento que nos da la letra y firma del Inca.
(A. G. I., Correos, leg. 116).

Nota que aparece en la «Cuenta jurada, que yo Don Alonso Carrió de la Vandera
comisionado por S. M. para el arreglo de las Postas, desde Montevideo a Lima, doy
a la Dirección General de Correos de los gastos causados en dicha comisión.»
Va fechada por dos veces: una, 12 de junio de 1773, es decir, seis días después
de concluir el viaje y cerró la cuenta; otra, 8 de diciembre de 1777, cuando decidió
presentarla a Madrid.

Comprobante que don Calixto entregó a don Alonso de haber recibido 200 pesos por sus trabajos. Primer documento que nos da la letra y firma del Inca.
[A. G. I., Correos, leg. 1161].

Nota que aparece en la «Cuenta jurada, que yo Don Alonso Carrió de la Vandera comisionado por S. M. para el arreglo de las Postas desde Montevideo a Lima, doy a la Dirección General de Correos de los gastos causados en dicha comisión». Va fechada por dos veces: una, 12 de junio de 1773, es decir, seis días después de concluir el viaje y cerró la cuenta; otra, 8 de diciembre de 1777, cuando decidió presentarla a Madrid.

necieron setenta y un días, de los cuales veinticuatro utilizó don Alonso en una visita a Chuquisaca, la que hizo acompañado del administrador de Potosí. El 25 de agosto dejaron esta ciudad, y con las detenciones de Oruro, La Paz e intermedias, cubrieron ciento cuarenta y cuatro días. En Cuzco también fué larga su detención—del 16 enero 1773 al 14 abril—y de aquí partió para Lima, concluyendo tan dilatado viaje el 6 de junio de 1773.

Dos Alonso y José Antonio de Pando: su polémica

Paralelamente, y agudizándose según la distancia entre él y Lima disminuía, iba desarrollando don Alonso una lucha epistolar contra el administrador principal, don José A. Pando, lucha que se agravó con el contacto personal de ambos comisionados en la ciudad de los Reyes, a partir de la llegada del primero, el 6 de julio de 1773.

De la colaboración, según pensamiento de los directores generales de la Renta de Correos en Madrid, entre dichos visitadores, dependía en gran parte la eficacia de las medidas que se fueran tomando con respecto a la organización de las postas. Fallida esta cooperación, las consecuencias repercutirían en los resultados, dificultando, si no anulando, muchas de las medidas que podían haberse tomado para un mayor éxito de la empresa.

Ni don José Antonio de Pando fué un demonio, como quiere pintarlo don Alonso, ni éste un santo. Cuando dos personas disputan tienen generalmete las dos algo de razón.

El motivo fundamental de esta guerra tenemos que buscarlo en una diversidad radical de caracteres, agravada por una gran diferencia de edad.

Don Alonso, duro e inflexible, demasiado apegado a la letra de ley, y que no supo nunca contemporizar, tajante en sus decisiones, con una gran fe en lo que su larga experiencia le había enseñado, unido todo ello a un gran celo en el cumplimiento de su deber y una sumisión total a las órdenes de sus superiores; Pando, «mozo», alegre, inteligente (16), sin duda, pero que se dejó gobernar por una «camarilla»—en la que ejerció el predominio don José Alvarez de Nava, oficial mayor de la Administración de Lima—, y que temió siempre verse empequeñecido en sus funciones—así ocurrió con don Domingo Basavilbaso (17) y sucedería con Carrió.

Pero dejemos al propio don Alonso explicarnos las causas de la disputa con don José Antonio Pando:

> «repito lo que tengo dicho en mis antecedentes sobre que mi edad y modo de pensar se puede conformar jamás con el de estos mozos» (Pando y su camarilla) (18).

---

(16) *Relación que hace el Excmo. Sr. D. Manuel Guirior...*, en *Relaciones de virreyes y audiencias que han gobernado el Perú*, T. III, Madrid, 1872, pág. 79: «mediante la inteligencia y activo celo de su administrador D. José de Pando».

(17) Sobre la polémica Pando-Basavilbaso véase W. Bose: Ob. cit., pág. 271-276.

(18) De Carrió a don Miguel San Martín, 30 julio 1774. A. G. I., Correos, 116.

«es muy común en los mozos la animosidad y confianza que tienen en las fuerzas corporales aplicando este vigor a las intelectuales, y así no extraño el que don Joseph haya hecho desprecio de mis avisos y consejos» (19).

Podríamos multiplicar las citas, pero las dos anteriores dan bastante claridad sobre la cuestión.

No se le pasaba por alto a la Corte esta diversidad de caracteres, y así escribieron a Carrió:

«No tiene Vm. que molestarse en describirnos el carácter de Pando, porque le conocemos bien y no ignoramos el de Vm., lo que conhiene es que los dos escriban menos, y obren más en beneficio y adelantamiento de la Renta» (20).

Existía, pues; una propensión a la disputa entre estos dos hombres, que por lo delicado de lo que trataban debieran haberse entendido perfectamente.

Bastó que se pusieran en contacto, aunque éste fuera tan débil como el que a través de una correspondencia oficial podía establecerse, para que por cualquier detalle se encendiese la hoguera.

No queremos cargar todas las tintas en don José Antonio de Pando, fué quizá la poca habilidad de don Alonso la que provocó la lucha abierta.

Hemos señalado que uno de los temores de Pando era la posibilidad de que se inmiscuyeran dentro de su campo de acción. Recién llegado don Alonso a Lima, escribió a aquél, enfermo en Bogotá, por intermedio del virrey del Perú, una carta en que le recomienda una serie de puntos: «Si S. E. (el virrey) pusiese en execución mi plan (sobre salida y número de los correos), es indispensable el que V. m. y los demás administradores cierren sus cuentas hasta el día de nueva planta, teniendo de antemano para formar nuevas cuentas, prevenidos los libros...» «los libros se han de llevar con mucha limpieza, de buena letra, principalmente en ese oficio...», «en esa ciudad siempre necesita Vm. un cartero para repartir las cartas sobrantes al segundo o tercer día...», etc., y como colofón, «si yo estuviera asegurado de que Vm. sabía estas cosas, y otras muchas más, que con el tiempo se prevendrán, me ahorraría el trabajo de escribirle, pero en caso de duda, más vale pecar por carta de más que por carta de menos» (21).

Podemos imaginarnos cómo sentó a Pando esta carta, y más considerando que en cierto modo el nuevo comisionado dependía en sus decisiones de él (22).

A partir de este momento, bastaba que Carrió propusiera algunas reformas para que Pando, aun siendo útiles a la renta, se mostrara en desacuerdo.

---

(19)   Manifiesto que intentó imprimir don Alonso, 7-X-1777, en Lima, A. G. I Correos, 116.

(20)   De Directores Generales a Carrió, Madrid, 27-VIII-1774.

(21)   De Carrió a Pando, Buenos Aires, 16-IX-1771. A. G. I., Correos, 116.

(22)   Como se desprende del punto 10 de las Instrucciones dadas a don Alonso por los Adm. Grales. en Madrid el 12 de enero de 1771, de las que Pando tenía copia:

«A más de dar todos los Ynformes de quanto baya reconociendo y adelantando, a la Administración General de Madrid, deverá comunicar igualmente estos asuntos con el virrey del Perú, Dn. Manuel de Amat, y con Dn. Joseph Antonio de Pando, Admi-

El asunto se complicaba, ya que la Corte iba aprobando, por ser más beneficiosas a los correos, cada una de las reformas que don Alonso implantaba. Este, quizá de un modo inconsciente, utilizaba dicha confianza en su lucha contra Pando. Así escribía a Basavilbaso:

«... a la corte, en donde, hasta el presente por fortuna mía estoy bien opinado y espero aprueben en adelante mis resoluciones, como lo han hecho hasta aquí, y sabe Vm. muy bien» (23).

Otra vez volvió don Alonso, por su falta de diplomacia, a ser el causante de la animadversión por parte de Pando.

Estando todavía Carrió en Buenos Aires, y temiendo la Corte un fatal desenlace en la grave enfermedad del futuro administrador de Lima, escribió a aquél comunicándole que en caso de morir Pando ocupara la plaza de administrador en Lima, al fin de su visita (24).

Precipitó don Alonso los acontecimientos, y como si don José Antonio hubiese ya fallecido, introdujo reformas, tales como la segregación de las provincias de Tucumán y Mendoza de su dependencia con Lima en lo que se refiere a Correos, agregándolas a Buenos Aires con independencia de aquélla, medida sin duda beneficiosa para su mejor funcionamiento, pero que a Pando molestó, pues parecía una merma en sus funciones. La Corte, una vez más aprobó la reforma de Carrió.

A partir de entonces Pando cortó toda relación con don Alonso y se dedicó a preparar un reglamento de tarifas y portes (25) al que se opondrá Carrió, en el momento de su publicación, con bastante razón—don Manuel Basavilbaso también se opuso—por los defectos que presentaba.

Hasta tal punto llegó la incompatibilidad de ambos, que desde Madrid tuvieron que escribir al virrey para que ordenara cesasen las disputas entre ellos, y Carrió comunicara con Pando los asuntos de su comisión. El 26 de junio de 1772 cumplimentó esto don Manuel de Amat. Don Alonso ejecutó la orden recibida, escribiendo a Pando: «Suplico a Vm. me dirija a esta villa sus órdenes e instrucciones para el gobierno y méthodo que debo observar en la visita de estos oficios y demás concernientes al acierto de mi comisión» (26).

---

nistrador de las estafetas de aquel Reyno; —y desde su arribo a Montevideo les dará aviso de lo que fuere haciendo, relativo a esta Comisión, para que caminando con su acuerdo y aprobación, sean las disposiciones del comisionado Dn. Alonso, uniformes a las que están prevenidas, dispuestas o ideadas por el citado caballero Virrey, y parajes a donde puedan dirigirle sus advertencias, para contribuir al acierto y desempeño de la Comisión.» A. G. I., Correos, 116.

(23) De Carrió a Basavilbaso, Potosí, 18-VIII-1772. A. G. I., Correos, 116.

(24) En Manifiesto que intenta imprimir don Alonso, 7-X-1777; en «Exposición que hace el administrador principal de Correos de Lima a los puntos más esenciales que contiene el papel o por mejor decir libelo infamatorio hecho por don Alonso Carrió», Lima, 12 marzo 1778; en contestación de Carrió a Administradores Generales, Buenos Aires, 5-X-1771, agradeciéndoles la posible designación. Todo en A. G. I., Correos, 116.

(25) «Reglamento General y metódico de los días y horas fijas, que establece que los conductores de a caballo destinados a servir el correo ordinario de las Tres Veredas o Rutas principales de la ciudad del Cuzco, Piura y Arequipa, deberán salir de quince en quince días.»

(26) De Carrió a Pando, Potosí, agosto 1772. A. G. I., Correos, 116.

La lucha entre ambos se intensificaba y todavía, aún antes de llegar a Potosí, un nuevo punto de roce surgiría.

Según prescribían las Reales Ordenanzas de Correos, el porte de la correspondencia debía pagarse por el destinatario, en oposición al antiguo método de pagarlo en el lugar de emisión y por el remitente. Ambos comisionados tenían órdenes de implantar el nuevo sistema en las tierras americanas. Por una serie de circunstancias Pando demoró este cumplimiento, dando razones de su actuación (27).

No supo comprender Carrió que Pando no se oponía al establecimiento de la nueva modalidad en el cobro del porte, sino que creía conveniente dilatarla por unos años. Se cruzaron circulares de uno y otro dirigidas a los administradores de los distintos centros de la ruta. Las de uno ordenando que abriesen «rejillas» al exterior de las Administraciones—para introducir por ellas la correspondencia y así iniciar el nuevo método—, las del otro prohibiendo en absoluto toda modificación (28).

Cuando por Real Orden, en 1774, se aprobó todo lo ejecutado por Carrió, esta medida fué también admitida.

En el ínterin ambos atosigaban materialmente a don Manuel de Amat con quejas y representaciones, justificando cada uno su actuación y atacando a su contrario. Don Alonso llegó incluso a pedir una acción judicial contra Pando. Enviada ésta a España, transcribimos el apunte que por mano propia escribió el marqués de Grimaldi al margen:

> «Creo que este sujeto tenga razón en muchas de sus representaciones, pero no comprendo quepa pedir satisfacción en Justicia. El aprovar o desaprovar Pando sus medidas pueda ser inconsecuencia, desatino o malicia de Pando, pero no es insulto a que corresponde Pleito o acto de justicia para obtener satisfacción; siento que Carrió con estas sucesivas acusaciones dé lugar a que puedan decir sus enemigos que su objeto es derrivar a Pando para sucederle. Pero siempre se deve reconocer que Carrió ha procedido con acierto y con celo y que en Pando se nota un gran descuido sobre el cual y sobre no recibir carta suya ni cuenta ni razón deverán repetirle los administradores generales lo que se extraña aquí su conducta» (29).

Como el viaje se dilataba y pensase don Manuel de Amat que con la llegada de don Alonso a Lima quedarían zanjadas todas las dificultades, ordenó a éste en el Cuzco que aligerara la visita.

Poco podía figurarse el virrey que no iba a ser la llegada el fin de las disputas, sino el comienzo de un período mucho más agudo.

Ya tenemos en Lima a don Alonso; el nuevo choque es inminente; según la psicología de ambos, el motivo será lo de menos.

---

(27) La principal razón que Pando da es que por estar en período de organización todo el sistema de Postas era en estos momentos más perjudicial que beneficioso, aún económicamente, el cambio.

(28) La circular de don Alonso estaba fechada en Potosí, a 19 agosto 1772; la de Pando, en Lima, unos días antes.

(29) Nota que escribió el propio Grimaldi al margen en carta de Carrió a Directores Generales, 4-XI-1773. A. G. I., Correos, leg. 116.

En la confusa redacción del apartado 5.º de las Instrucciones dadas a don Alonso, éste encontrará motivo por el que oponerse al administrador. ¿Abarcaba o no dentro de sus atribuciones la visita de Lima? ¿Terminaba su cometido al pisar la ciudad? (30).

Consultó el visitador al virrey la duda que se le planteaba, y éste, mediante consulta a los señores del Real Acuerdo, decretó el 24 de octubre de 1773 que debería hacerla por estar contenida en sus instrucciones. Encontró don Alonso nueva ocasión de preguntar al virrey, pues según él, del análisis del decreto parecía deducirse, al ordenarle ejecutarla según el espíritu de la ley 10.ª, tít. 15, libro 5.º de las Indias (31), que debería hacerla judicialmente. El 26 de noviembre contestaba de nuevo don Manuel de Amat prescribiéndole realizarla según procedimiento con asesor letrado.

Acompañado de don Felipe Tudela, nombrado por don Alonso como asesor, y el escribano Martel, se presentó el visitador en la Administración para llevarla a cabo.

Mientras se resolvía el problema de la visita de Lima, el virrey creaba una Junta (32) a petición del visitador, con el objeto de dirimir las cuestiones que en adelante pudieran surgir entre el administrador y don Alonso.

Componían la dicha Junta dos ministros de aquella Real Audiencia—don Gaspar de Urquizu Ibañes y el conde de Sierra-Bella—, el oficial mayor de la Administración de Lima y el abogado de la misma.

Y es en medio de este ambiente cuando empezó a correr entre las gentes de Lima el *Lazarillo de Ciegos caminantes*. Nuestro cometido con don Alonso debería terminar aquí para pasar a estudiar el libro, objeto de nuestro trabajo; pero por puntualizar más la mentalidad del visitador, hemos creído conveniente abandonar nuestro objetivo principal por un momento y seguir apuntando ciertos acontecimientos de la vida de don Alonso, aunque cronológicamente posteriores a la publicación del libro.

Teóricamente, con la creación de la Junta, estaban resueltas las posibles disensiones entre ambos personajes. Desgraciadamente, pronto se puso de manifiesto la ineficacia práctica del recién creado Tribunal.

---

(30) «En su viaje desde Buenos Ayres a Potosí, *y aun hasta el mismo Lima*, reconocerá las cajas u oficios de Correos que se hallen establecidas...»

(31) «Ordenamos y mandamos a los Virreyes del Perú y Nueva España, que cuando pareciere conveniente nombren un Ministro de la Audiencia de donde cada uno presidiere, para que visiten en forma de residencia a los Correos Mayores y personas que hubieren entendido en el uso y ejercicio de estos oficios, y el juez procure averiguar la forma en que han procedido, y si en algunos casos se hubieren excedido o excedieren dejando de cumplir con su obligación y lo dispuesto por órdenes e instrucciones haciendo todas las averiguaciones que convengan y fueren necesarias y les haga cargo de la culpa que resultare, recibiendo sus descargos y habiendo sentenciado, citada la parte, nos la remita cerrada y sellada a nuestro Consejo de Indias, con relación particular en la forma ordinaria.»

¿Era, pues, don Alonso en estos momentos oidor de la Audiencia de Lima? ¿Es don Alonso Carrió el don Alfonso Carrión que, como miembro de la Audiencia, cita Palacio, V., en su trabajo: *Areche y Guirior...*, Anuario de Estudios Americans. T. III, Sevilla, 1946, página 21 (291).

(32) Copia del decreto del virrey dado en Lima a 4 de noviembre 1774. A. G. I., Correos, 116.

Mandaban las Reales Ordenanzas de Correos que el arca donde se guardaban los caudales en las Administraciones tuviera dos llaves. Pronto comprobó don Alonso que en Lima no se tenía en cuenta dicha prevención. Pando se negó a cumplirla. La primera disensión había surgido. Consultada la Junta y el virréy, respondieron de no hacer novedad sobre el asunto.

No se conformó don Alonso, y escribió a Madrid, de donde contestaron ordenando se hicieran tres llaves: una para el administrador, otra para el oficial mayor y la tercera para el visitador. Recibió éste la suya el 5 de octubre de 1775.

El 15 de enero de 1777, por decreto del virrey Guirior, sucesor de Amat, se nombraba a don Alonso para el cargo de contador-interventor de la Administración de Lima, cesando en el mismo día en su cargo de visitador. Había sido el mismo don Alonso el que había dado esta idea a los administradores generales:

> «Yo no pretendo que V. S. S. despojen a Pando sino de sus preocupaciones, quitándole del lado aquel mozo inquieto y caviloso (Felipe Porcel) (33), y sujetándole a un interventor o contador de juicio y conocimiento quien, con dos diestros oficiales de pluma como Mosteyro y Plaza y un tercero permanente en la estafeta, se gobernará el oficio y todos sus agregados, con prontitud, legalidad y sin confusiones (34).

Sólo le faltó a don Alonso el poner su nombre al lado de interventor o contador.

Desde este momento la actitud fiscalizadora de don Alonso se vería respaldada por su cargo. Don José Antonio escribiría desesperado a Madrid:

> «... ni quiere absolutamente que prevalezca otro dictamen que el suyo» (35).

A partir de este momento, la estrella de don Alonso se empieza a eclipsar; son una serie de circunstancias las que, unidas, provocaron su apartamiento definitivo de la Renta de Correos.

En España ha caído Grimaldi, su protector. Floridablanca no se dejaría llevar en sus decisiones por la más o menos simpatía hacia los protagonistas de este asunto. Pero lo que provocó definitivamente su caída fué la actuación del mismo don Alonso.

Decidió Carrió publicar un manifiesto con la intención de..., quizá el título que le puso, informe mejor al lector de dicho fin que mis palabras:

> «Manifiesto que hace el contador de Correos de las verdaderas utilidades que ha tenido el Rey con la incorporación de los Correos de Tierra de este virreynato y parte del de Santa Fee a la Corona. Para comprobante acom-

---

(33) Don Felipe Porcel había venido desde España en el *Tucumán* para servir en la Administración de Lima. Salió de Buenos Aires días antes que don Alonso, tomandó decisiones durante su ruta hacia Lima, en lo referente a las postas, que después dificultaron la actuación de Carrió. Desde Córdoba, el 12 de diciembre de 1771, se quejaba a Madrid el visitador de las intromisiones de Porcel, y tuvieron los Adm. Grales. que enviarle un severo oficio repitiéndole su cometido: oficial de la Administración de Lima y no visitador. Desde estos momentos se convirtió en uno de sus mayores enemigos, formando parte de la camarilla de Pando. A. G. I., Correos, 116.

(34) De Carrió a Adm Grales. Lima, 20 noviembre 1773. A. G. I., Correos, 116.

(35) De Pando a Adm Grales., Lima, 20 de enero de 1778. A. G. I., Correos, 116.

paña los extractos de valores de los años de 1773, 74 y 75, sacados de los libros de esta Real Contaduría. Veritas odium parit, sed veritati nemo prescriberit potest» (36).

Atacaba duramente en él a Pando y sus colaboradores.

Teniendo conocimiento por una delación el administrador de las intenciones de Carrió, denunció el caso. Presentóse el alcalde ordinario don Felipe Sancho Dávila, con el auxilio militar necesario y por decreto del virrey Guirior (37), en la imprenta de los Expósitos, y tras detener a los dependientes y, encargado, confiscó todos los papeles que en ella se encontraban. Entre éstos aparecía más o menos adelantado en su impresión el escrito de don Alonso.

Dirigióse a continuación, y también cumpliendo con lo ordenado por el virrey, a la calle del «Mascarón» (38), donde en la casa llamada la «moruna» vivía don Alonso, con la pretensión de detenerlo y confiscar también sus bienes y papeles.

Recibió don Alonso la noticia enfermo en cama, por lo que no pudo ser llevado a la prisión, y tuvo que asistir al embargo de sus bienes con el natural disgusto. Pocos días después empezó el juicio. Se acusaba a don Alonso de haber intentado publicar una obra infamatoria contra el buen nombre de don José Antonio Pando, y atentatoria contra los intereses de la Renta de Correos, y de haber intentado la publicación de aquélla sin la licencia correspondiente. Contra lo previsible el fiscal declaró a don Alonso inocente de las acusaciones, afirmando que no sólo no era libelo ni escrito difamatorio el manifiesto en cuestión, sino que por el contrario lo consideraba muy útil al servicio del Rey; y en cuanto a la licencia para la publicación, apuntaba la idea de que siendo un bien para la Renta de Correos, era muy duro aplicar la ley taxativamente (39).

No pensaron así en Madrid, y Floridablanca, en el oficio dirigido a los directores generales de la Real Renta de Correos, les decía:

«Por este correo escribo al Virrey del Perú, que bien enterado por su carta del 10 de febrero y testimonio que acompaña, de lo ocurrido con don Alonso de Carrió; aunque la gravedad y circunstancia del caso me inducía a proponer al Rey la más seria providencia al dar a S. M. cuenta de todo: por compasión de la avanzada edad y achaques de aquel dependiente y atendiendo a la pena que ya ha sufrido por el arresto y demás resultas de la causa y al mérito que tenía contrahído en la Renta de Correos y anteriormente en otras comisiones: sólo he propuesto a S. M. su jubilación al empleo de contador, con el sueldo que por él goza: que le prevenga el virrey se abstenga de producir pública ni privadamente, especies ni recursos relativos a la renta y su manejo, y de mezclarse en nada concerniente a

---

(36) A. G. I., Correos, 116. Existen dos copias, una enviada a Madrid por el mismo don Alonso para que pudieran juzgar de lo inofensivo, según él, de tal manifiesto.

(37) Decreto del virrey. Lima, 8 octubre de 1777. A. G. I., Correos, 116.

(38) Bueno, Cosme: *Geografía del Perú Virreinal.* Edición y estudio Valcárcel, Daniel. Lima, 1951, pág. 24.

Esta calle estaba situada en el cuartel 3.º, barrio 8.º, según un censo del año 1790. Cfr.: *Las calles de Lima*, Multatuli, Lima, 1945.

(39) Copia de la letra de la vista fiscal presentada al Virrey en 24 de noviembre de 1777. A. G. I., Correos, 116.

ella, quedando todas las disputas y desavenencias pasadas sepultadas en el olvido: que el mismo virrey haga recoger y quemar privadamente los exemplares del papel o manifiesto compuesto y dado a la imprenta por Carrió, como denigrativos al honor y conducta de los sujetos que indica y capaz de influir en el público ideas opuestas a la buena fama y crédito del manejo de la renta y sus intereses; y haviéndose conformado el Rey con lo propuesto por mí en todas sus partes: que proceda a cortar la causa en el estado en que se halla, y lleve a efecto con don Alonso de Carrió lo expresado» (40).

El 26 de septiembre comunicaban los administradores en Madrid las órdenes del ministro a don Alonso, añadiendo a las razones apuntadas por Floridablanca, que supiera corresponder a la gracia que le había dispensado la piedad del Rey.

Don Alonso, viejo y achacoso, deshonrado públicamente por la prisión y el embargo de sus bienes, escribiría a los administradores:

«Me conformo con sus sabias disposiciones y ruego a Dios me dé conformidad para tolerar un desaire tan notorio como el de abdicar un empleo en desgracia de mis superiores y verme precisado por injuria de los tiempos a ser gravoso a la Renta» (41).

El «Lazarillo» a través de la bibliografía

Llegado don Alonso a Lima, y mientras se desarrollaban los sucesos que ya hemos expuesto, empezó a correr entre las gentes un curioso libro: El Lazarillo de ciegos caminantes (42).

Narraba éste el viaje que años antes hiciera el visitador Carrió. Como autor del libro aparecía don Calixto Bustamante Carlos Inca, y como fecha y lugar de impresión, Gijón, 1773.

El libro ha venido a convertirse en una obra clásica de la literatura virreinal. A más de ser un tratado práctico en que se describen las situaciones de las postas, tambos, estafetas, las leguas que las separan y mil consejos más para el viajero

---

(40) Oficio de Floridablanca a Adm. Grales. de Correos. San Ildefonso, 24 de septiembre de 1778. A. G. I., Correos, 116.

(41) De Carrió a Adm. Grales., 23 mayo de 1779. A. G. I., Correos, 116.

(42) EL LAZARILLO / DE CIEGOS CAMINANTES desde Buenos-Ayres hasta Lima / con sus Itinerarios según la más pun- / tual observación, con algunas noticias útiles a los Nuevos Comercian- / tes que tratan en Mulas, y otras / Históricas. SACADO DE LAS MEMORIAS QUE / hizo Don Alonso Carrió de la Vandera en / este dilatado Viaje, y Comisión que tubo / por la Corte para el arreglo de Cor / reos y Estafetas. Situación, y / ajuste de Postas, desde / Montevideo. / Por / DON CALIXTO BUSTAMANTE CARLOS / Inca, alias CONCOLORCORVO, Natural / del Cuzco, que acompañó al referido Comisio- / nado en dicho Viaje, y escribió sus Extractos. / CON LICENCIA / en Gijón, en la Imprenta de la Rovada, año / de 1773.

de la ruta Buenos Aires-Lima, está salpicado de descripciones de paisajes, ciudades, costumbres de los naturales e historia que hacen reír más de una vez. Es el libro que llevaría todo caminante de esta ruta Buenos Aires-Lima en su equipaje, pues a más de darle buenos consejos técnicos le serviría para olvidar un poco las asperezas e incomodidades del viaje. Para darnos idea del interés que la obra ha despertado entre los americanistas, nos bastaría decir que en muchos aspectos es fuente indispensable para el historiador (43).

Hagamos una pequeña historia de la bibliografía que hasta nuestras manos ha llegado del *Lazarillo* (44), intentando sistematizar, dentro de lo posible, las noticias que sobre el libro se han dado; para lo cual podríamos dividir el tiempo transcurrido desde su publicación hasta nuestros días en tres etapas. La primera, desde aquella hasta finales del XVIII, la segunda ocuparía la primera mitad del siglo XIX y la tercera alcanzaría hasta nuestros días.

En la primera entra de lleno la referencia, que ya en otro lugar hemos señalado, del marino José de Espinosa. Esta, como tenemos dicho, nos da pie para creer que en ese momento no existe problema sobre la obra. En la conciencia de las gentes está claro que don Alonso escribió el referido libro.

Si a la segunda tuviéramos que bautizarla con un nombre, sería éste: el olvido. No sólo se pierde gran parte de la edición, sino que se olvida todo lo referente a la figura de don Alonso y a la visita histórica que lo originó.

Será durante la tercera etapa cuando el *Lazarillo* vuelva a ser utilizado y estudiado. Se intentará rehacer los hechos en que se basa y aclarar todo lo referente a los personajes que en él intervienen. Una doble división podríamos hacer de la bibliografía en esta última etapa: una, la de aquellos que sólo nos dan noticia de la existencia y del libro y a lo más dudan del lugar de su impresión; otra, la de los que de una manera directa han investigado sobre las fuentes del libro, o sobre algún personaje relacionado con él, intentando demostrar históricamente lo que el *Lazarillo* de una forma literaria nos relata.

---

(43) La utilizan entre otros muchos:

Céspedes, Guillermo: *Lima y Buenos Aires...*, Anuario de Estudios Americanos, tomo III, Sevilla, 1946.

Zapata Gollán, Agustín: *Caminos de América*, Buenos Aires, 1945.

Felce, Emma: *Antiguas ciudades de América*, Buenos Aires, 1943

Castro Esteves, Ramón, en *Historia de la nación argentina*, de Levene, vol IV, Buenos Aires, 1940.

Alvarez, Juan: *Ibídem*.

Aguado Bleye, Pedro: *Manual de historia de España*, tomo III, Madrid, 1956 6.ª edición.

(44) Hasta el presente conocemos las siguientes reimpresiones: Biblioteca de la Junta de Historia y Numismática Americana, Buenos Aires, 1908. Notas bibliográficas y biográficas por Martiniano Legizamón. Colección de Literatura Peruana. París, 1938, tomo VI, edición y notas de Ventura García Calderón.

Colección Cisneros. Selección hecha valiéndose de la reedición de la Biblioteca de la Junta de Historia y Numismática Americana arriba citada. Madrid, 1943.

Colección Austral, núm. 609. Buenos Aires, 1946. Nota preliminar de Antonio Portnov.

Tenemos además noticias de que el ilustre profesor Marcel Bataillon prepara una edición en francés. Asimismo prepara una edición crítica, precedida de un amplio estudio biográfico de don Alonso el joven investigador peruano Víctor Ortiz Vergara, al que agradecemos el habernos introducido en este tema.

Entre los primeros podemos citar como muestra, amén de otros muchos (45), a Paz Soldán, que en su Biblioteca Peruana nos dice (46):

«El autor acompañó a don Alonso Carrió de la Vandera en el viaje que hizo éste para el arreglo de correos y postas por orden suprema. Aunque esta obra aparece impresa en Gijón (Asturias), hay fundamento para creer que fué impresa en Lima.»

Las posturas que adoptarán los investigadores en esta segunda división de la última etapa serán muy diversas. Se pasará de afirmar la individualidad de ambos personajes a la identificación en uno, don Alonso, de ambos, negándole la existencia real al Inca. Según una u otra opinión, la paternidad del *Lazarillo* pasará de don Alonso a don Calixto, y cuando no, se intentará demostrar la intervención más o menos directa de los dos personajes en la confección del libro.

A don Federico Mojardín cabe el honor de iniciar esta etapa. Prometiendo un estudio biográfico de don Alonso que no llegó a publicar, adelantó, en breve artículo (47), su opinión sobre el problema. Llega a la conclusión de que el autor del *Lazarillo* es Carrió y, como anticipo probatorio dice haber descubierto el anagrama del visitador en el nombre de Calixto Bustamante Carlos Inca, lo que

---

(45) Brunet, Jacques Charles: *Manuel du libraire*, Berlín, 1921, tomo I, pág. 1.426: *Ouvrage ecrit par un indian de la race |des incas et selon toute apparence 'imprimé a Lima*. Balliviam: *Catálogo del museo-biblioteca de Ultramar*, pág. 32; «parece impresión de Lima». Field: *Indian Bibliogr.*, pág. 53.

Gutiérrez: *Biblioteca Americana*, núm. 1.914.

Leclerc, Ch.: *Biblioteca Americana*, París, 1878, pág. 441, nm. 1.770; pág. 491, núm. 1.878: «Ce curieux volume ecrit par un indian de la race des incas a probablemente été imprimé a Lima, bien qu'il porte par lieu d'impression le nom d'une petite ville d'Espagne, dans le vieille Castille. L'auteur accompagna D. Alonso Carrio de la Vandera dans le voyage qu'il fit par ordre de la Cour d Espagne pour le reglement de service des courriers, des estafettes et des postes dans le royaume du Perou.»

Medina, José Toribio: *La imprenta en Lima*, tomo III, págs. 43-46, núm. 1.354. Santiago de Chile, 1905. Describe la obra, destacando algunos párrafos e inserta una interesante bibliografía que hemos recogido.

Mendiburu, Manuel: *Diccionario Histórico-Biográfico del Perú*, 2.ª edición, tomo III, Lima, 1932, pág. 153. Atribuye a don Calixto hechos de don Alonso Carrió (el viaje en el «Tucumán», etc.) y no duda de la paternidad del libro: «Carrión escribió unas memorias extensas acerca de su comisión, y como le ayudaba Bustamante, que era empleado de la visita, recogió muchos materiales para su obra, El Lazarillo de ciegos caminantes.»

Mitre. En el ejemplar del *Lazarillo* de este eminente americanista existe una nota de su puño y letra en la cual sintetiza su juicio de la manera siguiente: «Aunque este curioso y rarísimo libro se dice impreso en Gijón con licencia, ésta no aparece en él, y se cree generalmente que lo fué en Lima, donde evidentemente se escribió por persona erudita y conocedora de la América española.» (Citado en prólogo de Leguizamón a la reedición del *Lazarillo*.)

Rich: *Biblioteca Americana Nova*, pág. 195: «Esta obra tiene el aspecto de haber sido impresa en Lima.»

Whitney, S. L.: *Catalogue of the Spanish Library*, of G. Ticknor, etc., Boston, 1879: «Probablemente impreso en Lima.»

(46) Paz Soldán: *Biblioteca Peruana*, Lima, 1879, pág 139.

(47) Mojardín, Federico: *El Lazarillo de ciegos caminantes de Concolorcorvo. ¿Quién fué su autor?* Boletín del Instituto de Investigaciones Históricas de la Universidad de Buenos Aires, 1928, núm. 37, págs. 30-32.

equivale a negar la existencia real al Inca. Hipótesis ésta completamente descartada al encontrarse con el tiempo huellas clarísimas de la existencia de Bustamante.

Dos ilustres investigadores peruanos, Rubén Vargas Ugarte y Ella Dunbar Temple, han salido al paso de la anterior opinión, intentando ubicar a don Calixto, aprovechando las noticias que de él mismo se reflejan en el libro, dentro de la gran familia de los Bustamante Carlos Inca. El primero, en un artículo contestación al del señor Mojardín (48), apuntó la idea de que el tal don Calixto está emparentado con los numerosos Bustamante Carlos Inca a los que había llegado a conocer a través de sus investigaciones en el Archivo General de Indias.

Pero ha sido la eminente investigadora Ella Dunbar Temple (49) la que de una manera más clara sitúa a don Calixto dentro de la mentada familia, deduciendo su lugar de entronque de los parientes que Concolorcorvo describe en la obra (50).

Si bien ambos investigadores han estudiado los antecedentes de Calixto, al referirse al autor del *Lazarillo*, sus opiniones divergen, pues mientras Dunbar Temple afirma que, a su juicio, nunca ha habido razones «fundadamente atendibles» para creer un enigma el problema del autor de la obra, dando por bueno como tal a Calixto Bustamante Carlos Inca, según se declara en el libro, el pensamiento de Vargas Ugarte ha evolucionado y de considerar también a don Calixto autor del libro, pasa, después de analizar otros escritos de Carrió, que no señala, a atribuirle la obra (51).

W. L. Bose es, sin duda, el investigador que de una manera más completa ha entrado en el estudio de los problemas que plantea la obra que tratamos (52). Preocupóse en principio de buscar la documentación debida, a fin de aclarar la actuación de don Alonso por aquellas tierras. Entre los papeles que manejó tuvo la fortuna de encontrar el primer documento que nos habla del Inca, fuera de las noticias que en el *Lazarillo* se nos dan; si bien el escrito llevaba en sí un problema a resolver (53), sí nos daba pie de una vez para siempre, para pensar que don Calixto existió, y no en la mente de don Alonso, sino realmente.

Una vez que consiguió, en parte, aclarar la visita, la figura de don Alonso

---

(48) Vargas Ugarte, Rubén: *En pos del verdadero autr del Lazarillo*, Boletín de Investigaciones Históricas de la Universidad de Buenos Aires, 1929, núm. 39, págs. 16-19. Aparecido de nuevo con el título ¿*Quién fué el autor del Lazarillo de ciegos-caminantes?*. Mercurio Peruano, 1929, tomo 20, núms. 137-138, págs. 104-105.

(49) Dunbar Temple, Ella: *Los Bustamante Carlos Inca*, Mercurio Peruano, Lima, 1947, núm. 243, págs. 283-305

(50) «... en solicitud de mi tío, que aunque indio logró la dicha de morir en el honorífico empleo de gentil hombre de cámara del actual señor Carlos III, que Dios eternice, por merced del señor Fernando VI...», pág. 381.
«Dos primas mías cuyos conservan la virginidad...», pág. 284.

(51) Vargas Ugarte, Rubén, S. J.: *Historia del Perú. Fuentes*, 2.ª edición, Lima, 1946. págs. 199-200.

(52) *El Lazarillo de ciegos caminantes y su problema histórico*, La Plata, 1941.

(53) El documento en cuestión es una carta de recomendación de don Martín Martiarena a don Domingo de Basavilbaso, pidiendo a este último emplee en algún trabajo a don Calixto Bustamante Carlos Inca. Según puede deducirse de la nota que añadió el administrador de Buenos Aires, la firma de Martiarena está falsificada, con lo que sólo nos sirve el documento para demostrar la existencia real del Inca. Cfr. W. Bose: Ob. cit., págs. 283-285.

y alguna noticia de la de Calixto, con una intuición clarísima, que suple la falta documental, llegó a la siguiente conclusión:

«Don Alonso había cumplido con su misión, pero quería reivindicar su nombre y su obra. Para ello utilizó los servicios del Inca, facilitándole el borrador del informe. Luego redactó personalmente y mediante don Calixto como amanuense la obra misma, ampliendo el texto con diversos tratados, memorias y recuerdos» (54).

Señalando como fundamento y esencia de la obra el deseo de «reivindicar su nombre y dejar constancia de su importante misión enfrentando la calumnia insidiosa que había divulgado contra su persona y su trabajo».

Hipótesis ésta con la cual estamos casi de acuerdo y que intentaremos fundamentar gracias a la fortuna de haber encontrado testimonios que nos parecen definitivos.

El «Lazarillo» a la luz de nuevos documentos

Analizados, aunque sólo sea someramente, los personajes y hechos que han intervenido de una manera directa en la génesis del libro y las opiniones sobre él, pasaremos a intentar demostrar nuestra tesis: que el libro lo escribió don Alonso, imprimiéndolo en Lima entre finales de 1774 y principios de 1776, y que don Calixto no sólo no fué su autor, sino que, probablemente, ni siquiera intervino en su elaboración material.

Al enfrentarnos con el problema del porqué del *Lazarillo*, llegamos a la conclusión de que la causa fundamental de su aparición fué el deseo por parte de don Alonso de dar al público un conocimiento práctico del estado, en lo referente a las reformas por él establecidas, de la ruta Buenos Aires-Lima, comprendiendo que el público ni estaba capacitado, ni le interesaba enterarse, a través de tratados técnicos, como los presentados en varias ocasiones al virrey, y como sería el resumen general de la visita (55).

Casi desde el principio de iniciar su comisión tuvo en germen Carrió esta idea; así escribía a los administradores generales desde Potosí:

---

(54) Bose, W.: Ob. cit., pág. 286.

(55) En el Archivo General de Indias, Correos, leg. 116, se encuentran copias de varias representaciones que sobre las reformas establecidas por don Alonso presentó al Virrey y Administradores de Madrid: «Manual de Correos y maestros de postas, con el itinerario de las leguas, que cada una distan entre sí en las tres rutas generales de este virreynato del Perú, y las reglas que deben observar sacadas de las Reales Cédulas...», Lima, 1 de junio de 1774.

«Informe hecho por D. Alonso Carrió al Excmo. Sr. D. Manuel Guirior del estado actual de los Correos y el que tuvieron desde su incorporación...», 17 de agosto de 1776.

Representación que don Alonso hace al virrey don Manuel de Amat, sobre el estado de los correos, 8 agosto 1772.

Otra representación con el mismo objeto. 3 de septiembre de 1773

A través de muchos de los escritos de don Alonso se llega a la conclusión que debió hacer un escrito resumen de su visita para presentar a sus superiores, pero que no hemos encontrado

«Luego que concluya la visita escribiré sobre el asunto con más extensión, dando noticias de los ríos y demás, para que V. S. S. comprenda con claridad toda la carrera general Buenos Aires a Lima» (56).

Todavía podemos presentar más testimonios del visitador sobre el pensamiento de escribir un libro a fin de popularizar sus reformas:

«También pondré en manos de S. E. prontamente una relación de mis progresos, desde Montevideo a ésta, y después se seguirá un viaje algo circunstanciado que pueda servir al público, y para que los administradores se impongan bien en las rutas...» (57).

Una vez más insistirá don Alonso al virrey anunciándole su idea.

«... y aunque dentro de breves días presentará a V. E. un diario algo circunstanciado para gobierno de los administradores, régimen de Correos y caminantes, he tenido por acertado adelantar algunas noticias importantes a la Renta y que nada interesan al público» (58).

Creemos queda bastante clara lo que para nosotros es causa fundamental del libro.

No queremos negar que la razón aportada por Bose—justificar su actuación criticada por sus enemigos—intervenga en la génesis del *Lazarillo*, pero sí señalar que fué una causa de segundo orden. Que influyó, desde luego, y bien podríamos traer aquí este párrafo:

«Creo, señor, que me será permitido repetir en esta representación la sustancia de lo que tengo dicho en varias piezas sueltas como vindicarme de algunas cargas que se me han hecho en este Superior Gobierno y otras partes por parecerme injusto o que proceden de una siniestra inteligencia» (59).

Que aunque directamente no alude al *Lazarillo*, sí pudo estar en la mente de don Alonso al escribirlo, pero que nunca justifica totalmente la aparición del libro y sí el intento de publicar el manifiesto de que ya hemos hecho mención.

Expuestas las que creemos causas posibles de las que intervienen en la génesis de la obra y que hemos venido atribuyendo a don Alonso hasta ahora, intentaremos disminuir las posibilidades que tuvo don Calixto Bustamante para escribirlo y así facilitar el camino para una segura atribución a don Alonso.

Ya del análisis de la propia obra podríamos deducir un argumento de convicción moral. Irritaba a Mendiburu y a Ricardo Palma el que el Inca tratara de forma tan desvergonzada no sólo su propio origen, sino también a su madre (60).

---

(56) De Carrió a los Directores Grales. Potosí, 22 junio 1772. A. G. I., Correos, leg. 116.

(57) De Carrió a Administradores Grales., Lima, 7 junio 1773. A. G. I., Correos, 116.

(58) Representación de Carrió a Manuel de Amat. Lima, 3 septiembre 1773. A. G. I., Correos, 116.

((59) Ibídem.

(60) «Yo soy indio neto, salvo las trampas de mi madre, de que no salgo fiador. Dos primas mías coyas conservan la virginidad, a su pesar en un convento del Cuzco, en donde las mantiene el rey nuestro señor. Yo me hallo en ánimo de pretender la plaza de perrero en la catedral del Cuzco para gozar inmunidad eclesiástica...». Prólogo, pág. 284.

«Descendiente de sangre real, por línea tan recta como la del arco iris.» Prólogo, pág. 279.

¿Qué autor, por muy burlón que fuera, se atrevería a sacar a luz pública datos que pudieran difamar a su .familia?

Pero pasemos a un argumento de más fuerza. Efectivamente, don Calixto acompañó a Carrió en su visita, y lo hizo como amanuense. En la villa de Potosí pagó el comisionado doscientos pesos al Inca por su trabajo a la pluma durante diez meses:

> «Reciví del Señor Don Alonso Carrió de la Vandera la cantidad de doscientos pesos que me dió por el trabajo de haverle escrito a la mano el espacio de diez meses en los asuntos de la visita de Correos y para que conste lo firmo en Potosí a 21 de agosto de 1772. Son /200/pesos.—*Calisto Bustamante* (rúbrica)» (61).

Util documento que, a más de demostrarnos las actividades del Inca y sus relaciones con don Alonso, nos da su propia letra y firma.

Carrió, en su cuenta de gastos (62), anotó inmediatamente el desembolso efectuado:

> «Por doscientos pesos que pagué en esta villa a don Calixto Bustamante Inca, por su trabajo de pluma en diez meses, a veinte pesos cada uno...»

Pero esto, podrá pensar el lector, lejos de probar que don Calixto no fué el autor del *Lazarillo*, da pie, por el contrario, para asegurarlo.

Siguiendo la lectura de la ya mencionada cuenta de gastos, nos encontramos la siguiente nota:

> «En la villa de Potosí se revajaron dos cargas: la una en que vino la cama y ropa de D. Calixto Bustamante Carlos Inca, escribiente que se acomodó en Córdoba por la ausencia de Moreno, y se quedó en Potosí; y la otra de bastimentos...» (63).

Don Calixto se une a la comitiva en Córdoba—por haber marchado Juan Moreno Monroy, comisionado por don Alonso para establecer las postas necesarias desde Saladillo de Ruy Díaz hasta Santiago de Chile—y lo abandona en Potosí. Su misión junto al visitador ha terminado; su figura se esfuma, como la de tantos otros, en el anonimato. Don Calixto ha sido pasajero en la visita; vino para suplir, se fué cuando ya no hizo falta. ¿Qué pudo unirse otra vez en Lima a don Alonso? De acuerdo; pero no es probable, ya que en ningún papel del comisionado volverá a aparecer su nombre, no obstante dejarnos muchas relaciones de aquellos que se desenvuelven a su alrededor, criados, amanuenses, ayudantes, etc., en los veinte meses que aproximadamente transcurren desde la marcha de don Calixto hasta la publicación del libro, y si hipotéticamente lo hacemos autor de la obra hubiera tenido necesariamente que relacionarse con don Alonso para suplir las noticias de la última etapa del viaje.

¿De dónde, entonces, el caudal de noticias que sobre la vida privada del Inca aparecen en el libro? Hagamos un viaje juntos el lector y yo durante diez meses,

---

(61) A. G. I.,. Correos, 116

(62) Ibídem.

(63) Ibídem.

y certifico que por muy introvertidos que fuésemos, al cabo, él y yo sabríamos, como comúnmente se dice, la vida y milagros del otro

Desde Córdoba a Potosí el visitador conversó en más de una tertulia al calor del fuego con sus acompañantes; de los detalles externos pasarían, sin duda, a sus actividades, pasado, futuro, ilusiones, proyectos, familia, etc.

Con todo lo anterior, sin embargo, podríados lanzar una hipótesis, pero no certidumbre. Necesitamos pruebas más claras con las que poder atestiguar nuestra tesis. Después de leer el documento que a continuación transcribimos, creemos nos falta menos para llegar a tal certidumbre:

«Muy SSres. míos: Por este Navío dirijo a V. S. S. dos paquetes con 12 exemplares de mis Ytinerarios, desde Montevideo a esta capital; los 6 van con destino para los S.Sres San Martín, Otamendi y Ayllón, y los otros 6 para que V. S. S. los repartan a quienes les pareciere. Las continuas ocupaciones en que me hallé hasta fin de el año de 1774, no me dieron lugar a pensar en la Impresión de mi viaje, hasta que los muchos amigos que tengo en la Sierra me importunaron tanto por M. S., que sólo uno, que hice sacar, y con vastantes erratas, me tubo de costo 80 pesos, sin el Papel, por lo que resolví hacer una Impresión de 500 exemplares, para repartir a todos los Administradores Mayores de la Renta, desde Montevideo a Cartagena con sus travesías, y complacer a algunas amigos, reservando menos de la mitad, en que apenas sacaré el costo de Papel, enquadernación, sacrificando más de 400 pesos de mi corto caudal.

»Disfracé mi nombre por no verme en la precisión de regalar todos los exemplares. No ignoran V. SS. lo árido de un Diario, particularmente en Payses despoblados, por lo que me fué preciso vestirle al gusto del Pays para que los Caminantes se diviertan en las Mansiones, y se les haga el camino menos rudo. Yo recelo, que no sean del agrado de VSS. por difuso, y en algunas partes jocoso. Lo primero lo executé a pedimento de los Tratantes en mulas, que no creo sea desagradable a ninguno, y aun pienso que ahí tendrán mucho la complacencia de saver a fondo la sustancia de este género de tragín.

»En lo segundo procedí según mi genio, en que no falté un punto a la realidad, por que me parece, que lo demás es un engano trascendente a la posteridad. Los Ytinerarios, así por la vía recta, como transversales, están formados sobre mi práctica, y expeculación, con dictamen de otros hombres inteligentes, como assi mismo la Descripción de los Caminos, división de jurisdicciones, y Provincias que están al paso de los Correos, como verán V. S. S. por el apéndice, o conclusión de el Diario, de que se aprovecharán mucho los Administradores de la Renta, desde Cartagena para la dirección de Cartas y pliegos como asimismo los Dependientes de esta Real Estafeta, y otros de el interior de el Reyno.

»No culpo a Don Joseph de Pando en no haver hecho igual Descripción en los términos de su visita:

»Lo primero por haver entrado ciegamente en el Reyno de Santa Fe, y lo segundo por sus enfermedades, y aunque yo tengo noticias eperimentales de la Ruta de Piura a Lima, y mucho más de la de esta capital a Arequipa, no quise tocar en ella, por no estar comprhendida en mi comisión. Lo sustancial de mi viaje, por lo que toca a la Historia de Correos, le podré reducir a la puarta parte con vastante claridad, y distinción, y aunque ocupe otro tanto el distrito de Don Joseph, quedaría el tomito en la mitad que el 'mío, y se comprehendería en él el espacio de 2.000 leguas, que hay desde Cartagena a Buenos Ayres, y no pasaría el costo. de mil exemplares de 600 pesos. Ymprimiéndose en esta Capital, y acaso en esa Corte, no llegaría a 100 Doblones, y vendrían más correctos, de mejor Impresión, y enmendados en el estilo.

»Nuestro Señor guarde a V. S. S. muchos años. Lima, 24 de abril de 1776.
»Beso la mano a V. V. S. su más atento servidor, *Alonso Carrió* (rúbrica.)
»Señores Jueces Administradores Generales de la Renta de Correos. Madrid» (64).

Don Alonso, pues, ha impreso un libro en Lima, entre el año 1775 y 1776 y del cual envía doce ejemplares a España. Si conseguimos probar, como creemos, que el libro que se anuncia es el Lazarillo, el complejo problema histórico que levantó tan tratada obra habrá desaparecido.

Por lo pronto, el Itinerario que anuncia no lleva el nombre de don Alonso (65). Según propia declaración, «disfracé mi nombre» (sobre las posibles causas de esta ocultación hablaremos más adelante).

Carrió pudo haber puesto como autor el nombre de aquel del que sabía detalles de su vida y le había acompañado durante un trecho, el cual no tendría muchas oportunidades de que cayera en sus manos el libro y aunque así fuera, no protestaría problablemente, pues de amanuense de oficio se habría convertido en autor literario.

Además don Alonso llama a su obra «Itinerarios», nombre con que califica el autor del Lazarillo al libro: «Después de concluído este itinerario histórico...» (66).

Más aún, Carrió expone una serie de características de la obra que envía: «Vestido al gusto del país; difuso; en algunas partes jocoso», características éstas que coinciden totalmente con el Lazarillo. ¿Quién puede negar que la mencionada obra está vestida al gusto del país? Muchas citas podríamos traer aquí pero sería tanto como transcribir la obra: el lenguaje, poblado de americanismos, las costumbres, las comidas, los tipos que describe, etc. Jocoso y burlón son precisamente los adjetivos que más le cuadran; salpicado de chistes, anécdotas, historietas...

«Lo primero lo executé a pedimento de los tratantes de mulas», continúa don Alonso; «Con algunas noticias útiles a los nuevos comerciantes que tratan en mulas», reza en la portada del libro.

Los Itinerarios del visitador llevan un apéndice que describiría, según él, «Como

_____

(64) Ibídem.
(65) No eran nuevos, según la mentalidad de don Alonso, estos disfraces. Desde Oruro escribe a los Adm. Grales. el 4 de noviembre 1772, incluyendo en la carta una nota en que les comunica que por creer que sus cartas se leen antes por espías de Pando, dirigirá la correspondencia a don *Luis Fritz de Anaya* y a don *Anselmo Quintana*. Nombres cuyas iniciales coincide con la de los Adm. Grales. Lázaro Fernández Angulo y don Antonio de la Quadra. A. G. I., Correos, 116.
(66) **Página 394**

assi mismo la Descripción de los Caminos, División de Jurisdicciones, y Provincias que están al paso de los Correos, como verán V. S. S. por el Apéndice o conclusión del diario de que se aprovecharán mucho los administrativos de la Renta, desde Cartagena para la dirección de cartas y pliegos»; el *Lazarillo* además de llevar su apéndice dice:

«... le pareció muy del caso al visitador dar a sus lectores una suscinta idea de las provincias de su comisión para que se dirijan las correspondencias con algún acierto» (67).

De nuevo otro punto de contacto nos va probando la identidad de los Itinerarios de Carrió y el *Lazarillo*:

«Lo sustancial de mi viaje por lo que toca a la Historia de Correos, le podré reducir a la cuarta parte con vastante claridad y distancia»; en la página 285 del *Lazarillo,* leemos:

«Me hago cargo que lo sustancial de mi Itinerario se podría reducir en 100 hojas en octavo.» (68)

Después de haber analizado y comprobado las clarísimas coincidencias, tanto internas como externas, de los dos libros, y sobre todo al decir don Alonso que disfraza su nombre, no nos cabe la menor duda que hemos conseguido nuestro objeto: identificar la obra de que habla don Alonso en la carta enviada a España y el *Lazarillo de ciegos caminantes.*

Pero también podríamos sacar algún argumento probatorio aprovechando los documentos antes citados, en que don Alonso va exponiendo su idea de escribir un libro. Así en uno de ellos dice: «y después se seguirá un viaje algo circunstanciado», en el *Lazarillo* podemos leer: «pero señor visitador ¿es posible que yo he de concluir un itinerario tan circunstancias sin decir algo de Lima?» (68).

Todavía podríamos añadir que de no ser el libro, de que nos habla don Alonso en su carta, el *Lazarillo*, existiría una edición de 500 ejemplares de la tal obra que en menos de un siglo se habría perdio totalmente. Es un hecho, según propia declaración, que imprime unos Itinerarios siendo 500 los ejemplares y a partir de 1774. En los Repertorios bibliográficos que empiezan a aparecer a mediados del siglo siguiente y que recogen todo lo publicado desde el establecimiento de la Imprenta en Lima, no aparece ninguna obra que coincida con los caracteres con que describe Carrió la suya.

Sobre la impresión que el libro causó en Madrid a los Administradores Generales podemos transcribir las palabras que le escribió don Antonio de la Cuadra:

«En cuanto a los exemplares del Itinerario de V. m. nada puedo decir por no haber havido tiempo aun de reconocerlo con la devida atención: bien que por descontado parece una obra curiosa y que será útil e instructiva al público y aun a esta Renta en la parte que la toca...» (70).

---

(67) Ibídem, pág 394
(68) Ibídem, pág, 285.
(69) Ibídem, pág. 396
(70) De don Antonio de la Cuadra a Carrió. Madrid, 26 octubre 1776. A. G. I., Correos, 116

A partir de la remesa de los doce ejemplares que acompañaban a la carta, base de nuestra demostración, todavía enviaría don Alonso en distintas ocasiones hasta 30 ejemplares—por lo menos tantos son los que tenemos documentados—. Cada lote que envía va acompañado de la correspondiente carta, sirviéndonos algunas de ellas para apoyar nuestra tesis:

«... Assimismo dirijo a V. SS. otro paquete con seis exemplares de mi viaje de Tierra, que aunque es difuso, puede aprovechar a algunos Dependientes de la Renta para que se impongan en el distrito de mi comisión en los demás asuntos...» (71).

Características que coinciden una vez más con el *Lazarillo*. El 20 de mayo de 1776 vuelve a escribir a Madrid:

«Haviendo corrido aquí entre las Personas de juicio, el *Lazarillo*, con aceptación por la puntualidad y utilidad de las noticias, dirigiré a V. S. S. otros doce exemplares en la fragatita del Rey nombrada la Paz, para que V. S. S. los distribuyan a su arvitrio...» (72).

Once días después confirmaba la anterior noticia escribiendo:

«... dije a V. S. S. que en la fragata del Rey nombrada la Paz dirigiría a V. S. S. doce exemplares de mi viage, lo que executo en un Paquete forrado en crudo» (73).

Es la primera vez que don Alonso llama a su obra el *Lazarillo*, identificándolo, en el segundo documento citado, con su viaje.

El 25 de diciembre de 1776 acusaron resibo los Administradores Generales de estos doce últimos ejemplares recibidos. A partir de aquí, nada hemos encontrado que nos anuncie nuevos envíos. Sí recibiría don Alonso, como podemos deducirlo de la carta contestación, el juicio, que una vez leída la obra, formarían sus jefes en Madrid:

«... nada me dice V. S. de el recibo de los Impresos de mi viaje, desde Montevideo, hasta esta capital, hasta que reciví este Duplicado. Estimo a V. S. el buen concepto de dicho impreso prometiéndome leerle a fondo, y respecto de que yo no hago cargo alguno a la Renta del costo de la Impresión, ni por esto pido premio alguno, no hago juicio de la crítica que cierto escribiente de esa oficina, hizo en carta escrita a Nava, y aun asegura éste que el Tratadito se dió vista al señor fiscal de la Renta, por parecer a los que sólo ven las cosas por la Corteza, ser obra satírica Yo estoy cierto de la ingenuidad, claridad y veracidad con que la escriví, hasta ocultar el nombre de los sujetos que agraviaron a la Renta de Correos, por lo que suplico a V. S. que si fuera cierta esta noticia, mande se señalen los Puntos que contienen sátira para satisfacer puntualmente, aunque recelo mucho sean chismes de Nava» (74).

(71) De Carrió a Adm. Grales., Lima, 4 mayo 1776. A. G. I., Correos, 116.
(72) De Carrió a Adm. Grales., Lima, 20 mayo 1776. A. G. I., Correos, 116.
(73) De Carrió a Adm. Grales., Lima, 31 mayo 1776. A. G. I., Correos, 116
(74) De Carrió a Adm. Grales., Lima, 20 abril 1777. A. G. I., Correos, 116.

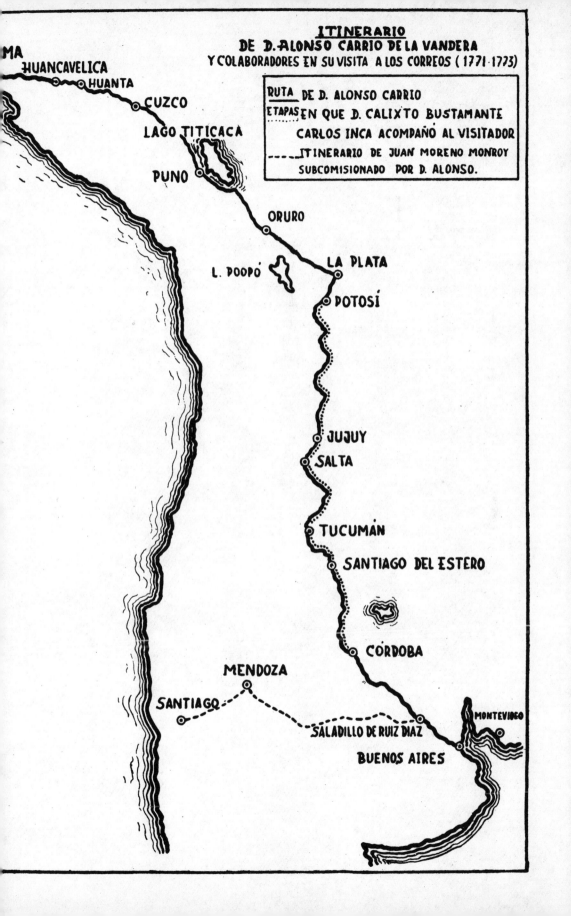

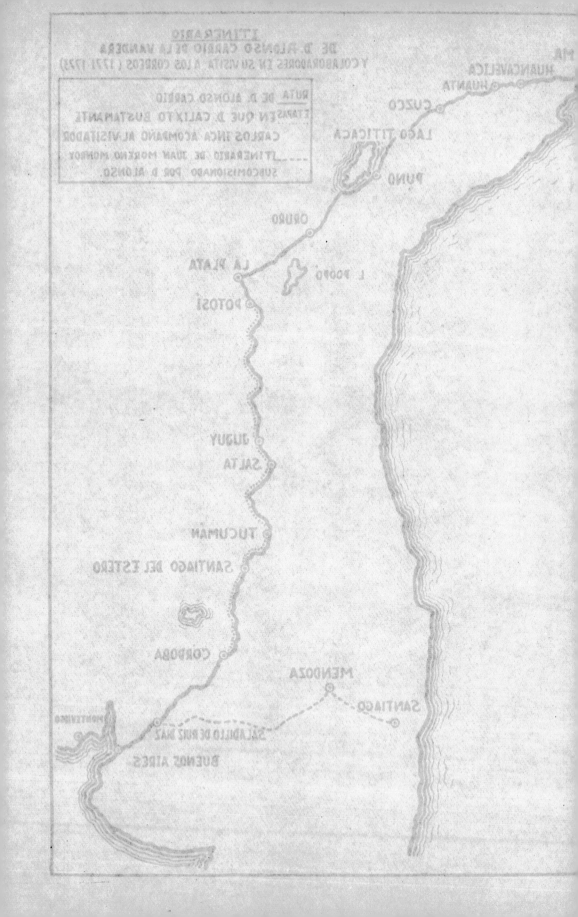

Ya sólo nos queda intentar averiguar las causas que pudieron mover al visitador a encubrir su nombre. Según él mismo nos confiesa, la razón era exclusivamente de tipo económico:

«... por no verme en la precisión de regalar todos los exemplares.»

No creemos razón suficiente ésta, y probablemente existió una causa más compleja. Don Alonso es un empleado de la Renta de Correos, que debido a una actuación tajante se ha creado un bando de enemigos dispuestos a criticarlo y aun a atacarlo judicialmente ante cualquier desliz del comisionado. La publicación de la obra podría acarrearle algún compromiso. Por otra parte, él quería que el libro apareciera como suyo, y así recurrió a la estratagema de poner un nombre falso —el de aquel que durante un tiempo lo acompañó—, señalando que lo sacaba de las memorias que el visitador había escrito.

El mismo don Alonso nos podrá aclarar la razón y así leemos en el *Lazarillo*:

«No sea VD, tan desconfiado, me dijo el visitador, porque estos caballeros simulan i saben digerir otras piltrafas mayores.» «No se fíe Vd. mucho, Sr. Don Alonso le dije, porque estos genios son muy clarivoyantes y espíritus muy bellacos, que no perdonan el más leve descuido.» «Eh, bien, monsieur Concolorcorvo; supongamos que en las tertulias y estrados se critique su gran itinerario histórico, por lo que toca a esta parte, y que se falle que su trabajo fue perdido y que toda la obra no vale un comino. ¿Qué cuidado tendrá Vd. de esto, después de haber vendido a buen precio sus brochuras? Reniegue Vd. y dé al diablo la obra o composición de que no se hable mal. Ninguna ha salido hasta ahora al gusto de todos, y hay infinidad de sujetos que no siendo capaces de concertar un período de seis líneas en octavo, que ponen un defecto en las cláusulas del hombre más hábil. Todo esto es oro molido para el autor. Si Vd. logra sacar el costo de su impresión (que lo dudo mucho) aunque la Robada le haga mucha gracia por mi respeto y amistad antigua, siempre gana Vd. mucho difundiendo su nombre y apellido por los dilatados dominios de España, con más fundamento que Guzmán de Alfarache y Estebanillo González que celebran tantos sabios e ignorantes, en distintos sentidos» (75).

Si percatados de que el autor fué don Alonso volvemos a leer el *Lazarillo*, muchas frases oscuras, muchas insinuaciones, muchas medias palabras, cobrarán nueva luz y sobre todo tendremos un argumento más para aclarar la tesis que hemos venido sosteniendo en este artículo.

Así, pues, ha sido el mismo don Alonso el que, al cabo de dos siglos de muerto, ha resuelto su propio enigma.

JOSÉ J. REAL DÍAZ.

---

(75) Página 404

Ya solo nos queda intentar averiguar las causas que pudieron mover al visitador a escribir su nombre. Según él mismo nos confiesa, la razón era exclusivamente de tipo económico:

«... por no verme en la precisión de regalar todos los ejemplares.»

No creemos razón suficiente esta, y probablemente existió una causa más compleja. Don Alonso es un empleado de la Renta de Correos, que debido a una actuación tajante se ha creado un bando de enemigos dispuestos a criticarlo y aun a atacarlo judicialmente ante cualquier desliz del comisionado. La publicación de la obra podría acarrearle algún compromiso. Por otra parte, el querer que el libro apareciera como suyo, y así recurrió a la estratagema de poner un nombre falso —el de aquel que durante un tiempo lo acompañó—, señalando que lo sacaba de las memorias que el visitador había escrito.

El mismo don Alonso nos podrá aclarar la razón y así leemos en el Lazarillo:

«No sea Vd. tan desconfiado, me dijo el visitador, porque estos caballeros simulan i saben dirigir otras pillarías mayores.» «No se fíe Vd. mucho, Sr. Don Alonso le dije, porque estos genios son muy clarividentes y espíritus muy bellacos, que no perdonan el más leve descuido.» «Eh, bien, monsieur Concolorcorvo; supongamos que en las tertulias y cerrados se critique su gran itinerario histórico, por lo que toca a esta parte, y que se falle que su trabajo fue perdido y que toda la obra no vale un comino. ¿Qué cuidado tendrá Vd. de esto, después de haber vendido a buen precio sus brochuras? Renie que Vd. y dé al diablo la obra o composición de que no se hable mal. Ninguna ha salido hasta ahora al gusto de todos, y hay infinidad de sujetos que no siendo capaces de concertar un período de seis líneas en octavo, que ponen un defecto en las cláusulas del hombre más hábil. Todo esto es oro molido para el autor. Si Vd. logra sacar el costo de su impresión (que lo dudo mucho) aunque la Robada le haga mucha gracia por mi respeto y amistad antigua, siempre gana Vd. mucho difundiendo su nombre y apellido por los dilatados dominios de España, con más fundamento que Guzmán de Alfarache y Estebanillo González que celebran tantos sabios e ignorantes, en distintos sentidos.» (15).

Si percatados de que el autor fue don Alonso volvemos a leer el Lazarillo muchas frases oscuras, muchas insinuaciones, muchas medias palabras, cobrarán nueva luz y sobre todo tendremos un argumento más para aclarar la tesis que hemos venido sosteniendo en este artículo.

Así, pues, ha sido el mismo don Alonso el que, al cabo de dos siglos de muerto, ha resuelto su propio enigma.

José J. Real Díaz.

(15) Página 104.

Así como los escritores graves, por ejemplo, el Plomo, y aun los leves, v. g., el Corcho, dirigen sus dilatados prólogos a los hombres sabios, prudentes y piadosos, acaso por libertarse de sus críticas, yo dirijo el mío, porque soy peje entre dos aguas, esto es, ni tan pesado como los unos, ni tan liviano como los otros, a la gente que por vulgaridad llaman de la *hampa*, o *cáscara amarga*, ya sean de espada, carabina y pistola, ya de *bolas*, *guampar* y *lazo*. Hablo, finalmente, con los cansados, sedientos y empolvados caminantes, deteniéndolos un corto espacio,

A modo de epitafio,
de sepulcro, panteón o cenotafio

No porque mi principal fin se dirija a los señores caminantes, dejaré de hablar una u otra vez con los poltrones de ejercicio sedentario, y en particular con los de allende el mar, por lo que suplico a los señores de aquende disimulen todas aquellas especies que se podían omitir, por notorias, en el reino.

Eslo también en él que los cholos respetamos a los españoles, como a hijos del Sol, y así no tengo valor (aunque descendiente de sangre real, por línea tan recta como la del arco iris), a tratar a mis lectores con la llaneza que acostumbran los más despreciables escribientes, por lo que cuando no viene a pelo lo de señores o caballeros, pongo una V para que cada uno se dé a sí mismo el tratamiento que le correspondiere o el que fuese de su fantasía.

Esto supuesto, señores empolvados, sedientos o cansados, sabrán que los correos y mansiones o postas son antiguos como el mundo, porque, en mi concepto, son de institución natural, y convendrán conmigo todos los que quisieren hacer alguna reflexión. He visto en la corte de Madrid que algunas personas se admiraban de la grandeza de nuestro monarca, porque cuando pasaba a los sitios reales llevaba su primer secretario de Estado, a su estribo dos correos que llaman de gabinete, preparados para hacer cualquier viaje impensado e importante a los intereses de la corona. A estas genios espantadizos, por nuevos y bisoños en el gran mundo, les decía el visitador que el rey era un pobre caballero, por que cualquiera dama cortejante y cortejada en la corte, y al respecto en otras ciudades grandes, tenía una docena, a los menos, de correos y postas, y que no había señora limeña que no despachase al día tres o cuatro *extraordinarios* a la casa de sus parientes y conocidos, sólo con el fin de saber si habían pasado bien la noche, si al niño le habían brotado los dientes o si al ama se le había secado la leche, y otras impertinencias. Cierta señorita, añadió, que viviendo en la calle de las Aldabas, encargó a un cortejante que vivía a la otra banda del puente, que de camino y al retirarse a su casa, diese un recado de su parte al general de los Borbones y otro al prior de Monserrate, y que, sin perder camino, pasase a la última huerta, que está en los callejones de *Matamandinga* y le trajese un *tulipán*, porque sólo allí los había excelentes.

Las postas se dicen así, no solamente porque son mansiones, sino porque hay caballos de remuda para hacer los viajes con celeridad. Esta policía es muy útil al Estado para comunicar y recibir con presteza las noticias importantes, de que se pueden servir también los particulares para sus negocios, precediendo las licencias necesarias prevenidas en cédulas reales y ordenanza de correos para la precaución de que no caminen por la posta delincuentes, sino personas libres de toda sospecha. La seriedad con que se trató este asunto en España se comprende, de que habiendo pedido postas el príncipe de Asturias, hijo primogénito del serio Felipe II, se le dió parte con tiempo por el director de ellas, que atajó el mal, que podía resultar al reino de un inconsiderado viaje.

Las postas, vuelvo a decir, no sirven solamente para asuntos tan serios, sino para la comodidad y diversión de los viajeros curiosos, que quieren ver las grandes fiestas y otras funciones que se hacen en las grandes cortes. Las que se hacen al casamiento de un príncipe no mueven a los curiosos hasta muy cerca de los principios. Las gacetas, mercurios y otras papeletas van anunciando los grandes preparativos y concurrencia de grandes príncipes y señores, su magnífico tren, que con la concurrencia de varias naciones, hacen las fiestas más plausibles.

Los españoles son reputados por los hombres menos curiosos de toda la Europa, sin reflexionar que son los que tienen menos proporción por hallarse en el extremo de ella. El genio de los españoles no se puede sujetar a las economías de franceses, italianos, flamencos y alemanes, porque el español, con doscientos doblones en el bolsillo, quiere competir con el de otro de estas naciones que lleva dos mil, no acomodándose a hacerse él mismo los bucles y alojarse en un *cabaret* a comer solamente una grillada al medio día y a la noche un trozo de vitela y una ensalada. Por otra parte, los hombres de conveniencias desprecian estas curiosidades por el recelo de que sus hijos traten con los herejes y vuelvan a sus casas imbuídos en máximas impías contra la religión y el Estado.

Para estas diversiones repentinas sirven de mucho auxilio las postas, que aunque son por sí costosas, ahorran mucho dinero en la brevedad con que se hacen los viajes. No puede dudar, sino un estúpido, la complacencia grande que se tendrá en la Europa en ver las principales Cortes, mayormente si se juntan dos o tres amigos de una nación o un mismo idioma, de igual humor, y aun cuando en estos viajes

acelerados, como de una primavera, un verano o parte del otoño, no se comprenda mucha de la grandeza de aquellas Cortes y reinos, basta para formar una idea ajustada, y que no nos sorprenda cualquier charlatán.

Los que tienen espíritu marcial apetecen, con razón, ver y reconocer dos grandes ejércitos opuestos en campaña, principalmente si los mandan testas coronadas o príncipes de la sangre. El autor de la inoculación del buen juicio, dice: que llegó a tal extremo en este siglo el fausto de los franceses, que sólo faltó tapizar las trincheras y zahumar la pólvora y tomar cuarteles en verano, para refrescarse con las limonadas. No se puede dudar que estos ejércitos en campaña causarán una notable alegría. La corte estará allí más patente. Las tiendas de campaña del rey, príncipes y grandes señores, se compararán a los grandes palacios. Servirá de mucho gusto oír y ver las diferentes maneras que tienen de insinuarse tan distintas naciones de que se compone un gran ejército, como asimismo los concurrentes. Solamente reparo la falta que habrá del bello sexo de distinguidas, que apenas tocará a cada gran señor u oficial general una expresión de abanico. Los demás oficiales, que son los Adonis de este siglo, se verán precisados a hacer la corte a las vivanderas.

En este dilatado reino no hay, verdaderamente, hombres curiosos, porque jamás hemos visto que un cuzqueño tome postas para pasar a Lima con sólo el fin de ver las cuatro prodigiosas P P P P, ni a comunicar ni oír las gracias del insigne *Juan de la Coba*, como asimismo ningún limeño pasar al Cuzco sólo por ver el *Rodadero* y fortaleza del Inca, y comunicar al *Coxo Nava*, hombre en la realidad raro, porque, según mis paisanos, mantiene una mula con una aceituna.

Las postas de celeridad, en rigor, no son más que desde Buenos Aires a Jujuy, porque se hacen a caballo y en país llano; todo lo demás de este gran virreinato se camina en mula, por lo general malas y mañosas, que es lo mismo que andar a gatas. Sin embargo, pudiera llegar una noticia de Lima a Buenos Aires, que distan novecientas cuarenta y seis leguas, en menos de treinta y seis días, si se acortaran las carreras, porque un solo hombre no puede hacer jornadas sin dormir y descansar, arriba de tres días. La carrera mayor y más penosa fuera la de Lima a Huamanga, pero con la buena paga a correos y maestros de postas, se haría asequible, y mucho más la de allí al Cuzco, a la Paz y Potosí. La de esta villa hasta Jujuy, y la de esta ciudad a la de San Miguel del Tucumán son algo más dudosas por lo dilatado de ellas, y contingencias de las crecientes de los ríos en que no hay puentes y algunos trozos de camino algo molestos.

Sin embargo, de que la mayor parte de las mansiones son groseras y los bagajes malos, en ninguna parte del mundo es más útil que en esta, caminar por las postas. Algunos tucumanos usan de mulas propias, principalmente para las sillas. Estas, aun sean sobresalientes, no aguantan arriba de dos o tres jornadas seguidas, de a diez leguas cada una, porque en muchas partes no tienen que comer y se ven precisados a echarlas al pasto en distancia, en donde las estropean o roban. Otros prefieren caminar con arrieros por los despoblados, fiados en las provisiones que llevan y buenos toldos para guarecerse por la noche, y que al mismo tiempo cuidan sus mercaderías y dan providencias para el tránsito de ríos y laderas peligrosas.

Regularmente ha visto el visitador que todas las desgracias que han sucedido en estos tránsitos las ocasionaron las violencias de los dueños de las cargas. La seguridad de sus efectos por su asistencia es fantástica, porque en el caso, que es muy raro, de que un mal peón quiera hacer un robo, abriendo un fardo o un cajón, lo ejecuta en una noche tenebrosa y tempestuosa, en que los dueños de las cargas están recogidos en sus toldos, y hasta el dueño de la recua procura abrigarse bien, fiado en que el dueño está presente y que respecto de haberse fiado de él, no tiene otra responsabilidad que la de entregar fardos cerrados. Distinta vigilancia tuviera si, como sucede en todo el mundo, se les hiciera entrega formal de la hacienda; pero, dejando aparte estos dos riesgos, de bastante consideración, voy a poner delante las incomodidades del pasajero, que camina con arrieros. En primer lugar, éstos no caminan, un día con otro, desde Lima al Cuzco, arriba de tres leguas, contando las paradas precisas y muchas voluntarias, para reforzar sus recuas. El pasajero necesita llevar todas las providencias, menos el agua. Estas provisiones son las más expuestas a los insultos de los peones, en particular las de vino y demás licores, que no hacen escrúpulo en romper una frasquera para beberse un par de frascos de vino, aguardiente o mistela, haciendo pedazos de frascos y derramar algún licor, para dar a entender al amo que sucedió esta desgracia por la caída de una mula o encuentro con otra o con algún peñasco. Todo se compone a costa de la faltriquera; pero quisiera preguntar yo a estos caminantes bisoños en el camino de la sierra, qué arbitrio toman cuando se hallan en una puna rígida o en alguna cordillera en que las mulas, huyendo del frío, van a buscar distintas quebradas o que los fingen los arrieros con consentimiento de los dueños de la recua. Se verán precisados a aguantar por el día los fuertes soles bajo de un toldo, que es lo mismo que un horno, y las noches con poco abrigo. Los bastimentos se consumen y el paciente se consterna, y no encuentra voces con qué satisfacer al que tiene el genio violento o poco sufrido.

Caminándose por la posta no faltan disgustos, pero todo se compone con tres o cuatro reales más de gasto en cada una, para que el maestro de ellas apronte las mulas y provea de lo necesario. Estos bagajes, aunque malos, caminan de posta a posta con celeridad, porque los indios guías o el postillón los pone en movimiento, como a unas máquinas. Para que los pasajeros no se detengan más de lo que fuere de su arbitrio, les aconsejo que saquen las providencias de boca de un tambo para otro, y porque desde Jauja al Cuzco, y aún hasta Potosí, escasea la grasa o manteca de puerco, en algunos parajes, aconsejo a mis amados caminantes prevengan en su alforja un buen trozo de tocino, que no solamente supla esta necesidad, sino que da un gusto más delicioso y se aprovechan los trocillos que no se derritieron. La pimienta, el ají molido, los tomates, cebollas y ajos y un par de libras de arroz, provisión de cuatro o cinco días, cabe todo en una regular servilleta, y algunos limones y naranjas suplen la falta de vinagre, que en la mayor parte de los parajes no se encuentra, o es tan amargo que echa a perder los guisados. ,

Con esta providencia y una polla con dos trozos de carne sancochada, se hacen dos guisados en menos de una hora para cuatro personas, a que también se pueden agregar algunos huevos, que rara vez faltan en los tambos y se encuentran con abundancia en los pueblos. El visitador está muy mal con los fiambres, y principalmente con los que toda la juventud apetece, de jamón y salchichones, porque excitan mucho la sed y provocan a beber a cada instante, de que resultan empachos y de éstos las tercianas, y con particularidad en tierras calientes. En el dilatado viaje de Buenos Aires a Lima, tomó tales providencias y precauciones, que apenas no tengo presente haber comido fiambres tres veces, pero es verdad que no hacíamos jornadas arriba de ocho leguas: a las diez del día ya habíamos caminado de cinco a seis; un criado se ocupaba solamente de preparar la comida, y todos nosotros, con el mismo visitador, asegurábamos nuestras bestias y buscábamos pasto y agua, y con esta precaución y cuatro horas de descanso, llegaban las mulas a la posada con bríos. Las cargas salían una hora después y pasaban los indios guías a tiempo de recoger los sobrantes. Otro criado, con uno de nosotros, salía por los ranchos a buscar nuevo bastimento de carne fresca y huevos para la cena, que se hacía con más lentitud y se sancochaban las carnes para la comida del día siguiente.

De este modo se hacen tolerables los dilatados viajes. El que quisiere caminar más, haga lo que cierto pasajero ejecutó con un indio guía. En la primera cruz que encontró hizo su adoración y echó su traguito y dió otro al indio, que iba arreándole una carguita, y la hizo doblar el paso. Llegó a otra cruz, que regularmente están éstas en trivios o altos de las cuestas. Luego que divisó la segunda cruz y se acercó a ella, dijo al español: *Caimi* cruz, y detuvo un rato la mula de carga, hasta que el español bebió y le dió el segundo trago; llegó, finalmente, a una pampa dilatada de casi cuatro leguas, y viéndose algo fatigado a la mitad de ella, dijo el indio: Español, *caimi* cruz, se

quitó el sombrero para adorarla y dar un beso al porito, pero no vió semejante cruz, por lo que se vió precisado a preguntar al indio: ¿En dónde estaba la cruz, que no la divisaba? El indio se limpió el sudor del rostro con su mano derecha, y con toda celeridad levantó los brazos en alto y dijo: *Caimi*, señor. El español, que era un buen hombre, celebró tanto las astucias del indio que le dobló la ración, y el indio quedó tan agradecido que luego que llegó al tambo, refirió a los otros mitayos la bondad del español, y al día siguiente disputaron todos sobre quién le había de acompañar.

El visitador me aseguró varias veces que jamás le había faltado providencia alguna en más de treinta y seis años que casi sin intermisión había caminado por ambas Américas. Aun viniendo en el carácter de visitador de estafetas y postas, sentaba a su mesa al maestro de ellas, aunque fuese indio, y la primera diligencia por la mañana era contar el importe de la conducción y que se pagase a su vista a los mitayos que habían de conducir las cargas, y a cualquier indio que servía para traer agua o leña, le satisfacía su trabajo prontamente, y así quedaban todos gustosos y corría la noticia de posta en posta, y nada faltaba ni le faltó jamás en el tiempo que caminó como particular, disimulando siempre la avaricia de los indios y sus trampillas propias de gente pobre. Quisiera preguntar a los señores pasajeros, así europeos como americanos, el fruto que sacan de sus arrogancias. Yo creo que no consiguen otra cosa que el de ser peor servidos y exponerse a una sublevación lastimosa. Cualquier maestro de postas puede burlar a un pasajero, deteniéndolo tres y cuatro días, porque le sobran pretextos bien o mal fundados.

Por otro lado, la paga no es la mitad de lo que merece un trabajo tan violento: una mula con un guía a real y medio por legua, no tiene de costo treinta y cinco pesos cabales, y se puede hacer un viaje sin fatiga, desde Lima al Cuzco, que es la carrera más pesada por lo fragoso del camino, en quince días, durmiendo todas las noches bajo de techo. Un arriero que tarda muchas veces ochenta días, salvo otras contingencias, cobra treinta pesos por una carga regular de doce arrobas, en que ahorra un pasajero cinco pesos, que no equivalen a la detención de más de dos meses. La equidad de las postas y mucha utilidad que resulta al público, es más visible en la conducción de una piara de efectos de Castilla. Esta tiene de costo, conducida por los arrieros en el mismo viaje, trescientos pesos, y por las postas doscientos setenta y nueve, porque para diez mulas cargadas son suficientes cuatro mitayos, que ganan a medio real por legua, y aunque el pasajero comerciante distribuya los veintiún pesos en gratificaciones para el mejor y más pronto avío, logra las ventajas siguientes:

La primera es la de conducir sus cargas con seguridad de robo, porque caminando con ellas todo el día las asegura de noche en el cuarto de las mansiones.

La segunda es la celeridad del viaje, y la tercera, que es la más principal para los comerciantes pegujaleros, es la de poder hacer sus ventitas al tránsito. Por ejemplo, en el valle de Jauja puede vender algunos efectos, en Atunjuaja, la Concepción y Huancayo, a cuyas tres poblaciones concurren los señores curas, que no son los más despreciables marchantes, de la una y otra banda del río. Si alguno quisiere pasar desde Atunjauja a Tarma, lo hará con arriero o particular de uno de los dos pueblos, o componerse con el maestro de postas, dándole alguna cosa más, en que aseguro no se perderá nada, porque en Tarma, con el motivo de la tropa, hay muchos chanveríes, que aunque tienen facilidad de proveerse de Lima, de cintas, clarines y encajes, no rehusan pagar a más alto precio lo que ven con sus ojos, por lo que soy de dictamen que todas estas cosas menudas se conduzcan en petacas de dos tapas, para que caminen ajustados los efectos, y en caso de que la venta sea algo crecida, se pueden deshacer dos o tres fardos de bretañas angostas y cambrais, que se acomodan con facilidad y se van ahorrando fletes. El que pasare de Atunjauja a Tarma solicitará que le conduzcan hasta la Concepción y de este pueblo hasta Huancayo, aunque pague la posta como si fuera a Huayucachi.

Aunque Huancavelica está regularmente abastecida de efectos, no dejan de escasear algunas menudencias, que en todos estos parajes se venden con mucha más estimación que en las grandes poblaciones. También se vende algo en Huanta, desde donde se pasaré brevemente a Huamanga, a donde compran algunas cosas los señores canónigos y curas, para su uso y el de su familia. Los comerciantes vecinos sólo compran a plazos, y regularmente quieren pagar, o a lo menos lo proponen, en petaquillas de costura aprensadas y doradas, guarniciones de sillas de casas, vaquetas y suelas, cajas de dulce y magno, con otras zarandajas, que así se puede decir, porque no hay sujeto que haya salido bien de estos canjes. No hay que empeñarse mucho con estos pequeños comerciantes, porque pagando bien doscientos pesos, se hace eterna la dependencia, que llega a mil.

En Andahuaylas y Abancay, que son los dos únicos pueblos grandes, desde Huamanga al Cuzco, se vende alguna cosa. El visitador es de dictamen que no se entre al Cuzco con rezagos sino con el fin de sacrificarlos a un ínfimo precio. Tiene por más acertado que se pase con ellos a la feria de Cocharcas, sobre que tomarán sus medidas los pequeños comerciantes, a quienes se previene que no pierdan venta desde el primer día que se abra la feria, porque ha observado que todos los días van en decadencia los precios. Estas advertencias son inútiles, y aun pudieran ser perjudiciales a los mercaderes gruesos que pasan con destino al Cuzco. Paz, Oruro o Potosí, a donde se hacen dependencias crecidas y quieren surtimientos completos; pero siempre sería conveniente que estos comerciantes entregasen toda la carga gruesa de lanas, lienzos y mercerías a los arrieros comunes y que llevasen consigo por las postas los tejidos de oro y plata, sedas y de mayor valor, que no ocupen más de diez mulas, que con corta detención pueden habilitar los maestros de postas.

Las leguas están reguladas lo mejor que se pudo, con atención a las comunales del reino, a que todos nos debemos arreglar, como sucede en todo el mundo. Si alguna posta se atrasa o adelanta por comodidad del público, en el actual real camino, en nada alterará el número de leguas, porque las que se aumentan en una, se rebajan en la siguiente. En los viajes a Arequipa y Piura, con cargas, siempre es conveniente, y aun preciso, caminar con recursos, y que los pasajeros carguen su toldo y se acomoden en cuanto a carnes, con las que se hallaren al tránsito, porque se corrompen de un día a otro por los calores y humedad del aire, y en estas dos carreras es en donde es más perjudicial a la salud el fiambre salado, porque hay muchas pascanas de agua salitrosa y pesada, y la mucha bebida, sea de lo que fuese, es nociva, y la menos mala es la del aguardiente, tomado con moderación.

Lo contrario sucede en las punas rígidas, a donde el aire es sumamente seco, y recogiéndose todo el calor al estómago, fatiga mucha la respiración y causa una especie de mareo, como el que acomete a muchos navegantes, que solamente se quita con beber el agua fría y tomar algunos caldos de carne o gallina, con bastante ají, que parece una cosa extraordinaria, pero la práctica está a su favor, como en el imperio de México, entre la gente vulgar, no curar los empachos más que con huevos fritos con agua y sal, con mucho chile molido, que equivale a nuestro ají y en España al pimentón, que sólo se usa con exceso en los adobados de carne de puerco y algunos peces indigestos y por naturaleza secos.

Los caminantes del chuño, papa seca y fresca, quesillo, zapallo o calabaza, con algunos trocitos de chalona y algunas hierbecitas van seguros de empacharse, porque su mayor exceso es darse una panzada de leche en una estancia, que a las dos horas se convierte en una pasajera tormenta de agua y viento, para ellos. Con estos no habla mi prólogo, sino con los crudos españoles, así europeos como americanos, que fiados en su robustez, almuerzan, meriendan y cenan jamones, chorizos y morcillas, cochinitos rellenos, cebollas y ajíes curtidos en vinagre, alcaparras y alcaparrones y todo género de marisco que encuentran en las playas. Un trozo de ternera, pierna de carnero, pavo o gallina, bien lardeados, con bastantes ajos y algunas frutas y queso de Paria, que regularmente es muy salado, dan motivo a que se apure la bota y que estos esforzados caminantes se echen a dormir en tierras calientes, bajo de las ramadas, y en las frías, sin otro abrigo que el de una sábana y manta para cubrir sus cuerpos.

Si los médicos fueran como algunos los pintan, no usaran de otro recetario para promover sus intereses y los de sus inquilinos los boticarios, a que también pudieran concurrir al fin de los señores párrocos con alguna gratificación. Es muy raro el pasajero que llega a esta capital por la costa de Arequipa que no contribuya a la facultad médica y botánica. Los de valles son más económicos porque se aplican más al método serrano, y aunque comen el cabrío, le pujan en el camino llegan a esta capital sin la necesidad de pagar lanzas y media anata a médicos, cirujanos y boticarios; y los señores párrocos de esta capital no hacen concepto de los derechos de cruz alta y sepultura, por lo que los cancheros no tienen otro recurso que el de las promesas de misas que hicieron por el feliz tránsito de los formidables ríos.

Los serranos, hablo de los mestizos, son más hábiles en picardías y ruindades que los de la costa. Uno de aquéllos, que llegó de refresco, pasó con dos compañeros a un convento de monjas de los más regulares que hay en esta capital, y llamando a la madre superiora, sea priora, abadesa o condesa, le dijo en el locutorio, que había ofrecido a un convento observante hacer una limosna de mil carneros de la gran partida que traía de Pasco y Jauja. La buena presidenta, o priora, agradeció la preferencia que hacía a su comunidad y por pronta providencia les sacó una mesa de manjares, y cada cofrade tomó una docena al uso de la sierra. La buena madre los convidó al día siguiente a comer en el locutorio, y los serranos sacaron el cuerpo de mal año, y se hicieron invisibles, dejando a la buena prelada a la irrisión de todas las monjas, porque los mil carneros fueron a parar al Camal de N, que los pagó a diez reales cada uno, con cargo de sisa. Cuidado con mestizos de leche, que son peores que los gitanos, aunque por distinto rumbo.

Yo soy indio neto, salvo las trampas de mi madre, de que no salgo por fiador. Dos primas mías coyas conservan la virginidad, a su pesar, en un convento del Cuzco, en donde las mantiene el rey nuestro señor. Yo me hallo en ánimo de pretender la plaza de perrero de la catedral del Cuzco para gozar inmunidad eclesiástica y para lo que me servirá de mucho mérito el haber escrito este itinerario, que aunque en Dios y en conciencia lo formé con ayuda de vecinos, que a ratos ociosos me soplaban a la oreja, y cierto fraile de San Juan de Dios, que me encajó la introducción y latines, tengo a lo menos mucha parte en haber perifraseado lo que me decía el visitador en pocas palabras. Imitando el estilo de éste, mezclé algunas jocosidades para entretenimiento de los caminantes para quienes particularmente escribí. Me hago cargo de que lo sustancial de mi itinerario se podía reducir a cien hojas en octavo. En menos de la cuarta parte le extractó el visitador, como se puede ver de mi letra en el borrador, que para en mi poder, pero este género de relaciones sucintas no instruyen al público, que no ha visto aquellos dilatados países, en que es preciso darse por entendido de lo que en sí contienen, sin faltar a la verdad. El cosmógrafo mayor del reino, doctor don Cosme Bueno, al fin de sus Pronósticos anuales, tiene dada una idea general del reino, procediendo por obispados. Obra verdaderamente muy útil y necesaria para formar una completa historia de este vasto virreinato.

Si el tiempo y erudición que gastó el gran Peralta en su Lima fundada y España vindicada, lo hubiera aplicado a escribir la historia civil y natural de este reino, no dudo que hubiera adquirido más fama, dando lustre y esplendor a toda la monarquía; pero la mayor parte de los hombres se inclinan a saber con antelación los sucesos de los países más distantes, descuidándose enteramente de los que pasan en los suyos. No por esto quiero decir que Peralta no supiese la historia de este reino, y sólo culpo su elección por lo que oí a hombres sabios. Llegando cierta tarde a la casa rural de un caballero del Tucumán, con el visitador y demás compañía, reparamos que se explicaba en un modo raro y que hacía preguntas extrañas. Sobre la mesa tenía cuatro libros muy usados y casi desencuadernados: el uno era el *Viaje que hizo Fernán Méndez Pinto a la China*; el otra era el *Teatro de los Dioses*; el tercero era la historieta de *Carlomagno con sus doce pares de Francia*, y el cuarto de *Guerras civiles de Granada*. El visitador, que fué el que hojeó estos libros y

que los había leído en su juventud con gran delectación, le alabó la librería y le preguntó si había leído otros libros. a lo que el buen caballero le respondió que aquéllos los sabía de memoria y porque no se le olvidasen los sucesos, los repasaba todos los días, porque no se debía leer más que en pocos libros y buenos. Observando el visitador la extravagancia del buen hombre, le preguntó si sabía el nombre del actual rey de España y de las Indias, a que respondió que se llamaba Carlos III, porque así lo había oído nombrar en el título del gobernador, y que tenía noticia de que era un buen caballero de capa y espada. ¿Y su padre de ese caballero?, replicó el visitador, ¿cómo se llamó? A que respondió sin perplejidad, que por razón natural lo podían saber todos. El visitador, teniendo presente lo que respondió otro erudito de Francia, le apuró para que dijese su nombre. y sin titubear dijo que había sido el S. Carlos II. De su país no dió más noticia que de siete a ocho leguas en torno. y todas tan imperfectas y trastornadas, que parecían delirios o sueños de hombres despiertos.

Iba a proseguir con mi prólogo a tiempo que al visitador se le antojó leerle, quien me dijo que estaba muy correspondiente a la obra, pero que si le alargaba más, se diría de él:

Que el arquitecto es falto de juicio,
cuando el portal es mayor que el edificio.

O que es semejante a:

Casa rural de la montaña,
magnífica portada y adentro una cabaña.

No creo, señor don Alonso, que mi prólogo merezca esta censura, porque la casa es bien dilatada y grande, a lo que me respondió:

Non quia magna bona, sed quia bona magna.

Hice mal juicio del latín, porque sólo me quiso decir el visitador que contenía una sentencia de Tácito, con la que doy fin, poniendo el dedo en la boca, la pluma en el tintero y el tintero en un rincón de mi cuarto, hasta que se ofrezca otro viaje, si antes no doy a mis lectores el último **vale.**

PRIMERA PARTE

CAPITULO I

Exordio.—Montevideo.—Los Gauderios.

Canendo et ludendo refero vera.

Si fuera cierta la opinión común, o llámese vulgar, que viajero y embustero son sinónimos, se debía preferir la lectura de la fábula a la de la historia. No se puede dudar, con razón, que la general extractó su principal fondo de los viajeros, y que algunas particulares se han escrito sobre la fe de sus relaciones. Las cifras de los peruleros, en quipus, o nudos de varios colores, los jeroglíficos o pinturas de los mexicanos, la tradición de unos y otros, vertida en cuentos y cantares y otros monumentos, corresponden (acaso con más pureza) a nuestros roídos pergaminos. carcomidos papeles, inscripciones sepulcrales, pirámides, estatuas, medallas y monedas, que por su antigüedad no merecen más crédito, porque así como no estorban las barbas para llorar, no impiden las canas para mentir. Con estos aparatos y otros casi infinitos se escribieron todas las historias antiguas y modernas. Los eruditos ponen las primeras en la clase de las fábulas, y a las segundas las comparan a las predicciones de los astrólogos, con la diferencia de que éstos, como conferencian con los dioses, anuncian lo futuro, y aquéllos, no pudiendo consultar más que con los mortales, sólo hacen presentes los sucesos pasados.

Supuesta, pues, la incertidumbre de la historia, vuelvo a decir, se debe preferir la lectura y estudio de la fábula, porque siendo ella parto de una imaginación libre y desembarazada, influye y deleita más. El héroe que propone es, por lo general, de esclarecida estirpe, hábil, robusto, diligente y de agradable presencia. Insensiblemente le empeña en los lances de peligros. Le acusa sus descuidos y algunas veces los castiga con algún suceso adverso, para que el honor le corrija, y no el miedo. Jamás le desampara ni pierde de vista. En los lances y empresas en que no alcanzan las fuerzas humanas, ocurre a las divinas, por medio de las cuatro principales cartas de aquella celestial baraja.

Juno y Venus, rivales desde la decisión del pastor de Ida, siguen opuesto partido, procurando cada una traer al suyo al altisonante Júpiter que, como riguroso republicano, apetece la neutralidad; pero deseando complacer a las dos coquetas, arroja rayos ya a la derecha, ya a la izquierda, en la fuerza del combate, para que quede indecisa la victoria. La implacable Juno abate toda su grandeza, suplicando a Eolo sople, calme o se enfurezca. La bizca manda a Marte, como Proserpina a un pobre diablo. Palas no sale de la fragua del cojo herrero hasta ver a su satisfacción templados broqueles y espadas, y la sabia diosa no se desdeña transformarse en un viejo arrugado y seco, para servir de ayo y director del hijo único de Penélope. En fin, triunfa el principal héroe de la fábula, que coloca en el inmortal sagrado templo de la fama bella.

No se debe extrañar mucho que los dioses de la gentilidad se interesen en los progresos de los mortales, porque descendiendo de la tierra, es natural tengan algún parentesco o alianza con los héroes de la fábula, o lo menos los moverá el amor de la patria de donde derivan su origen. Lo que causa admiración es que los diablos, así pobres como ricos, y de quienes hacen tan mal concepto vivos y difuntos, franqueen sus infiernos a estos héroes hasta llegar al gabinete de Plutón y Proserpina, sin impedimento del rígido Radamante y del avaro Carón, como dicen los franceses *fort bien*. Pero lo que más asombra es la benignidad del dios de los infiernos en haber permitido la salida de ellos a los hijos de Ulises y de Apolo. Algunas veces me puse a discurrir el motivo que tendría Orfeo para buscar a su mujer en los infiernos, habiendo muerto con verdaderas señales de mártir de la honestidad, y a Telémaco solicitar a su padre en los Campos Elíseos, siendo constante que fué un héroe algo bellaco; pero no es lícito a los mortales averiguar los altos juicios de los dioses.

Sin embargo, de los prodigios que cuentan los fabulistas, vemos que en todas edades y naciones se han aplicado a la historia los hombres más sabios. No se duda que algunos han sido notados de lisonjeros, y aun de venales, pero no faltaron otros tan ingenuos que no perdonaron a sus parientes y amigos, haciendo manifiestos sus defectos y publicando las buenas prendas de sus más acérrimos enemigos. Todos concurrimos a la incertidumbre de la historia, porque no hay quien no lea con gusto los aplausos que se hacen a su nación y que no vitupere al que habla de ella con desprecio o con indiferencia. En toda la Europa tiene gran crédito nuestro historiador Mariana por su exactitud e ingenuidad, y con todo eso, muchos de los nuestros le tienen por sospechoso, y desafecto a la nación. La más salada en disparates, honró a Mariana con el epíteto, que se da comúnmente a las inquilinas de Lupa, por que hablando de sus antepasados, los trató de incultos y de lenguaje bárbaro y grosero. Dudo que fuesen más pulidos los montañeses de Asturias, Galicia y Navarra, pero pasamos este rasgo a Mariana por la complacencia que tenemos en oír la defensa de los vulgares vizcaínos.

Los viajeros (aquí entro yo), respecto de los historiadores, son lo mismo que los lazarillos, en comparación de los ciegos. Estos solicitan siempre unos hábiles zagales para que dirijan sus pasos y les den aquellas noticias precisas para componer sus canciones, con que deleitan al público y aseguran su subsistencia. Aquéllos, como de superior orden, recogen las memorias de los viajeros más distinguidos en la veracidad y talento. No pretendo yo colocarme en la clase de éstos, porque mis observaciones sólo se han reducido a dar una idea a los caminantes bisoños del camino real, desde Buenos Aires a esta capital de Lima, con algunas advertencias que pueden ser útiles a los caminantes y de algún socorro y alivio a las personas provistas en empleos para este dilatado virreinato, y por esta razón se dará a este tratadito el título de *Lazarillo de bisoños caminantes*. Basta de exordio y demos principio a nuestro asunto.

Tengo dicho en mi *Diario Náutico* que a los ochenta y cuatro días de haber salido de la ría de La Coruña, en el paquebote correo de S. M. nombrado el «Tucumán», dimos fondo a la vela en la algosa arena de la mejor ensenada que tiene el Paraná. Al amanecer del siguiente día, y mientras se preparaba la lancha, me despedí de los oficiales y equipaje con alegre pena y en particular del salado contramaestre, a quien llamé aparte y pregunté confidencialmente y bajo de palabra de honor, me diese su dictamen sobre la vagante isla de Samborombón. Se ratificó en lo que me dijo, cuando nos calmó el viento entre las islas de Tenerife, Gomera, Palma y Fierro: esto es, que en ningún tiempo se veía la isla en cuestión, sino en el de vendimia, aunque subiesen sus paisanos sobre el pico de Tenerife; le volví a suplicar me dijese lo que sabía sobre el asunto de llamar a aquella fantástica isla de Samborombón, y me respondió con prontitud que no había visto el nombre de tal santo en el calendario español, ni conocía isleño alguno con tal nombre, ni tampoco a ninguno de los extranjeros con quienes había navegado, y que, desde luego, se persuadía que aquel nombre era una borondanga, o morondanga, como la que dijo Dimas a Gestas. Le abracé segunda vez, y haciendo otra reverencia a los oficiales, me afiancé de los guardamancebos para bajar a la lancha, porque en estos pequeños bajeles es ociosa la escala real. Empezaron a remar los marineros a la flor del agua y palanquearon hasta poner la proa poco más de una vara de la dura arena, a donde se desciende por una corta planchada. Desde la playa a la población hay una corta distancia, que se sube sin fatiga, y en su planicie está fundada la novísima ciudad con el título de

Montevideo

voz bárbara, o a lo menos viciada o corrompida del castellano, Monteveo, o portugués Monteveio, o de latín Montemvideo. En atención a su hermosa ensenada y otros respetos, dió principio a su fundación el año de 1731, con corta diferencia, don Bruno de Zabala, con catorce o quince familias que se condujeron por don Domingo de Basavilbaso, en navío de don Francisco Alzaibar, de la isla y ciudad de la Palma, una de las Canarias. Se hallaba de gobernador interino, por ausencia del propietario, brigadier don Agustín de la Rosa, el mariscal de campo don Joaquín de Viana, que había sido antes gobernador, con general aceptación. Tiene una fortaleza que sirve de ciudadela, y amenaza ruina por mal construída. Una distancia grande de la playa guarnece una muralla bien ancha de tapín, con gruesos y buenos cañones montados. Además de la guarnición ordinaria, se hallaba en ella y en el destacamento de San Carlos el regimiento de Mallorca y los voluntarios de Cataluña. Estaba de comandante del puerto el capitán de navío don José Díaz Veanes, con dos fragatas y un cabequín, y de administrador de correos de mar y tierra don Melchor de Viana, y de interventor don Joaquín de Vedia y la Cuadra, personas de estimación y crédito, con un oficial que asiste a la descarga y carga de los bajeles, todos a sueldo por la renta.

El número de vecinos de esta ciudad y su ejido aseguran llega a mil. Los curas anteriores al actual no han formado padrones, enfermedad que casi cunde a todo el Tucumán. El año de 1770 nacieron en la ciudad y todo su ejido 170 y murieron 70, prueba de la sanidad del país y también de la poca fecundidad de las mujeres, si fijamos el número de un mil vecinos.

Lo más cierto es que los casados no pasarán de trescientos, y que el crecido número que regulan se compone de muchos desertores de mar y tierra y algunos polizones, que a título de la abundancia de comestibles ponen pulperías con muy poco dinero, para encubrir sus poltronerías y algunos contrabandos, que hoy día, por el sumo celo de los gobernadores actuales de Buenos Aires y Montevideo, no son muy frecuentes.

También se debe rebajar del referido número de vecinos muchos holgazanes criollos, a quienes con grandísima propiedad llaman gauderios, de quienes trataré brevemente. En esta ciudad y su dilatada campaña no hay más que un cura, cuyo beneficio le rinde al año 1.500 pesos, tiene un ayudante y cinco sacerdotes avecindados, y no goza sínodo por el rey. Hay un convento de San Francisco, con ocho sacerdotes, tres legos y tres donados, que se mantienen de una estanzuela con un rebaño de ovejas y un corto número de vacas, sin cuyo arbitrio no pudieran subsistir en un país tan abundante. en que se da gratuitamente a los ociosos pan, carne y pescado con abundancia, por lo que creo que los productos de la estancia no tendrán otro destino que el del templo y algunos extraordinarios que no se dan de limosna.

El principal renglón de que sacan dinero los hacendados es el de los cueros de toros, novillos y vacas, que regularmente venden allí de seis a nueve reales, a proporción del tamaño. Por el número de cueros que se embarcan para España no se pueden inferir las grandes matanzas que se hacen en Montevideo y sus contornos, y en las cercanías de Buenos Aires, porque se debe entrar en cuenta las grandes porciones que ocultamente salen para Portugal y la multitud que se gasta en el país. Todas las chozas se techan y guarnecen de cueros, y lo mismo los grandes corrales para encerrar el ganado. La porción de petacas en que se extraen las mercaderías y se conducen los equipajes son de cuero labrado y bruto. En las carretas que trajinan a Jujuy, Mendoza y Corrientes se gasta un número muy crecido, porque todos se pudren y se encogen tanto con los soles, que es preciso remudarlos a pocos días de servicio; y, en fin, usan de ellos para muchos ministerios, que fuera prolijidad referir, y está regulado se pierde todos los años la carne de 2.000 bueyes y vacas, que sólo sirven para pasto de animales, aves e insectos, sin traer a la cuenta las proporciones considerables que roban los indios pampas y otras naciones.

La Dirección General de Correos había pensado aprovechar mucha parte de esta carne para proveer las reales armadas, en lugar de la mucha que se lleva a España del Norte. Calculados los costos, se halló que con una ganancia bien considerable se podría dar el quintal de carne neta al precio que la venden los extranjeros, en bruto, y que muchas veces introducen carnes de ganados que mueren en las epidemias y de otros animales. Se han conducido a España varios barriles de carne salada en Montevideo, y ha parecido muy buena; pero como este proyecto era tan vasto, se abandonó por la Dirección General, siendo digno de lástima que no se emprenda por alguna compañía del país o de otra parte. Yo sólo recelo que el gusto de las carnes y el jugo sería de corta duración y que perdería mucho en el dilatado viaje de Montevideo a España.

Además de las grandes estancias de ganado mayor que hay de la parte occidental del Paraná, se crían muchos carneros del tamaño de los merinos de Castilla. Se vende cada uno a real y medio. La cuarta parte de un novillo o vaca se da por dos reales, y a veces por menos; doce perdices se dan por un real. Abunda tanto todo género de pescado, que van los criados a las orillas a pescarlo con tanta seguridad como si fueran a comprarlo a la plaza.

Es un espectáculo agradable ver las gaviotas y otros acuátiles lanzar en la tierra el pescado y la carne en el agua. Esta increíble abundancia es perjudicialísima, porque se cría tanta multitud de ratones, que tienen las casas minadas y amenazando ruina, y en medio de ella se compran las gallinas a seis reales cada una, porque, aunque hay mucho trigo y a precio ínfimo, no puede adelantarse la cría, porque los ratones, fastidiados del pescado y carne, se comen los huevos y aniquilan los pollos, sacándolos de debajo de las alas de las gallinas, sin que ellas los puedan defender por su magnitud y audacia; y por esta razón se conducen la gallinas desde Buenos Aires y valen al referido precio. De esta propia abundancia, como dije arriba, resulta la multitud de holgazanes, a quienes con tanta propiedad llaman

Gauderios

Estos son unos mozos nacidos en Montevideo y en los vecinos pagos. Mala camisa y peor vestido, procuran encubrir con uno o dos ponchos, de que hacen cama con los sudaderos del caballo, sirviéndoles de almohada la silla. Se hacen de una guitarrita, que aprenden a tocar muy mal y a cantar desentonadamente varias coplas, que estropean, y muchas que sacan de su cabeza, que regularmente ruedan sobre amores. Se pasean a su albedrío por toda la campaña y con notable complacencia de aquellos semibárbaros colonos, comen a su costa y pasan las semanas enteras tendidos sobre un cuero, cantando y tocando. Si pierden el caballo o se lo roban, les dan otro o lo toman de la campaña, enlazándolo con un cabestro muy largo que llaman *rosario*. También cargan otro, con dos bolas en los extremos, del tamaño de las regulares con que se juega a los trucos, que muchas veces son de piedra que forran de cuero, para que el caballo se enrede en ellas, como asimismo en otras que llaman ramales, porque se componen de tres bolas, con que muchas veces lastiman los caballos, que no quedan de servicio, estimando este servicio en nada, así ellos como los dueños.

Muchas veces se juntan de éstos cuatro o cinco y a veces más, con pretexto de ir al campo a divertirse, no llevando más prevención para su mantenimiento que el lazo, las bolas y un cuchillo. Se convienen un día para comer la picana de una vaca o novillo; le enlazan, derriban y bien trincado de pies y manos le sacan, casi vivo, toda la rabadilla con su cuero, y haciéndole unas picaduras por el lado de la carne, la asan mal, y medio cruda se la comen, sin más aderezo que un poco de sal, si la llevan por contingencia. Otras veces matan sólo una vaca o novillo por comer el matambre, que es la carne que tiene la res entre las costillas y el pellejo. Otras veces matan solamente por comer una lengua, que asan en el rescoldo. Otras se les antojan caracuces, que son los huesos que tienen tuétano, que revuelven con un palito, y se alimentan de aquella admirable sustancia; pero lo más prodigioso es verlos matar una vaca, sacarle el mondongo y todo el sebo, que juntan en el vientre, y con sólo una brasa de fuego o un trozo de estiércol seco de las vacas, prenden fuego a aquel sebo, y luego que empieza a arder y comunicarse a la carne gorda y huesos, forma una extraordinaria iluminación, y así vuelven a unir el vientre de la vaca, dejando que respire el fuego por la boca y orificio, dejándola toda una noche o una considerable parte del día, para que se ase bien, y a la mañana o tarde la rodean los gauderios y con sus cuchillos va sacando cada uno el trozo que le conviene, sin pan ni otro aderezo alguno, y luego que satisfacen su apetito abandonan el resto, a excepción de uno u otro, que lleva un trozo a su campestre cortejo.

Venga ahora a espantarnos el gacetero de Londres con los trozos de vaca que se ponen en aquella capital en las mesas de estado. Si allí el mayor es de a 200 libras. de que comen doscientos milords, aquí se pone de a 500 sólo para siete u ocho gauderios, que una u otra vez convidan al dueño de la vaca o novillo, y se da por bien servido. Basta de gauderios, porque ya veo que los señores caminantes desean salir a sus destinos por Buenos Aires.

Dos rutas se presentan: la una por tierra, hasta el real de San Carlos. Este camino se hace con brevedad en tiempo de secas, pero en el de aguas, se forman de unos pequeños arroyos y ríos invadeables y arriesgados. En el real de San Carlos no falta lancha del rey, que continuamente pasa de Buenos Aires con órdenes y bastimentos, atravesando el Río de la Plata. que por esta parte tiene diez leguas de ancho; pero advierto a mis lectores que la ruta más común y regular es por el río, a desembarcar en el Riachuelo. cuyo viaje se hace en una de las muchas lanchas que rara vez faltan en Montevideo. Con viento fresco favorable se hace el viaje en veinticuatro horas. distando cuarenta leguas del Riachuelo. El desembarco es muy molesto, porque dan fondo las lanchas en alguna distancia y van los botecillos la mayor parte por la arena, a

fuerza de brazo por los marineros, que sacan a hombros pasajeros y equipajes, hasta ponerlos muchas veces en sitios muy cenagosos, por falta de muelle. Algunas veces se aparecen muchachos en sus caballos en pelo, que sacan a los pasajeros con más comodidad y menos riesgo que en las barquillas.

Hay ocasiones que se tarda una lancha en llegar al Riachuelo, quince días, porque con los vientos contrarios se pone furioso el río y les es preciso hacer muchas arribadas de una y de la otra banda, y tal vez a sitio donde con dificultad se encuentran bastimentos, por lo que aconsejo a ustedes saquen de Montevideo los necesarios para cuatro o cinco días. A las cuatro leguas de la salida, ya las aguas del río son dulces y muy buenas, por lo que no se necesita prevención de ella a la ida, pero sí a la vuelta para Montevideo, para en caso en que no pueda tomarse el puerto y verse precisados a dar fondo en agua salada. Antes del Riachuelo están las balizas, que son unas grandes estacas clavadas en el fondo, y por lo que se descubre de ellas se sabe si hay o no suficiente agua para darle en el puerto. Los pasajeros se desembarcan cerca del fuerte, y a sus espaldas, y su principal entrada está en la plaza mayor y frente al cabildo de Buenos Aires.

II

Buenos Aires.—Descripción de la ciudad. Número de habitantes.—Correos.—Caminos.—Los indios pampas.

Esta ciudad está situada al oeste del gran Río de la Plata, y me parece se puede contar por la cuarta del gran gobierno del Perú, dando el primer lugar a Lima, el segundo al Cuzco, el tercero a Santiago de Chile y a ésta el cuarto. Las dos primeras exceden en adornos de iglesias y edificios a las otras dos. La de mi asunto se adelantó muchísimo en extensión y edificios desde el año de 1749, que estuve en ella. Entonces no sabían el nombre de quintas, ni conocían más fruta que los duraznos. Hoy no hay hombre de medianas conveniencias que no tenga su quinta con variedad de frutas, verduras y flores, que promovieron algunos hortelanos europeos, con el principal fin de criar bosques de duraznos, que sirven para leña, de que carecía en extremo la ciudad, sirviéndose por lo común de cardos, de que abunda la campaña, con notable fastidio de los cocineros, que toleraban su mucho humo; pero ya al presente se conduce a la ciudad mucha leña en rajas, que traen las lanchas de la parte occidental del Paraná, y muchas carretas que entran de los montezuelos de las Conchas. Hay pocas casas altas, pero unas y otras bastantes desahogadas y muchas bien edificadas, con buenos muebles, que hacen traer de la rica madera del Janeiro por la colonia del Sacramento. Algunas tienen grandes y coposas parras en sus patios y traspatios, que aseguran los habitantes, así europeos como criollos, que producen muchas y buenas uvas. Este adorno es únicamente propio de las casas de campaña, y aun de éstas se desterró de los colonos pulidos, por la multitud de animalitos perjudiciales que se crían en ellas y se comunican a las casas. En las ciudades y poblaciones grandes, además de aquel perjuicio superior al fruto que dan, se puede fácilmente experimentar otro de peores consecuencias, porque las parras bien cultivadas crían un tronco grueso, tortuoso y con muchos nudos, que facilitan el ascenso a los techos con buen descenso a los patios de la propia casa, de que se pueden aprovechar fácilmente los criados para sus insultos.

Su extensión es de 22 cuadras comunes, tanto de norte a sur como de este a oeste. Hombres y mujeres se visten como los españoles europeos, y lo propio sucede desde Montevideo a la ciudad de Jujuy, con más o menos pulidez. Las mujeres en esta ciudad, en mi concepto son las más pulidas de todas las americanas españolas, y comparables a las sevillanas, pues aunque no tienen tanto chiste, pronuncian el castellano con más pureza. He visto sarao en que asistieron ochenta, vestidas y peinadas a la moda, diestras en la danza francesa y española, y, sin embargo de que su vestido no es comparable en lo costoso al de Lima y demás del Perú, es muy agradable por su compostura y aliño. Toda la gente común, y la mayor parte de las señoras principales no

dan utilidad alguna a los sastres, porque ellas cortan, cosen y aderezan sus batas y andrieles con perfección, porque son ingeniosas y delicadas costureras, y sin perjuicio de otras muchas que oí ponderar en Buenos Aires, de gran habilidad, observé por muchos días el gran arte, discreción y talento de la hermosa y fecunda española doña Gracia Ana, por haberla visto imitar las mejores costuras y bordados que se le presentaban de España y Francia.

Las de medianos posibles, y aun las pobres, que no quiero llamarlas de segunda y tercera clase, porque no se enojen, no solamente se hacen y pulen sus vestidos, sino los de sus maridos, hijos y hermanos, principalmente si son de Tornay, como ellas se explican, con otras granjerías de lavar y almidonar, por medio de algunos de sus esclavos. Los hombres son circunspectos y de buenos ingenios.

No hay estudios públicos, por lo que algunos envían sus hijos a Córdoba y otros a Santiago de Chile, no apeteciendo las conveniencias eclesiásticas de su país, por ser de muy corta congrua y sólo suficientes para pasar una vida frugal.

Gobierna esta ciudad y su jurisdicción, con título de gobernador y capitán general, el mariscal de campo don Juan José de Vértiz, que nació, según entiendo, en el reino de México, y es actualmente administrador principal de Correos de ella, con los agregados del Tucumán, Paraguay y ciudades de San Juan de la Frontera y Mendoza, en el reino de Chile, don Manuel de Basavilbaso, mozo de más que común instrucción y juicio. Don Bartolomé Raimundo Muñoz sirve la plaza de interventor con infatigable tesón y acierto, y don Melchor Albín y don Nicolás Ferrari de Noriega, diestros plumarios, corren con los libros y expedición de las estafetas, con plazas de segundo y tercer oficial, a que se agrega un tercero destinado para cobranzas y reducciones de monedas sencillas a doble, que actualmente está a un tres por ciento, habiendo valido otros años hasta catorce y dieciséis, por el mucho comercio que tenían los portugueses.

El número de almas de que se compone esta ciudad y su ejido se verá con distinción en el plan siguiente:

Resumen del número de almas que existían el año de 1770 en la ciudad de la Santísima Trinidad y puerto de Santa María de Buenos Aires, con la razón de los que nacieron y murieron en dicho año, según consta de los libros parroquiales y lu que dieron las comunidades de religiosos de ambos sexos y demás

Parroquias	N.º almas	Nacid.	Muert.
Catedral	8.146	523	316
San Nicolás	5.176	344	185
La Concepción ...	3.529	318	158
Monserrat	2.468	184	96
La Piedad	1.746	151	91
	21.065	1.520	846

Clérigos regulares y monjas	77
Santo Domingo	101
San Francisco	164
La Merced	86
Recoletas de San Francisco	46
Betlemitas	88
Capuchinas	40
Catalinas	72

942 de este n.º murieron 85

Huérfanos	99
Presidiarios	101
Cárcel	68

Nacidos .. 1.520
Muertos . 931

TOTAL 22.007

Aumento . 589

División del número de almas que consta arriba

3.639 hombres españoles, en que se incluyen 1.854 europeos, los 1.398 de la península, 456 extranjeros y 1.785 criollos.

4.508 mujeres españolas.

3.985 niños de ambos sexos.

5.712 oficiales y soldados de tropa reglada, clérigos, frailes, monjas y dependientes de unos y de otros; presos, presidiarios, indios, negros y mulatos, libres, de ambos sexos y de todas edades.

4.163 esclavos negros y mulatos de ambos sexos y de todas edades.

22.007

De los 3.639 hombres españoles están compuestas las milicias de esta ciudad, en la forma siguiente:

24 compañías de caballería, de vecinos, de a 50 hombres, sin oficiales, sargentos y cabos.

9 dichas de forasteros, de infantería, de a 77 hombres, ídem.

1 de artilleros provinciales, de 100 hombres.

8 también hay 8 compañías de indios y mestizos, de a 50 hombres, ídem.

8 dichas de mulatos libres, de caballería, ídem.

3 de infantería, de negros libres, ídem.

53 hacen 53 compañías, las 40 de caballería y 13 de infantería.

Españoles casados

Europeos	942 y el resto de 912 solteros.
Criollos	1.058 y el resto de 727 ídem.
	2.000	1.639

En el hospital de la ciudad, destinado para curar pobres mujeres, no han dado razón de las enfermas, y sólo se supo que el año de 1770 habían muerto siete, que se incluyeron en el número de finados.

Hasta el año de 1747 no hubo establecimiento de correos en Buenos Aires, ni en todo el Tucumán, no obstante el mucho comercio que tenía aquella ciudad con todas las tres provincias, reino de Chile y parte del Perú. Los comerciantes despachaban correos a su costa, según las necesidades, de que se aprovechaban algunos vecinos; pero los más escribían con pasajeros, que por lo general hacían sus viajes en carretas hasta Jujuy y Mendoza, volviendo las respuestas muy tarde o nunca.

El primero que promovió correos fijos a fines del 47 o principios del 48, fué don Domingo de Basavilbaso, gobernando aquella provincia el señor Andonegui, mariscal de campo, de nación canario.

De la propuesta que hizo don Domingo dió traslado a la casa del conde de Castillejo, que despertando del descuido en que se hallaba, envió poder al mismo don Domingo para que tomase en arrendamiento el oficio o le rematase en el mejor postor, como lo ejecutó, no conviniéndole en los términos que proponía la casa, y desde dicho año 48 dió principio la época de correos de Buenos Aires y demás provincias del Tucumán.

Esta ciudad está bien situada y delineada a la moderna, dividida en cuadras iguales y sus calles de igual y regular ancho, pero se hace intransitable a pie en tiempo de aguas, porque las grandes carretas que conducen los bastimentos y otros materiales, hacen unas excavaciones en medio de ellas en que se atascan hasta los caballos e impiden el tránsito a los de a pie, principalmente el de una cuadra a otra, obligando a retroceder a la gente, y muchas veces a quedarse sin misa cuando se ven precisados a atravesar la calle.

Los vecinos que no habían fabricado en la primitiva y que tenían solares o los compraron posteriormente, fabricaron las casas con una elevación de más de una vara y las fueron cercando con unos pretiles de vara y media, por donde pasa la gente con bastante comodidad y con grave perjuicio de las casas antiguas, porque inclinándose a ellas el trajín de carretas y caballos, les imposibilita muchas veces la salida, y si las lluvias son copiosas se inundan sus casas y la mayor parte de las piezas se hacen inhabitables, defecto casi incorregible.

La plaza es imperfecta y sólo la acera del Cabildo tiene portales. En ella está la cárcel y oficios de escribanos y el alguacil mayor vive en los altos. Este Cabildo tiene el privilegio de que cuando va al fuerte a sacar al gobernador para las fiestas de tabla, se le hacen los honores de teniente general, dentro del fuerte, a donde está la guardia del gobernador. Todo el fuerte está rodeado de un foso bien profundo y se entra en él por puentes levadizos. La casa es fuerte y grande, y en su patio principal están las cajas reales. Por la parte del río tienen sus paredes una elevación grande, para igualar el piso con el barranco que defiende al río. La catedral es actualmente una capilla bien estrecha. Se está haciendo un templo muy grande y fuerte, y aunque se consiga su conclusión, no creo verán los nacidos el adorno correspondiente, porque el obispado es pobre y las canonjías no pasan de un mil pesos, como el mayor de los curatos. Las demás iglesias y monasterios tienen una decencia muy común y ordinaria. Hay muy buenos caudales de comerciantes, y aun en las calles más remotas se ven tiendas de ropas, que creo que habrá cuatro veces más que en Lima, pero todas ellas no importan tanto como cuatro de las mayores de esta ciudad, porque los comerciantes gruesos tienen sus almacenes, con que proveen a todo el Tucumán y algo más.

No he conocido hacendado grueso, sino a don Francisco de Alzáibar, que tiene infinito ganado de la otra banda del río, repartido en varias estancias, con todo, mucho tiempo ha que en su casa no se ven cuatro mil pesos juntos. No he sabido que haya mayorazgo alguno ni que los vecinos piensen más que en sus comercios, contentándose con una buena casa y una quinta, que sólo sirve de recreación. La carne está en tanta abundancia que se lleva en cuartos a carretadas a la plaza, y si por accidente se resbala, como he visto yo, un cuarto entero, no se baja el carretero a recogerle, aunque se le advierta, y aunque por casualidad pase un mendigo, no le lleva a su casa porque no le cueste el trabajo de cargarlo. A la oración se da muchas veces carne de balde, como en los mataderos, porque todos los días se matan muchas reses, más de las que necesita el pueblo, sólo por el interés del cuero.

Todos los perros, que son muchísimos, sin distinción de amos, están tan gordos que apenas se pueden mover, y los ratones salen de noche por las calles a tomar el fresco, en competentes destacamentos, porque en la casa más pobre les sobra la carne, y también se mantienen de huevos y pollos, que entran con mucha abundancia de los vecinos pagos. Las gallinas y capones se venden en junto a dos reales; los pavos muy grandes, a cuatro; las perdices, a seis y ocho por un real, y el mejor cordero se da por dos reales.

Las aguas del río son turbias, pero reposadas en unos tinajones grandes de barro, que usan comúnmente, se clarifican y son excelentes, aunque se guarden por muchos días. La gente común y la que no tiene las precauciones necesarias bebe agua impura y de aquella que a la bajada del río se queda entre las peñas, en donde se lava toda la ropa de la ciudad, y allí la cogen los negros, por evitar la molestia de internar a la corriente del río. Desde que vi repetidas veces una maniobra tan crasa, por la desidia de casi todos los aguadores, me causó tal fastidio que sólo bebí desde entonces de la del aljibe que tiene en su casa don Domingo de Basavilbaso, con tales precauciones y aseo que puede competir con los mejores de Europa. Dicen que tiene otro igual la casa que fabricó para su vivienda el difunto don Manuel del Arco, y acaso otros muchos vecinos solicitarán este aseo a costa de algún gasto considerable, y cuidado de recoger las aguas en tiempo oportuno, con las demás precauciones que usa la casa de Basavilbaso.

Esta ciudad y su ejido carecen de fuentes y manantiales superficiales, y así no tiene más riego que el de las lluvias. Sin embargo, algunos vecinos curiosos han hecho pozos en sus quintas para regar algunas flores y hortalizas. Algunos han conseguido agua dulce, pero los más encontraron veneros salitrosos y perjudiciales a árboles y plantas. Tiene el río variedad de pescado, y los pejerreyes crecen hasta tres cuartas, con su grueso correspondiente, pero son muy insípidos respecto de los de Lima. Se hace la pesca en carretas, que tiran los bueyes hasta que les da el agua a los pechos, y así se mantienen aquellos pacíficos animales dos y tres horas, hasta que el carretero se cansa de pescar y vuelve a la plaza, en donde le vende desde su carreta al precio que puede, que siempre es ínfimo.

En toda la jurisdicción de Buenos Aires y en mucha parte de la del Tucumán no se ha visto nieve. En la ciudad suelen caer algunas escarchas que varios curiosos recogen para helar algunas bebidas compuestas, que se regalan como extraordinarios exquisitos.

Ponderándome cierto día don Manuel de Basavilbaso lo delicado de estas bebidas y la falta que hacían en aquella ciudad, le serené su deseo asegurándole que los habitantes de ella no necesitaban otro refrigerio que el de los baños del Río de la Plata y beber sus dulces aguas puras o la de los aljibes; que la nieve sólo se apetecía en los países ardientes y que para un gusto causaba tres dolores, sin entrar en cuenta los crecidos gastos que las aguas compuestas y exquisitos dulces que regularmente hay en las botellerías, que provocan a las damas más melindrosas y alivian de peso las faltriqueras del mayor tacaño. Se rió el amigo, y creo que desde entonces echó en olvido las escarchas, como lo hizo con las cenas de las noches de máscaras, que ya se habían introducido en aquella ciudad, como los ambigús, a costa de mucho expendio y algunas apoplejías.

No creo que pasen de dieciséis coches los que hay en la ciudad. En otro tiempo, y cuando había menos, traían las mulas del campo y las metían en sus casas a la estaca, sin darles de comer, hasta que de rendidas no podían trabajar, y mandaban traer otras. Hoy día se han dedicado a sembrar alcacer, que traen a la ciudad con algunas cargas de heno para las caballerías, que se mantienen muy mal, a excepción de las de algunos pocos sujetos, que hacen acopio de alguna paja y cebada de las próximas campañas.

Por el cotejo de los que nacen y mueren, se infiere la sanidad del lugar. En los meses de junio, julio, agosto y septiembre se levantan muchas neblinas del río, que causan algunos accesos de pecho. Los pamperos, que son unos vientos fuertes, desde el suroeste al oessudoeste, incomodan bastantemente por su violencia, y en la campaña hacen estremecer las carretas que cargadas tienen de peso doscientas arrobas. De éstas haré una descripción más adelante, para los curiosos. Ahora voy a dar una noticia importante a los señores viajeros, y en particular a los que vienen de España con empleos a este dilatado reino.

Los provistos para la jurisdicción de la Audiencia de la Plata caminarán conmigo, eligiendo los bagajes más acomodados a su constitución; pero los provistos para el distrito de la real Audiencia de Lima, y con precisión los de Chile, tomarán en Buenos Aires las medidas para llegar a Mendoza al abrirse la cordillera, que por lo regular es a principios de noviembre. Este mes es el de los alentados. El de diciembre y enero son regulares y corrientes. Febrero y marzo, meses de provinciales que nunca esperan a abril y parte de mayo, por no exponerse a alguna tormenta que se adelante. Los cinco meses restantes del año son arriesgados y trabajosos y, sin embargo, de las casillas que se han puesto, sólo pueden aventurarse los correos, que caminan a pie, por precisa necesidad una gran parte del camino, porque estando cubierto de nieve, se morirían las bestias de hambre, y lo poco que se paga no alcanzaría para llevarlas a media carga de paja y cebada, que no es imposible.

Hasta Mendoza y Jujuy se puede caminar cómodamente en coche, silla volante o carretilla, pero será preciso al que quisiere esta comodidad y no experimentar alguna detención, adelantar un mozo para que apronte caballos, porque aunque hay muchas mulas hay pocas mansas, porque no las usan en sus trajines, a excepción de los arrieros de San Juan de la Frontera, con quienes también se puede caminar al uso del país, llevando buenas tiendas de campaña, para los muchos despoblados que hay, exponiéndose también a una irrupción de indios pampas, que no saliendo más que en número de cincuenta, los pueden rebatir y contener doce buenos fusileros, que no se turben con sus formidables alaridos, teniendo cuidado de sacar del Pergamino dos o más soldados, para que mañana y tarde registren la campaña. Estos pampas, y aun las demás naciones, tienen sus espías, que llaman bomberos, a quienes echan a pie y desarmados, para que, haciendo el ignorante, especulen las fuerzas y prevenciones de los caminantes, tanto de caballería y recuas como de carretería y demás equipajes, para dar cuenta a sus compañeros. No hay que fiarse de ellos en los despoblados, sino despedirlos con arrogancia, aunque digan que se acogen a la pascana por huir de sus enemigos.

Estos indios pampas son sumamente inclinados al execrable pecado nefando Siempre cargan a las ancas del caballo, cuando no van de pelea, a su concubina o barragana, que es lo más común en ellos, y por esta razón no se aumentan mucho. Son traidores, y aunque diestrísimos a caballo y en el manejo de la lanza y bolas, no tienen las correspondientes fuerzas para mantener un dilatado combate. Siempre que han vencido a los españoles o fué por sorpresa o peleando cincuenta contra uno, lo que es muy común entre indios contra españoles y mestizos.

En este camino, desde el Saladillo de Ruy Díaz, donde se aparta para Chile, rara vez se encuentran pan y vino hasta San Luis de la Punta, de que se hará provisión en Buenos Aires, como asimismo de toda especería y demás que contribuye al regalo. En los pagos y estancias no falta todo género de carnes, y en Mendoza se hará provisión hasta el valle de la Aconcagua, en donde da principio la amenidad y abundancia del reino de Chile.

Ya es tiempo de sacar de Buenos Aires a los señores caminantes, que dirigiremos en carretas, por ser el viaje más usual y cómodo, por el itinerario siguiente, que dividiré en jurisdicciones, dando principio por la de Buenos Aires.

III

De Buenos Aires hasta el Carcarañal.—Las postas.—La campaña y sus habitantes.—Las travesías.

	Leguas
De Buenos Aires a Luján	14
A Areco	10
Al Arrecife	10
Al Pergamino	10
A la India Muerta	16
A la Esquina de la Guardia o Carcarañal	24
	84

En el intermedio de Buenos Aires a Luján hay otra posta que situó el administrador don Manuel de Basavilbaso.

La salida de Buenos Aires tiene dos rutas, ambas de carretas, para llevar a Luján: la una, que es la más común, está al oeste, que se dice por la capilla de Merlo, y la otra, a la banda del este, que llaman de las Conchas, por un riachuelo de este nombre que baña mucho territorio. Este camino es deleitoso y fértil en más de ocho leguas, con quintas y árboles frutales, en que abunda mucho el durazno. También hay muchos sembrados de trigo y maíz, por lo que de día se pastorean los ganados y de noche se encierran en corrales, que se hacen de estacas altas que clavan a la distancia del ancho del cuero de un toro, con que guarnecen la estacada, siendo estos corrales comunes en toda la jurisdicción de Buenos Aires, por la escasez de madera y ninguna piedra. Pasado el riachuelo, que nunca puede tener mucha profundidad, por extenderse en la campaña, causando en tiempo de avenidas muchos atolladeros y bañados, que incomodan y atrasan las jornadas, se encuentra un monte poco espeso de árboles, que llaman Tala, y se dilata por el espacio de dos leguas. El dueño tiene su casa dentro del propio monte, cerca del camino real, en una ensenada muy agradable, y le hallé en su patio rajando leña, sin más vestido que unos andrajosos calzones. Dijo que tenía ochenta y cinco años y su mujer igual edad, ambos españoles y con porción de hijos y nietos que se mantenían del producto de la leña de aquel monte, a donde la iban a comprar los carreteros de Buenos Aires. Esta familia se compone toda de españoles criollos, y me dijeron que cerca de su casa (así dicen cuando sólo dista cuatro o cinco leguas), me dijeron, vuelvo a decir, vivía un gallego que tenía ciento diez años, y que sólo en la vista había experimentado alguna intercadencia.

Todo el país de Buenos Aires y su jurisdicción es sanísimo, y creo que las dos tercias partes de los que mueren son de caídas de caballos y cornadas de toros, que los estropean, y como no hay buenos cirujanos ni medicamentos, son éstas las principales enfermedades que padecen y de que mueren.

Lo demás del territorio, como sucede en todo el camino de la capilla del Merlo, es campaña de pastos, con infinidad de cardos, que sirven de leña e incomodan y aniquilan al ganado menor. Por esta ruta hay a Luján 18 leguas, y porque hay de rodeo cuatro y eximirse de los bañados de las Conchas, siempre se elige aquel camino, que es el de los correos. Luján tiene título de villa, con poco más o menos sesenta vecinos, entre los cuales apenas hay dos capaces de administrar justicia, y así regularmente echan mano, para alcaldes, de los residentes del pago de Areco. Su jurisdicción es de 18 leguas, que se cuentan desde el río de las Conchas hasta el de Areco. A la entrada de Luján hay un riachuelo de este nombre, que en tiempo de avenidas cubre algunas veces el puente.

El pago de Areco tiene muchos hacendados, con un río de corto caudal y de este nombre, con espaciosas campañas, en donde se cría todo género de ganados; pero a lo que más se aplican es al mular, que venden tierno a los invernadores de Córdoba. Los caballos de su uso todos son corpulentos y capones, y hay sujeto que tiene cincuenta para su silla y a correspondencia toda su familia, que tienen

en tropillas de a trece y catorce, con una yegua que llaman madrina, de que jamás se apartan. Esto propio sucede, con corta diferencia, en todas las campañas de Buenos Aires. El riachuelo tiene buenos vados y se podía fácilmente construir puente, por caminar por un estrecho barranco. Aquí se nombró de maestro de postas a don José Florencio Moyano, que puede aprontar en todo tiempo doscientos caballos.

El pago nombrado el Arrecife, dicho así por un río que tiene este nombre, es igual al de Areco. En este pago hay una capilla y alrededor de ella quince o dieciséis casas reunidas, y antes, a alguna distancia, otras cinco, que componen por todas veinte familias que se ejercitan en la cría de ganados y mulas, con muy corta labranza. Esta capilla, y las demás que en lo sucesivo nombraré, se debe entender anejo de curato, en donde se dice misa los días de fiesta, que regularmente sirven los frailes, por acomodarse mejor a un corto estipendio. El pueblo nombrado el Baradero, a donde asiste el cura, dista catorce leguas.

En el sitio nombrado el Pergamino hay un fuerte, que se compone de un foso muy bueno con su puente levadizo de palos, capaz de alojar adentro cuarenta vecinos que tiene esta población, y son otros tantos milicianos con sus oficiales correspondientes. Tiene cuatro cañoncitos de campaña y las armas de fuego correspondientes para defenderse de una improvisa irrupción de indios pampas, en cuya frontera está situado el presidio, que comanda el teniente de dragones don Francisco Bamphi, a cuya persuasión aceptó la maestría de postas Juan José de Toro, que era el único que podía serlo en un sitio tan importante. Hay en el presidio cuatro soldados pagados y tiene el rey caballos de su cuenta y mientras se mantuviere en este sitio oficial por Su Majestad, no faltarán los necesarios para las postas y trajinantes. De las dieciséis leguas que dista a la India Muerta, las tres están pobladas a trechos con algunos criadores pobres y las trece restantes se dicen de travesía, que sólo tienen agua en tiempo de lluvias. Hay muchos avestruces y se encuentran montones de huevos, que algunas veces llegan a sesenta, por lo que me persuado que ponen algunas hembras en un propio lugar. Empollan los machos más robustos y defienden bien huevos y polluelos.

Las veinticuatro leguas que hay desde este sitio a la Esquina de la Guardia, o paraje nombrado del Carcarañar, por haber vivido en él un cacique de este nombre, no tiene más habitantes que multitud de avestruces. En toda esta travesía no hay agua en tiempo de seca, pero en el de lluvias se hacen unos pozos y lagunillas, a donde bajan a beber los ganados cimarrones, que acontece algunas veces que se llevan las caballerías de los pasajeros, dejándolos a pie, con riesgo de sus vidas. Por esta consideración se ajustó que pagasen los correos del Rey en esta travesía ocho reales más y los particulares dieciséis, por las remudas de caballos. En esta esquina tiene una hacienda Fernando Sueldo, a quien se nombró de maestro de postas y se encontró otro teniente de dragones con cuatro soldados pagados, que iba a establecer en sus cercanías otro fuerte, que también cooperó a que aceptase la maestría de postas el referido Sueldo. Los militares, según he observadodo, tienen particular gracia y persuasión para inducir al servicio del Rey, causándome una alegre compasión ver a un hombre de honor reducido a vivir en la estrechez de un carretón: en él tenía, con bastante aseo, su cama; le servía de mesa un corto baúl, en donde tenía su papel, tintero y algunos libritos y un asiento correspondiente. Comió con el visitador aquel día, que se detuvo allí, con gran marcialidad, y con la misma mostró su palacio, dando por excusa de no haberle alojado en él su concisión.

Desde este sitio a la banda del este se divisa el río Tercero y se entra en la jurisdicción del Tucumán, que todos dividen en el pueblecito que está poco distante del oeste, nombrado la Cruz Alta, a donde no hay necesidad de entrar. En todas estas ochenta y cuatro leguas de camino, a excepción de las dos travesías, hallarán ustedes vacas, corderos o pollos en abundancia, a poca costa. Las casas de postas son las mejores, en donde puede descansar a su albedrío el caminante que enfadado de la lentitud de las carretas, se quiera adelantar con una competente cama, que puede llevar en un caballo. El camino es llano y duro y se puede galopar a todas horas. Las veinticuatro leguas de esta travesía se pueden andar en ocho horas, con sólo una remuda de caballos; pero cuidado con las travesuras que algunos hacen por la campaña, en que se ocultan con la yerba algunas madrigueras que hacen los quirquinchos, bolas y otros animalitos para su habitación, en que tropiezan los caballos y con la violencia de la carrera causan algunas veces arriesgadas caídas a los jinetes. Los caballos están tan hechos a andar estas travesías en pocas horas, que sin agitarlos galopan a media riendo voluntariamente; pero tendrá cuidado el caminante también en medir las horas para que el sol no le moleste mucho. La mejor para esta travesía, si no hay luna, es la de las dos de la mañana, para tenerla concluída a las diez del día, aunque se apee un rato a tomar algún desayuno y remudar caballos, llevando siempre alguna porción de agua, con lo demás que necesite, según su gusto y complexión; y con estas advertencias, que servirán de regla general. vamos a entrar en la provincia de más extensión, que es la del Tucumán, la cual se va a dividir en jurisdicciones, según el itinerario del visitador.

IV

Jurisdicción de Córdoba.—La ciudad y la campaña.—Santiago del Estero.—El territorio y el soldado santiagueño

JURISDICCION DE CORDOBA

	Leguas
De la Esquina de la Guardia a la Cabeza del Tigre	7
Al Saladillo de Ruy Díaz	5
A la Esquina de Castillo	7
Al Fraile Muerto	2
A la Esquina de Colman	8
A la Esquina del Paso de Ferreira	3
A Tío Pugio	5
A los Puestos de Ferreira	3
A Ampira	10
Al Río Segundo	5
A Córdoba	9
A Sinsacate	14
A La Dormida	16
A Urahuerta	10
Al Cachi	7

A la salida del Carcarañar, o llámese de la Esquina de la Guardia, da principio la provincia del Tucumán, siguiendo el camino real de los correos por la jurisdicción de Córdoba, costeando el río Tercero por la banda del oeste. Este río es muy caudaloso, de aguas turbias y mansas, algo salado y con bastantes peces que cogen los muchachos por mera diversión, dejándolos a las orillas, porque sus naturales, sin embargo de que la carne no está tan abundante como en los pagos de Buenos Aires, no los aprovechan, ni aun los perros los quieren comer. Por la una y otra banda está bordado de sauces, chañares y algarrobos. Los pastos no son tan finos como los de Buenos Aires, pero son de más fuerte alimento para los ganados. Los caballos y bueyes son fuertes y de mucho trabajo. Una y otra banda están pobladas a trechos de algunos pequeños criadores, que también cogen trigo y cebada. La fruta más común es el durazno. Muchachos, mujeres y hombres, aunque no sepan nadar, pasan este río en caballos, que son diestrísimos. Conducen forasteros de la una a la otra banda en un cuero de toro en figura de una canasta cuadrilonga, por el corto estipendio de dos reales, sin perder casi nada el barlovento, porque los caballos son tan diestros, que siempre presentan el pecho a la corriente, y en cada viaje llevan dos hombres con su aderezo de caballos, pellones y maletas.

Así como a la India Muerta y al Fraile **Muerto** se dice comúnmente porque algún tigre **mató** a una india o a un fraile, se dice también que la Cabeza del Tigre es porque un hombre mató a una fiera de este nombre y clavó su cabeza en aquel sitio. El Saladillo de Ruy Díaz, y que comprende a todos los Saladillos, se dice porque siendo comúnmente las aguas algo saladas, se hacen mucho más las que en las avenidas se quedan remansadas en algunos bajos de arena salitrosa que, aunque corran en tiempo de lluvia, siempre mantienen un amargo fastidioso. Igualmente se dicen Esquinas a aquellos sitios bajos por donde el río se extiende más y no hay bajada perpendicular para vadearlos, como las del Castillo y de Colman. Es opinión común que esta voz de Colman fué apellido de un inglés tan ve-

leroso, que habiendo perdido un brazo en un combate, y después de haberse curado, continuó sirviéndose con uno solo contra los indios, manejando la lanza y alfanje con el mismo denuedo y asombro de amigos y enemigos.

Hasta el referido sitio nombrado el Saladillo de Ruy Díaz, son comunes las postas de las dos rutas de Potosí y Chile, de que daré razón al fin de esta primera parte, por no interrumpir mi viaje. La posta situada en el Fraile Muerto, con la distancia sólo de dos leguas, se ajustó a pedimento de la parte y con atención a ser un pueblecito en donde acaso será conveniente se detengan los pasajeros para habilitarse de algunos comestibles o descansar. Con más consideración se puso posta en el Paso de Ferreyra, por dónde regularmente se vadea el río y se ejecutará con más seguridad con caballos de refresco. A la Esquina de Castillo se habían cargado las aguas, por lo que no pudieron pasar por ella las carretas. Los correos y gentiles hombres a la ligera, pueden pasar en todo tiempo por la esquina que más les acomodase y, para mayor seguridad, tomarán razón de los colonos más inmediatos.

Antes de pasar a la banda oriental del río, procurarán los caminantes a la ligera llevar alguna prevención de agua para una repentina necesidad, pues aunque está el río próximo, sólo en las esquinas o pasos tiene fácil descenso, y sin embargo de que a la parte occidental y muy cerca del camino real se presentan algunas lagunas que forman las lluvias, no se puede sacar agua de ellas porque en toda la circunferencia, y en más de cuatro varas, hay grandísimos atolladeros, que causan la multitud de ganados que beben en ellas. Todas las casas, aunque estén muy próximas al río, tienen sus pozos, sin más artificio que una excavación y un bajo pretil de adobes. Los cubos con que se saca el agua son de cuero crudo, que causa fastidio verlos, pero el agua es más fría y cristalina que la del río.

Los Puestos de Ferreyra se dicen así porque en un llano de bastante extensión tiene su casa y varios ranchos un hacendado de este apellido, llamado don Juan, a quien se estaba disputando la posesión. El sitio de Ampira, hacienda y tierras propias del sargento mayor don Juan Antonio Fernández, tiene varios manantiales de agua perenne, dulce y cristalina, con muchos bosquecillos muy espesos y agradables a la vista, de que es maestro de postas su hijo don Juan José Fernández, con beneplácito de su padre. Tiene buenas casas y el sitio convida a que los pasajeros se desahoguen y descansen de sus fatigas.

Desde dicho sitio se empieza a perder de vista el río Tercero, y a las cinco leguas se presenta el río Segundo, caudaloso y de las más cristalinas y mejores aguas de todo el Tucumán. Su pasaje está a las orillas de una capilla, con algunas casas en donde se pueden proveer los caminantes y correos de algunos bastimentos y agua hasta Córdoba, porque el río se deja a la parte occidental, muy distante del camino, que es de nueve leguas hasta dicha ciudad; terreno bastantemente caluroso y en que sólo en tiempo de lluvias se hacen algunos charcos de agua mala y cenagosa, por el mucho ganado que bebe en ellos. Tres leguas antes de entrar a Córdoba da principio el espeso monte hasta concluir su jurisdicción. De sus cercanías se provee la ciudad de leña seca en carretillas, que vale cada una cuatro reales, que es suficiente para el gasto de un mes en una casa de regular economía. También se sacan de lo interior del monte palos para techar las casas y fábrica de varios muebles.

Córdoba

Ciudad capital de esta jurisdicción y residencia del obispo de toda la provincia del Tucumán, está situada en una estrecha ensenada entre el río Primero y el espeso monte, en terreno llano y arenoso. A la hora de haber llovido se secan sus superficies, de modo que se puede salir a la calle sin incomodidad, pero se sienten en las plantas de los pies bastantemente los vapores de la cálida arena. La ciudad es casi cuadrada, con siete iglesias, incluso la plaza mayor, a donde está la catedral, que tiene una perspectiva irregular, porque las dos torres que tiene a los dos cantos de la fachada no exceden en altura a la media naranja. El tamaño de la iglesia es suficiente. Su pobre y escaso adorno, y aún la falta de muchas cosas esenciales, manifiestan las limitadas rentas del obispo y capitulares, que acaso no tendrán lo suficiente para una honesta decencia.

Es digno de reparo que una provincia tan dilatada y en que se comercian todos los años más de seiscientos mil pesos en mulas y vacas, con gran utilidad de tratantes y dueños de potreros, estén las iglesias tan indecentes que causa irreverencia entrar en ellas, considerando por otra parte a los señores tucumanes, principalmente de Córdoba y Salta, tan generosos que tocan en pródigos, viendo con sus ojos casi anualmente las iglesias de los indios de Potosí al Cuzco tan adornadas, que causa complacencia ver el esfuerzo que hacen unos miserables para engrandecer al Señor con los actos exteriores, que excitan mucho a la contemplación y dan materia a los españoles para que le den gracias y se congratulen de la feliz conquista que han hecho sus antepasados. Esta silla se trasladó a esta ciudad de la de Santiago del Estero por las razones que se dirán en su lugar. A un lado de la catedral está la casa del Cabildo secular, que por su humilde fábrica manifiesta su antigüedad.

En lo demás de la ciudad hay muchas casas buenas y fuertes y, aunque son pocas las que tienen altos, son muy elevados los techos de las bajas, y las piezas suficientemente proporcionadas. Tiene tres conventos de frailes: de Santo Domingo, San Francisco y la Merced, y hospital de padres Betlemitas, que está en los principios de su fundación. También hay dos colegios, a donde se enseñan facultades. El uno se dice real, cuyo rector es clérigo, y el otro es de Montserrat, que su dirección está al cargo de padres de San Francisco, con título de Universidad, que provee de borlas a las tres provincias de Tucumán. También hay dos conventos de monjas: de Santa Teresa y Santa Clara, y todos cinco con mucha fama de observantes. En pocos lugares de la América, de igual tamaño, habrá tantos caudales, y fueran mucho mayores si no gastaran tanto en pleitos impertinentes, porque los hombres, así europeos como criollos, son laboriosos y de espíritu. Su principal trato es la compra de mulas tiernas en los pagos de Buenos Aires, Santa Fe y Corrientes que traen a los potreros de Córdoba a invernar, donde también hay algunas crías, y después de fortalecidas y robustas las conducen a las inmediaciones de Salta, donde hacen segunda invernada, que no baja de seis meses ni excede de un año. Allí hacen sus tratos con los que bajan del Perú a comprarlas, cuyo precio estos últimos años ha sido de siete y medio a ocho pesos por cabeza. Otros las envían o llevan de su cuenta para venderlas en las tabladas del Perú, donde tienen el valor según las distancias, valiendo regularmente en la tablada de Coporaca, inmediata al Cuzco, donde se hacen las más gruesas compras, de treinta a treinta y cinco pesos el par. Las contingencias y riesgos de este comercio explicaré con alguna claridad luego que llegue a Salta.

No hubo persona que me dijese, ni a tanteo, el número de vecinos de que se compone esta ciudad, porque ni el Cabildo eclesiástico ni el secular tienen padrones, y no sé cómo aquellos colonos prueban la antigüedad y distinguida nobleza de que se jactan; puede ser que cada familia tenga su historia genealógica reservada. En mi concepto, habrá en el casco de la ciudad y estrecho ejido, de quinientos a seiscientos vecinos, pero en las casas principales es crecidísimo el número de esclavos, la mayor parte criollos, de cuantas castas se pueden discurrir, porque en esta ciudad y en todo el Tucumán no hay fragilidad de dar libertad a ninguno, y como el alimento principal, que es la carne, está a precio muy moderado y no hay costumbre de vestirlos sino de aquellas telas ordinarias que se fabrican en casa por los propios esclavos, siendo muy raro el que trae zapatos, se mantienen fácilmente y alivian a sus amos con otras granjerías, y con esta sugestión no piensan en la libertad, con la cual se exponían a un fin funesto, como sucede en **Lima**.

A mi tránsito se estaban vendiendo en Córdoba dos mil negros, todos criollos de las Temporalidades, sólo de las dos haciendas de los colegios de esta ciudad. He visto las listas, porque cada uno tiene la suya aparte, y se procede por familias, que las hay desde dos hasta once, todos negros puros, y criollos hasta la cuarta generación, porque los regulares vendían todas aquellas criaturas que salían con mezcla de español, mulato o indio. Entre esta multitud de negros hubo muchos músicos y de todos oficios, y se procedió a la venta por familias. Me aseguraron que sólo las religiosas de Santa Teresa tenían una ranchería de trescientos esclavos de ambos sexos a quienes dan sus raciones de carne y vestido de las burdas telas que trabajan, contentándose estas buenas madres con el residuo de otras agencias. Mucho menor es el número que hay en las demás religiones, pero hay casa particular que tiene treinta y cuarenta, de que la mayor parte se ejercitan en varias granjerías de que resulta una multitud de lavanderas excelentes. Se precian tanto de esto, que jamás remiendan sus sayas por que se vea la blancura de los fustanes. Lavan en el río, con el agua hasta la cintura, y dicen por vanagloria que no puede lavar bien la que no se moja mucho. Trabajan ponchos, alfombras, fajas y otras cosas y, sobre todo, los varones venden cada petaca de cuero y guarnecida a ocho reales, porque los cueros no tienen salida por la gran distancia al puerto, sucediendo lo mismo en las riberas del río Tercero y Cuarto, en donde se venden a dos reales y muchas veces a menos.

Los hombres principales gastan vestidos muy costosos, lo que no sucede así en las mujeres, que hacen excepción de ambas Américas, y aun de todo el mundo, porque además de vestir honestamente es su traje poco costoso. Son muy tenaces en observar las costumbres de sus antepasados. No permiten a los esclavos, y aun a los libres que tengan mezcla de negro, usen otra ropa que la que se trabaja en el país, que es bastantemente grosera. Me contaron que recientemente se había aparecido en Córdoba cierta mulatilla muy adornada, a quien enviaron a decir las señoras se vistiese según su calidad, y no habiendo hecho caso de esta reconvención, la dejaron descuidar y, llamándola una de ellas a su casa, con otro pretexto, hizo que sus criadas la desnudasen, azotasen, quemasen a su vista las galas y le vistiesen las que correspondían por su nacimiento, y sin embargo de que a la mulata no le faltaban protectores, se desapareció, por que no se repitiese la tragedia.

Refiero el caso solamente para manifestar el carácter de las cordobesas, trascendente a todo el Tucumán. Estas, por lo general, fomentan los bandos y son causa de tantos pleitos. Cinco ciudades tiene esta provincia, que todas juntas no componen la de Buenos Aires, y en todas ellas hubo recursos al gobernador y audiencia de Chuquisaca, sobre anular la elección de alcaldes que se hizo el año 1772. El que presidió la elección, que se hizo en Córdoba, para aterrorizar al partido contrario mandó acantonar muy anticipadamente cuatrocientos hombres de a caballo, que hizo juntar de aquellas campañas con atraso de la cosecha de trigo que actualmente estaban haciendo. Al sargento mayor y capitán de forasteros, porque pidieron la orden por escrito de lo que debían ejecutar el día de las elecciones, les borró las plazas sobre la marcha y nombró a otros, sin dar más motivo que el que en sí reservaba, porque con toda esta despotiquez se procede en el Tucumán, provincia que por sí sola mantiene los abogados, procuradores y escribanos de la ciudad de la Plata.

Cinco ríos se forman de las aguas que se descuelgan de los altos y montes de Córdoba que, aunque tienen otros nombres, son los más usuales y comunes el Primero, Segundo, Tercero, Cuarto y Quinto, todos caudalosos, y sólo en los contornos de la ciudad se ven algunas peñas y piedra suelta en este río Primero, que no sirven de incomodidad ni por ellas hacen ruido las aguas, que son claras y no causan fastidio al paladar. Los mendocinos proveen esta ciudad mucha parte del año de harinas y siempre de vinos, que regularmente venden a menos precio que en Buenos Aires. Los de San Juan de la Frontera llevan mucho aguardiente en odres. El que llaman resacado, o de cabeza, es tan fuerte y activo que mezclándole dos partes del común, que es muy flojo, tiene tanta actividad como el regular de la Andalucía y Cataluña. Aquí se hará prevención de todo, a excepción de gallinas y pollos, hasta Santiago del Estero o San Miguel del Tucumán.

Las carretas, regularmente, cuando salen de esta ciudad siguiendo el viaje que llevo, no pasan de la otra banda del río, adonde harán prevención de agua los señores caminantes para dos días, no haciendo mucha confianza de la botija que va en cada carreta, porque en el camino sólo se encuentra un pozo, en tiempo de avenidas, que enturbia mucho el ganado y no se halla agua en trece leguas de monte muy espeso y ardiente, hasta que se encuentra la estancia nombrada Caroya, perteneciente al colegio de Montserrat de Córdoba, y entre ésta y Sinsacate está la Hacienda del Rey, nombrada Jesús María, que administra don Juan Jacinto de Figueroa, dueño de aquélla, quien se hizo cargo de dar caballos a los correos del rey y de particulares.

De Sinsacate iban los correos antes por San Antonio y San Pedro, pero persuadieron al visitador a que era mejor camino por La Dormida, porque en aquellos sitios sólo había maestres de campo, sargentos mayores y capitanes, con cuyo pretexto se podían excusar a la maestría de postas. Los gobernadores del Tucumán parece hacen granjería de esta multitud de oficiales, que creo excede al número de los soldados que quitan, ponen y reforman a su arbitrio. He visto mozo de treinta años, muy robusto, de sargento mayor reformado; por lo que se resolvió seguir el camino de La Dormida, que dista 16 leguas de Sinsacate; y aunque hay antes varios colonos en el Totoral y en el Simbolar, con agua perenne, son gente de poca consideración, y la mayor parte gauderios, de quienes no se pueden fiar las postas, por lo que ésta ha sido preciso ponerla con la distancia de 16 leguas, como sucederá siempre que haya el mismo inconveniente.

Todo este territorio, hasta el Cachi, que es donde concluye la jurisdicción de Córdoba, es de monte muy espeso, haciendo a dilatados trechos unas ensenadas donde están las haciendas y casas de algunos colonos dispersos. A los que caminan en carretas provee el dueño de ella de vaca cada día, a cada dos o tres, según el número de las carretas. En las haciendas y casas de otros habitadores venden sin repugnancia gordos y tiernos corderos y gallinas a dos reales, y pollos, sin distinción de tamaños, a real. También se encuentran algunas calabazas y cebollas, rara vez pan. Se tendrá mucha precaución con los huevos, porque, como los naturales no los comen, ni la mayor parte de los transeúntes, y el temperamento es ardiente, se corrompen fácilmente.

Además de los cinco ríos que dije al principio tenía esta jurisdicción con los nombres de 1 a 5, hay muchísimos arroyos en todas las ensenadas, que proveen suficientemente de agua a varios hacendados y otros colonos; pero, como el terreno es flojo y de arena, se suelen hallar de repente sin agua, que va a manar adonde nunca se ha visto, volviendo otra vez a aparecérsele en los propios sitios. En el camino que va a las Peñas, tirando un poco al nordeste por el monte adentro, se hallan varias veredas de ganado vacuno y caballar que se dirigen al referido sitio de las Peñas, donde hubo población, que se conoce por las ruinas de las casas que están en un agradable y dilatado campo, guarnecido a trechos de árboles muy elevados y gruesos, que desampararon por haberse sumido de repente el agua de un río caudaloso que pasaba muy cerca, como lo indica la gran caja. Caminamos por ella un cuarto de legua buscando siempre la altura y al cabo vimos con admiración un rápido y caudaloso arroyo de agua cristalina que ocupaba todo el ancho de la caja y sólo tenía de largo como un tiro de fusil. Una legua más arriba está la parroquia nombrada Turumba, en un competente pueblo que puede servir de auxilio a los caminantes que necesiten proveerse de caballerías y bastimentos. A la vuelta, que sería como a las cinco de la tarde, encontramos porciones de ganados que iban y venían del referido arroyo.

En el sitio nombrado Los Sauces no se encuentra agua en un cuarto de legua por haberse resumido un río caudaloso, que tiene su nacimiento en el pueblo de Guayascate, que está al noroeste una legua. En el sitio nombrado Los Cocos, está distante el agua dos leguas y, no obstante, hay algunas chozas con chacaritas y ganado menor. A otras dos leguas de distancia está el río de los Tártaros, cuya agua también se resume en la multitud de arena suelta que hay, y no se puede proveer de ella si no se caminan dos leguas caja arriba. Una legua más adentro reside el maestre de campo don Pedro del Pino,

hombre acomodado. Tiene oratorio en su casa en que se dice misa los más de los días de fiesta.

El fuerte nombrado el Río Seco es sitio agradable, con algunos colonos, y a sus orillas se apareció de repente un trozo de río que sólo ocupa como media legua y se vuelve a sumir entre las arenas sin ruido ni movimiento extraordinario. En el alto de la población y en la plaza hay una noria muy bien construída y abundante de agua cristalina. Un solo muchacho la mueve y saca agua con abundancia; pero los buenos vecinos, que llegan a 30, tienen por más cómodo proveerse del aparecido, que así dicen, por costear las sogas que se rompieron de la referida noria. Es cabeza de partido, donde reside el cura, y tiene una capilla muy buena y de suficiente extensión.

Todo el interior de la jurisdicción está lleno de estos ríos ambulantes en donde se encuentra porción de cochinilla sin dueño, que aprovechan los diligentes y sacan o benefician grana, que aunque no es tan fina como la del obispado de Oaxaca, en la Nueva España, es mucho mejor que el magno de la provincia de Parinacochas y otras de este reino, y acaso en lo interior de estos espesos, dilatados montes, se hallarán otras producciones de igual utilidad. No se internen en ellos mucho, los caminantes, por el riesgo de los tigres y recelo de perderse en los laberintos que hacen las muchas sendas.

Santiago del Estero

	Leguas
De Cachi al Portezuelo	9
A Ambargasta	7
A Ayuncha	30
A Chañar Pugio	14
A Santiago del Estero	8
A Vinará	20
Son leguas	88

Luego que se sale de la posta nombrada, El Cachi, da principio la jurisdicción de Santiago del Estero, territorio expuesto a inundaciones y el menos poblado de todo el Tucumán. Los correos siempre pasan por la travesía de 30 leguas que hay de Ayuncha a Ambargasta, y pagan ocho reales más por la remuda de tres caballos, que es el en que va montado el correo, el que lleva las valijas y el del postillón, que ha de volver los caballos. Los pasajeros y correos de particulares, por igual número de caballerías de remuda, pagarán dos pesos, y a proporción en las demás que pidieren para la seguridad y mayor brevedad. En tiempo de avenidas hay muchos bañados que impiden la aceleración del viaje, y por el camino de las carretas suelen formarse unos sequiones y algunos atolladeros que cortan la marcha, siendo preciso aderezarlos con algunos troncos y espesas ramas. Por este camino se rodean de siete a ocho leguas, pero no faltan ranchos que proveen de corderos, gallinas, pollos, huevos, calabazas, sandías y otras menudencias, al mismo precio que en la jurisdicción de Córdoba. El río que pasa a orillas de esta ciudad, que tiene este nombre, es caudaloso y de él se hacen tres formidables lagunas en tierras de los Avipones, indios gentiles, y en cuyos contornos hay copiosas salinas.

En la ciudad de Santiago del Estero estuvo la silla episcopal hasta el año de 1690, que se trasladó a Córdoba, de recelo de las inundaciones del río, que ya había llevado muchas casas. Todavía se mantiene en la plaza la catedral, que sirve de parroquia, que llaman en estos parajes matriz, y tiene mucho mejor fábrica que la de Córdoba. Los vecinos que llaman sobresalientes no llegan a veinte. Algunos invernan porciones de mulas para vender en Salta o conducir al Perú de su cuenta, y los demás, que están repartidos en chozas, son unos infelices, porque escasea algo la carne. El país es salitroso. Las mujeres trabajan excelentes alfombras y chuces, pero como tienen poco expendio, por hacerse en todo el Tucumán, sólo se fabrican por encargo, y la mayor prueba de su pobreza y corto comercio es que las correspondencias de un año en toda la jurisdicción no pasa de treinta pesos. En la casa que fué de los regulares se pueden alojar cómodamente todos los habitantes de la ciudad de Santiago y su ejido, porque tiene tanta multitud de oficinas, patios y traspatios, que forman un laberinto.

Toda la gente del Tucumán asegura que los santiaguinos son los mejores soldados de aquella provincia y el terror de los indios del Chaco. En tiempo de guerra tenían continuamente colgado al arzón de la silla

un costalillo de maíz tostado, con sus chifles de agua, que así llaman a los grandes cuernos de buey en que la cargan y que es mueble muy usado en toda esta provincia; y con esta sola prevención eran los primeros que se presentaban en campaña a cualquier rumor de los enemigos. Al presente hay paces con los más inmediatos de estos indios. En el interior hay muchos en número, valor y situación de terreno, y a éstos prometió en la corte sujetar el actual gobernador don Jerónimo Matorras, ofreciendo poblar a su costa cuatro ciudades. Extraordinario servicio si pudiera conducir colonos de la Flandes y cantones católicos.

Antes de salir de esta jurisdicción, voy a proponer un problema a los sabios de Lima. Atravesando cierto español estos montes en tiempo de la guerra con los indios del Chaco, se vió precisado una noche a dar descanso a su caballo, que amarró a un tronco con un lazo dilatado para que pudiese pastar cómodamente, y por no perder tiempo, se echó a dormir un rato bajo de un árbol frondoso, poniendo cerca de su cabeza una carabina proveída de dos balas. A pocos instantes sintió que le despertaban levantándole de un brazo y se halló con un indio bárbaro, armado de una lanza y con su carabina en la mano, quien le dijo con serenidad «Español, haz tum»; esto es, que disparase para oír de cerca el ruido de la carabina. El español, echando un pie atrás, levantó el gatillo y le encajó entre pecho y espalda las dos balas al indio, de que quedó tendido.

Se pregunta a los alumnos de Marte si la acción del español procedió de valor o de cobardía, y a los de Minerva si fué o no lícita la resolución del español.

V

Jurisdicción de San Miguel del Tucumán. Arañas que producen seda.—La ciudad.— Descripción de una carreta.—La manera de viajar

	Leguas
De Vinará a Mancopa	13
A San Miguel del Tucumán	7
Al Río de Tapia	7
Al Pozo del Pescado	14
Son leguas	41

A la salida de Vinará, que dista 20 leguas de Santiago, da principio la jurisdicción de San Miguel del Tucumán, con monte más desahogado, árboles elevados y buenos pastos, y ya se empieza a ver el árbol nombrado quebracho, dicho así para significar su dureza, por romper las hachas con que se pule. Por la superficie es blanco, y suave al corte. En el centro es colorado, y sirve para columnas y otros muchos ministerios. Dicen que es incorruptible, pero yo he visto algunas columnas carcomidas. Después de labrado, o quitado todo el blanco, se echa en el agua, en donde se pone tan duro y pesado como la piedra más maciza.

A la entrada de esta jurisdicción observé en el camino real muchos hilos blancos de distinto grueso, entretejidos en los aromos, y otros a distancia de más de ocho varas, que son tan delgados y sutiles que sólo se percibían con el reflejo del sol. Todos muy iguales, lisos y sin goma alguna, y tan resplandecientes como el más sutil hilo de plata. Reparé que unos animalitos en figura y color de un escarabajo chico caminaban sobre ellos con suma velocidad. Me apeé varias veces para observarles su movimiento y reparé que si por contingencia alguno de ellos era más tardo en la carrera, sin estorbarle su curso ni detenerle, daban estos diestros funámbulos una vuelta por debajo, semejante a la que hacen los marineros que quieren adelantarse a otros para las maniobras que se hacen en las vergas de los navíos. Procuré hacer algún ruido para ver si estos animalitos se asustaban y detenían su curso, y sólo conseguí que lo aceleraran más. En los hilos dilatados he visto algunos animalitos muertos en la figura de una araña común, colgados de las patitas y del color de un camarón sancochado. No he podido percibir si de los vivientes salía sustancia alguna para engrosar aquel hilo. Cogí algunos y enrollándolos en un palito reconocí tenían suficiente fortaleza para esta operación.

Don Luis de Aguilar, criollo y vecino de San Miguel, quien nos condujo en sus carretas desde Córdoba a Salta, español de muy buena instrucción y observaciones, me dijo que aquellos animalitos eran las arañas que producían la seda, lo que confirmó, además del dicho de otros, don Juan Silvestre Helguero, residente y dueño de la hacienda de Tapia y maestro de postas, sujeto de extraordinaria fuerza y valor y acostumbrado a penetrar los montes del Tucumán, quien añadió que eran tantos los hilos imperceptibles que se encontraban en aquellos montes, que sólo se sentían al tropezar con ellos con el rostro y ojos. Con estas advertencias, no solamente yo, sino los que me acompañaban, pusimos más cuidado y algunas veces, aunque a poca distancia, internábamos al monte, y ya veíamos dilatados hilos, ya árboles enredados de ellos; algunas veces ramas solas bordadas de exquisitas labores de un hilo muy sutil, que serían dignas de presentarse a un príncipe si las hojas no llegaran a secarse y perder la delicada figura. Hemos visto nido grande de pájaro bordado todo de esta delicada tela a modo de una escofieta o escusa, peinado de una madrileña. En su concavidad vimos multitud de estos animalitos rodeando a un esqueleto que, según su tamaño, sería coco de una paloma común o casera. También parece que trabajan por tandas, porque en un propio tronco, de donde salían a trabajar muchos de estos operarios, quedaban muchos dormidos. De éstos cogí uno con la punta de las tijeras, que se resistió moviendo aceleradamente sus patitas y boca, y cortándole por el medio hallé que estaba repleto de una materia bastante sólida, blanca y suave, como la manteca de puerco.

Me pareció que los animalitos que trabajaban en hilo dilatado, procuraban engrosarle, porque hallé algunos más delgados que los de seda en pelo hasta finalizar en una hebra como la de torcida de Calabria. De estos hilos hace la gente del campo unas toquillas o cordones para los sombreros, que sueltos se encogen y se estiran como de uno a tres. Su color natural es como el del capullo de la seda del gusano. En un cerco de potrero he visto muchas ramas cortadas de los aromos guarnecidas todas de telas, ya sin animalito alguno, que acaso desampararon por la falta de la flor o hallarse sin jugo las hojas. No he visto en otro árbol nido de estos animalitos, por lo que me persuado que sólo se mantienen de la flor y jugo de los aromos o de otras flores que buscan en el suelo, de que no he visto hagan provisión, ni tampoco he reconocido esqueletos sino en la figura de las arañas que he dicho haber visto pendientes de los hilos.

Una legua antes de la ciudal de San Miguel se encuentra el río nombrado Salí. Sus aguas son más saladas que las del Tercero. Son cristalinas y a sus orillas se hacen unos pozos y por sus poros se introduce agua potable. También hay otros pocitos naturales en la ribera, de muy buena agua, pero tapándose en tiempo de avenidas, son inútiles. Este río se forma de doce arroyos que tienen su nacimiento en los manantiales de lo interior de la jurisdicción, y de todos, el gran río de Santiago del Estero.

San Miguel del Tucumán

Ciudad capital de esta jurisdicción y partenza hoy de correos, ocupa el mejor sitio de la provincia: alto, despejado y rodeado de fértiles campañas. A cinco cuadras perfectas está reducida esta ciudad, pero no está poblada a correspondencia. La parroquia, o matriz, está adornala como casa rural y los conventos de San Francisco y Santo Domingo mucho menos. Los principales vecinos, alcaldes y regidores, que por todos no pasarán de veinticuatro, son hombres circunspectos y tenaces en defender sus privilegios. Hay algunas caudalitos, que con su frugalidad mantienen, y algunos aumentan con los tratos y crías de mulas; pero su principal cría es la de bueyes que amansan para el trajín de las carretas que pasan a Buenos Aires y a Jujuy. La abundancia de buenas maderas les facilita la construcción de buenas carretas. Con licencia de los señores mendocinos voy a hacer la descripción le las del Tucumán.

Descripción de una carreta

Las dos ruedas son de dos y media varas de alto, puntos más o menos, cuyo centro es de una maza gruesa de dos a tres cuartas. En el centro de ésta atraviesa un eje de quince cuartas sobre el cual está el lecho o cajón de la carreta. Este se compone de una viga que se llama pértigo, de siete y media varas de largo, a

que acompañan otras dos de cuatro y media, y éstas, unidas con el pértigo, por cuatro varas o varejones que llaman teleras, forman el cajón, cuyo ancho es de vara y media. Sobre este plan lleva de cada costado seis estacas clavadas, y en cada dos va un arco que, siendo de madera a especie de mimbre, hacen un techo ovalado. Los costados se cubren de junco tejido, que es más fuerte que la totora que gastan los mendocinos, y por encima, para preservar las aguas y soles, se cubren con cueros de toro cosidos, y para que esta carreta camine y sirva se le pone al extremo de aquella viga de siete y media varas un yugo de dos y media, en que se uncen los bueyes, que regularmente llaman pertigueros.

En viajes dilatados, con carga regular de 150 arrobas, siempre la tiran cuatro bueyes, que llaman a los de adelante cuarteros. Estos tienen su tiro desde el pértigo, por un lazo que llaman tirador, el cual es del grosor correspondiente al ministerio, doblado en cuatro y de cuero fuerte de toro o novillo de edad. Van igualmente estos bueyes uncidos en un yugo igual al de los pertigueros, que va asido por el dicho lazo. Estos cuarteros van distantes de los pertigueros tres varas, poco más o menos, a correspondencia de la picana, que llaman de cuarta, que regularmente es de caña brava de extraordinario grosor o de madera que hay al propósito. Se compone de varias piezas y la ingieren los peones, y adornan con plumas de varios colores.

Esta picana pende como en balanza en una vara que sobresale del techo de la carreta, del largo de vara y media a dos, de modo que, puesta en equilibrio, puedan picar los bueyes cuarteros con una mano, y con la otra, que llaman picanilla, a los pertigueros, porque es preciso picar a todos cuatro bueyes casi a un tiempo. Para cada carreta es indispensable un peón, que va sentado bajo el techo delantero, sobre un petacón en que lleva sus trastes, y sólo se apea cuando se descompone alguna de las coyundas o para cuartear pasajes de ríos y otros malos pasos.

Además de las 150 arrobas llevan una botija grande de agua, leña y maderos para la compostura de la carreta, que con el peso del peón y sus trastes llega a 200 arrobas. En las carretas no hay hierro alguno ni clavo, porque todo es de madera. Casi todos los días dan sebo al eje y bocina de las ruedas, para que no se gasten las mazas, porque en estas carretas va firme el eje en el lecho, y la rueda sólo es la que da la vuelta. Los carretones no tienen más diferencia que ser las cajas todas de madera, a modo de un camarote de navío. Desde el suelo al plan de la carreta, o carretón, hay vara y media y se sube por una escalerilla, y desde el plan al techo hay nueve cuartas. El lecho de la carreta se hace con carrizo o de cuero, que estando bien estirado es más suave.

Las carretas de Mendoza son más anchas que las de Tucumán y cargan 28 arrobas más, porque no tienen los impedimentos que éstas, que caminan desde Córdoba a Jujuy entre dos montes espesos que estrechan el camino, y aquéllas hacen sus viajes por pampas, en que tampoco experimentan perjuicio en las cajas de las carretas. Los tucumanos aunque pasan multitud de ríos, jamás descargan, porque rara vez pierden el pie los bueyes, y si sucede es en un corto trecho, de que salen ayudados por las cuartas que ponen en los fondos, a donde pueden afirmar sus fuertes pezuñas. Los mendocinos sólo descargan en tiempo de avenidas en un profundo barranco que llaman el desaguadero, y para pasar la carga forman con mucha brevedad unas balsitas de los yugos, que sujetan bien con las coyundas y cabestros. También se hacen de cueros, como las que usan los habitantes de las orillas del río Tercero y otros.

Esta especie de bagajes está conocida en todo el mundo por la más útil. En el actual reinado se aumentó mucho en España con la composición de los grandes caminos. Desde Buenos Aires a Jujuy hay 407 leguas itinerarias, y sale cada arroba de conducción a ocho reales, que parecerá increíble a los que carecen de experiencia. Desde la entrada de Córdoba a Jujuy fuera muy dificultoso y sumamente costosa la conducción de cargas en mulas, porque la mayor parte del camino se compone de espesos montes en que se perderían muchas, y los retobos, aunque fuesen de cuero, se rasgarías enredándose en las espinosas ramas, con perjuicio de las mercaderías y mulas que continuamente se im-

posibilitaran, deslomaran y perdieran sus cascos, a que se agrega la multitud de ríos caudalosos que no pudieran atravesar cargadas, por su natural timidez e inclinación a caminar siempre aguas abajo. A los bueyes sólo les fatiga el calor del sol, por lo que regularmente paran a las diez del día, y cada picador, después de hecho el rodeo, que es a proporción del número de carretas, desuncen sus cuatro bueyes con gran presteza y el bueyero los junta con las remudas para que coman, beban y descansen a lo menos hasta las cuatro de la tarde. En estas seis horas, poco más o menos, se hace de comer para la gente, contentándose los peones con asar mal cada uno un buen trozo de carne. Matan su res si hay necesidad y también dan sebo a las mazas de las ruedas, que todo ejecutan con mucha velocidad. Los pasajeros se ponen a la sombra de los elevados árboles, unos, y otros a la que hacen las carretas, que por su elevación es dilatada; pero la más segura permanente, y con ventilación, será pareando dos carretas de modo que quepa otra en el medio. Se atraviesan sobre las altas toldas dos o tres picanas y sobre ellas se extiende la carpa o toldo para atajar los rayos del sol y se forma un techo campestre capaz de dar sombra cómodamente a ocho personas. Algunos llevan sus taburetitos de una doble tijera, con sus asientos de baqueta o lona. Este género lo tengo por mejor, porque, aunque se moje, se seca fácilmente, y no queda tan tieso y expuesto a rasgarse como la baqueta, porque estos muebles los acomodan siempre los peones en la toldilla, a un lado de la caja, de la banda de afuera, por lo que se mojan y muchas veces se rompen con las ramas que salen al camino real, de los árboles de corta altura, por lo que el curioso podrá tomar el partido de acomodarlos dentro de su carreta o carretón, como asimismo la mesita de campaña, que es muy cómoda para comer, leer y escribir.

A las cuatro de la tarde se da principio a caminar y se para segunda vez el tiempo suficiente para hacer la cena, porque en caso de estar la noche clara y el camino sin estorbos, vuelven a uncir a las once de la noche y se camina hasta el amanecer, y mientras se remudan los bueyes hay lugar para desayunarse con chocolate, mate o alguna fritanguilla ligera para los aficionados a aforrarse más sólidamente, porque a la hora se vuelve a caminar hasta las diez del día. Los poltrones se mantienen en el carretón o carreta con las ventanas y puertas abiertas, leyendo u observando la calidad del camino y demás que se presenta a la vista. Los alentados y más curiosos montan a caballo y se adelantan o atrasan a su arbitrio, reconociendo los ranchos y sus campestres habitadores, que regularmente son mujeres, porque los hombres salen a campear antes de amanecer y no vuelven hasta que el sol los apura, y muchas veces el hambre, que sacian con cuatro libras netas de carne gorda y descansada, que así llaman ellos a la que acaban de traer del monte y matan sobre la marcha, porque en algunas poblaciones grandes, como en Buenos Aires, sucedía antes y sucedió siempre en las grandes matanzas, arrean una punta considerable, desjarretándola por la tarde, y tendidas en la campaña o playa aquellas míseras víctimas braman hasta el día siguiente, que las degüellan y dividen ensangrentadas; y a ésta llaman carne cansada, y yo envenenada.

La regular jornada de las tropas del Tucumán, que así llaman, como en otras partes, una colección de carretas que van juntas, es de siete leguas, aunque por el tránsito de los muchos ríos he regulado yo que no pasan de cinco, un día con otro. Los mendocinos hacen mayores jornadas porque su territorio es escampado, con pocos ríos y muchas travesías, que llaman así a los dilatados campos sin agua. Para éstas, y en particular para la de Corocoro, tienen varias paradas de bueyes diestros, que llaman rocines. El resto del ganado marcha a la ligera y los rocines sacan las carretas cargadas sin beber muchas veces en 48 horas, con la prevención de que si el desaguadero lleva poca agua, tampoco la beben, porque conocen que está amarga e infeccionada, y, al contrario, el ganado bisoño, que aunque le arreen con precipitación siempre bebe, de lo que se experimentan algunas enfermedades y, a veces, mortandades considerables. En estas travesías sólo se para por la siesta, si apura mucho el sol, por lo que es preciso que los criados se prevengan de fiambres

para la noche, aunque lo más seguro es adelantarse por la tarde llevando algunos palos de leña y lo necesario para hacer la cena, con atención que estos diestros bueyes caminan mucho y con brevedad por la tarde, noche y mañana, procurando también informarse del sitio a donde van a remudar para que haya tiempo suficiente para acomodar los trastes de cocina y demás sin atraso del carretero, no fiándose mucho de los criados que como por lo regular son negros bozales, pierden muchos muebles que hacen notable falta.

Algunos caminantes llevan caballos propios, que compran por lo general a dos pesos cada uno. Este es un error grande, porque por la noche se huyen a sus querencias o los estropean los rondadores. Lo más seguro es ajustarse con el dueño o mayordomo de la tropa, a quien rara vez se le pierde caballo y muchas veces se le aumentan con los que están esparcidos por el campo y agregan los muleros por género de represalia.

Así como algunos admirarán la resistencia de los bueyes rocines de Mendoza, se asombrarán del valor de los del Tucumán viéndolos atravesar caudalosos ríos presentando siempre el pecho a las más rápidas corrientes, arrastrando unas carretas tan cargadas como llevo dicho y que con el impulso de las olas hacen una resistencia extraordinaria. A la entrada manifiestan alguna timidez, pero no retroceden ni se asustan de que las aguas les cubran todo el cuerpo, hasta los ojos, con tal que preserven las orejas. Si no pueden arrastrar la carreta, la mantienen de pecho firme hasta que pasan a su socorro las cuartas, a las que ayudan con brío, y al segundo, tercero y cuarto tránsito se empeñan con más denuedo y seguridad, alentándolos los peones, que invocan por sus nombres. Si se enredan con las cuartas lo manifiestan con pies y manos para que el peón les quite el inpedimento, y, en fin, ha sido para mí este espectáculo uno de los más gustosos que he tenido en mi vida. Al principio creí que aquellos pacíficos animales se ahogaban indefectiblemente, viéndolos casi una hora debajo del agua y divisando sólo las puntas de sus orejas, pero las repetidas experiencias me hicieron ver la constancia de tan útiles animales y el aprecio que se debe hacer de su importante servicio.

Cuando va un pasajero dentro de carretón o carreta, se rebaja un tercio de la carga por su persona, cama, baúl de ropa y otros chismes. En las carretas que llevan carga sola no se hace puerta por la trasera, pero va abierta por delante para el manejo y reconocimiento de las goteras y otros ministerios.

Es muy conveniente, y casi preciso, que los señores caminantes se informen de las circunstancias de los carreteros, porque éstos se dividen regularmente en tres clases. La primera comprende a los hombres más distinguidos de Mendoza, San Juan de la Frontera, Santiago del Estero y San Miguel del Tucumán. Los primeros establecieron este género de trajín para dar expendio en Buenos Aires y Córdoba a los frutos sobrantes de sus haciendas, como vinos, aguardientes, harinas, orejones y otras frutas, fletando el resto de sus buques a pasajeros y particulares, a un precio muy cómodo. Casi siempre se reduce el importe de estos frutos a efectos de la Europa, para el gasto de sus casas y particulares comercios; pero como el valor de lo que conducen en veinte carretas se regresa en una o dos, fletan las demás al primer cargador que se presenta, por el precio contingente de la más o menos carga y número de carretas. Los segundos son aquellos que tienen menos posibles, y regularmente andan escasas las providencias, con atraso de los viajes; y los terceros son gente de arbitrio. Piden siempre los fletes adelantados y muchas veces al tiempo de la salida se aparece un acreedor que lo detiene, y se ven obligados los cargadores, no solamente a pagar por ellos, sino a suplir las necesidades del camino y otros contratiempos, por lo que es más conveniente y seguro pagar diez pesos más en cada carreta a los primeros.

Los tucumanos son todos fletadores, pero también hay entre ellos las referidas tres clases. Los de Santa Fe y Corrientes conducen a Buenos Aires toda la yerba del Paraguay del gasto de la ciudad y sus inmediaciones, hasta el reino de Chile, desde donde se provee todo el distrito y jurisdicción de la Audiencia de Lima. Estos carreteros, desde Buenos Aires fletan para todas partes, porque no tienen regreso a los lugares de su domicilio, y, por lo general, son unos pobres que no tienen más caudal que su arbitrio, que se reduce a trampas, exponiendo a los cargadores a un notable atraso. Con estas prevenciones y otras que dicta la prudencia, se pueden hacer ambos viajes con mucha comodidad, teniendo cuidado siempre se tolden bien las carretas y carretones para preservarse de las goteras, mandando abrir dos ventanillas, una en frente de otra, a los costados, para la ventilación, y que caigan a la mitad del lecho, por donde entra un aura tan agradable que da motivo a despreciar la que se percibe debajo de los árboles y refresca el agua notablemente. Cuidado con las velas que se encienden de noche, porque con dificultad se apaga la llama que se prende al seco junco de que están entretejidas las carretas. De este inminente riesgo están libres los carretones, y también tienen la ventaja de que no crían tantos avechuchos, principalmente en la provincia del Tucumán, que es cálida y algo húmeda. Las linternas son precisas para entrar y salir de noche, así en las carretas como en los carretones, y también para manejarse fuera en las noches oscuras y ventosas, y para los tiempos de lluvia convendrá llevar una carpita en forma de tijera para que los criados puedan guisar cómodamente y no se les apague el fuego, no descuidándose con las velas, pajuela, eslabón y yesca, que los criados desperdician gratuitamente, como todo lo demás que está a su cargo, y hace una falta irreparable. Vamos a salir de la jurisdicción de San Miguel.

El oficio de correos de esta ciudad lo tiene en arrendamiento don José Fermín Ruiz Poyo, y se hizo cargo de la maestría de postas don Francisco Norry, vecino de ella. Antes de llegar a la hacienda nombrada Tapia está la agradable cañada de los Nogales, dicha así por algunos silvestres que hay en el bosque. En lo interior hay excelentes maderas, como el quebracho y lapacho, de que comúnmente hacen las carretas, por ser nervioso y fuerte. También hay otro palo llamado lanza, admirable para ejes de carretas y lanzas de coches por ser muy fuerte, nervioso y tan flexible que jamás llega a dividirse, aunque le carguen extraordinario peso. Hay tanta variedad de frutas silvestres, que fuera prolijidad nombrarlas, y desde los Nogales hasta el río de Tapia, que es caudaloso y con algunas piedras, y de allí a la orilla del río nombrado Vipos, es el camino algo estrecho y molestoso, para carretas de tanto peso, y sólo a fuerza de cuartas se camina. Estas se reducen a echar dos o cuatro bueyes más, que sacan de las otras carretas, y así se van remudando, y a la bajada, si es perpendicular, ponen las cuartas en la trasera de la carreta para sostenerla y evitar un vuelco o que atropelle y lastime a los bueyes pertigueros.

El río de Vipos también es pedregoso y de mucho caudal, y a una legua de distancia está el de Chucha, también pedregoso y de aguas cristalinas, y se previene a los señores caminantes manden recoger agua de un arroyo cristalino que está antes del río de Zárate, que, por lo regular, son sus aguas muy turbias y sus avenidas forman unos sequiones en el camino real, en el espacio de medio cuarto de legua, muy molestos a los que caminan a caballo.

A las catorce leguas del río de Tapia está la villa de San Joaquín de las Trancas, que apenas tiene veinte casas unidas, con su riachuelo, en que hay bastante pescado. En el pozo de este nombre, que dista tres cuartos de legua, está la casa de postas al cargo de don José Joaquín de Reyna, dueño del referido sitio, que es muy agradable porque tiene varios arroyos de agua cristalina, y entre ellos un gran manantial, que desagua en la campaña y forma el arroyo o riachuelo de las Trancas.

Al sitio en que está situada esta posta se nombra generalmente el Pozo del Pescado, porque antiguamente hubo mucho en él, pero al presente se halla uno u otro por casualidad. Es voz común que se desapareció en una gran inundación y que fué a hacer mansión al arroyo de las Trancas, en donde actualmente hay muchos. Lo cierto es que de las agua de este pozo y de los demás se forma el arroyo que pasa por aquella villa. Aquí da fin la jurisdicción de San Miguel del Tucumán, que es la menor en extensión de la gran provincia de este nombre, pero en mi concepto es el mejor territorio de toda ella, por la multitud de aguas útiles que tiene para los

riegos, extensión de ensenadas, para pastos y sembrados, y su temperamento más templado.

VI

Jurisdicción de Salta.—El territorio y la ciudad.—El comercio de mulas.—Las ferias.—Ruta de Salta al Perú.—Otra ruta desde Santa Fe y Corrientes

	Leguas
Del Pozo del Pescado al Rosario	13
A la estancia de Concha	10
Al río del Pasaje	15
Al fuerte de Cobos	16
A Salta	9
A las Tres Cruces	9
Son leguas	72

Inmediato al Pozo del Pescado da principio ésta, y al medio cuarto de legua está el paso del río nombrado Tala, de bastante caudal, sobre piedra menuda, pantanoso en sus orillas, por lo que es preciso repasarle dos o tres veces con los bueyes y caballerías para que se fije el terreno y no se atollen las ruedas de las carretas. Pasado el río se camina un dilatado trecho entre dos montes tan espesos que sólo ofrecen el preciso paso a una carreta, hasta llegar a un espacioso llano como de cinco leguas. Antes de llegar a la hacienda nombrada el Rosario, propia de don Francisco Arias, se encuentran dos sitios nombrados el Arenal y los Sauces, en donde hay casas y alguna provisión de bastimentos, como corderos, gallinas y pollos, que ya empiezan a tener doblado precio del de las tres jurisdicciones que dejamos atrás.

En el Rosario, que dista trece leguas del Pozo del Pescado, se situó la primera posta de esta jurisdicción, y dará caballos el mayordomo de la hacienda. Hay pulpería, y deteniéndose algún tiempo se amasará pan, porque no lo hay de continuo. A una legua de distancia está el caudaloso río con el nombre del Rosario, de que comúnmente usan los naturales, aplicándole el de la hacienda más inmediata. Este mismo río tiene distintos nombres, y según los sitios por donde pasa, como otros muchos del Tucumán, y aunque es muy caudaloso es fácil de vadear por explayarse mucho. Forma en el medio unas isletas, muy agradables por estar guarnecidas, como sus bordes, de elevados sauces. Así esta hacienda, como las demás que siguen hasta Jujuy, tiene sus potreros con varios arroyos de agua cristalina. Hay muchos que tienen una circunferencia de más de seis a ocho leguas, cercados de montes algo elevados, de grandes sequiones de agua, y en muchas partes de estacones y fajina que se corta de la multitud de árboles, suficiente a encerrar las mulas tiernas, por ser muy tímidas.

Sigue el río nombrado de la Palata, después de haber pasado la estancia de don Miguel Gayoso, que tomó el nombre del río, que regularmente corre en dos brazos fáciles de vadear. Antes y después de este territorio hay varias ensenadas, al este y oeste, de simbolar e ichales. Simbolar es una especie de pasto con que engorda mucho el ganado, muy semejante, en la caña y hoja, a la de la cebada, aunque no tan gruesa. Hay cañas que llegan a tres varas de alto y por espiga tienen unos racimos de espinitas que llaman cadillos. Otras no crecen tanto ni engrosan, y sus espigas son parecidas al heno de Galicia y Asturias. Con esta paja, que es muy flexible y bastante fuerte, se entretejen las carretas en toda la provincia del Tucumán.

A las cinco leguas de la Palata está el río nombrado las Cañas, de poco caudal, y la gran hacienda nombrada Ayatasto, con un caudaloso río de este nombre y medio cuarto de leguas de las casas de don Francisco Toledo. Tiene de largo al camino real cuatro leguas, con llanos de bastante extensión, muy agradables por la abundancia de pastos y bosques de que están guarnecidos. Se mantienen en dicha hacienda 4.000 cabezas de ganado vacuno, 500 yeguas y 100 caballos, independientes de las crías y ganado menor, todo del referido Toledo, aunque cuando pasé por ella estaba muy deteriorada por haberla abandonado con un pleito que tuvo con el gobernador, y en la ausencia que hizo a Buenos Aires por algún tiempo le robaron la mitad del ganado, y, en particular, todas las crías que estaban sin su hierro, porque así en esta provincia como en la de Buenos Aires se elige un tiempo determinado para que concurran los criadores a recoger sus ganados y herrarlos, y así el que es omiso o tiene poca gente, recoge menos crías con doblado número de vacas y yeguas, sucediendo lo contrario al diligente que se presenta primero en campaña, para aumentar una especie de saco permitido tácitamente entre los criadores.

Al fin de la hacienda de Toledo, y en su pertenencia, al tránsito del río nombrado Mita, de bastante caudal y suelo pedregoso, está avecindado don Francisco Antonio Tejeyra y Maciel, lusitano, casado con doña María Dionisia Cabral y Ayala, española, natural de Salta. El referido hidalgo y los ascendientes de su mujer son de los primeros pobladores de esta frontera. Tienen nueve hijos, casi desnudos, muy rubios y gordos, porque el buen hidalgo siempre mantiene la olla al fuego, con buena vaca, carnero, tocino y coles, que coge de un huertecillo inmediato. Provee a los pasajeros de buenos quesos, alguna carne, cebollas y otras cosas que tiene en dicho huertecillo muy bien cultivado y nos aseguraron que en su arca se hallarían más prontamente 200 pesos que 50 en la de Toledo.

Ocho leguas de distancia, caminando al este, está el pueblo nombrado Miraflores, que ocupan algunas familias de indios Lules, descendientes de los primeros que voluntariamente abrazaron la religión católica, manteniéndose siempre fieles vasallos de los Solipsos, aun en tiempo de las guerras de los indios del Chaco. Tuvo 600 familias y multitud de ganados y varios comestibles. El temperamento de aquel sitio dicen que es admirable. Allí hace sus compras de comestibles el portugués y trae sazonados tomates, de que me dió algunos, encargándome mucho hiciese memoria de él y de su familia en mi diario, como lo ejecuto puntualmente, por no faltar a la palabra de honor. Dicen que el referido pueblo está hoy casi arruinado.

Del Rosario a la hacienda nombrada Concha, por haber tenido este apellido el primer poseedor y fundador de ella, hay diez leguas. Antes de llegar a las casas se pasa un río de bastante caudal, que conserva el nombre de Concha; pero la hacienda es actualmente de don Juan Maurín, de nación gallego. La mayor parte de su territorio, y en particular los contornos de las casas, es de regadío perenne, capaz de producir cuanto se sembrase; pero sólo cultivan escasamente lo necesario para la manutención de su familia, reservándose todo lo demás de la buena hacienda para crías de caballos e invernadas de algunas mulas. Aquí se pueden proveer los pasajeros de lo necesario hasta Salta, porque aunque hay algunas hacenduelas en sus intermedios, no se encuentra en ellas más que algunos trozos de vaca.

También se informarán del estado en que se halla el vado del caudaloso río nombrado Pasaje, para esperar en las casas de Maurín hasta el tiempo de su tránsito, por no exponerse a las incomodidades que se experimentan en el rodeo, que está media legua antes del Pasaje, cuyas aguas corren siempre muy turbias, sobre arena. A la banda del este del rodeo, o la derecha, como se entra en él, se buscará una vereda por el monte adentro, y a pocos pasos se verá un corral cercado de troncos y más adelante, como a un tiro de fusil, hay un hermoso ojo de agua dulce y cristalina y una figura de peines que se forman de las aguas que descienden de un altillo, y de esta agua se pueden proveer para algunos días, reservándola sólo para sí, en paraje que no la desperdicien los peones, que se acomodan bien con la del río y que sirve a todos para cocidos y guisados, porque no tiene más fastidio que el de su color turbio y algo cenagoso. Es digno de reparo el que a una banda y otra de este río no se vean mosquitos ni se sientas sus incomodidades en tiempos de lluvias y avenidas, y que sólo se aparezcan en los de seca.

Don Juan Maurín se obligó a poner un tambo a la entrada del río para proveer de víveres a correos del rey y pasajeros y tener caballos de refresco para vadearle con toda seguridad, y por esta pensión y beneficio le asigné dos pesos más de gratificación por cada tres caballos, o cuatro para el Rey y al doble para los particulares; y lo mismo, bajo de las propias condiciones y circunstancias, se concedió a don José Fernández, que había de recibir las postas en la otra banda y volverlas a la vuelta, pasando el río, hasta el tambo de Maurín, y en caso de no cumplir ambas condiciones servirá cada uno su posta por el precio común reglado.

Antes de llegar al fuerte de Cobos se encuentran varios arroyos que descienden de una media ladera pedregosa, de aguas casi ensangrentadas, que causa pavor a la vista. Me detuve un rato a contemplarlas hasta que llegaron las carretas, y reparando que todos los peones descendían a beberlas, supe que eran las mejores de toda la provincia del Tucumán, para enfermos y sanos. Con todo eso me resolví solamente a gustarlas y no encontré en ellas particularidad, hasta que el dueño de las carretas me aseguró que en Cobos las beberíamos muy cristalinas, porque aquel color fastidioso lo tomaban de la tierra colorada por donde pasaban, de que me aseguré viéndolas en su origen, y con la declaración del dueño del fuerte y toda su familia bebimos todos en abundancia y nadie sintió novedad alguna, pero sí advertí que toda la familia, a excepción de la mujer dueña del sitio, estaban enfermos.

El fuerte de Cobos se erigió hace 80 años para antemural de los indios del Chaco. Está al pie de una ladera, nueve leguas distante de Salta. Hoy es casa de la hacienda de doña Rosalía Martínez, que posee varias tierras y un potrero en su circunferencia. Esta señora salteña es casada con don Francisco Xavier de Olivares, nacido en la ciudad de Santiago de Chile. La casa está tan arruinada que me costó algún cuidado subir la escalera que conduce a los altos, en donde tienen su habitación, de donde no podía salir el marido por estar medio baldado, a pesar de las prodigiosas aguas que bebía. La madama no manifestaba robustez en su semblante y delicado cuerpo, que es de regular estatura, pero me causó admiración ver su cabello tan dilatado, que llegaba a dos varas y una ochava, y me aseguró que una prima suya que residía en Salta, le tenía de igual tamaño. No tenía esta señora otra gala de que hacer ostentación y aun ésta no pasaba de los límites de lo largo de sus hebras.

En los montes y potreros de esta circunferencia hay también arañas negras y gusanos de seda, con otras producciones. Esta noticia va sobre la buena fe del señor don Francisco de Olivares, que me pareció hombre instruido en extravagancias, sobre otros puntos. El camino desde Cobos a Salta es algo fragoso para carretas y muy molesto en tiempo de aguas, y así, sólo por precisión se hace, como nos sucedió a nosotros, y allí cumplió el carretero como si hubiera pasado hasta Jujuy por el camino regular. El pasajero que no tuviere necesidad de entrar en esta ciudad tomará postas en Cobos, hasta Jujuy, en cuyo intermedio no se han situado, por no ser camino de correos, por la precisión de entrar en

Salta

Con el título de San Felipe el Real. Es ciudad célebre, por las numerosas asambleas que en ella se hacen todos los años, en los meses de febrero y marzo, de que daré razón brevemente. Está situada al margen del valle de Lerma, en sitio cenagoso y rodeada toda de un foso cubierto de agua. Su entrada se hace por una calzada tan infeliz que no llega a cubrir el barranco, que aunque no tiene mucha extensión ni profundidad, la impide a todo género de bagajes en tiempo de lluvias, en el cual no se puede atravesar la ciudad a caballo porque se atascan en el espeso barro que hay en las calles, y así los pasajeros, en el referido tiempo de lluvia, tienen por más conveniente, y aún preciso, atravesar la ciudad a pie, arrimados a las casas, que por lo regular tienen unos pretiles no tan anchos y tan bien fabricados como los de Buenos Aires, pero hay el impedimento y riesgo de pasar de una a otra cuadra. El valle, si no me engaño, tiene cinco leguas de largo y media de ancho. Todo es de pastos útiles y de siembra de trigo, y se riega todo con el surco de un arado. Sus colonos son robustos y de infatigable trabajo a caballo, en que son diestrísimos, como todos los demás de la provincia.

La gente plebeya de la ciudad, o, hablando con más propiedad, pobre, experimenta la enfermedad que llaman de San Lázaro, que en la realidad no es más que una especie de sarna. Los principales son robustos, y comúnmente los dueños de los potreros circunvecinos, en donde se hacen las últimas invernadas de las mulas. El resto es de mercaderes, cuya mayor parte, o la principal, se compone de gallegos. Las mujeres de unos y otros, y sus hijas, son las más bizarras de todo el Tucumán,

y creo que exceden en la hermosura de su tez a todas las de la América, y en particular en la abundancia, hermosura y dilatación de sus cabellos. Muy rara hay que no llegue a cubrir las caderas con este apreciable adorno, y por esta razón lo dejan comúnmente suelto o trenzado a lo largo con gallardía; pero en compensativo de esta gala es muy rara la que no padezca, de 25 años para arriba, intumescencia en la garganta, que en todo el mundo español se llama coto. En los principios agracia la garganta, pero aumentándose este humor hace unos figuras extravagantes, que causan admiración y risa, por lo que las señoras procuran ocultar esta imperfección con unos pañuelos de gasa fina, que cubren todo el cuello y les sirven de gala, como a los judíos el San Benito, porque todos gradúan a estas madamas por cotudas, pero ellas se contentan con no ponerlo de manifiesto ni que se sepa su figura y grados de aumento, porque las encubren entre los pechos con toda honestidad.

Todas y todos aseguran que esta inflamación no les sirve de incomodidad ni que por ella hayan experimentado detrimento alguno, ni que su vida sea más breve que la de las que no han recibido de la naturaleza esta injuria, que sólo se puede reputar por tal en los años de su esplendor y lucimiento. Toda la ciudad está fundada, como México, sobre agua. A una vara de excavación se halla clara y potable. Hay algunas casas de altos, pero reparé que los dueños ocupan los bajos y alquilan los altos a los forasteros, que son muchos por el trato de las mulas y se acomodarían mejor en los bajos, por excusarse de la molestia de subidas y bajadas, pero sus dueños no hacen juicio de la humedad, como los holandeses. No hay más que una parroquia en toda ella y su ejido, con dos curas y dos ayudantes. Tiene dos conventos de San Francisco y de la Merced, y un colegio, en que los regulares de la Compañía tenían sus asambleas en tiempos de feria.

No se pudo averiguar el número de vecinos de la ciudad y su ejido, pero el cura rector, que así llaman al más antiguo, me aseguró, y puso de su letra, que el año de 1771 se habían bautizado 278 párvulos. Los 97 españoles y los 181 indios, mulatos y negros, que en el mismo año habían fallecido, de todas estas cuatro castas, 186, por lo que resulta que en dicha ciudad y su ejido se aumentaron los vivientes hasta el número de 92. Por este cálculo no se puede inferir la sanidad y buen temperamento de la ciudad. Yo la graduo por enfermiza, y no tengo otra razón más que la de no haber visto ancianos de ambos sexos a correspondencia de su población. En ella regularmente reside el gobernador con título de Capitán General, desde donde da sus providencias y está a la vista de los movimientos de los indios bárbaros, que ocupan las tierras que se dicen el Chaco, de que se le da noticias por los capitanes que están de guarnición de aquellas fronteras. Administra los correos, con aprobación general, don Cayetano Viniegra, de nación gallego y casado con una señorita distinguida en nacimiento y prendas personales.

El principal comercio de esta ciudad y su jurisdicción consiste en las utilidades que reportan en la invernada de las mulas, por lo que toca a los dueños de los potreros, y respecto de los comerciantes, en las compras particulares que cada uno hace y habilitación de su salida para el Perú en la gran feria que se abre por el mes de febrero y dura hasta todo marzo, y ésta es la asamblea mayor de mulas que hay en todo el mundo, porque en el valle de Lerma, pegado a la ciudad, se juntan en número de sesenta mil y más de cuatro mil caballos para los usos que diré después. Si la feria se pudiera efectuar en tiempo de secas sería una diversión muy agradable a los que tienen el espíritu marcial; pero como se hace precisamente dicha feria en el rigor de las aguas, en un territorio estrecho y húmedo, causa molestia hasta a los mismos interesados en ventas y compras, porque la estación y el continuo trajín de sesenta y cuatro mil bestias en una corta distancia, y su terreno por naturaleza húmedo, le hace incómodo y fastidioso. Los que tienen necesidad de mantenerse en la campaña, que regularmente son los compradores, apenas tienen terreno en que fijar sus tiendas y pabellones.

Para encerrar las mulas de noche y sujetarlas parte del día, se hacen unos dilatados corrales, que forman de troncos y ramazón de los bosques vecinos, que son comunes; pero en sólo una noche y parte del día hacen estos animales unas excavaciones que dejan dichos corrales imposibilitados para que les sirvan, sin perjuicio grave del dueño, y así los mudan cada dos o tres días para que sus mulas no se imposibiliten para hacer la dilatada jornada, hasta el centro del Perú. Casi todos los muleros, en cuya expresión se entienden los arreadores y dueños de las tropas, estaban en el error de que las mulas padecían y experimentaban la epidemia del mal de vaso, de que se imposibilitaban y moría un considerable número. Otros que no tenían práctica entendían que era mal del bazo. Unos y otros se engañaban, porque según las experiencias se ha reconocido que las mulas que habían invernado en potreros cenagosos, se les ablandaban mucho los cascos, porque inclinándose estos animales mucho a comer en los parajes húmedos, buscando los pastos verdes, se habituaban a residir en ellos.

Al contrario sucedía en los potreros secos y pedregosos, por donde pasaban las aguas que beben y buscan los pastos en los altos cerros y campañas secas, que son los potreros más a propósito para las invernadas, para que las mulas se hagan a un ejercicio algo penoso y que se les endurezcan los cascos y estén robustas y capaces de hacer viaje hasta lo más interior del Perú. El motivo de que algunos muleros pensasen de que el mal del vaso era contagioso, provino de que experimentaban que en las primeras jornadas se les imposibilitaban veinte o treinta mulas, y que, consiguiente, iban experimentando igual pérdida, sin prevenir que por naturaleza, o por más o menos humedad del potrero tenían más o menos resistencia, y así lo atribuían a mal contagioso, no reparando que otras mulas de la misma tropa no participaban del propio perjuicio, pisando sus propias huellas, caminando juntas, comiendo los mismos pastos y bebiendo de las propias aguas.

Sabido ya el principal motivo porque se pierden muchas mulas en el violento arreo de la salida de Salta hasta entrar en los estrechos cerros del Perú por el despeo de las mulas, es conveniente advertir a los tratantes en ellas que no solamente se despean las que invernaron en potrero húmedo, sino todas las criollas de la jurisdicción, las que comúnmente también se cansan, por no estar ejercitadas en el trabajo, por lo que a las criollas de Buenos Aires y chilenas que han pasado a Córdoba, y de estos potreros a los de Salta, llaman ganado aperreado, que es lo mismo que ejercitado en trabajo violento, y es el que aguanta más las últimas jornadas. También se cuidará mucho de que el capataz y ayudante sean muy prácticos en el conocimiento de los pastos, que no tengan garbancillo ni otra yerba mala. En los contornos de Mojo suele criarse mucho que apetecen y comen con ansia las mulas, pero brevemente se hinchan y se van cayendo muertas, gordas, sin que se haya encontrado remedio para este mal.

Esta yerba nombrada el garbancillo, y otras peores, no solamente es patrimonio de algunos particulares territorios, sino que se aparece de repente en otros, y siempre en sitios abrigados, de corta extensión. Algunos ignorantes piensan también que estas mortandades nacen y se aumentan de la unión estrecha que llevan entre sí las mulas, y que se contagian unas a otras, porque ven que un día mueren por ejemplo veinte, al otro diez, y al siguiente y demás hasta el número de aquéllas que comieron en cantidad el garbancillo, sin reflexionar en la más o menos robustez o más o menos porción. Lo cierto es que causa lástima ver en aquellas campañas y barrancos porciones de mulas muertas, habiendo observado yo que la mayor parte arroja sangre por las narices, ya sea por el efecto de la mala yerba o por los golpes que se dan a la caída. Algunas suelen convalecer, deteniendo las tropas a descansar algunos días en paraje de buen pasto o rastrojales, pero éstas son aquéllas que solamente estuvieron amenazadas del mal, porque comieron poco de aquellas yerbas o fueron tan robustas que resistieron a su rigor maligno. Aquí iba a dar fin al asunto de mulas, pero mi íntimo amigo don Francisco Gómez de Santibáñez, tratante años ha en este género, me dijo que sería conveniente me extendiese más, tratando la materia desde su origen, poniendo el costo y gasto de arreos, invernadas y tabladas en donde se hacen las ventas. Me pareció muy bien una advertencia que, cuando no sea muy útil, no puede desagra-

dar al público en general. Dicho amigo y el dictamen de otros me sacó de algunas dudas y me afirmó en las observaciones que hice yo por curiosidad. No me pareció del caso borrar lo escrito o posponerlo y así sigo el asunto por modo retrógrado, o imitando los poemas épicos.

En la gran feria de Salta hay muchos interesados. La mayor parte se compone de cordobeses, europeos y americanos, y el resto de toda la provincia, con algunos particulares, que hacen sus compras en la campaña de Buenos Aires, Santa Fe, Corrientes y parte de la provincia de Cuyo; de modo que se puede decir que las mulas nacen y se crían en las campañas de Buenos Aires hasta la edad de dos años, poco más, que comúnmente se llama sacarlas del pie de las madres; se nutren y fortaleza en los potreros del Tucumán y trabajan y mueren en el Perú. No por esto quiero decir que no haya crías en el Tucumán o mulas criollas, pero son muy pocas, respecto del crecido número que sale de las pampas de Buenos Aires. Los tucumanos dueños de potreros son hombres de buen juicio, porque conocen bien que su territorio es más a propósito para fortalecer este ganado que para criarlo, y los de las pampas tienen justos motivos para venderlo tierno, porque no tienen territorio a propósito para sujetarlo desde que sale del pie de la madre.

Las que se compran en las referidas pampas, de año y medio a dos, cuestan de doce a dieciséis reales cada una, regulando los tres precios: el ínfimo, a doce reales; el mediano, a catorce, y el supremo, a dieciséis, de algunos años a esta parte, pues hubo tiempo en que se vendieron a cinco reales y a menos cada cabeza, al pie de la madre. Esta propia regulación observaré con las que se venden en Córdoba y Salta, por ser las dos mansiones más comunes para invernadas. Las tropas que salen de las campañas de Buenos Aires sólo se componen de seiscientas a setecientas mulas, por la escasez de las aguadas, en que no pueden beber muchas juntas, a que se agrega la falta de montes para formar corrales y encerrarlas de noche, y para suplir esta necesidad se cargan unos estacones, y con unas sogas de cuero se hace un cerco para sujetar las mulas, a que se agrega el sumo trabajo de doce hombres, que las velan por tandas, para lo cual son necesarios cuarenta caballos, que cuestan de ocho a diez reales cada uno. Aunque el comprador eche más número de caballos, no solamente no perderá, aunque se le mueran y pierdan algunos, sino que ganará, porque en Córdoba valen a dos pesos y se venden a los vecinos y dueños de potreros, que los engordan de su cuenta y riesgo, para venderlos y lucrar en la siguiente campaña.

También puede el comprador que va a invernar echarlos de su cuenta a los potreros, pero este arbitrio no lo tengo por favorable, porque los peones que rodean y guardan las mulas estropean estos caballos a beneficio suyo o del dueño del potrero, en que se hace poco escrúpulo. Los referidos doce hombres para el arreo de cada tropa de seiscientas a setecientas mulas, ganan, o se les paga, de doce a dieciséis pesos en plata, con proporción a la distancia, y además de esto se les da carne a su arbitrio y alguna yerba del Paraguay. En este arreo no se necesita mansaje, porque los caballos son los que hacen todas las faenas. Están regulados los costos de cada mula, desde las campañas de Buenos Aires hasta la ciudad de Córdoba y sus inmediatos potreros, en cuatro reales, independiente del gasto que hace el dueño y principal costo.

En estos potreros se mantienen aquellas mulas tiernas, y que regulan de dos años, catorce meses, poco más o menos, y se paga al dueño de cinco a seis reales por cada una y seis mulas por ciento de refacción, que vienen a salir a ocho reales de costo cada una en la invernada, obligándose el dueño solamente a entregar el número de las que tuvieren el hierro o marca del dueño, aunque estén flacas o con cualquier otra adición; pero las que faltan las debe reponer a satisfacción del referido dueño. En esta ciudad pagan los forasteros un real de sisa por cada mula que sacan de su jurisdicción para los potreros de Salta. Los vecinos no pagan nada, por lo que tomando el precio medio de su costo y costos, se debe regular prudentemente que cada mula que se saca de Córdoba, de las que traen de las campañas de Buenos Aires, tiene de costo veintiséis reales, poco más o menos. Su valor en Córdoba es de treinta y seis reales,

poco más o menos, por lo que regulada cada tropa de a seiscientas mulas, con la rebaja del seis por ciento, se adelanta en cada una setecientos cincuenta pesos; pero de éstos se debe rebajar el gasto que hace el comprador y sus criados en el espacio de más de dos años, que consume en ida, estadía y vuelta, hasta que concluye la invernada, que son muy distintos, según la más o menos economía de los sujetos y el mayor o menor número del empleo, su industria y muchas veces trabajo personal, que es muy rudo, teniendo presente las disparadas y trampas legales, que así llaman los peones a los robos manifiestos, de que los dueños procurarán preservarse y cautelar, a costa de un incesante trabajo.

Ya tenemos estas tropas capaces de hacer segunda campaña, hasta Salta, a donde se hace la asamblea general, saliendo de Córdoba a últimos de abril o principios de mayo, para que lleguen a Salta en todo junio, reguladas detenciones contingentes, y muchas veces precisas, para el descanso del ganado en campos fértiles y abundantes de agua. En esta segunda jornada se componen ordinariamente las tropas de mil trescientas a mil cuatrocientas mulas, que cada una tiene de costo cinco reales. En cada tropa de éstas van veinte hombres y setenta caballos, que cuestan de dieciséis a dieciocho reales. El capataz gana de setenta a ochenta pesos el ayudante treinta y los peones veinte, en plata sellada, y además de este estipendio se les da una vaca o novillo cada dos días, de modo que los veinte hombres, inclusos capataz y ayudante, hacen de gasto diariamente media res, y asimismo se les da yerba del Paraguay, tabaco de humo y papel para los cigarrillos, que todo tiene de costo poco más o menos de doce pesos, cuyas especies se entregan al capataz, para que las distribuya diariamente.

Aunque dije que las mulas de Córdoba a Salta tenían de costo cada una cinco reales, regulados aquéllos sobre una apurada economía, no incluidas las que mueren, se pierden o roban; y los que no quisieren exponerse a este riesgo y emprender un sumo trabajo, pueden valerse de fletadores, que las conducen de su costo, cuenta y riesgo, a siete reales por cabeza; pero es preciso que este sujeto sea abonado, y la mayor seguridad será la de que lleve en cada tropa, de su cuenta, doscientas o trescientas mulas más, para completar a su dueño el número fijo que salió de Córdoba, y en Santa Fe entregan y sacan recibo del dueño del potrero que destina el amo de la tropa, recibiéndosele todas aquellas mulas que tuviesen su marca o hierro y acabalando las faltas con otras corrientes, que se llaman de dar y recibir, según el estilo de comercio.

En los potreros de Salta descansan estas tropas cerca de ocho meses, y observará en su elección lo que dije al principio sobre las humedades y las ilegalidades de sus dueños, que aunque por lo general son hombres de honor, se pueden hacer muchos fraudes, dando por muertas o robadas y huídas muchas mulas de las mejores de la tropa, que pueden acabalarlas con criollas que, como dije, no son a propósito para hacer el rudo trabajo al Perú. Se paga al dueño del potrero, por la guarda y pastos, a ocho reales por cabeza, que siendo del hierro y marca del amo, cumplen con entregarlas, como dije, en los potreros de Córdoba. Para la saca o salida de Salta, paga el comprador o dueño de mulas, si es forastero, seis reales de sisa por cada cabeza, cuyo derecho está destinado para la subsistencia de los presidios que están en las fronteras del Chaco y campaña anual que se hace para el reconocimiento de aquellas fronteras.

En esta segunda mansión, y antes de hacer la tercera jornada, las mulas tienen de costo, al comprador en las Pampas, a 47 reales cada una, y al que compra en Córdoba a cuatro y medio pesos, le sale cada cabeza por siete pesos y un real, si no se hace el dueño fletador, que así se llama el que conduce las mulas de su cuenta, costo y riesgo. El precio de las mulas en Salta, de estos últimos años, fué de ocho pesos a ocho y medio, y el supremo nueve. El comprador paga al contado los seis reales de sisa. En cada tropa se necesitan dos caballadas: la una para apartar y recoger el ganado, y a los dueños se les paga cuatro reales por cada hombre todos los días, aunque monte cada uno veinte caballos, los estropee o mate. La otra caballada se fleta hasta la Abra

de Queta, 60 leguas distantes de Salta. Esta caballada sirve para atajar y contener las mulas que salen lozanas y muy briosas de la invernada de Salta. Al dueño de la caballada se le pagan cuatro pesos y medio por cada tres caballos que monta cada mozo, uno por la mañana, otro al mediodía y otro a la noche; de modo que por el trabajo de tres caballos en sesenta leguas se paga al dueño los referidos cuatro pesos y medio, y éste tiene la obligación de enviar dos mozos de su cuenta para regresar los caballos que queden de servicio, que regularmente son pocos y muchas veces ninguno, porque las jornadas son largas y a media rienda, para no dar lugar a que las mulas disparen y se vuelven a la querencia. Todos los días se montan 50 caballos, hasta dicha quebrada, por lo que a lo menos van en cada tropa 150. En el resto del camino ya no se necesitan caballos, porque además de que perdieron el primer ímpetu las mulas, caminan ya como encallejonadas entre los empinados cerros, y ya desde Salta no se hacen corrales para encerrar el ganado de noche, que se moriría de hambre, respecto del poco y mal pasto que hay en el camino real en la mayor parte del Perú, por lo que es preciso que coman y descansen de noche en algunas ensenadas y cerros; y desde la referida quebrada de Queta empieza a servir el mansaje.

Cada tropa de mulas que sale de Salta se compone de 1.700 a 1.800. Cada una necesita de 70 a 80 mulas mansas, si son buenas y de servicio, con lo que se debe tener gran cuidado, porque estas mulas no sólo sirven para el arreo, sino para la conducción de cargas, que sólo la gente necesita de seis a siete para bizcocho, harina, carne, maletas, lazos y demás chismes, con la carga de petacas del capataz. Estas mulas mansas, siendo comunes, cuestan un peso más; pero siendo de las que llaman rocinas, esto es, muy mansas y diestras para carga y silla, se pagan a tres pesos más cada una, que salen de Salta a doce pesos muy cumplidos, y que apenas los dan por ellas en el Perú, porque llegan muy trabajadas, flacas y matadas, y con tantas mañas como si fueran de alquiler.

En cada tropa de Salta al Perú sólo

van dieciséis hombres, incluso el ayudante y capataz. Este gana, hasta Oruro, 300 pesos; hasta el Cuzco o tablada de Coporaca, 500; y hasta Jauja o tablada de Tucle, 850 pesos El ayudante, hasta la primera estación, 160 a 170: por la segunda, 225; y por la tercera, 360; diez pesos más o menos. Los peones, 65 pesos, 120 y 175, hasta la última tablada de Tucle; y si pasan a otras, como las de Pachacama o Travesías, se ajustan o con el dueño de la tropa o con el comprador, sin observar proporción. El dueño permite introducir en la tropa de 20 a 30 mulas al capataz, de 10 a 12 al ayudante y de dos a cuatro para cada peón, que se consideran para su regreso, en que hay trampas inevitables. Lo cierto es que los peones salen de la última tablada con una mula de deshecho, manca, tuerta y coja, y mediante la devoción de su rosario llegan a Salta con tres o cuatro mulas buenas y sanas, aunque algunos encuentran con dueños igualmente diestros con quienes se componen amigablemente, soltando la presa sin resistencia; pero los buenos tucumanos son tan hábiles como los gitanos y trastornan cerros y hacen tantos cambios como los genoveses con sus letras. Mucho tuviera que decir sobre este asunto, si sólo se dirigiera a la diversión. La paga de capataz, ayudante y peones de cada tropa parecerá exorbitante a los que, como yo, estamos hechos a ver y experimentar lo mal graduado que está el trabajo personal en el Perú, sobre que me explicaré más adelante con distinción. pero ahora sólo conviene explicar el modo con que se hacen estas pagas en Salta, y las utilidades que quedan en aquella ciudad por las habilitaciones que hacen los comerciantes de ella a favor de los compradores de mulas, que regularmente emplean con ellas todo su caudal, por conveniencia propia. Los comerciantes o tenderos de Salta se hacen cargo de habilitar en plata y efectos a la gente de la tropa.

A la gente, esto es, a los peones, se les señala una tienda para que se habiliten de algunos efectos para su uso y el de su familia. Estos se dan por el mercader a precio de plaza, y a su elección, procurando el mercader arreglarse a las órdenes de los dueños de las tropas y de su parte procurar darles lo menos que se pueda en plata sellada, para dar salida a sus efectos. El dueño de la tropa o tropas procurará estrechar lo posible este socorro, porque si los peones van muy recargados y sin el preciso avío para la vuelta salen huirse, y verse precisado el capataz a conchavar otros, con grave perjuicio del dueño de la tropa, que muy rara vez recauda estas públicas usurpaciones.

Estos suplementos en plata y efectos todos los troperos los reputan por de primera deducción, y así los más lo pagan del valor de las primeras mulas que venden a plata en contado, como es de justicia, y este comercio se cuenta por el más efectivo y útil a los mercaderes de Salta. Al capataz no se le pone límite, porque regularmente es hombre de honor, y, con corta diferencia, sucede lo propio con su ayudante. Sobre el ajuste que llevo dicho, y considerado como plata en contado, se rebaja por el dueño de la tropa un 25 por 100 al capataz, al ayudante 50 y a los peones 75 por 100, en lugar de 100 por 100, que se les rebajaba antes por recíproca convención, en que no hay usura, como algunos ignorantes piensan; pero siendo cierto lo que algunos troperos me han dicho, de que la mayor parte perjudicaban a la gente por ignorancia en la exacción del 25, 50 y 75 por 100, por ignorar la regla de tres, que llaman vulgarmente de rebatir, tengo por conveniente sacarles de un error que acaso será imaginario o, como probaré, imposible, en algunos casos.

Si al capataz, por ejemplo, que gana hasta la tablada de Coporaca 500 pesos, y sobre esta cantidad se le rebaja el 25 por 100, le agravian en 25 pesos, esta cantidad es casi imperceptible, porque se exige a unos hombres nada versados en cuentas, y mucho menos en cálculos, que necesitan más penetración. El ayudante, con menos luces, percibiría mejor en engaño; pero mucho más el peón, más bárbaro y grosero; pero la prueba más clara y evidente de que no se les ha formado jamás la cuenta según nos han informado, a lo menos por lo que toca a ayudantes y peones, es que antiguamente se les rebajaba a éstos el 100 por 100, y deben confesar los del error primero, que a estos hombres no se les pagaba nada por un trabajo tan rudo. La cuenta del 100 por 100 abre los ojos al hombre más ciego, porque no debía pagar nada o debía pagarle la mitad del ajuste fantástico en plata y efectos al precio regular de la plaza, y como si fuera a plata en contado. Por ejemplo, al peón que ganaba desde Salta a Coporaca 120 pesos, se le daban 60, cuando se le rebajaba el 100 por 100, y al presente, que está reducida la rebaja a 75 por 100, se le deben dar 68 pesos y cinco reales; la mitad en plata sellada y la otra en los efectos que eligiere al precio corriente a que se vende la plata en contado, que es la paga que rigurosamente le corresponde al peón, y no 30 pesos, como piensan algunos, deduciéndose el 75 por 100 de los 120 pesos.

La cuenta, en la realidad, es una regla de tres, que saben los muchachos de la escuela, aunque ignoran su aplicación en estos casos, y así, para ejemplo, me valgo de lo que gana un capataz hasta Coporaca, que son 500 pesos, que con el aumento de 25 por 100, que importa 125, hacen 625, y digo así: Si 625 pesos me quedan, o dan de utilidad, que lo mismo es, 500 pesos, ¿500 en cuánto me quedarán, o qué utilidad me darán? Se multiplican los 500 por 500, y partiéndose luego por los 625, sale precisamente que al capataz le corresponden 400 pesos, y no 375, que resultaban de la primera cuenta. De este modo se debe proceder en los demás ajustes, con arreglo a las distancias y a lo que cada uno gana, y rebaja del más por ciento.

No he podido averiguar a punto fijo por qué se estableció en Salta este género de ajustes, cuando en Córdoba, de la misma provincia, y en la de Buenos Aires, se paga a la gente en plata sellada, como llevo dicho, sin rebaja alguna. Yo creo que en los principios en que se estableció este comercio se pagaba a la gente su trabajo en efectos, y así estipularon unos y otros a un precio alto, como sucede en Chiloé y otras provincias de este reino, cuando no era tan común el signo de la moneda. En la Nueva España sólo tengo noticia y alguna práctica de la provincia de Sonora, en donde cada efecto tiene un valor señalado desde los principios de la conquista; pero luego que se dió intrínseco valor a la plata, cuando se hace el canje de efectos a plata, se distingue aquél en tres precios, de ínfimo, mediano y supremo, según el más o menos de los efectos; y así, el que va a comprar con plata, en hoja o sellada, pregunta al mercader el precio a que vende, y en una palabra le dice todos los precios de sus efectos que tiene por arancel, como asimismo los del país. Si es guagete por guagete, que significa lo mismo que un efecto por otro, según la ley de cada uno, hay sus precauciones de una y otra parte, por la más o menos abundancia de uno y otro efecto, o de su calidad, y cada uno procura sacar ventaja a su favor.

Fuera cosa muy fácil formar un arancel de lo que rigurosamente se debía pagar en plata sellada al capataz, ayudante y peones, con arreglo a las tres tabladas de Oruro, Coporaca y Tucle, que casi son iguales en la distancia, pero como hay variedad en los ajustes, sólo serviría esta cuenta de una vana ostentación. Si a la gente se le pagara todo su trabajo en plata sellada, no se encontraría en Salta quien hiciera el suplemento para los avíos y se verían precisados los tratantes en mulas a reservar un trozo de caudal para gastos y paga de derechos de sisa y regresar ése menos en mulas. Los peones gastarían el dinero en diversiones ilícitas y perjudiciales a su familia, y así, el modo de sujetarlos es señalarles una tienda, a donde concurren con sus mujeres y familia, y cada uno saca lo que necesita en lienzo, lana o seda, entregándoles en plata una corta parte para pagar el sastre y correr algún gallo, como ellos dicen y que se reduce a comer, beber, bailar y cantar al son de sus destempladas liras. El resto se reserva para entregarles en plata a la vuelta o remediar las necesidades que ocurren en sus viajes o, por decirlo mejor, para sujetarlos a que le hagan redondo, como dije en otra parte.

Don Manuel del Rivero, tratante de pocos años a esta parte en mulas traídas de Salta, me aseguró había pagado en los dos viajes que hizo, 120 pesos físicos a cada peón, hasta la tablada de Tucle, que sale cada una a 40 pesos y, por consiguiente, a seis pesos más, según mi regulación, en cada tablada. Este aumento de paga se puede hacer por dos consideraciones: la primera, por la mayor prác tica y vigilancia de unos hombres en quienes consiste la felicidad o ruina de una tropa. También se aumentan los sueldos en las tropas que llaman recargadas; quiero decir, que si una debía ser de 1.700 mulas y se compone de 2.000, se le aumenta a cada peón, y a correspondencia al capataz y ayudante, su sueldo. Ya he demostrado que por la cuenta de rebatir corresponden a cada peón 34 pesos dos reales y medio por tablada, y por la razón que dió Rivero, a 40 pesos; sobre estos dos precios se puede tomar un medio, con atención a la inteligencia de los peones y más o menos recargada tropa, debiendo advertirse que la gente que sale con destino solamente a Oruro o sus inmediaciones, puede pedir mayor paga, porque hace un viaje corto en que impende el término de una invernada, porque no puede hacer otro hasta el año siguiente, en cuyo asunto resolverá la prudencia del tratante en mulas; pero el que no quisiere molestarse en los graves cuidados que causa una tropa, puede darle a flete a algún vecino de los muchos seguros que hay en Salta, y su regular costo es el siguiente:

Desde Salta a la tablada de Oruro o sus inmediaciones, se paga al fletador de ocho a nueve reales por cada mula, con la refacción o rebaja del 3 por 100.

Hasta la segunda, nombrada Coporaca o tablada del Cuzco, se paga por cada mula, desde Salta, de 14 a 15 reales, y 6 por 100 de refacción.

A la última tablada de Tucle, entre Huancavelica y Jauja, se paga de 20 a 22 reales, y 9 por 100 de refacción. Por esta cuenta puede saber cualquiera el costo que le tiene una mula en cada tablada.

El asentista, o fletador, si hace el oficio de capataz, que rara vez acontece, puede hacer algunas trampas inevitables. Los capataces, por quedar bien con el dueño de la tropa, suelen hacer una maniobra que para los que no están impuestos en este trajín parecerá increíble, porque viéndose con su tropa debilitada por flaca, a que se da el título de maganta, procuran alcanzar la que va una jornada o dos delante, o, lo más seguro, esperar a la que viene atrás, si la consideran robusta; y en una noche oscura mezclan su tropa flaca con la de otro, y por la mañana se hallan cerca de cuatro mil mulas

juntas en un propio pastoreo, no teniendo otro recurso, capataces, ayudantes y peones, que el de estrechar las dos tropas y repartirlas por puntas o pelotones, y cada capataz aparta a distancia los que le corresponden, hasta completar su tropa. El que introdujo su ganado flaco o maganto con el que está en buenas carnes y brioso, jamás puede ser engañado ni dejar de mejorárse, y aunque este juego acontece raras veces, no se hace caso del grave perjuicio que resulta a la una parte, porque además de que el ganado flaco vale menos, se estropea mucho en las marchas, porque no puede seguir, sin graves fatigas, al que está en regulares carnes.

Son innumerables los perjuicios que pueden hacer a los dueños de tropas y fletadores los capataces, ayudantes y peones, sin que sirvan cuantas precauciones se han imaginado. Los robos son indispensables en unos países a donde se gradúa por habilidad este delito, que causa tanto horror entre las demás naciones del mundo. Una tropa de mulas de 1.800 a 2.000, necesita un pastoreo de más de una legua para que coma bien. No siempre esta legua se halla de tablada, porque es preciso muchas veces parar entre cerros que, estando limpios de pasto en la falda, van a buscarle a la cumbre, por lo que es inmenso el trabajo de la gente en estos pastoreos. Casi toda la noche se mantienen montados, principalmente si es tenebrosa, pero en las tormentas que descargan granizo es el trabajo doble para contener un ganado que no está acostumbrado a esta especie de tempestades, en que se aniquila mucho, por lo que es conveniente adelantar la salida de Salta lo posible, y en particular aquéllos que hacen sus tratos en la tablada de Tucle o sus inmediaciones, para librarse de las nevadas de la cordillera de Guanzo.

Desde este tránsito están divididos los tratantes en mulas sobre si es más conveniente dirigirlas por los altos de camino escabroso y escaso pasto o por las lomadas, en que hay mala yerba, y que llaman el camino de los Azogues. Desde luego que los fletadores eligen el primer camino, porque cumplen con entregar cabal el número de mulas, aunque lleguen flacas y magantas, que es lo mismo que debilitadas, cojas y mancas. Los dueños que se hacen fletadores, que es lo mismo que traerlas de su cuenta, si tienen trato hecho de número de mulas, en cualquier estado que lleguen, seguirán el rumbo de los fletadores; pero aquéllos que van a vender su ganado a la tablada de Tucle, a los compradores que se presentaren de varias provincias, sólo piensan el conducirlo en buenas carnes y descansado, para que se reconozca su brío y que pueda caminar a mayor distancia.

El camino de los Azogues se dice así porque caminan por él los que salen de Huancavelica, para proveer todas las cajas, hasta Potosí inclusive. Este asentista despacha en un día muchas piaras, pero su administrador general toma sus precauciones para que no caminen unidas arriba de diez, que se componen de ciento cincuenta mulas, inclusas las remudas y de sillas para sus ayudantes y peones, en que van a lo menos de quince a dieciséis hombres, todos diestros y prácticos, y con mulas trabajadas y baqueanas. Este género de ganado, casi cansado de las jornadas antecedentes, se sujeta fácilmente en los parajes a donde le destinan los peones, que le rodean incesantemente y detienen en los arriesgados; pero una tropa de dos mil mulas, casi locas, ocupa más de una legua, y con todo el trabajo y vigilancia de los incansables tucumanos no se puede sujetar, y muchas puntas o pelotones enteros comen el garbancillo, o mala yerba, sin que se pueda remediar, de que resultan algunas mortandades, que tal vez pudieran ocasionar una ruina grande; pero, sin embargo de esta contingencia, hay algunos sujetos que prefieren una pérdida de cien mulas en cada tropa por este camino, a la decadencia que padece toda ella conducida por los altos, porque dicen los primeros que dos mil mulas flacas valen dos pesos menos cada una que las briosas y de buenas carnes, y en el caso de que se les mueran cien, sólo pierden mil y seiscientos pesos, vendidas al precio de las flacas, a dieciséis pesos cada una, y que pagándoles las mil novecientas restantes, de una tropa de dos mil, a razón de dieciocho pesos, en la referida tablada de Tucle, adelantan dos mil y cuatrocientos pesos. Los que llevan la opinión contraria hacen distinto cálculo, recelando

siempre una mortandad que pueda ocasionar su ruina, sobre que no doy mi dictamen porque no tengo práctica, pero aseguro que los fletadores elegirán siempre el camino de los altos, porque cumplen con la entrega cabal de las mulas, aunque lleguen flacas, cojas o mancas, sobre que deben reflexionar los dueños de las tropas, al mismo tiempo de los ajustes.

Otra ruta desde Santa Fe y Corrientes por Los Porongos, sin tocar en Córdoba

Don José Robledo y don Jerónimo Martiarena, tratantes antiguos en este comercio, como asimismo otros más modernos, me previnieron que desde las pampas de Buenos Aires se podían conducir tropas de mulas hasta los potreros de Salta por el camino que llaman de los Porongos, con el ahorro de la invernada de Córdoba, pero que era preciso que las mulas fuesen de tres y medio a cuatro años, para aguantar una dilatada jornada. El que emprendiese este viaje hará sus compras entre Santa Fe y Corrientes, para que la travesía sea menos dilatada, procurando que las provisiones de boca sean abundantes y no se desperdicien, porque es difícil el recurso. También van más expuestos a una irrupción de indios bárbaros; pero el mayor riesgo está en la escasez de las lluvias, o demasiada abundancia. En el primer acontecimiento y hallándose empeñado el tropero, puede experimentar una ruina. En el segundo caso, se forman unos atolladeros en que perece mucho ganado débil de fuerza para salir, y en que la destreza de los peones no le puede servir de mucho socorro, porque las mulas son tan tímidas, que luego que tocan con la barriga el agua y barro, se reduce su esfuerzo a precipitarse más o a seguir el rumbo opuesto a su salud o conservación de la vida, para que todos lo entiendan, como me expliqué antes haciendo la comparación de mulas y bueyes. Aseguran también los referidos prácticos, que las mulas que caminan por los Porongos necesitan más invernada en Salta que las que se conducen desde los potreros de Córdoba.

Este comercio, o llámese trajín, está más seguro que otro alguno a grandes pérdidas, y las utilidades no corresponden en la realidad. Los mozos robustos y alentados, y en particular los que atravesaron el Tucumán, dan principio a él por unos cálculos muy alegres, que lisonjean su fantasía, y se acomodan con su brío e inconstancia para no detenerse mucho tiempo en una población. Todo su deleite es la variación, y el mayor consiste en referir los sucesos adversos. Tres o cuatro fatales días con sus noches los resarcen con cuatro horas de sueño. Una buena comida con sus amigos y dos horas de juego, a que se sigue hablar del estado de su tropa y de las demás; pero como esta negociación atrae otras de la misma naturaleza, ya sea por haber tenido buen fin, o malo, suelen envejecerse en este trato, con mucho detrimento de la salud en unos viajes dilatados y violentos. No hay comerciante, en todo el mundo, que tenga igual trabajo corporal, porque además de la ida y vuelta necesitan un continuo movimiento para ventas y mucho más para las cobranzas. Aquéllas, por lo general, se hacen a corregidores. Los que están acreditados, o tienen caudal propio, suelen pagar alguna cantidad al contado, pero estipulan unos plazos algo dilatados para que se verifique su cumplimiento. Otros hombres de bien, que no tienen otro recurso que el de la felicidad de sus cobranzas, y que suelen siempre quedar mal por la contingencia de ellas, sin embargo de su mucha actividad y diligencia son considerados de algunos necios por hombres inútiles, y solamente hacen trato con estos hombres de juicio y los tienen por de segunda clase.

Los terceros, que verdaderamente son despreciables por su poca práctica, facilitan a los muleros las pagas puntuales a sus plazos, que no pueden cumplir, porque el primer año apenas pueden juntar el valor de los tributos que pagan los indios, y siguiéndose éstos tienen que satisfacer asimismo la alcabala y otras pagas de suplementos para su transporte, fletes y ropas y otros infinitos gastos cuya paga deben anteponer, y al tercer año empiezan a pagar el valor de las mulas y de los efectos del repartimiento, por lo que puede dar gracias a Dios el mulero que, al fin de cuatro años cobra el valor de su tropa, que con otro año que impendió en ida y vuelta a Salta, se ajustan cinco años, en los que debe comer, vestir y calzar de una ganancia que en una tropa de dos mil mulas no llega a diez mil pesos en los tiempos presentes, saliendo con toda felicidad. Bien saben los señores muleros, o por mejor decir, más alentados y empolvados comerciantes, que la ganancia de las mulas la regulo en un precio más que común y que aunque me extienda en el plazo de las cobranzas, tengo más ejemplares en favor que en contra, y finalmente los viejos tratantes me entiendan bien, y solamente encargo a los jóvenes un poco de economía en el juego de naipes y dados y mucho más en el de las damas, que es el único pasto y entretenimiento de la sierra

VII

Origen de las mulas.—Modo de amansar de los tucumanos.—Modo que tienen los indios de amansar las mulas. El comercio de mulas.

Para concluir un asunto que interesa tanto a los comerciantes que más estimo entre los trajinantes, voy a dar una razón al público ignorante en estas materias del origen y propagación de tanta multitud de mulas, que nacen en las pampas de Buenos Aires de madres yeguas. Estas, naturalmente, se juntan al caballo, como animal de su esfera, como las burras a los asnos, que se pueden considerar como a dos especies distintas, que crió Dios y entraron en el arca de Noé. Considerando los hombres, por una casualidad, que de burro y de yegua salía una especie de monstruo infecundo, pero que al mismo tiempo era útil para el trabajo por su resistencia, procuraron aumentarle; pero viendo al mismo tiempo alguna repugnancia en recibir las yeguas al pollino, y mucho más en criar y mantener la mula o macho, resolvieron encerrar la yegua, antes de su parto, en una caballeriza oscura, y luego de haber parido, desollaron el caballito y con su piel vistieron un burro recién nacido, que introdujeron a la yegua para que lo criase sin repugnancia. El jumentillo, necesitado de alimento, se arrimó a la yegua, y ésta, creyendo que es su hijo, por los efluvios de la piel, le va criando en aquella oscuridad, hasta que a pocos días se le quita la piel al asnillo, porque no lo mortifique más, y dando luz a la caballeriza adopta la yegua al jumentillo, y éste tiene por madre a la yegua, de que no se aparta aunque le agasaje la que parió.

Así se va aumentando esta especie de hechores hasta tener el número suficiente para el de yeguas. En la España europea se valen de artificios, que no conviene explicar, para que los hechores cubran las yeguas, pero esta diligencia nace de que hay muchos criadores de corto número de yeguas, y cada uno procura que no se atrasen los partos. En las pampas de Buenos Aires hay pocos criadores con muchas yeguas cada uno, y por esta razón pierden muchas crías, por falta de *comadrones*, y otras asistencias. Los *burros*, que llaman *hechores*, son tan celosos que defienden su manada y no permiten, pena de la vida, introducirse en ella caballo alguno capaz de engendrar, y sólo dan cuartel a los eunucos, como lo ejecuta el *Gran Señor*, y otros, en sus *serrallos*. Los tigres son los animales más temibles de los caballos y mulas; pero el burro padre se le presenta con denuedo, y no pudiendo, por su torpeza o poca agilidad, defenderse con sus fuertes armas, que son los dientes, se deja montar sobre su lomo al tigre, y después de verle afianzado con sus garras se arroja al suelo revolcándose hasta romperle su delicado espinazo, y después le hace pedazos con sus fuertes dientes, sin acobardarse ni hacer juicio de las heridas que recibió. Finalmente el burro, que parece en la Pampa un animal estólio y sin más movimiento que el de la generación, defiende su manada o el número de yeguas mejor que el más brioso caballo. Desprecia las hembras de su especie, porque las tiene por inferiores a las yeguas. Estas le aman por todas las circunstancias, que concurren en la brutalidad.

Las mulas y machos se acomodan desde su tierne edad al vientre, y así corren tras un caballo, potro o yegua, despreciando a sus padres, por lo que salen de las pampas de edad de dos años, siguiendo la caballada como unas ovejas, espantándose solamente de cualquier objeto ridículo, pero las sujetan fácilmente los peones, hasta llegar a los potreros de Córdoba. En éstos ya se sueltan libremnete, y cada

punta o pelotón se junta con uno o dos caballos capones, o ya sean yeguas, que les es indiferente, y hacen una especie de ranchos, para comer y beber. Cuando salen de esta invernada, ya se hallan robustas y briosas, y dan principio a la segunda jornada, hasta Salta, entre dos espesos montes, que sólo ofrecen unas estrechas veredas que salen en línea recta al camino, y otras transversales a algunas aguadas, y para detenerlas de estos extravíos es preciso que los peones anden muy diligentes, sin más luces que las opacas de sus huellas.

Este ganado tierno es tan curioso, que todo cuanto percibe quiere registrar y ver con una atención y simplicidad notables. Una carreta parada, una tienda de campaña, una mula o caballo, son para ellas, al parecer, objetos de gran complacencia, pero esto solamente sucede a las más briosas y gordas, que se adelantan a las demás, y muchas veces, si no las espantaran a propósito, se quedarían horas enteras embobadas; pero lo propio es querer halagarlas, pasándoles la mano por la crin o lomo, que dan unos brincos y corcovos hasta colocarse en la retaguardia de la tropa, volviendo a avanzar para tener lugar de hacer nuevas especulaciones. El resto de la tropa y la vanguardia siempre caminan a trote largo, y como van unidas y arreadas siempre de los peones no tienen lugar a distraerse. Las primeras se pueden comparar a los batidores de campaña, que van abriendo las marchas; pero si por desgracia divisan un tigre, que es el objeto más horroroso para ellas, siempre retroceden, y llevan tras sí el resto del ejército, que se divide en pelotones por los caminos y veredas, a toda carrera, hasta salir del susto, que regularmente no sucede hasta que no se fatiga.

Para asegurar y contener este regimiento, compuesto de dos batallones de a mil mulas cada uno, en espeso monte, es mucho lo que trabajan dieciséis caballos ligeros, y es preciso que cada peón o dos sigan una compañía, porque todas se desparraman, aunque sigan el propio rumbo, bajo de un ángulo. La fortuna consiste en que cada punta o pelotón va siempre unido, hasta perder el primer ímpetu; pero, si, por desgracia, alguno de estos bárbaros destacamentos, por más fogoso y robusto, se dilata más y pierde las fuerzas en sitio distante del agua, suele perecer, porque cansado, no procura más que buscar las sombras de los árboles, y no la desamparan hasta que se refrescan con la noche o se debilitn tanto con el extravagante ejercicio y la sed, que se dejan morir por descansar. Un dueño de tropa o fletador, en este conflicto, se considera perdido. Los peones cansados y sus caballos casi rendidos, pasan al cabo de dos días al sitio o real en que consideran la caballada y los víveres. En él remudan el caballo y tomando un trozo de carne cruda, vuelven a la ensenada, o paraje a donde dejaron las mulas que cada uno recogió, y vuelven a registrar la circunferencia de aquellos montes para recoger algunas mulas que se hayan desparramado.

El capataz y ayudante, en este rudo trabajo, llevan la mayor parte, porque registran todos los puestos. Cuentan el número de mulas y dan providencia para que se busquen las que faltan y unirlas a un cuerpo para continuar la marcha. En esta milicia no se castiga a los soldados, ni hay más bando que el que se promulga contra los oficiales, pero éstos se descargan con los jefes, que son capataz y ayudante, que ponen a su cargo unos bisoños incorregibles. Entre otras extravagancias, o llámense locuras, de las mulas bisoñas, es digna de consideración la que voy a proponer, y que podrán resolver acaso los mejores naturalistas y físicos. Caminan estas mulas, en tropas de dos mil, veinte o treinta leguas, sin agua, a trote largo, en que la sed es el mayor enemigo. Se encuentra un arroyo capaz de refrigerar y apagar la sed en pocas horas a cincuenta mil caballos y a muchos más, y entrando en él por puntas, destacamentos o compañías, dos mil mulas sedientas, es muy rara la que la bebe, y sólo gastan el tiempo en enturbiar el agua con escarceos, bramando y pisando el arroyo, aguas arriba y abajo. Si hay otro mayor a corta distancia, procuran los peones arrear la tropa precipitadamente, para que no se detenga en el primero, y dejándola descansar algún tiempo, dan lugar a que ella misma beba a su arbitrio. Fuera asunto prolijo referir todas las extravagancias de las mulas tiernas, y que llaman chúcaras en estas provincias, y así paso a referir el

modo que tienen los tucumanos de amansarlas, luego que salen de la quebrada de Queta, y el opuesto que tienen los indios de las provincias que rigurosamnete llaman del Perú, contándose desde los Chichas a los Huarochiríes, y provincias transversales de la sierra.

Modo de amansar de los tucumanos

Antes de referir éste, me parece conveniente decir que a las mulas en cuestión no se les ha tocado, ni aún con la mano, en el pelo del vestido que les dió la naturaleza, hasta la referida tablada de Queta. Cuando las presentan los vendedores en los corrales del valle de Lerma, próximo a la ciudad de Salta, se consideran por desechos, que así dicen al ganado en general defectuoso, todas las mulas blancas o tordillas; los machos que por olvido no se caparon y todas aquellas mulas que por contingencia se lazaron, porque estos animales briosos se arrojan contra el suelo con violencia y se reputan por estropeados. Acontece esto de la duda que ponen los capataces del comprador, de si un macho es capado o no, y al echar el lazo el peón para apartarle, o a alguna mula que llaman de desecho, suele caer en una de las mejores, y ésta se considera por tal.

Luego que se llega a la referida quebrada de Queta se despide la caballada y empieza a servir el mansaje; pero como éste no alcanza para todas las faenas, se da principio a enlazar las mulas más robustas por su corpulencia y brío y el peón está obligado a montar la que enlazare y presentare el capataz o ayudante, sin repugnancia. Esta mula hace una resistencia extraordinaria, pero la sujetan echándole otro lazo al pie, y al tiempo de querer brincar, la cortan en el aire y la abaten al suelo con violencia, y antes que vuelva en sí aquel furioso animal le amarran pies y manos, y sujetándole la cabeza con un fuerte acial le ponen su jaquimón y ensillan, haciéndole por la barriga con la cincha una especie de cintura que casi le impide el resuello. En este intermedio da la pobre bestia varias cabezadas en el suelo con que se lastima ojos y dientes, hasta arrojar sangre. En esta postura brama como un toro, y para quitarle las ligaduras de pies y manos le dejan otro cabestro al pie, largo e igual al que tiene colgado del jaquimón. Así que la bestia se ve libre, se levanta del suelo con violencia, y como está sujeta de los dos cabestros, y no puede huir, da unos formidables corcovos, y cuando está más descuidada vuelven a arrojarla contra el suelo sin poner los pies en él, repitiéndose esta inhumanidad hasta que la consideran cansada, que le quitan el cabestro del pie, y tapándole los ojos monta en ella un peón, afianzado de las orejas, y otro la detiene los primeros impulsos del cabestro, que queda afianzado en la argolla de hierro que pende del jaquimón, pero sin embargo del tormento que padeció aquel animal, empieza a dar unos corcovos y bramidos parecidos a los de un toro herido y acosado de perros de presa.

Si el pobre animal quiere huir para desahogarse y sacudir la impertinente carga, le detiene el peón con el cabestro, torciéndole la cabeza y el pescuezo, que ellos, con mucha propiedad, llaman quebrárseles. Hay mula que en este estado acomete al peón que la detiene, como lo pudiera hacer un toro bravo. El que está montado, además de afianzarse de las orejas, se sujeta con las espuelas, que es otro martirio aparte, y dicen ellos que cada uno se defiende con sus uñas. Por fin la pobre bestia se llega a atontar, toda ensangrentada y cubierta de polvo y sudor, y entonces desprende las espuelas el jinete. Le deja libre las orejas y tomando las riendas del jaquimón y suelto el dilatado cabestro, deja la mula para que camine a su arbitrio. Ya da vueltas en torno, ya se dirige a un precipicio o acomete a un elevado y peñascoso cerro; pero el peón la va llamando a fuertes tirones, sobre la derecha o izquierda, y de cuando en cuando le mete las *nazarenas*, que allí llaman a sus monstruosas espuelas, hasta que la mula, cogiendo el camino real, alcanza a la tropa, que ya desde Queta camina a paso lento. El capataz o ayudante reconoce si está bien sobada la mula. Este término *soba* significa comúnmente en este reino un castigo extraordinario. Si se halla la mula todavía con algún espíritu, mandan al peón que la saque a la primera ensenada y la haga escaramucear. El afligido animal no

sabe más que correr y saltar, y para volverle sobre la izquierda le tiran fuertemente con la rienda del cabezón y con la mano derecha le dan tan fuertes porrazos en las quijadas hasta que inclina el hocico y le pega el arzón de la silla, y en esta postura le hacen dar una docena de vueltas sobre la izquierda, ejecutando lo mismo, para que se deshaga, sobre la derecha. Brama la mula o macho, y luego que le aflojan la falsa rienda, corre ciegamente por cuestas y barrancos, y muchas veces se arroja al suelo desesperada, y si se descuida el fuerte jinete, que rara vez acontece, le rompe una pierna o le estropea un pie, que refieren por gran gloria y manifiestan, como los soldados las cicatrices de las estocadas y balas que recibieron en la campaña, en defensa de su patria.

Ya hice una tosca pintura de la primera *soba* que se da a una mula tierna e inocente. Este ejercicio se hace diariamente con más de veinte mulas, porque, como llevo dicho, cada peón debe montar la que le enlazare el caporal o ayudante, que siempre elige las mejores, que son las más briosas y corpulentas. Este grosero, bárbaro e inhumano modo de amansar no puede ser de la aprobación de hombre racional alguno, porque dejando aparte las muchas mulas que se estropean y lastiman en muchas partes de su cuerpo, no consiguen otra cosa los dueños de tropas y fletadores, que debilitar el ganado mejor y preservarse de una *estampida*, y ahorrar algún número de mansas. Yo creo que sería más conveniente que los tratantes en mulas gastasen en cada tropa de a dos mil, trescientos o cuatrocientos pesos más en el aumento del mansaje y que dejasen libres de este rudo trabajo, o por mejor decir castigo, a unas mulas inocentes e incapaces de intrucción por unos medios tan violentos. El trabajo solamente de unas dilatadas marchas, sería suficiente para quitarles aquel ímpetu que sacan de los potreros de Salta, y a lo menos llegarían a la tablada sin más mañas y adiciones que las que contrajeron por su naturaleza.

Los corregidores, que debemos considerar, cuando no únicos, por los principales compradores, no reparten al mayor arriero arriba de diez mulas, y a los demás a una o dos. Los primeros introducen en sus recuas este ganado bisoño a la ligera, e

insensiblemente le van domando y sujetando con el ejemplo de la formalidad de
sus mulas veteranas. Observan esto ciertos
viajeros la que es más a propósito de las
bisoñas para la carga o la silla. A las
primeras las ensayan poniéndoles una ligera carga, que llaman *atapinga* o *carta-
cuenta*, que se reduce a sus maletillas y
otros chismes de poco peso. A las que consideran que son de silla les ponen un
simple lomillo sin estribos ni baticola, para que no se asusten, pero a unas y otras
les ponen desde los principios una *mamacona*, que en la realidad es una jáquima
de cuero bruto torcido, para que su cabeza se vaya acostumbrando a este género
de sujeción y que no le sirva de embarazo,
cuando sea preciso montarlas o cargarlas.
Después se sigue, que a las de silla les
cuelgan sus estribos, para que se vayan
acostumbrando a su ruido y movimiento,
como a las que destinan a la carga el
aparejo. Este método de domar es muy
conforme a la razón y uso que se observa
en la sabia Europa. Nada tiene de prolijo,
ni menos de costoso. Las mulas destinadas
para la silla, a pocas jornadas se dejan
montar de un muchacho, que va en la
recua a paso lento, y una u otra vez se
adelanta o atrasa, para que la mula se
vaya ejercitando. Las destinadas para carga necesitan menos prolijidad, porque
acostumbrándose a caminar al lento paso
de la recua, van recibiendo el aumento de
la carga a proporción de sus fuerzas, y
se amansan insensiblemente, con el deseo
de que se les alivie de ella en las pascanas
o mansiones.

Modo o idea que tienen los indios para amansar sus mulas

A cada uno de éstos les reparte el corregidor una o dos, y a muchos ninguna,
porque no la necesitan o no son capaces de
pagarla. Todos apetecen este repartimiento. Los primeros para servirse de ellas en
los transportes de sus efectos y otros para
venderlas a ínfimo precio y servirse de
su corto valor para emplearlo en borracheras y otros desórdenes. Los primeros
amansan las mulas por un término opuesto
al que siguen los tucumanos, en que unos
y otros van errados, según mi concepto.
Los indios, como cobardes y de débiles

fuerzas, reciben gustosos una, o a lo más,
dos mulas, y conduciéndolas a sus casas
las amarran fuertemente, en los patios o
corrales, a un fuerte tronco, que llaman
en toda la América *bramadero*. Allí dejan
la mula, o macho, a lo menos veinticuatro
horas sin darle de comer, ni beber, y al
cabo reconocen si la bestia está o no do-
mada, pero si ven que todavía tiene bríos
y pueda resistirse a la carga, o silla, la
dejan otras veinticuatro horas, como ellos
dicen, y al cabo le ponen sobre el lomo,
sin aparejo alguno, un costal de trigo, o
harina, de seis a siete arrobas, bien trincado a su barriga, de modo que no pueda
despedirle. La bestia debilitada antes con
el hambre y la sed, y después con la carga,
sigue a paso lento al que la tira, y sólo
hace resistencia para detenerse a beber
en un arroyo y comer algún pasto que se
presenta al camino. Para todo tienen paciencia los indios, y así van domando sus
mulas, según su genio pacífico y modo de
pensar; pero siempre crían unos animales
sin corpulencia y de débiles fuerzas, porque las trabajan antes de tiempo y sin
alimento correspondiente, y los tienen
siempre en un continuo movimiento.

De este principio inconsiderado, resulta la mortalidad de infinidad de mulas en
la sierra, principalmente entre los indios,
porque estos mis buenos paisanos sólo
piensan que una mula tiene de vida y
servicio, lo que dista de un repartimiento
a otro. Mis buenos paisanos no distinguen
si una mula es más al propósito para carga o silla, porque como no les reparte
el corregidor más que una, la aplica a
carga y silla al tercer día que entra en su
poder, y si algún español se la alquila le
arrima un par de patadas, o le da una
mordida cuando más descuidado se halla,
y si consigue derribarle, no haga juicio
de freno, silla y pellón, alforjas y demás,
porque la buena mula que se manifestaba
tan lerda para hacer la jornada, retrocede
al pasto o querencia con una gran velocidad, y el buen indio hace invisibles los
avíos, ocultándolos debajo de una peña
en una quebrada honda, y el español se
queda con su porrazo, patada o mordiscón
y sin los avíos, si no los rescata con dinero
adelantado, porque el indio jamás hace
juicio de promesas, porque él nunca las
cumple.

Estos dos modos de amansar, hacen una principal parte de la pérdida de tantas mulas; pero la mayor parte de las que mueren en la sierra, las ocasiona la falta de alimento. Un arriero de las inmediaciones del Cuzco, que son las mejores que tiene toda la sierra, no puede hacer más que un viaje redondo de doscientas leguas al año, o en un año, en que gastan de cinco a seis meses. Cuando pasan a Lima refuerzan sus mulas por el espacio de treinta días a lo menos en los alfalfares y pastos abundantes de sus inmediaciones. Cuando salen para Potosí, que dista cuarenta y una leguas más, no tienen recurso alguno cómodo, porque son tierras todas de menos pastos comunes, y que sólo podrían reforzar sus mulas con pajacebada, que les costaría mucho más que les produce el porte o flete. Si en estos viajes hubiera regresos, podrían los arrieros costearse, manteniendo sus mulas en canchas, a pajacebada o granada, el espacio de quince días, que equivalía a treinta de alfalfa; pero como carecen de este auxilio, tiran a sacar sus mulas en el mismo día que llegan las cargas, para que se mantengan en los áridos campos y llegar a su destino con vida, y descansar, a lo menos, otros seis meses, para emprender otro viaje.

Los arrieros de la costa mantienen sus mulas pagando alfalfares todas las noches, y en los parajes donde no hay este recurso, y que no es tiempo de lomas, las fortalecen con mazorcas de maíz, que llevan de prevención, y así consiguen hacer dos y tres viajes al año en igual distancia y que sus mulas carguen más número de arrobas y se mantengan robustas cuatriplicado tiempo que las serranas. Quiero decir, que una de aquéllas será de servicio cinco años, y una de éstas veinte. La primera hará cinco viajes en los referidos cinco años y la segunda hará o lo menos cuarenta, en los veinte años, que regulo de vida a una mula bien tratada, aunque sea en continuo trabajo. No se crea que es ponderación dar de vida a una mula arriba de cinco años en la sierra y sus travesías, contando con casi otros tantos que regulo desde su nacimiento hasta ponerla en el trabajo. Cuento también con las muchas mulas que se imposibilitan para el trabajo mayor por cojas, mancas o deslomadas, de que hay una multitud considerable en la sierra, y que sólo sirven a los indios para cargar sus ligeros hatos y conducirlos a corta distancia.

Ha más de quince años (pero supongamos que no sean más que diez, para que ninguno lo dude), que están entrando cincuenta mil mulas de los potreros de Salta y resto del Tucumán, anualmente, y que éstas se reparten y venden desde los Chichas hasta los Huarochiríes. Además de la opinión de los mejores troperos tenemos una prueba, que aunque no es concluyente según derecho, convence la razón natural. Convienen todos que el derecho de sisa de este comercio asciende todos los años a treinta y dos mil pesos, pagándose por cada cabeza seis reales. Para acabalar esta cantidad es preciso que registren cerca de cuarenta y tres mil mulas, por lo que sólo faltan siete mil para completar mi cálculo. Esta cantidad de mulas es de mucho bulto, pero repartidas entre muchas tropas, apenas se percibe, como en un ejército de cincuenta mil hombres no se echan de menos siete mil ni le aumentan considerablemente igual número. Los oficiales reales usan de alguna condescendencia. Los guardas los imitan en este género de equidad, y los muleros se aprovechan de la indulgencia de unos y otros valiéndose de la destreza de sus capataces, ayudantes y peones, a que se agregan las puntas de mulas que se extravían por caminos irregulares. En este trato sisan muchos, como en todos los demás en que el rey cobra sisa.

Las mulas quedan dentro de las provincias que rigurosamente llaman del Perú. No hay extracción de este género para provincias extranjeras. Por mi cálculo, en diez años entraron en el Perú quinientas mil mulas, y suponiendo que solamente se murieran o estropearan las que había, sería preciso contar actualmente con quinientas mil mulas de servicios de carga, silla, coches y calesas, cuyas dos últimas clases se reducen a Lima, porque en otras ciudades no se usa de este ostentoso tren, porque no se proporciona a su terreno o, por mejor decir, al uso. Por este cálculo se debían contar quinientas mil mulas útiles de carga y silla, desde los Chichas a los Huarochiríes, y no creyendo yo que haya cincuenta mil, infiero que se mueren o estropean otras tantas anualmente en este territorio. Si para la conducción de metales de las minas a los ingenios, se valieran los mineros de las mulas, se aniquilarían diez mil más todos los años, contando solamente desde los Chichas a los Huarochiríes, en los parajes y minas que usan de los carneros de la tierra, que comúnmente llaman *llamas*, de que usan para este trajín en los principales minerales de plata y azogues. Aunque en esta última especie sólo los usan en Huancavelica, porque solamente en los cerros de esta villa hay minas de este metal capaces de proveer a todo el reino. Parecerá increíble que se mueran anualmente y se imposibiliten cincuenta mil mulas antes de cumplir diez años de vida, con sólo cuatro de trabajo y en sólo cuatro viajes regulados, uno con otro, de doscientas leguas, a que se debe agregar que las mulas que van a Potosí no tienen regreso de formalidad. Quiero decir que a un arriero de cien mulas apenas se le proporcionan diez cargas, y lo mismo a los del Cuzco, para bajar a Lima, a excepción de uno que conduce todos los años los reales haberes, con el título de Carta-Cuenta.

Las mulas en los valles, como el de Cochabamba, y toda la costa, desde Arica a Lima inclusive, trabajan cuatro veces más, y viven cuatro veces más por la proporción que tienen de alfalfares para su alimento, como por la benignidad del temple. La mayor parte de la sierra es tierra muy fría, en donde crece poco el pasto, y al tiempo que se había de agostar caen los hielos y lo aniquilan. El ganado menor se aprovecha del que está al camino real, que era el que podía servir para el continuo trajín de arrieros, porque sus cansadas y debilitadas mulas no pueden ir a buscar el pasto a los cerros y quebradas, que distan tres y cuatro leguas. Hay algunos territorios medio templados que mantienen un competente pasto, pero como éstos tienen particulares dueños, los defienden y reservan para sus ganados. Los regulares de la Compañía eran los más celosos sobre este asunto, que ya deseo concluir con un chiste que me contó el visitador. Dice, pues, que oyó decir que conduciendo don Fernando Cosío una tropa de mulas, le fué preciso hacer alto en pastos de una hacienda de los regula-

res. A poco rato de haber pastado salió el administrador con una tropa de sirvientes, a espantar el ganado. Los tucumanos no gastan muchas palabras, y son mozos que jamás resuelven nada por sí sin dar cuenta al amo, que así llaman al dueño de la tropa, siendo españoles, porque esta gente sigue la etiqueta de los europeos, y no tiene por ignominioso un término que en el Perú sólo usan los esclavos.

Llegó, pues, a la tienda de campaña en que estaba alojado Cosío, el ayudante, y llamándole con el sombrero en la mano, le dijo que había salido un teatino con veinticinco hombres a caballo a espantarle el ganado (así se explican ellos), y que el capataz estaba con su gente conteniéndole, hasta esperar sus órdenes. Cosío, que es un montañés que no sufre una mosca sobre su frente, descolgó el naranjero, que estaba bien provisto de pólvora y balas, y encarándose al teatino, le dijo: «Alto allá, padre, si usted no quiere ser el cuarto que eche a la eternidad.» El teatino, que era hombre formal, vió con sus grandes anteojos la corpulencia de Cosío, y al mismo tiempo registró en su interior que era capaz de cualquier empresa, y no tuvo otro arbitrio que decirle ¿si los que había muerto habían sido sacerdotes? El arrogante Cosío le dijo que todos habían sido *lecheros*, pero que no haría escrúpulo en matar a cualquiera que le quisiese insultar o atropellar. El buen padre, viendo esta resolución mandó retirar a su gente, y apeándose de su brioso caballo, abrazó a Cosío y le franqueó no solamente los pastos, sino toda su despensa, con que los tucumanos quedaron muy gustosos y extendieron su ganado, para que pastase a su satisfacción. Allá va otro chiste, aunque por distinto rumbo, pero siempre manifiesta el carácter de los tucumanos. Prendieron éstos a un mestizo que había robado dos mulas, y le estaban amarrando a un tronco. Llegó el capataz y preguntando qué sacrificio iban a hacer, le dijeron los peones que iban a arrimarle cuatro docenitas de azotes. El capataz, que es reputado entre ellos como jefe soberano, les dijo que no hiciesen con aquel pobre semejante inhumanidad, y que le despachasen libre y sin costas cortándole las a... La miserable víctima apeló de la sentencia y aceptó la primera, porque temió las resultas de la segunda en un sitio donde no había cirujano ni boticario. Confieso que si yo me hallara en tal conflicto dudaría mucho sobre cuál de los dos partidos me convendría elegir, porque he visto a un tucumano, de un chicotazo, abatir al suelo a un negro robusto y soberbio, y dejarle casi sin aliento. Supongo yo que los azotes no serían de este tamaño, porque, no digo a las cuatro docenas, pero a los cuatro, no quedaría pellejo, carne ni hueso, que no volasen por su lado. Además de su mucha pujanza, son tan diestros en el manejo del chicote, que con los extremos de las riendas pegan un azote a una mula que le hacen ir a la bolina más de una cuadra, sin poder recobrar la rectitud de su cuerpo; y con esto vamos a salir de un asunto tan prolijo y que creo lo gradúe de *porra* hasta mi amigo Santibáñez, y con mucho más motivo de una ciudad fastidiosa en tiempo de aguas.

Ya dije que los carreteros que entran en esta ciudad cumplen su viaje como si llegaran a Jujuy, cortando desde Cobos, y así el pasajero que tuviere negocio en ella puede seguir a Jujuy desde dicha posta, ahorrando muchos malos pasos, principalmente si es tiempo de lluvias. En Salta no faltan algunos arrierillos que conduzcan a Jujuy algún corto equipaje de cargas algo livianas. El que tuviere carga doble solicitará arriero de Escara, de la provincia de Chichas, que comúnmente bajan a Jujuy, y algunos hasta Salta, en solicitud de cargas de cera y otros efectos del Tucumán con *algo más*, que entenderá muy bien el lector sabio en materias de comercio. La salida de esta memorable ciudad, por el mayor congreso de mulas que hay en todo el orbe en igual extensión, es en el rigor de las aguas tan difícil como la entrada. pues es preciso atravesar un profundo sequión, porque aunque se formó un puentezuelo, es tan débil que sólo sirve para la gente de a pie. Un gran trecho de la campaña, así como la ciudad, está lleno de unos pozos de agua que llaman *tagaretes*, que sirven de estorbo y cortan la marcha. Las tres primeras leguas son de país llano y sin piedras, y el resto monte, cuya mayor parte se camina por las pedregosas cajas de los ríos nombrados Vaqueros, Ubierna, Caldera y Los Sauces, que todos se pasan en un día más de cuarenta veces, por los caracoles que hacen en la madre. En el paraje nombrado las Tres Cruces, concluye esta jurisdicción y da principio la de Jujuy.

VIII

Jurisdicción de Jujuy.—Las postas.— Breve descripción de la provincia del Tucumán.—Costumbres de los Gauderios

	Leguas
De las Tres Cruces a La Cabaña	3
A Jujuy	6
A Guajara	10
A los Hornillos	7
A Humahuaca	11
A la Cueva	8
A Cangrejos grandes	12
A la Quiaca	9
Son leguas	66

En el sitio nombrado las Tres Cruces no se proporcionó montar posta, por lo que fué preciso ponerla en la hacienda nombrada La Cabaña, que está tres leguas más adelante y que corresponde a la jurisdicción de Jujuy, como llevo dicho. Este sitio nombrado La Cabaña es muy abundante de aguas, que descienden de la inmediata sierra. Su actual dueño es un honrado francés, nombrado don Juan Boyzar, quien aceptó la maestría de postas bajo de las mismas condiciones que los demás tucumanos. Esta posta es una de las más útiles de toda esta carrera, para correos y pasajeros, porque estando situada a orillas del arriesgado río nombrado Perico, están sus caballos tan diestros en atravesarle que presentando el pecho a su rápida corriente, ven si se desgaja alguna peña de la próxima montaña, para evitar el riesgo deteniéndose, retrocediendo o avanzando, y dirigiéndose rectamente al estrecho sitio de la salida. También puede servir de mucha utilidad para dar descanso a las mulas y caballos que vienen fatigados de Potosí o de la provincia de los Chichas, porque tiene un potrero tan seguro que se cierra con la puerta del patio de su casa, y para comer y beber las caballerías, no necesitan caminar una cuadra, y solamente reparé que el referido potrero, por estar en sitio bajo, sería muy húmedo, por la copia de aguas que descienden de la montaña, y asimismo por lo elevado de sus pastos, que en partes cubren las bestias, que servirá de gobierno para que no se haga mucha detención en un paraje que fortalece los cuerpos y debilita sus cascos, ablandándolos con demasía.

Jujuy es la última ciudad, según nuestro derrotero, o viceversa, la primera de las cinco que tiene la provincia del Tucumán. Su vencindario y extensión es comparable al de San Miguel. Sus habitantes fueron en otro tiempo más considerados y numerosos por sus caudales y tesón con que han mantenido sus privilegios. No permitieron a los regulares de la Compañía más que un hospicio, a que éstos dieron el nombre de residencia, y lo más singular es que siendo tan litigantes como el resto de los provincianos, no admitieron ningún escribano. Su principal comercio es la cría del ganado vacuno, que venden a los hacendados de Yavi y Mojos, y para las provincias de los Chichas y Porco, en donde se hacen las matanzas para proveer de carne, sebo y grasa a la gente que trabaja en los muchos minerales de plata que hay en las riberas que llaman de Potosí. También se aprovechan en la compra de algunas mulas que llegaron atrasadas al congreso de Salta, de algunos pegujaleros y otras deshechas por flacas, que invernan en sus potreros el espacio de un año. Tengo motivo suficiente para creer que este ganado sea muy a propósito para el Perú, sobre que se informarán mejor los tratantes en este género, con atención al corto número. Rodea esta ciudad un caudaloso río que se hace de dos arroyos grandes, el uno de agua muy cristalina y el otro de agua turbia, de que resulta un mixto, como de español e india. Se sale o entra por una hermosa tablada de media legua de largo y la mitad de ancho, y se desciende por un corto barranco, caminándose por entre montes y algunos llanos áridos diez leguas, hasta Guájara, que es la segunda posta de esta jurisdicción.

En frente de este sitio hay un volcán en que parece que Eolo tiene encerrados los vientos de esta jurisdicción. Salen con tanto ímpetu por la mañana, y causan tantos remolinos y polvareda, que asombran a todos los que no tienen práctica,

y detienen el curso de las mulas. Estos vientos, aunque van perdiendo su impulso, molestan mucho hasta más adelante de la Quiaca. Desde el sitio nombrado la Cueva hasta Yavi, son tierras del marqués del Valle del Tojo, quien se hizo cargo de poner postas en su hacienda de Yavi, Cangrejos Grandes y la Cueva. El que quisiere proveerse de municiones de boca partirá desde Cangrejos Grandes a Yavi, desde donde se sale a Mojo, pero se previene que hay una cuesta muy alta y arriesgada, y si el marqués no la compuso, como prometió, es más acertado pasar en derechura a la Quiaca, que es la primer posta situada en la provincia de la jurisdicción de los Chichas.

El río de este nombre, que corre por un profundo barranco, divide las dos provincias de Jujuy y Chichas. Una hacienda que tomó el nombre de este río dista un tiro de piedra de él en esta jurisdicción. Antes de entrar en la descripción de ella, no parecerá inútil dar una razón general de la mayor provincia que tiene nuestro monarca en sus dominios, tocante al territorio que ocupa.

Descripción lacónica de la provincia de Tucumán, por el camino de postas

Desde la Esquina de la Guardia hasta el río de la Quiaca tiene de largo, por caminos de postas, situadas según la proporción del territorio, 380 leguas itinerarias, reguladas con dictamen de los mejores prácticos. Las 314 camino de carretas, del tamaño que dejo delineadas, tierra fecunda; y las 66 restantes, camino de caballerías, corriente y de trotar largo. País estéril, hasta Salta o Jujuy es temperamento muy benigno, aunque se aplica más a cálido, con algo de húmedo. Con algunas precauciones, como llevo dicho, se puede caminar con regalo, porque hay abundancia de gallinas, huevos y pollos, de buen gusto y baratos. La caza más común es de pavas, que es una especie de cuervo, aunque de mayor tamaño. No es plato muy apetecible, y así, sólo puede servir a falta de gallinas. También hay en la jurisdicción de San Miguel y parte de Salta, una especie entre conejo y liebre, de una carne tan delicada como la de la polla más gorda, pero es necesario que antes de desollarla se pase por el fuego hasta que se consuma el pelo, y con esta diligencia se asan brevemente, y están muy tiernas acabadas de matar. Todo lo demás, en cuanto a caza, sólo sirve a los pasajeros para mero entretenimiento. Los ríos del tránsito, como llevo dicho desde luego, tienen algún pescado; pero el pasajero jamás hace juicio de él, ni para el regalo ni para suplir la necesidad. Las bolas, quirquinchos, mulitas y otros testáceos, sólo causan deleite a la vista y observación de las precauciones que toman para defenderse y mantenerse, y sólo en un caso de necesidad se puede aprovechar de sus carnes, que en la realidad son gustosas.

No hemos visto avestruces, como en la campaña de Buenos Aires, ni los han visto los cazadores de la comitiva, que atravesaban los montes por estrechas veredas, ni en algunas ensenadas, ni tampoco han visto una víbora, siendo su abundancia tan ponderada. Son muy raras las perdices que se encuentran, así como en las Pampas son tan comunes. El visitador nos dijo que había atravesado tres veces las Pampas y una los montes del Tucumán, y que ni él ni todos los de la comitiva habían visto un tigre; pero que no se podía dudar había muchísimos, respecto de la especie poco fecunda, por las muchas pieles que se comercian en estas dos provincias, y se llevan a España y se internan al Perú, aunque en menos abundancia, por lo que no se puede dudar de lo que no se ve, cuando hay pruebas tan claras. No cree que la gran culebra boba, llamada *ampalaba*, de que hay muchas en los bosques de la isla de Puerto Rico y otras muchísimas partes, atraiga a los animales de que dicen se mantiene. Este animal, monstruoso en el tamaño, sólo se halla en los montes más espesos, y siendo tan tardío en las vueltas, con dificultad encontraría conejos, y mucho más venados que atraer, por lo que se persuade que se mantiene de algunos insectos, y principalmente del jugo de los árboles en que los han visto colocados, afianzándose en la tierra con la cola, que tienen en forma de caracol o de barreno. Cuando pasa, o se detiene a tragar algún animal proporcionado a sus fuerzas, va sin es-

trépito, y enrollándole con su cuerpo, mediante a la sujeción del trozo de cola enterrado, le sofoca y chupa como la culebra común al sapo, hasta que se lo traga sin destrozarlo. Si tiene o no atractivo o alguna especie de fascinación, no hay quien lo pueda asegurar, y sólo se discurre que algunos pequeños animalitos, como conejos, liebres o algún venado, y tal vez un ternerillo, se detengan asombrados con su vista, y entonces los atrape; pero se puede asegurar que esta caza no es su principal alimento, porque es animal muy torpe y se deja arrastrar vivo, como si fuera un tronco, a la cola de un caballo, y matar de cualquiera que lo emprenda, y no se turbe. Por lo menos, en el Tucumán no se cuentan desgracias ocasionadas por estas monstruosas culebras, que creo son más raras que los tigres.

Acaso en todo el mundo no habrá igual territorio unido más a propósito para producir con abundancia todo cuanto se sembrase. Se han contado doce especies de abejas, que todas producen miel de distinto gusto. La mayor parte de estos útiles animalitos hacen sus casas en los troncos de los árboles, en el interior de los montes, que son comunes, y regularmente se pierde un árbol cada vez que se recoge miel y cera, porque la buena gente que se aplica a este comercio, por excusar alguna corta prolijidad, hace a boca de hacha unos cortes que aniquilan al árbol. Hay algunas abejas que fabrican sus casas bajo de la tierra, y algunas veces inmediato a las casas, de cuyo fruto se aprovechan los muchachos y criados de los pasajeros, y hemos visto que las abejas no defienden la miel y cera con el rigor que en la Europa, ni usan de artificio alguno para conservar una especie tan útil, ni tampoco hemos visto colmenas ni prevención alguna para hacerlas caseras y domesticarlas, proviniendo este abandono y desidia de la escasez de poblaciones grandes para consumir estas especies y otras infinitas, como la grana y añil, y la seda de gusano y araña, con otras infinitas producciones, y así el corto número de colonos se contenta con vivir rústicamente, manteniéndose de un trozo de vaca y bebiendo sus alojas, que hacen muchas veces dentro de los montes, a la sombra de los coposos árboles que producen la algarro-

ba. Allí tienen sus bacanales, dándose
cuenta unos gauderios a otros, como a sus
campestres cortejos, que al son de la mal
encordada y destemplada guitarrilla cantan y se echan unos a otros sus coplas,
que más parecen pullas. Si lo permitiera
la honestidad, copiaría algunas muy extravagantes sobre amores, todas de su propio numen, y después de calentarse con
la aloja y recalentarse con la post aloja,
aunque este postre no es común entre la
gente moza.

Los principios de sus cantos son regularmente concertados, respecto de su modo bárbaro y grosero, porque llevan sus
coplas estudiadas y fabricadas en la cabeza de algún tunante chusco. Cierta tarde
que el visitador quiso pasearse a caballo,
nos guió con su baqueano a uno de estos
montes espesos, a donde estaba una numerosa cuadrilla de gauderios de ambos sexos, y nos advirtió que nos riéramos con
ellos sin tomar partido, por las resultas
de algunos bolazos. El visitador, como
más baqueano, se acercó el primero a la
asamblea, que saludó a su modo, y pidió
licencia para descansar un rato a la sombra de aquellos coposos árboles, juntamente con sus compañeros, que venían
fatigados del sol. A todos nos recibieron
con agrado y con el mate de aloja en la
mano. Bebió el visitador de aquella zupia
y todos hicimos lo mismo, bajo de su
buena fe y crédito. Desocuparon cuatro
jayanes un tronco en que estaban senta-
dos, y nos lo cedieron con bizarría. Dos
mozas rollizas se estaban columpiando sobre dos lazos fuertemente amarrados a dos
gruesos árboles. Otras, hasta completar
como doce, se entretenían en exprimir la
aloja y proveer los mates y rebanar sandías. Dos o tres hombres se aplicaron a
calentar en las brasas unos trozos de carne entre fresca y seca, con algunos caracúes, y finalmente otros procuraban aderezar sus guitarrillas, empalmando las ro-
zadas cuerdas. Un viejo, que parecía de
sesenta años y gozaba de vida ciento cuatro, estaba recostado al pie de una coposa
haya, desde donde daba sus órdenes, y
pareciéndole que ya era tiempo de la me-
rienda, se sentó y dijo a las mujeres que
para cuándo esperaban darla a sus huéspedes; y las mozas respondieron que estaban esperando de sus casas algunos que-

sillos y miel para postres. El viejo dijo
que le parecía muy bien.

El visitador, que no se acomoda a calentar mucho su asiento, dijo al viejo con
prontitud que aquella expresión le parecía
muy mal, «y así, señor Gorgonio, sírvase
usted mandar a las muchachas y mance-
bos que canten algunas coplas de gusto,
al son de sus acordados instrumentos.»
«Sea enhorabuena, dijo el honrado viejo,
y salga en primer lugar a cantar Cenobia
y Saturnina, con Espiridión y Horno de
Babilonia.» Se presentaron muy gallardos
y preguntaron al buen viejo si repetirían
las coplas que habían cantado en el día
o cantarían otras de su cabeza. Aquí el
visitador dijo: «Estas últimas son las que
me gustan, que desde luego serán muy saladas.» Cantaron hasta veinte horrorosas
coplas, como las llamaba el buen viejo, y
habiendo entrado en el instante la madre
Nazaria con sus hijas Capracia y Clotil-
de, recibieron mucho gusto Pantaleón y
Torcuato, que corrían con la chamuscada
carne. Ya el visitador había sacado su
reloj dos veces, por lo que conocimos todos que se quería ausentar, pero el viejo,
que lo conoció, mandó a Rudesinda y a
Nemesio que cantasen tres o cuatro copli-
tas de las que había hecho el fraile que
había pasado por allí la otra semana. El
visitador nos previno que estuviésemos
con atención y que cada uno tomásemos
de memoria una copla que fuese más de
nuestro agrado. Las primeras que cantaron, en la realidad, no contenían cosa que
de contar fuese. Las cuatro últimas me
parece que son dignas de imprimirse, por
ser extravagantes, y así las voy a copiar,
para perpetua memoria.

Dama: Ya conozco tu ruín trato
        y tus muchas trafacías,
        comes las buenas sandías
        y nos das liebre por gato.

Galán: Déjate de pataratas,
        en ellas nadie me obliga
        porque tengo la barriga
        pelada de andar a gatas.

Dama: Eres una grande porra,
        sólo la aloja te mueve,
        y al trago setenta y nueve
        da principio la camorra.

Galán: Salga a plaza esa tropilla
        salga también ese bravo,
        y salgan los que quisieren
        para que me limpie el r...

«Ya escampa, dijo el visitador, y antes que lluevan bolazos, ya que no hay guijarros, vámonos a la tropa», con que nos despedimos con bastante dolor, porque los muchachos deseábamos la conclusión de la fiesta, aunque velásemos toda la noche; pero el visitador no lo tuvo por conveniente, por las resultas del trago sesenta y nueve. El chiste de liebre por gato nos pareció invención del fraile, pero el visitador nos dijo que, aunque no era muy usado en el Tucumán, era frase corriente en el Paraguay y pampas de Buenos Aires, y que los versos de su propio numen eran tan buenos como los que cantaron los antiguos pastores de la Arcadia, a pesar de las ponderaciones de Garcilaso y Lope de Vega. También extrañamos mucho los extravagantes nombres de los hombres y mujeres, pero el buen viejo nos dijo que eran de santos nuevos que había introducido el doctor don Cosme Bueno en su calendario, y que por lo regular los santos nuevos hacían más milagros que los antiguos, que ya estaban cansados de pedir a Dios por hombres y mujeres, de cuya extravagancia nos reímos todos y no quisimos desengañarlos, porque el visitador hizo una cruz perfecta de su boca, atravesándola con el índice. Aunque los mozos unos a otros se dicen machos, como asimismo a cualquiera pasajero, no nos hizo mucha fuerza, pero nos pareció mal que a las mozas llamasen machas: pero el visitador nos dijo que en este modo de explicarse imitaban al insigne Quevedo, que dijo con mucha propiedad y gracia: «Pobres y pobras»; así éstos dicen machos y machas, pero sólo aplican estos dictados a los mozos y mozas.

Esta gente, que compone la mayor parte del Tucumán, fuera la más feliz del mundo si sus costumbres se arreglaran a los preceptos evangélicos, porque el país es delicioso por su temperamento, y así la tierra produce cuantos frutos la siembran, a costa de poco trabajo. Es tan abundante de madera para fabricar viviendas cómodas, que pudieran alojarse en ellas los dos mayores reinos de la Europa, con tierras útiles para su subsistencia. Solamente les falta piedra para fuertes edificios, mares y puertos para sus comercios, en distancias proporcionadas, para costear la conducción de sus efectos;

pero la falta mayor es la de colonos, porque una provincia tan dilatada y fértil apenas tiene cien mil habitantes, según el cómputo de los que más se extienden. Las dos mayores poblaciones son Córdoba y Salta. Las tres del camino itinerario, que son Santiago del Estero, San Miguel del Tucumán y Jujuy, apenas componen un pueblo igual al de Córdoba y Salta, y todas cinco poblaciones, con el nombre de ciudades, no pudieran componer igual número de vecinos a la de Buenos Aires. Cien mil habitantes en tierras fértiles componen veinte mil vecinos de a cinco personas, de que se podían formar 200 pueblos numerosos de a cien vecinos, con 500 almas cada uno, y en pocos años se podrían formar multitud de pueblos cercanos a los caudalosos ríos que hay desde el Carcarañá hasta Jujuy.

En la travesía no falta agua, y aunque suele sumirse, se podrían hacer norias con gran facilidad, porque con la abundancia de madera podían afianzar las excavaciones para los grandes pozos. La multitud de cueros que se desperdician les daría sogas y cubos en abundancia; y la infinidad de ganados de todas especies trabajaría en la saca de las aguas, sin otro auxilio que el de remudarlos a ciertas horas, y solamente costaría trabajo formar estanques por falta de piedra, cal y ladrillo; pero en este caso podían suplir bien los gruesos troncos de árboles, cuadrándolos a boca de hacha o haciéndoles a lo menos sus asientos, como se practica en Ica y otras partes. No hay necesidad de que estos pozos tengan más profundidad que la de una vara, con tal que su circunferencia sea correspondiente a la necesidad del hacendado o colonos unidos, y cuando les pareciere que estas obras son muy laboriosas y costosas, se puede hacer la excavación a modo de las naturales, que forman competentes lagunas para que beba el ganado, como sucede en las cercanías del río Tercero y en otras infinitas partes del reino. Es cierto, como llevo dicho, que esta especie de lagunillas se hace impenetrable a todo género de ganado menos al vacuno, porque con la mucha concurrencia se hacen grandes atolladeros en sus bordes, en tiempo de secas, lo que no sucedería en las lagunas, que no se sujetan a proveerse de las lluvias.

Si la centésima parte de los pequeños y míseros labradores que hay en España, Portugal y Francia, tuvieran perfecto conocimiento de este país, abandonarían el suyo y se trasladarían a él: el cántabro español, de buena gana; el lusitano, en *boahora*, y el francés *très volontiers*, con tal que el Gran Carlos, nuestro Monarca, les costeara el viaje con los instrumentos de la labor del campo y se les diera por cuenta de su real erario una ayuda de costas, que sería muy corta, para comprar cada familia dos yuntas de bueyes, un par de vacas y dos jumentos, señalándoles tierras para la labranza y pastos de ganados bajo de unos límites estrechos y proporcionados a su familia, para que se trabajasen bien, y no como actualmente sucede, que un solo hacendado tiene doce leguas de circunferencia, no pudiendo trabajar con su familia dos, de que resulta, como lo he visto prácticamente, que alojándose en los términos de su hacienda, una o dos familias cortas se acomodan en unos estrechos ranchos, que fabrican de la mañana a la noche, y una corta ramada para defenderse de los rigores del sol, y preguntándoles que por qué no hacían casas más cómodas y desahogadas, respecto de tener abundantes maderas, respondieron que porque no los echasen del sitio o hiciesen pagar un crecido arrendamiento cada año, de cuatro a seis pesos; para esta gente inasequible, pues aunque vendan algunos pollos, huevos o corderos a algún pasajero, no les alcanza su valor para proveerse de aquel vestuario que no fabrican sus mujeres, y para zapatos y alguna yerba del Paraguay, que beben en agua hirviendo, sin azúcar, por gran regalo.

No conoce esta miserable gente, en tierra tan abundante, más regalo que la yerba del Paraguay, y tabaco, azúcar y aguardiente, y así piden estas especies de limosna, como para socorrer enfermos, no rehusando dar por ellas sus gallinas, pollos y terneras, mejor que por la plata sellada. Para comer no tienen hora fija, y cada individuo de estos rústicos campestres, no siendo casado, se asa su carne, que es principio, medio y postre. A las orillas del río Cuarto hay hombre que no teniendo con qué comprar unas polainas y calzones mata todos los días una vaca o novillo para mantener de siete a ocho personas, principalmente si es tiempo de lluvias. Voy a explicar cómo se consume esta res. Salen dos o tres mozos al campo a rodear su ganado, y a la vuelta traen una vaca o novillo de los más gordos, que encierran en el corral y matan a cuchillo después de liado de pies y manos, y medio muerto le desuellan mal, y sin hacer caso más que de los cuatro cuartos, y tal vez del pellejo y lengua, cuelgan cada uno en los cuatro ángulos del corral, que regularmente se compone de cuatro troncos fuertes de aquel inmortal guarango. De ellos corta cada individuo el trozo necesario para desayunarse, y queda el resto colgado y expuesto a la lluvia, caranchos y multitud de moscones. A las cuatro de la tarde ya aquella buena familia encuentra aquella carne roída y con algunos gusanos, y les es preciso descarnarla bien para aprovecharse de la que está cerca de los huesos, que con ellos arriman a sus grandes fuegos y aprovechan los caracúes, y al siguiente día se ejecuta la misma tragedia, que se representa de enero a enero. Toda esta grandeza, que acaso asombrará a toda la Europa, se reduce a ocho reales de gasto de valor intrínseco, respecto de la abundancia y situación del país.

Desde luego que la gente de poca reflexión graduará este gasto por una grandeza apetecible, y en particular aquellos pobres que jamás comen carne en un año a su satisfacción. Si estuvieran seis meses en estos países, desearían con ansia y como gran regalo sus menestras aderezadas con escasa lonja de tocino y unos trozos de carne salada, pies y orejas de puerco, que no les faltan diariamente, como las migas y ensaladas de la Mancha y Andalucía, con la diferencia que estos colonos, por desidiosos, no gozan de un fruto que a poco trabajo podía producir su país, y aquéllos, por el mucho costo que les tiene el ganado, que reservan para pagar sus deudas, tributos y gabelas. En la Europa, la matanza por Navidad de un cebón, que es una vaca o buey viejo invernado y gordo, dos o tres cochinos, también cebados, es el principal alimento de una familia rural de siete a ocho personas para aderezar las menestras de habas, fríjoles, garbanzos y nabos, de que hacen unas ollas muy abundantes y opíparas, independientes de las ensaladas, tanto cocidas como crudas, de que abundan por su industria, como de las castañas y poleadas, que todo ayuda para un alimento poco costoso y de agradable gusto, a que se agrega el condimento de ajos y cebollas y algún pimiento para excitar el gusto, de que carecen estos bárbaros por su desidia, en un país más propio por su temperamento para producir estas especies. Estos así están contentos, pero son inútiles al Estado, porque no se aumentan por medio de los casamientos ni tienen otro pie fijo y determinado para formar poblaciones capaces de resistir cualquier invasión de indios bárbaros.

A éstos jamás se conquistarán con campañas anuales, porque un ejército volante de dos a tres mil hombres no hará más que retirar a los indios de un corto espacio del Chaco, y si dejan algunos destacamentos, que precisamente serán cortos, los exponen a ser víctimas de la multitud de indios, que se opondrán a lo menos cincuenta contra uno. Para la reducción de éstos no hay otro arbitrio que el de que se multipliquen nuestras poblaciones por medio de los casamientos, sujetando a los vagantes a territorios estrechos y sólo capaces de mantenerlos con abundancia, con los correspondientes ganados, obligando a los hacendados de dilatado territorio a que admitan colonos perpetuos hasta cierto número, con una corta pensión los primeros diez años, y que en lo sucesivo paguen alguna cosa más, con proporción a los intereses que reportaren de la calidad de las tierras y más o menos industria, aunque creo sería más acertado como sucede en algunas provincias de la Europa, el que estos colonos pagasen sus censos en las especies que cogiesen de la misma tierra, como trigo, maíz y cebada, los labradores; los pastores y criadores de ganado, en vacas o novillos, carneros, gallinas, etc., para que unos y otros procurasen aumentar estas especies y alimentarse mejor, y sacar de sus sobrantes para pagar el vestido.

Si los caminantes supieran que estos colonos gastaban pan, se ahorrarían el trabajo de cargarlo muchas veces para más de treinta días, como nos sucedió a nosotros varias veces, con la precisión

de comerlo tan verde como la alfalfa y tan lleno de moho que era preciso desperdiciar de ocho partes las siete, y lo propio digo de otras especies necesarias para el regalo y para pasar la vida sin tantas miserias. Un pasajero a la ligera con necesidad de comer, se ve precisado a detenerse cuatro o cinco horas mientras le traen un cordero de mucha distancia y le asan un trozo; pero si le quiere sancochado, en muchos parajes apenas se encuentra sal, y muchas veces ni un jarro de agua para beber, porque de nada tienen providencia, viviendo como los israelitas en el desierto, que no podían hacerla de un día para otro, a excepción del viernes para el sábado, en que se les había prohibido todo género de trabajo por la ley antigua. Estos colonos, o por mejor decir gauderios, no tienen otra providencia que la de un trozo grande de carne bajo de su ramada, y muchas veces expuesto a la inclemencia del tiempo, fundando todo su regalo en esta provisión. Sus muebles se reducen a un mal lecho, peor techo, una olla y un asador de palo; silla, freno, sudaderos, lazos y bolas, para remudar caballos y ejercitarse únicamente en violentas carreras y visitas impertinentes. A esta gente, que compone la mayor parte de los habitantes de la dilatada y fértil provincia del Tucumán, se debía sujetar por medio de una contribución opuesta a la que por extravagancia impusieron los emperadores de México y el Perú.

Estos señores despóticos tenían a sus vasallos en un continuo movimiento y sujetos a un tributo anual, pero usaron de una extravagante y bárbara máxima de cobrar a ciertas naciones groseras y asquerosas la talla o tributo en piojos, en que verdaderamente aumentaban esta inmunda especie, porque era cosa natural que aquellos vasallos procurasen adelantar la cría. Si Moctezuma y el último Inca mandara a sus asquerosos vasallos que pagasen por cada piojo que se les encontrase en su cuerpo un guajolote, o cuy, procurarían aumentar esta especie tan útil y sabrosa, y casi aniquilar la asquerosa, impertinente y molesta. Yo no sé si aquellos bárbaros tenían por regalo comer los piojos, porque me consta que actualmente los comen algunas indias, mestizas y también señoras españolas serranas, aunque éstas ocultan este asqueroso vicio, como las que preñadas tienen la manía de comer barros olorosos y muchas veces pedazos de adobe, que es una compasión ver sus resultas. Finalmente, los habitantes del Tucumán, por lo general, se pueden comparar a las vacas de Faraón, que estaban flacas en pasto fértil. Los principales de esta provincia se mantienen con competente decencia, principalmente en Córdoba y Salta, y dan a sus hijos la crianza correspondiente, enviándolos con tiempo a la casa de estudios, y así se ven sujetos sobresalientes. Todos los demás habitantes son gente muy capaz de civilización. La mayor parte de las mujeres saben la lengua quichua, para manejarse con sus criados, pero hablan el castellano sin resabio alguno, lo que no experimenté en los pueblos de la Nueva España, y mucho menos en los del Perú, como declararé cuando llegue a esos países, por los que pasaré precipitadamente; y mientras llega Mosteiro de la comisión con que pasó a Yavi, y descansamos algunas horas en la Quiaca, a donde finaliza la gran provincia del Tucumán, daremos una vuelta fantástica por las pampas, hasta la capital del reino de Chile.

IX

Ruta desde Buenos Aires a Santiago de Chile.—Las postas por Mendoza.—Habitantes de la campaña.—Sus costumbres.— El juego de la chueca y del pato.—El puente del Inca.

	Leguas
Desde Buenos Aires hasta el Saladillo de Ruy-Díaz: postas, 8; leguas	96
Del Saladillo al Paso	2
A la frontera nombrada el Sauce	24
A la Carreta Quemada	13
A San José	6
Al río Cuarto	4
Al principio de la Lagunilla	3
Al paso de la Lagunilla	1
Al paso de las Lajas	9
Al Morro	10
A la ciudad de San Luis de Loyola	25
A la Cieneguita de Corocorto	37
A Médano grande	2
A la vuelta de la Ciénaga	26
A la ciudad de Mendoza	6
Postas, 22; leguas	264

Desde Buenos Aires al Saladillo de Ruy-Díaz son comunes las postas a las dos carreras de Potosí y Chile. Antes se apartaban en el pueblo nombrado la Cruz Alta, y algunos correos atravesaban desde el Pergamino a la punta del Sauce, llevando caballos propios; pero el visitador, con dictamen de hombres prácticos, dispuso se dividiesen los correos en el Saladillo de Ruy-Díaz, por la mayor facilidad y seguridad, hasta el fuerte nombrado el Sauce. Siendo preciso al visitador hacerse cargo de la ruta general hasta Lima por Potosí, destinó a don Juan Moreno, persona de mucha agilidad, para que situase las postas desde el referido Saladillo hasta Mendoza y, en caso necesario, hasta el puerto de Valparaíso, bajo de sus instrucciones, y con la precaución que tomó, hasta el referido Saladillo.

Los correos de Buenos Aires que pasan a Chile, y lo mismo los pasajeros que caminasen por la posta, pueden pasar desde la Cabeza del Tigre al paso del Saladillo, con los mismos caballos, porque sólo hay de distancia siete leguas, y se ahorrarán la detención de las remudas en una tan corta de dos leguas, aunque siempre será acertado informarse del postillón del paraje en que hay mejores y más prontos caballos.

Las leguas desde el Saladillo hasta Mendoza, acaso no estarán bien reguladas, porque en este tránsito hay pocos sujetos de observación, pero basta que sean leguas comunales, o consideradas entre los habitantes. La gran desigualdad de las postas consiste en los despoblados y aquéllas que parece se pudieran omitir por constar de número corto de leguas, se establecieron con respecto a la continua mudanza que hacen aquellos colonos de uno a otro sitio, y para que no falte fácilmente sujeto que por obligación provea de caballos a correos y pasajeros. En las travesías a la frontera de la punta del Sauce, San Luis de Loyola, Corocorto y la vuelta de la Ciénaga, será conveniente, y aún necesario, llevar remuda de caballos, tomando las medidas para avanzarse todo lo posible, y aún concluir las más desde las cuatro de la tarde hasta las ocho o diez del día siguiente, por la falta de agua en tiempos de seca.

Los habitantes, desde Buenos Aires hasta Mendoza, ocupan un territorio llano, dilatado y de piso fuerte por lo general. Sus diversiones, fuera de sus casas, se reducen a jugar la chueca bárbaramente y sin orden, porque aunque es un género de malla, es solamente una bola entre muchos sujetos, que a porfía la golpean. Algunos se avanzan para cogerla, y como la bola, por el desorden, no lleva siempre el movimiento recto, hay cabezas rotas, y muchas veces pies y piernas lastimadas. También juegan al pato en competentes cuadrillas. Una de éstas, entre Luján y Buenos Aires, llegó hasta el camino real, cerca de la oración, al mismo tiempo que pasaba don Juan Antonio Casau con algunas mulas cargadas de un caudal considerable, y habiéndose espantado y disparado por distintos rumbos, se halló con la falta de un zurrón de doblones que importaba 3.200 pesos, quien después de algunas diligencias pasó con el resto a Buenos Aires, adonde, por su dicha, halló a don Cristóbal Francisco Rodríguez, con quien comunicó su desgracia, dando por perdido el zurrón; pero don Cristóbal, sin turbarse, pasó a ver al gobernador, quien le dió una escolta de dragones para que le acompañasen con el alguacil mayor. Los buenos de los gauderios rompieron el zurrón y repartieron entre sí las dos mil piezas de a ocho escudos, que con la oscuridad de la noche tuvieron por pesos dobles, que es la moneda que comúnmente pasa de Lima y Potosí a Buenos Aires, adonde sólo por casualidad se ven doblones.

Por la mañana se hallaron asombrados al ver convertido el color blanco en rojo, creyendo que Dios, en castigo del hurto, había reducido los pesos a medallas de cobre, y así las entregaron a sus mujeres y hermanas, a excepción de unos muchachos hijos de un hombre honrado, que se desaparecieron con poco más de dos mil pesos. Don Cristóbal, sin perder momentos, cercó todo el pago con su escolta y recogió todos los doblones, a excepción de dos mil y tantos pesos, que se llevaron los muchachos advertidos, pero los pagó su padre dentro de un corto plazo, con las costas correspondientes. Los demás delincuentes, que simplemente se dejaron prender, por parecerles que cumplían con entregar la presa, o por considerarla de muy corto valor, fueron a trabajar por algunos años a las obras de Montevideo. Lo cierto es que si Casau no encuentra con la viveza y suma diligencia de Rodríguez, pierde seguramente la mayor parte de los 3.200 pesos, porque no dió lugar a que reflexionasen los gauderios y preguntasen a algunos el valor de las medallas. Verdaderamente que, así esta gente campestre como la del Tucumán no es inclinada al robo, ni en todo el Perú se ha visto invasión formal a las muchas recuas de plata, así en barras como en oro, que atraviesan todo el reino con tan débil custodia que pudiera ponerla en fuga o sacrificarla un solo hombre, pues muchas veces sucede que dos arrieros solos caminan dilatadas distancias con diez cargas de plata. No conviene hablar más sobre este asunto, pero advierto a los conductores de los situados, que pasan de Potosí a Buenos Aires, tengan más cautela cuando se camina entre los espesos y dilatados montes del Tucumán.

En el camino, como llevo dicho, no falta carne de vaca, carnero y pollos, aunque a distancias dilatadas, como se ve por el itinerario, y así se proveerá cada uno de los pasajeros con arreglo a su familia y más o menos lentitud del viaje, previniendo que la leña escasea en muchas partes y es preciso muchas veces robar los estacones de los corrales, porque sus dueños no los quieren vender y los defienden con tesón y causa justa en los parajes distantes de la saucería, que es la única madera que hay en aquellas distancias a orillas de los ríos, para hacer sus casas y corrales, pues aunque se encuentran raros bosquecillos, son de duraznos de corto y tortuoso tronco, como asimismo de otros arbolillos del propio tamaño. Todo lo contrario sucede en el Tucumán, desde el río Tercero hasta más adelante de Jujuy, que se pueden quemar árboles enteros sólo por divertirse con su iluminación, en particular desde la entrada a Córdoba hasta la de Salta, pero prevengo de paso, por habérseme olvidado notarlo en su lugar, que los pasajeros exceptúen del incendio aquellos hermosos, elevados y coposos árboles que parece crió la Naturaleza en las pascanas para alivio y recreación de los caminantes. Digo esto porque muchos insensatos tienen la simple complacencia de abrasar el mejor árbol por la noche, después de haberse deleitado con su sombra por el día, y todo esto se hace por falta de una corta reflexión.

Desde Mendoza a Santiago de Chile se regulan cien leguas, y aunque en aquella ciudad hay maestro de postas, se debe reputar como un arriero común de los del reino de Chile, que son los mejores de ambas Américas, y solamente pagándoles remudas se puede hacer el viaje, sin embargo de las arriesgadas y penosas laderas, en cuatro días, con pocas y livianas cargas. En Mendoza se proveerán de las cosas necesarias hasta el valle del Aconcagua, como llevo dicho.

En este tránsito no hay cosa más notable que los riesgos y precipicios, y un puente que llaman del Inca, que viene a ser una gran peña atravesada en la caja del río, capaz de detener las aguas que descienden copiosamente de la montaña, y puede ser que alguno de los incas haya mandado horadar aquella peña o que las mismas aguas hiciesen su excavación para su regular curso. La bóveda de la peña, por la superficie está llana y muy fácil para pasar por ella, hasta la inmediata falda del opuesto cerro, que es todo de lajería, y al fin de ella, como en el tamaño de una sábana, hay una porción de ojos de agua, que empiezan desde fría en sumo grado hasta tan caliente que no pueden resistir los dedos dentro de ella.

Tengo por muy conveniente que los caminantes precisados a hacer sus viajes con arrieros pidan al dueño de la recua un peón de mano práctico en el camino Este sirve de muchísimo alivio al pasajero que quiere caminar con alguna comodidad desde Mendoza hasta el valle del Aconcagua. Los criados que llevan los pasajeros, que comúnmente son negros esclavos, son unos trastos inútiles y casi perjudiciales, porque además de su natural torpeza y ninguna práctica en los caminos, son tan sensibles al frío, que muchas veces se queda inmóviles y helados, que es preciso ponerlos en movimiento al golpe del látigo y ensillarles sus caballerías y quitarles la cama para que se vistan, lo que sucede alguna vez con tal cual español, a quien es preciso provocar con alguna injuria para que entre en cólera y circule la sangre. Los arrieros chilenos

madrugan mucho para concluir su jornada a las cuatro de la tarde, cuando el sol tiene suficiente calor para calentar y secar el sudor de sus mulas. En esta detención, hasta ponerse el sol, plantan los toldos de los dueños de las cargas, hacen sus fuegos y traen agua con mucha prontitud. El peón de mano dirige al pasajero o pasajeros dos horas antes de salir la recua, prevenido de fiambres y lo necesario para darle de comer a las doce del día, y muchas veces antes, en sitio cómodo y distante solamente una cuarta parte de la jornada, con agua y leña. Estas tres partes las hace el que va a la ligera en sitios ásperos en cinco horas, de modo que si sale a las cinco de la mañana, llega a las diez del día, con descanso de más de cuatro o cinco horas, saliendo a completar la jornada a las tres o cuatro de la tarde y llegando a hora en que ya está todo prevenido para hacer la cena y sancochar la carne para comer al mediodía del siguiente, cocida, asada y competentemente aderezada. Este peón, en mi tiempo, sólo ganaba en las referidas cien leguas cinco pesos, llevando mula propia, y hacía el viaje muy gustoso, porque comía bien y tenía menos trabajo que caminando con la recua. El que se acomodare a caminar tras de ella y a comer cosa fría por el ahorro de cinco pesos en cien leguas, con otras incomodidades, desprecie mi consejo y gradúele de inútil, a costa de sus incomodidades; y adiós, caballeros, que ya me vuelvo a la Quiaca sin cansancio, después de haber andado en pocos minutos 728 leguas, de ida y vuelta, que otras tantas hay desde Buenos Aires a Santiago, que es la capital del fértil reino de Chile, según mi itinerario.

Sigue el general desde Buenos Aires a Lima por el Tucumán en la forma siguiente, con división de provincias. Desde la Quiaca da principio la provincia de los Chichas.

X

La provincia de Chichas.—Riquezas minerales.—La provincia de Porco.—Fin de la primera parte.

	Leguas
De la Quiaca a Mojos	7
A Suipacha	8
A la Ramada	12
A Santiago de Cotagaita	8
A Escara	4
A Quirve	6
Postas, 6; leguas	45

Provincia de Chichas

Esta provincia es árida de pastos y escasa de bastimentos. Se provee de carnes y otros efectos del Tucumán y de algunos estrechos valles y quebradas que producen vino y aguardiente, con algunas menestras; pero en ella da principio la riqueza del Perú en minerales de plata. Sus piñas hacen uno de los principales fondos de las fundiciones de la gran casa de moneda de Potosí. Esta provincia tiene tres nombres, que son el de Santiago de Cotagaita, Tarija y Chichas, que es el nombre de los indios que la ocupaban y ocupan actualmente. El sitio nombrado Mojo, perteneciente a la señora doña Josefa Yribarre, está en un alto muy combatido de los vientos, que forman en sus calles grandes médanos de arena, y principalmente alrededor de su casa. Hay un cómolo tambo y no faltan gallinas, huevos y algunas otras menudencias, que tiene esta señora en una pulpería pegada al mismo tambo. A cualquiera persona decente franquea su casa, y en caso de necesidad provee de medicamentos y asistencia. A la entrada hay un río que no indica ser caudaloso, pero capaz de proveer a varios molinos, por medio de una acequia bien trabajada y costosa, que tiene esta señora para proveer sobradamente de aguas a los molinos necesarios para su gasto y de harina a todo aquel territorio. El pueblo nombrado Suipacha tiene un río a su entrada de bastane caudal, pero como se extiende mucho en su dilatada playa, no es de profundidad. El pueblo está bien resguardado, por estar situado en un alto. Hasta el sitio nombrado las Peñas, no hay agua en cinco leguas de buen camino, y piedra menuda suelta, con una bajada algo perpendicular. Desde las orillas del río Blanco, distante de Piscuno de cinco a seis leguas, hay algunas cuestecillas, medias laderas y reventazones, pero todo es camino de trotar sin riesgo. Del río Blanco a la Ramada hay una cuesta de subida algo arriesgada, pero sobre la izquierda, con muy corto rodeo, está otro camino más ancho por donde pasan las cargas, que se van a juntar a la eminencia. La bajada no tiene riesgo alguno, pero es muy pedregosa. Los tres cuartos de legua. por una quebrada muy llana, hasta la Ramada, se camina sobre un arroyo de agua cristalina, que a trechos se oculta entre la guijosa arena, y de este sitio se pasa al pueblo nombrado Santiago de Cotagaita, que dista ocho leguas de camino llano, con algún descenso, y a su entrada tiene un río de agua cristalina y de poco caudal.

En este pueblo, que es de bastante vecindario, pueden descansar los pasajeros y proveerse de lo necesario, porque en Escara, que dista cuatro leguas por una quebrada de subida y bajada muy extendidas, camino algo pedregoso; pero de buenas sendas y capaz de galopar, sólo se encuentran gallinas y cabritos, que no es despreciable socorro para los que llevan el aderezo correspondiente, con pan y vino. En este sitio se encuentran los primeros arrieros que sacan cargas de Salta y Jujuy, como llevo dicho, para estas provincias y Potosí. Desde Escara a Quirve, que dista seis leguas, no hay agua, y desde este sitio da principio la

Provincia de Porco

	Leguas
De Quirve a Soropalca	7
A Caiza	7
A Potosí	12
Postas, 3; leguas	21

Esta provincia tiene muchos minerales de plata, cuyas pastas, como las de los Chichas, pasan a Potosí.

Por la quebrada de Quirve corre un arroyo de agua algo salada, pero no faltan pozos de agua dulce. El camino tiene dos cuestecillas algo empinadas, pero de buena senda. El resto es piedra suelta y camino de trote y galope. Desde Quirve a Soropalca se pasa un río que tiene por nombre Grande, y riega el valle de Sinti. Este valle produce algún vino semejante en el color, gusto y fortaleza al ordinario de Rivadavia, de que también se saca algún aguardiente, y se proveen de él pasajeros y pasa el resto a Potosí y Chuquisaca. El río Grande, en distancia de media legua se pasa más de seis veces, por los caracoles que hace en la caja; luego se junta otro de la mitad del caudal del Grande, de agua turbia y algo salada, nombrado Torcocha. Aquí se deja a la izquierda el río Grande, que pasa inmediato al pueblo nombrado Toropalca. Sigue después otro río nombrado Pancoche, de agua dulce y cana, que se pasa más de veinte veces por los caracoles que hace y estar el camino real sobre su caja. Para el tránsito de estos impertinentes ríos son de mucho auxilio las botas fuertes, pues de lo contrario se enfadan los pasajeros de levantar a cada instante los pies, teniendo por menor molestia mojarse, como nos sucedió a todos, menos al visitador, que además de las fuertes botas inglesas, tenía unos estribos hechos en Asturias, de madera fuerte y con faja de hierro, en que afianzaba sus pies hasta el talón y se preservaba de toda humedad, y así salió con ellos desde Buenos Aires y llegó a Lima en una silla de brida de asiento muy duro, sin pellón ni otro resguardo. Tampoco usó en todo el camino de poncho, capa ni cabriolé, guantes ni quitasol, pero caminaba siempre bien aforrado interiormente. Todo lo demás decía que eran estorbos.

Dos leguas antes de llegar a Caiza se aparecen unos grandes ojos de agua caliente que asombrarían a cualquiera que no fuese prevenido, porque hace cada uno tanto ruido como una fragua de herrero, arrojando las aguas y humos con el mismo ímpetu que aquéllas despiden humo y chispas de fuego. A una corta distancia se había empezado a fabricar una casa para baños y hacer algunas granjerías; pero considerando el dueño que era un disparate, abandonó la empresa, porque los vecinos de las dos únicas poblaciones de Potosí y Chuquisaca tienen este recurso más cerca y con mejores comodidades, como diré después. El pueblo nombrado Caiza dista de Potosí doce leguas, que rara vez las caminan los arrieros en una jornada. A las seis leguas de regular camino hay un sitio nombrado Lajatambo, en donde se hospedan los pasajeros y se les venden a subido precio algunos comestibles, siendo la más estimada la cebada para las mulas, porque aquel sitio es de puna muy rígida y si se echaran al campo las bestias, le desampararían hasta buscar alivio en distante quebrada; y por esta razón no se situó posta en un paraje que pudiera ser de grande importancia, así para el alivio de las mulas como para aligerar esta jornada, que verdaderamentes es molestosa, porque cuatro leguas antes de llegar a Potosí hay tanta piedra suelta que no se puede trotar si no se tiran a matar las mulas de los miserables indios carboneros, que proveen aquella gran villa de mulas flacas, cojas y mancas, y éstas son las que comúnmente arrean para los correos, que salen de la villa hasta Caiza. La dicha es que estos correos sólo ocupan tres mulas, que son la de silla, la de las valijas, que son de poco peso, y la del postillón, que muchas veces ahorra el miserable y hace la jornada a pie, porque descanse su mula.

Después de haber descansado dos días en Potosí, pidió el visitador este diario, que cotejó con sus memorias y le halló puntual en las postas y leguas; y aunque le pareció difuso el tratado de mulas, permitió que corriese así, porque no todos comprenden las condiciones. Quise omitir las coplas de los gauderios, y no lo permitió, porque sería privar al público del conocimiento e idea del carácter de los gauderios, que no se pueden graduar por tales sin la música y poesía, y solamente me hizo sustituir la cuarta copla, por contener sentido doble, que se podía aplicar a determinados sujetos muy distantes de los gauderios, lo que ejecuté puntualmente, como asimismo omití muchas advertencias, por no hacer dilatada esta primera parte de mi diario, reservándolas para la segunda, que dará principio en la gran villa de Potosí hasta dar fin en la capital de Lima.

SEGUNDA PARTE

XI

Potosí.—La villa.—Riquezas del Cerro.—
Los tambos.

Ya, señor Concolorcorvo, me dijo el visitador, está usted en sus tierras; quiero decir en aquéllas que más frecuentaron sus antepasados. Desde los Chichas a los Huarochiríes, a donde da fin mi comisión, están todos los cerros preñados de plata y oro, con más o menos ley, de cuyos beneficios usaron poco sus antepasados, que no teniendo comercio con otras naciones pudieron haber formado unos grandes ídolos de oro en templos de plata, como asimismo los muebles de sus incas y caciques, por lo que discurro que las grandes riquezas que dicen que enterraron y arrojaron a las lagunas, a la entrada de los españoles, fué artificio de los indios o sueño de aquéllos, o a lo menos mala inteligencia. Más plata y oro sacaron los españoles de las entrañas de estas tierras en diez años que los paisanos de usted en más de dos mil, que se establecieron en ellas, según el cómputo de los hombres más juiciosos. No piense usted dilatarse mucho en la descripción de estos países, pues aunque son mucho más poblados que los que deja atrás, son más conocidos y trajinados de los españoles, que residen desde Lima a

Potosí

Nimborum patriam loca feta furentibus austris.

Esta imperial villa se fundó por los españoles a los principios de la conquista, sobre una media loma que divide el cerro por medio de una quebrada, a donde descienden las aguas y forman un arroyo grande, suficiente para proveer a todas las haciendas de sus lavaderos de metal, que están de la banda del cerro, y estas copiosas sangrías dan tránsito cómodo de la villa al cerro y haciendas. El vecindario de la villa y su ribera se compone de forasteros entrantes y salientes, de todas clases de gentes. La frialdad del territorio consiste en su elevación y cercanía a los nevados cerros que la rodean, y causan molestia en los días ventosos, pero las casas de los españoles y mestizos son bastante abrigadas por sus estrechas piezas y mamparas que las dividen, a que se agrega el socorro de los repetidos sahumerios y mates de agua caliente que continuamente toman las mujeres, y es el agasajo que hacen a los hombres a todas horas. Dicen que desde el descubrimiento de las riquezas de aquel gran cerro se señalaron 15.000 indios para su trabajo y el de las haciendas en que se beneficia la plata.

La decadencia de ley en los metales, u otras causas, redujo este número a 3.500, que concurren actualmente, la mayor parte con sus mujeres e hijos, que se puede contar sobre un número de más de 12.000 almas, con los que se quedan voluntariamente y se emplean en el honrado ejercicio de Chalcas, que son unos ladrones de metales que acometen de noche las minas, y como prácticos en ellas, sacan los más preciosos, que benefician y llevan al banco que el Rey tiene de rescate, siendo cierto que estos permitidos piratas sacan más plata que los propietarios mineros. Aunque el cerro de Potosí está hoy día en mucha decadencia, por la escasez de la ley de los metales, la providencia o la diligencia de los hombres, inclinados a buscar las riquezas en el centro de la tierra, ha descubierto en las provincias de Chichas, Porco y otras circunvecinas, minerales que contribuyen a la real caja de moneda de Potosí, con mayor número de marcos.

Sin embargo de tanta riqueza, no hay en esta villa un edificio suntuoso, a excepción de la actual caja de moneda, costeada por el Rey, que es verdaderamente magnífica, y un modelo de la de Lima en las piezas bajas y algunas oficinas altas; pero el resto, incluyendo la vivienda del superintendente, se compone de piezas estrechas. El superintendente actual adornó la fachada con unos balcones muy sobresalientes, en que imitó las popas de los antiguos bajeles de guerra. Sostienen éstos unas figuras feas para ángeles y nada horribles para demonios, pero facilitan el acceso a las piezas del superintendente, que se comunican con las demás de toda la casa, de que pudiera resultar algún considerable robo. Siempre esta buena villa fué gobernada por personas distinguidas con la superintendencia de la casa de moneda y banco. Tiene su Cabildo secular, compuesto de dos alcaldes y varios regidores, en cuyos honoríficos empleos interesan a cualquier forastero, sin más averiguación que la de tener la cara blanca y los posibles suficiente para mantener la decencia.

Administra los correos don Pedro de la Revilla, mozo instruído y fecundo en proyectos. Se divulgó en Potosí que había sido titiritero en España, porque le vieron hacer algunos juegos de manos. «Por otro tanto, dijo el visitador, denunciaron en Popayán, y fué llamado a la Inquisición, don Pedro Sánchez Villalba, sujeto más conocido en este reino que Revilla, pero entre los dos Pedros hay la diferencia que los potosinos lo hicieron por malicia, y los popayanes con sencillez. Cierto bufón probó en Arequipa que don José Gorosabel era descendiente de judíos, porque leyó en el libro de la generación del mayor hombre que hubo y habrá en el mundo, las siguientes palabras: *Sabathiel autem genuit Zorababel.* Lo cierto es, señor Concolorcorvo, que de cien hombres apenas hallará uno que no sea titiritero, y así ríase usted de los potosinos y popayanos con los dos Pedros y celebre cuatro P P P P tan memorables como las de Lima, y a Gorosabel déle el parabién de que Matorras le haya emparentado con los *Romaníes,* y usted siga su discurso sin hacer juicio de bagatelas.»

La villa está siempre bien abastecida de alimentos comunes, que concurren de los más dilatados valles, por los muchos españoles que se mantienen en ella El congrio seco que llega de la costa de Arica, se puede reputar por el mejor pescado fresco, y se vende a un precio cómodo, como asimismo otros regalos que acarrea el mucho consumo y la seguridad de que no se corrompen, porque a corta distancia de la costa o valles entra la puna tan rígida que no permite infecto alguno. Con cualquier viento penetra el frío, porque la villa está rodeada de nevados cerros, como llevo dicho, y aunque las lluvias son copiosas no se hacen intransitables las calles, por la desigualdad del terreno, que da corriente a las aguas sobre regulares empedrados.

El dístico que se puso al frente comprende mucha parte la discordia que siempre reina entre los principales vecinos. Esta se convierte en plata que va a parar a la ciudad de este nombre. El principal lujo de esta villa, como casi sucede en los demás pueblos grandes del reino, consiste en los soberbios trajes, porque hay dama común que tiene más vestidos guarnecidos de plata y oro que la princesa de Asturias.

Ninguna población de la carrera tiene igual necesidad de casa de postas, porque en las inmediaciones de esta villa y sus contornos no hay arrieros, a causa de la escasez de pastos. Los arrieros que entran con bastimentos de provincias distantes, llegan con sus mulas tan estropeadas, que apenas pueden con el aparejo. Las de los indios, que proveen de carbón diariamente, están de peor condición. Los indios de Yocalla, que regresaban sus mulas en tiempo del conde del Castillejo, se han retirado por ser actualmente estrecha la detención que se hace en Potosí, por lo que no tienen lugar a pasar a su pueblo, que dista diez leguas de mal camino, a traer cuatriplicado número de mulas para sacar las encomiendas de plata y oro, por lo que se ve precisado el administrador de correos de aquella villa a pedir mulas a la justicia, que por medio de sus criados y ministriles, se ejercita en una tiranía con los arrieros y carboneros digna de la mayor compasión. Este perjuicio tan notable les había atajado el visitador, porque los panaderos de esta villa, que comúnmente tienen mulas gordas y descansadas en sus corrales, se habían obligado a dar mulas al precio regulado, con sólo la condición de que se les eximiese de una contribución que hacían anualmente para una fiesta profana, y en que se serviría a Dios suprimiéndola; pero quedaron frustradas sus diligencias porque se opuso cierto ministro de espíritu negativo. Estos primeros pasos que dió el visitador para el arreglo de los correos de Potosí aunque no le abatieron el ánimo, le hicieron desconfiar del buen éxito de su visita, pero luego que concluyó por lo respectivo a los productos de aquella estafeta, resolvió pasar a Chuquisaca para establecer aquélla, que estaba en arriendo desde el tiempo del conde del Castillejo, en cantidad de doscientos pesos anuales. Esta travesía es veinticinco leguas, reguladas en la forma siguiente:

	Leguas
De Potosí a Tambo Bartolo ...	8
A Tambo Nuevo	8
A Chuquisaca	9
	25

Este tránsito o travesía tiene de ocho a nueve leguas de camino corriente, digo de trotar y galopar. El resto es de piedra suelta, lajas y algunas cuestas de camino contemplativo. A las cuatro leguas de la salida de Potosí hay un muy buen tambo, actualmnete inútil, porque a corta distancia está, en agradable sitio, una casa que llaman de los Baños. Esta en la realidad es más que competente y muy bien labrada, con buenos cuartos y división de corrales para las caballerías, y provisión de paja. El baño está en un cuarto cuadrilongo, cerrado de bóveda, y de la profundidad de una pica, desde las primeras escalas, por donde se desciende. El agua asciende más de vara y media y se introduce por un canal de la correspondiente altura. Es naturalmente caliente, y aunque dicen que es saludable y medicinal para ciertas enfermedades, piensa el visitador que es muy perjudicial en lo moral, y aún en lo físico. En lo moral, porque se bañan hombres y mujeres promiscuamente, sin reparo alguno ni cautela del administrador, como hemos visto, de que resultan desórdenes extraordinarios, hasta entre personas que no se han comunicado. En lo físico, porque se bañan en unas mismas aguas enfermos y sanos, tres y cuatro días sin remudarlas ni evaporación, porque la pieza está tan cerrada que apenas entra el ambiente necesario, para que no se apaguen las artificiales luces, que se mantienen opacas o casi moribundas entre la multitud de vapores que exhala el agua caliente y nitrosa, como asimismo la de los cuerpos enfermos y sanos.

Esta bárbara introducción es la que atrae la multitud de concurrentes, aunque no faltan algunas cortas familias distinguidas que tienen la precaución de bañarse en aguas puras, con la prevención de lavar y barrer bien el aposento y abrir puertas y ventanas, para que exhalen los vapores; pero estas familias son raras, y más raros los casos en que van a gozar de un beneficio que sólo tiene por diversión, y no por remedio para sus dolencias. Tambo Bartolo se dice así, porque a un tiro de cañón está un pueblo llamado Bartolo. El tambo, en la realidad, es una corta hacienda que no produce más que alguna cebada, o, por mejor decir, paja mal granada, para el sustento de las bestias, necesarias a su cultivo y para vender a los pasajeros. Aquí se situó posta para esta travesía, con cargo de paga doble. Esto es para los correos del Rey a real por legua de cada caballería de carga y silla, y para los particulares a dos reales, en atención a su estéril sitio.

El Tambo Nuevo lo es, en realidad, porque se fabricó pocos días antes de haber pasado nosotros por el sitio. Tiene dos piezas para los pasajeros capaces de hospedar cómodamente veinte personas, con corrales para bestias, cocina y una pulpería surtida de las cosas que más necesita la gente común, y que muchas veces sirven a los hombres decentes y de providencia. Este es el único sitio, en esta travesía, que puede mantener mulas al pasto para los correos y particulares; pero como los primeros dan corta utilidad, no puede hacer juicio de ella el dueño, que solamente se aplica a hacer acopio de cebada para los transeúntes, con la venta de algunos comestibles y aguardiente; pero de esta primera providencia resulta que el dueño del tambo, con las sobras de la paja y cebada, mantiene tres o cuatro mulas para su servicio y habilitación de correos.

En esta corta travesía, en que no tuvo por conveniente el visitador situar más que las referidas dos postas, hay más de diez tambillos, con providencia de aposentos rurales y bastimentos comunes a hombres y bestias. En la quebrada Honda hoy un tambo que regularmente es el más provisto de toda esta carrera. Tiene una buena sala, con dos dormitorios y cuatro catres muy buenos, pero esta pieza sólo se franquea a la gente de real o aparente distinción, porque los hombres ordinarios y comunes usan comúnmente unas groserías que ofenden los oídos y vista de cualquier sujeto noble de vida relajada, y por esta razón el dueño prohibe esta habitación a los hombres de baja esfera, o que la manifiestan por sus modales. Además de las deshonestidades que con carbones imprimen en las paredes, no hay mesa ni banca en que no esté esculpido el apellido y nombre a golpe de hierro de estos necios. Este último uso es muy antiguo entre los peregrinos de distantes países, para dar noticias de sus rutas a los que los buscasen por el camino real, poniendo las fechas en las paredes de los hospitales, cuyo uso se hizo tan común en la América, que no hay tambo ni cueva que no esté adornada de nombres, apellidos y de palabras obscenas.

En las mansiones públicas de postas se debía prohibir este abuso con una pena pecuniaria, proporcionada a la mayor o menor insolencia, teniendo mucho cuidado los mitayos de advertir a los pasajeros de las penas en que incurrían con semejantes inscripciones y otras indecencias, que hacen en los aposentos, de que resulta el fastidio de la gente de buena crianza, y abandono de las públicas mansiones. Los corregidores y alcaldes deben velar sobre una policía tan útil en lo moral, como en lo político, y formar unos aranceles para su observación, bajo de unas penas correspondientes, y que se lleven a debido efecto en cada pueblo, o mansión situada en paraje desierto, no dando multas a los contraventores, u ocultándoles las suyas, hasta la satisfacción de la pena impuesta por juez compentente. Este justificado medio será muy útil a la sociedad humana, como asimismo el que ninguna persona haga cocina de los aposentos, ni meta en ellos caballería alguna, para que de este modo no se arruinen insensiblemente, por condescendencia de los mitayos, sino que cada pasajero use de los corrales comunes, y destine un criado, o mitayo pagado, para cuidar las caballerías de su uso y estimación.

Desde Tambo Nuevo van regularmente los pasajeros a comer y sestiar a las orillas del gran río nombrado Pilcomayo. Se baja a él por una cuesta perpendicular de un cuarto de legua, aunque sin grave riesgo, porque tiene buen piso. La quebrada es caliente y agradable. De la banda de Potosí hay varias rancherías con algunos cortos sembrados de maíz y cebada. Si sucede alguna avenida, aunque no sea muy copiosa, cargará el río con casas, efectos y habitantes. Esta buena gente, además de los cortos frutos de sus chacritas, se ejercita en el servicio de chimbadores, porque el paso común de los que van por Potosí a Chuquisaca, que es el mayor número, atraviesan el río por el vado; pero estos colonos procuran arruinarle formando varios pozos para que los pasajeros mezquinos o demasiado resueltos caigan en la trampa, muchas veces con riesgo de ahogarse, y que el diablo lleve rocín y manzanas, como dijeron los antiguos españoles. Estos, que por tales se tienen, aunque con más mezclas que el chocolate, reservan un canal o vereda tortuosa de que ellos solamente están bien informados, como pilotos prácticos, lo que sucede en todos los ríos de esta dilatada gobernación. Si algún pasajero a la ligera se viera precisado a atravesar el río solo, por no haber chimbadores, y llevare mula o caballo baqueano, déjese gobernar de su instinto o práctica, porque de otro modo, y queriéndose gobernar por su razón natural, se expone a perder la vida, porque la bestia, afligida del freno y la espuela, se precipitará. A medio cuarto de legua del vado, caminando por la opuesta orilla, se ve claramente el famoso puente del río para pasar a Chuquisaca. No creo que se haya hecho obra más suntuosa e impertinente, porque sólo usan de aquel famoso puente los arrieros que atraviesan de Escara a Chuquisaca, huyendo de Potosí.

El puente es magnífico, fuerte y adornado en sus bordes de lápidas con sus inscripciones, en que se pusieron los nombres de los ministros que destinó la Real Audiencia de Chuquisaca para su perfección. Las aguas se inclinan a la banda del cerro que corresponde a Potosí. Por la parte de Chuquisaca hay varios canales o vertientes del principal brazo del río. El puente concluye a orillas del principal, acaso por falta de providencias. El maestro bien reconoció que su obra estaba imperfecta, como asimismo el último ministro superintendente de ella, y para paliar la cura de una enfermedad de difícil remedio, por falta de dinero, tiró unas barbacanas para que las aguas, tropezando en ellas, inclinasen su curso al opuesto cerro, pasando por el principal canal, que abraza el único arco y soberbio elevado puente, que en tiempos regulares es inútil, porque el río tiene vado. En las grandes avenidas lo es, porque está cercado de la banda de Chuquisaca de algunos brazos con que el gran río se desahoga, y que no caben en el canal principal. Sin embargo de la imperfección del puente, dijo el visitador que podía ser útil en muchos casos de extraordinarias avenidas, porque en éstas se facilitaría mejor el vado de dos o tres canales que el de la travesía de todo el río por una extendida playa llena de pozos y excavaciones que hacen las aguas en las arenas. El camino que formó sobre el cerro de Chuquisaca el arquitecto, dijo el visitador que no era tan superfluo como había notado la gente común, porque podía darse el caso en que los canales se inclinasen a la quebrada, y entonces serviría aquel camino para precaverse y libertarse de los atolladeros y riesgos, a costa de algún corto rodeo. La idea de este puente fué muy buena, pero no se pudo perfeccionar en un reino y provincia abundante de plata, pero escasa de colonos y frutos.

Al gran Pilcomayo sigue Cachimayo, que pasa por quebrada más deleitable, extensa y poblada; esta es el Aranjuez de Chuquisaca. Por una y otra banda está poblada: por la de Potosí de varios colonos pobres, que se mantienen de cortas sementeras. La banda de Chuquisaca tiene algunas casas muy dispersas cubiertas de tejas, con alguna extensión de territorio, con similitud a las solariegas de la Cantabria. En ellas se alojan las familias que bajan de Chuquisaca a divertirse de la una y de la otra banda del Cachi, que no tienen nada artificial, porque ninguno eligió alguna porción de aquel sitio para el deleite ni magnificencia. Este río es muy caudaloso, pues habiéndole pasado en tiempo de secas, reconocimos en su vado tantas aguas como en las de su inmediato el Pilcomayo, con la diferencia que el Cachi tiene la caja o canales por donde pasa más sólidos; pero en tiempos de avenidas detiene a los correos y pasajeros algunos días, porque no tiene ni aún el medio puente Pilco. En uno ni en otro hemos visto instrumentos de pesca en las casas de los habitantes, lo que puede resultar de su abandono y desprecio de tan útil granjería, o acaso por la rápida corriente de los dos ríos, en las playas de estos habitantes de poca industria y estrecho territorio para formar canales y presas para proveer del regalo de la pesca a dos lugares de tanta población como la villa de Potosí y ciudad de La Plata.

XII

La Plata.—Descripción de la ciudad.
El oro de los cerros

Así se nombra la capital de la dilatada jurisdicción de la real audiencia de Chuquisaca, que se compone de varios ministros togados con un presidente de capa y espada, siendo voz común que estos señores se hacen respetar tanto, que mandan a los alcaldes ordinarios y regimiento sus criados y ministriles, y que cuando alguno sale a pasearse a pie cierran los comerciantes sus lonjas para acompañarlos y cortejarlos, hasta que se restituyen a sus casas, por lo cual aseguran que cierta matrona piadosa y devota destinó en su testamento una cantidad correspondiente para que se consiguiese en la corte una garnacha para el Santísimo Sacramento, reprendiendo a los vecinos porque salían a acompañar a los oidores y estaban satisfechos con hacer una reverencia al pasar la Consagrada Hostia que se llevaba a un enfermo. Supongo yo que ésta es una sátira mal fundada. Es natural la seriedad en los ministros públicos, y también el respeto, aunque violento, en algunos súbditos. En todos hay algo de artificio, con la diferencia de que los señores ministros piensan que aquel rendimiento les es debido, y el público, como ve que es artificial, vitupera lo que hace por su conveniencia y particulares intereses, y exagera la vanidad y soberbia de unos hombres que no pensaron en semejantes rendimientos. No sé lo que sucedería antaño, pero hogaño reconocemos que estos señores ministros, conservando su seriedad, son muy moderados y atentos en la calle, y en sus casas muy políticos y condescendientes en todo aquello que no se opone a las buenas costumbres y urbanidad.

La ciudad de La Plata está situada en una ampolla o intumescencia de la tierra, rodeada de una quebrada no muy profunda aunque estrecha, estéril y rodeada de una cadena de collados muy perfectos por su figura orbicular, que parecen obra de arte. Su temperamento es benigno. Las calles anchas. El palacio en que vive el presidente es un caserón viejo, cayéndose por muchas partes, que manifiesta su mucha antigüedad, como asimismo la casa del cabildo, o ayuntamiento secular. Hay muchas y grandes casas que se pueden reputar por palacios, y cree el visitador que es la ciudad más bien plantada de cuantas ha visto y que contiene tanta gente pulida como la que se pudiera entresacar de Potosí, Oruro, Paz, Cuzco y Huamanga, por lo que toca al bello sexo. Es verdad que el temperamento ayuda a la tez. La comunicación con hombres de letras las hace advertidas, y la concurrencia de litigantes y curas ricos atrae los mejores bultos y láminas de los contornos, y muchas veces de dilatadas distancias. No entramos en el palacio arzobispal porque no están tan patentes los de los eclesiásticos como los de los seculares. Aquéllos, como más serios, infunden pavor sagrado. Estos convidan con su alegría a que gocen de ella los mortales.

La catedral está en la plaza mayor. El edificio es común, y se conoce que se fabricó antes que el arzobispado fuera tan opulento. Su adorno interior sólo tiene una especialidad, que nadie de nosotros notamos ni hemos visto notar sino al visitador, que quiso saber de nosotros la especialidad de aquella iglesia. Uno dijo que los muchos espejos con cantoneras de plata que adornaban el altar mayor. Otro dijo que eran muy hermosos los blandones de plata, y así fué diciendo cada uno su dictamen, pero el visitador nos dijo que todos éramos unos ciegos, pues no habíamos observado una maravilla patente y una particularidad que no se veía en iglesia alguna de los dominios de España.

La maravilla es, que siendo los blandones de un metal tan sólido como la plata, y de dos varas de alto, con su grueso correspondiente, los maneja y suspende sin artificio alguno un monacillo como del codo a la mano. En esto hay un gran misterio; pero dejando aparte este prodigio, porque nada me importa su averiguacion, voy a declarar a ustedes la particularidad de esta iglesia, para lo cual les voy a preguntar a ustedes si han visto alguna en todo lo que han andado que no tenga algún colgajo en bóveda, techo o viga atravesada. La iglesia más pobre de España tiene una lámpara colgada, aunque sea de cobre o bronce, pero la mayor parte de las iglesias de pueblos grandes están rodeadas de lámparas y arañas pendientes de unas sogas de cáñamo sujetas a una inflamación o a otro accidente, que rompiéndose cause la muerte a un devoto, que le toque un sitio perpendicular a una lámpara, araña, farol o candil, dejando aparte las manchas que se originan del aceite y cera, o de las pavesas que se descuelgan de las velas.

No se piense que lo que llevo dicho es una sátira. Protesto que si viviera en Chuquisaca no iría a orar a otro templo que a la catedral, por quitarme de andar buscando sitio libre de un riesgo, que turba mucho mi imaginación. Supongamos que ésta sea extravagante y que el riesgo esté muy distante en cuanto a perder la vida o recibir un golpe que le ocasione muchos dolores y una dilatada curación. Pero ¿cómo nos preservamos de las manchas de gotas de cera, que precisamente caen de las velas encedidas en las arañas, pavesas e incomodidades que causan los sirvientes del templo al tiempo de dar principio a los oficios divinos, que es cuando le da esta fantástica iluminación, y que el pueblo está ya acomodado en el sitió que eligió? Dirán algunos genios superficiales que esta iluminación se dirige a la grandeza del santuario y magnificar al Señor. No dudo que los cultos exteriores, en ciertos casos, mueven al pueblo a la sumisión y respeto debido a la deidad; pero estos cultos me parecía a mí que se debían proporcionar a la seriedad con que regularmente se gobiernan las catedrales. En ellas se observa un fausto que respira grandeza. La circunspección de los ministros, la seriedad y silencio, es trascendente a todos los concurrentes.

Una iluminación extravagante esparcida en todo el templo, sólo ofrece humo en lugar de incienso. La multitud de figuras de ángeles y de santos ricamente adornados, no hacen más que ocupar la mitad del templo y distraer al pueblo para que no se aplique a lo que debe y le conviene, atrayéndole solamente por medio de la curiosidad, que consiste en el artificio, música de teatro o tripudio pastoril.

En conclusión, la ciudad de La Plata, como llevo dicho, es la más hermosa y la más bien plantada de todo este virreinato. Su temperamento es muy benigno. El trato de la gente, agradable. Abunda de todo lo necesario para pasar la vida humana con regalo; y aunque todos generalmente convienen en que es escasa de agua, por el corto manantial de que se provee, hemos observado que en las más de las casas principales tienen en el patio una fuente o pila, como aquí se dice, de una paja de agua, o a lo menos de media, que franquean al vulgo sin irritarse de sus molestias y groserías, de suerte que los señores ministros y personas distinguidas sólo gozan el privilegio de inmediación, a costa de un continuo ruido y pendencia inexcusables. Si la carencia de agua fuera tan grande como ponderan algunos, hubieran inventado cisternas o aljibes, recogiendo las aguas que el cielo les envía anualmente con tanta abundancia en un territorio fuerte, en que a poca costa se podían construir. Los techos son todos de teja o ladrillo, con el correspondiente declive para que desciendan las aguas a su tiempo con violencia, después de lavados los techos con el primer aguacero, por medio de uno o dos cañones, techándose los aljibes para que no se introduzcan en ellos las arenas y tierras que levantan las borrascas y caiga el granizo y nieve. Todos los naturalistas convienen que las mejores aguas son las de las lluvias en días serenos y como venidas del cielo, y así es preciso que convengan también en la providencia de aljibes o cisternas para reservarlas, por lo que si a los señores propietarios de las principales casas de Chuquisaca, que no tienen agua, quisieren a poca costa hacer construir un aljibe, beberían los inquilinos la mejor agua que desciende a la tierra.

Supongo yo que los que tienen privilegio de agua o pila no pensarán en hacer este gasto; pero les prevengo que el agua de las fuentes es menos saludable que la de las lluvias, y aún de los ríos que corren por territorios limpios de salitre. Las fuentes de las ciudades grandes, además de las impurezas que traen de su origen, pasan por unos conductos muy sospechosos, y en partes muy asquerosas. Las aguas que descienden de las nubes serenas, y se recogen en tiempo oportuno de los limpios techos en aseadas cisternas, son las más apreciables y conformes a la naturaleza, o se engañaron todos los filósofos experimentales. Confieso que esta recolección de agua no pudiera servir para otros usos sin mucho costo. Los riegos de jardines y macetas; los de las casas, limpieza de batería de cocina y servicios de cuartos de dormir y recámaras, y en particular el abrevadero de caballos y mulas, necesitan mucha agua, y si no corre por las calles públicas o particulares acequias, será preciso buscarla en depósitos distantes en todas aquellas poblaciones que no socorrió la naturaleza con ríos o manantiales suficientes para sus necesidades. Esta misma reflexión manifiesta lo útil de los aljibes o cisternas y provisión del agua de las lluvias en un territorio como el de Chuquisaca, y otros de iguales proporciones y necesidad de arbitrios.

El oficio de correos de esta ciudad le tenía en arrendamiento un vecino de ella sólo con la obligación de pagar doscientos pesos anualmente por el valor de las encomiendas y correspondencias de tierra; y reflexionando el visitador que la real hacienda estaba perjudicada gravemente, y que al mismo tiempo era preciso averiguar los legítimos valores para formar un reglamento sólido, nombró de administrador de dicho oficio a don Juan Antonio Ruiz de Tagle, persona inteligente y de mucha formalidad, señalándole provisionalmente un quince por ciento sobre el producto líquido de aquel oficio; y concluída esta diligencia pidió bagajes el visitador para continuar su comisión; pero antes de salir me parece justo prevenir al público, y aún a los señores directores generales de la renta de correos, la diferencia que hay de los señores ministros de carácter y letras a los demás jueces inferiores, sin letras ni ápice de reflexión, por lo general.

El visitador se presentó a los señores presidente y real audiencia que reside en esta capital, para que se pagasen de las penas de cámara los portes atrasados de la correspondencia de oficio y se estableciera un método seguro y claro para en lo sucesivo, y estos señores, que injustamente son calumniados de soberbios y vanos, como de lentos en sus resoluciones, proveyeron en el día que con asistencia del visitador deliberasen el asunto los señores Lisperguer, oidor decano de aquella real audiencia, y Alvarez de Acevedo, fiscal de dicha real audiencia. En el mismo día se citó al visitador para que concurriera al siguiente por la tarde a casa del señor Lisperguer, adonde halló ya al señor Acevedo, y en menos de un cuarto de hora se resolvieron todas las dudas y dificultades, y al tercer día se expidió auto para que se pagasen las legítimas correspondencias de oficio de las penas de cámara registradas, y atendiendo a la poca formalidad que había llevado en las cuentas de las correspondencias marítimas el arrendatario, y quitar cualquier duda con el nuevo administrador, pasase a la llegada de todos los correos, así de mar como de tierra, el escribano de cámara y dejase recibo formal de todos los pliegos de oficio, con distinción de su peso y valor, y otras circunstancias que constan de dicho auto acordado, de que se le dió al visitador un testimonio duplicado, que dejó uno al administrador de correos de Chuquisaca, para su gobierno.

Con bastante pena salimos todos de una ciudad tan agradable en todas sus circunstancias, y el visitador nos previno que volviésemos a reconocer juntamente con él aquella travesía, que hallamos conforme a las observaciones que habíamos hecho a la ida a Potosí. Así como salimos con repugnancia de Chuquisaca, o por mejor decir de la ciudad de La Plata, dejamos gustosos la villa de Potosí, no tanto por su temperatura rígida cuanto por la discordia de sus habitadores. Son muy raros los hombres que mantienen amistad perfecta una semana entera. Al que aplaudieron por la mañana, vituperan por la tarde, sobre un propio asunto, y sólo son constantes en las pasiones amorosas, por lo que se experimenta que las verdaderas coquetas hacen progresos favorables, y se han visto más de cuatro de pocos años a esta parte retirarse del comercio ilícito con competente subsistencia, ya obligando a su último galán a casarse con ellas o a buscar marido de aquéllos que se acomodaban a todo y tienen una fuerte testa, o al que lleva la opinión de lo que no fué en su año, no es en su daño.

A la salida de esta memorable villa nos previno el comisionado que observásemos los laberintos que formaban las cabañas de los indios con sus muchas veredas y la facilidad con que se podía extraviar una carga de plata en una noche tenebrosa y aún clara, porque saliendo los indios de Potosí alucinados con la chicha y aguardiente, sueltan las mulas y cada una sigue distinta senda; y por esta causa dispuso saliesen los correos de Potosí a las doce del día, dos horas más o menos. De esta villa se pasa a la de Oruro, por las postas siguientes.

XIII

Provincia de Porco, Poopo y Oruro.
El arrendamiento del oficio de correos.
Inconvenientes del privilegio.—La
ciudad y sus costumbres

Porco

De Potosí a Yocalla	10
A la Leña	6
A Lagunillas	6

Poopo

A Vilcapugio	8
A Ancato	5
A las Peñas	4
A Yruma	4
A la Venta de en medio	4

Oruro

A Oruro	9
	——
Postas, 9; leguas	57

La salida de Potosí y quebrada de San Bartolomé están al presente transitables a trote por haberse aderezado el camino, aunque en partes está tan débilmente aderezado que en la primera avenida quedará como antes. En este tránsito, hasta Yocalla, hay dos cuestas en figura de una S, bien penosas por ser de lajería la mayor parte; pero en la última bajada al pueblo hay un puente de cantería muy fuerte y hermoso, y es el segundo de esta fábrica que será eterno si no hay una conmoción extraordinaria de la tierra o total abandono de los corregidores y demás justicias en alguna irrupción de las aguas y continuo trajín de los bagajes. En toda esta distancia no hay riesgo de precipicio. El pueblo de Yocalla es viceparroquia del curato de Tinquipaya. No hay tambo en que se alojen los pasajeros. Los indios tienen unos alojamientos que parecen cuevas u hornos, por donde con dificultad se puede introducir un corto almofre y formar una estrecha cama, quedándose todo el bagaje apilado en el estrecho y sucinto patio, y sin embargo de esta miseria a que se acomodan los indios mejor que otra nación alguna, labraron una casa grande, con bastantes oficinas, patios, traspatios y corrales para alojar a su cura o teniente seis días al año, que viene a celebrar sus fiestas y recoger sus derechos, por lo que el visitador aconseja a correos y pasajeros se apoderen de una o dos piezas de las muchas que tiene la casa, para asegurar sus cargas y descansar, valiéndose de los corrales y cocina, para que con el humo se mantengan los dioses caseros. Los indios de este pueblo son laboriosos y bastante racionales. Sólo pagaban antes nueve leguas hasta Potosí los correos del Rey, y considerando el visitador lo mucho que trabajaban las mulas de estos miserables en la subida, reguló diez leguas de paga, así a la ida como a la vuelta, que fué lo mismo que aumentarle dos leguas, aunque por el itinerario no consta más que de una.

Todo el resto del camino, hasta Oruro, es de trote largo y sin riesgo. Los tambos están sin puertas; las mulas flacas, porque el país es estéril, y el ganado menor y los hielos aniquilan el poco pasto. Las jornadas de las Peñas a Oruro eran de nueve leguas, que no podían hacer sin descanso las débiles mulas de los pobres indios, por lo que el visitador cortó la de Yruma en la Venta de en medio, poniéndola al cargo de un gobernador y cacique, que acaso es de los más privilegiados del reino, quien al instante mandó traer materiales suficientes para formar una mansión cómoda, independiente a su casa, que regularmente franquea a cualquier hombre de bien; pero el actual corregidor, que no quiero nombrar por no ridiculizarle, ni menos exponerle a un castigo, se opuso a un beneficio que se había hecho a pedimento de los indios de su provincia, bajo de unos pretextos tan frívolos y ridículos, que causa pudor expresarlos. A las cinco leguas de la Venta de en medio, y cuatro distante de Oruro, está un pueblo nombrado Sorafora, en donde pensó el visitador dividir la otra posta; pero como los indios sólo se ejercitan en la conducción de metales para proveer el grande ingenio de don Diego Flores, no usan más que de carneros de la tierra y carecen de mulas, porque no las necesitan para otros trajines, y así se quedó la jornada de en medio de nueve leguas hasta

Oruro

Esta villa sigue a Potosí en grandeza, porque hay cajas reales y se funden en ellas anualmente sobre seiscientas barras de a doscientos marcos de plata de ley de once dineros y veintidós granos, que valen un millón y doscientos mil pesos, poco más o menos. La mayor parte es producto de los minerales de las inmediatas riberas, porque el gran cerro pegado al extremo de la misma villa, y tan cómodo para disfrutar sus metales, ha escaseado de ley, con respecto a la que necesita para costear su labor por la falta de agua para los lavaderos. Esta buena villa está situada en medio de una dilatada pampa de casi nueve leguas, la mayor parte salitrosa y cenagosa. Se provee de los principales bastimentos del fértil valle de Cochabamba, como también Potosí. El azúcar, vino y otras bebidas, como asimismo la aceituna, pasas y almendras, llegan de gran distancia, y respecto de ella se venden estas especies a moderado precio, porque el mucho consumo atrae la abundancia y, por consiguiente, el ínfimo precio, la mayor parte del año.

Este oficio de correos estaba en arrendamiento en un buen viejo que decía ser pariente de los condes de Castillejo. Tenía cuatro mitayos, que no tenían más utilidad y provecho que el de arrear mulas, esto es, quitarlas a los pobres arrieros para el despacho de correos y pasajeros y encerrarlas en un gran corral escoltadas de ministriles del corregidor y alcaldes, que entre todos componían una competente cuadrilla de ladrones, porque recogiendo cuatro veces más mulas de las que se necesitaban, se veían precisados sus dueños a rescatarlas a fuerza de plata, que repartían entre sí aquellos inhumanos satélites, quedándose encerradas para el servicio de los correos las mulas de los más pobres, y por consiguiente las más flacas y estropeadas. No hay voces verdaderamente con qué explicar esta tiranía. Los arrieros se veían muchas veces precisados a malbaratar algunas mulas para dar de comer a las que estaban encerradas en un corral que apenas tenía estiércol y que les esperaba una jornada de ocho o nueve leguas a trote largo con carga doble, de modo que unas mulas no llegaban a la otra posta porque se tendían de rendidas y otras llegaban deslomadas y casi incapaces de cargar el aparejo para restituirse al pasto. La noticia de esta crueldad pasaba a los arrieros que lucraban en el abasto de esta villa y si consideraban que estaba próxima la salida o entrada de los correos, se detenían algunas leguas antes, por no aniquilar sus flacas y cansadas mulas, y muchas veces carecía la villa de algunos bastimentos. Una queja tan general y tan bien fundada de vecinos y forasteros obligó al visitador a solicitar un vecino honrado que se hiciese cargo de la maestría de postas, para proveer en aquella villa de caballerías de silla y carga a correos de Su Majestad y a pasajeros.

El pensamiento del visitador le salió con tanta felicidad que no pudo hallar sujeto más a propósito que la persona de don Manuel de Campo Verde y Choquetilla, español, y descendiente por línea materna de legítimos caciques y gobernador de indios. Es verdad que este pensamiento le sugirieron y corroboraron sus íntimos amigos don Joaquín Rubín de Zelis y don Manuel de Aurrecoechea, en cuya casa estaba aposentado don Alonso. Los mitayos del arrendatario de correos habían dado una fuerte queja por escrito contra él, porque no les pagaba su trabajo y servicio de sus mujeres en la mecánica de casa. El visitador dió su título al gobernador Choquetilla con un testimonio de las reales ordenanzas, para que se presentase al cabildo secular y que constasen los privilegios que Su Majestad le concedía por maestro de postas; pero cuando el visitador esperaba que el corregidor y cabildo le diese las gracias por tan importante servicio, se halló con la oposición que había hecho el corregidor. Este era un capitán de más de sesenta años de edad, cuyo nombre me mandó don Alonso que no expresase en mi itinerario por no exponerlo

al desprecio de todo el mundo como lo ejecutaré con todos los demás que desprecian las reales ordenanzas, ni tampoco diré los motivos que este corregidor y otros tienen para semejantes atentados, porque causa pudor expresarlos; pero para no mezclar en esta causa a los señores justicia y régimiento de Oruro, debo advertir que al siguiente cabildo recibieron al referido maestro de postas, sin embargo de la repugnancia del corregidor.

Ya tenía el visitador dado cuenta a este superior gobierno de las resultas del primer cabildo, y a vuelta de correo recibió un expreso mandato de su excelencia para que se recibiese en la maestría de postas al sujeto que nombró el comisionado. Todos nos asombramos de ver la repugnancia de estos jueces inferiores a las reales ordenanzas, y llegando a percibir el visitador nuestra crítica nos dijo que éramos unos bisoños o poco instruídos en las máximas y soberanías de la mayor parte de estos corregidorcitos poco instruídos, y añadió que el de La Paz había puesto en la cárcel pocos días antes al arrendatario de correos, porque no le entregó sus cartas francas, que recogió sin paga alguna y entregó el resto al pillaje. Saben todos que los arrendatarios de cualquier ramo de real hacienda gozan del mismo privilegio que los administradores. El del Cuzco, nombrado por este superior gobierno, porque se resistió a aquel corregidor en no obedecer sus órdenes sobre el gobierno económico, en la entrada y salida de correos, arrestó al administrado, y tuvo preso en la casa del cabildo, con abandono de una real oficina en que no solamente había intereses del Rey, sino del público, en las correspondencias atrasadas y otros papeles de confianza.

No quiero poner otros ejemplares, sino que ustedes reflexionen la gravedad de estos excesos, y a qué otros mayores estarán expuestos los particulares que no gozan de privilegios, y mucho más la gente inferior, y, en conclusión, lo que puedo asegurar a ustedes es que a excepción de un corto número de racionales corregidores, que comuniqué por más de veinte años en todas estas provincias, todos los demás me han parecido unos locos, por lo que creo cualquier extravagancia que se refiera de ellos. «¿En qué consiste (dije al visitador) esta mudanza de los hombres? Esto es, ¿que de hombres suaves y de apacible trato se conviertan en ásperos y soberbios?» «No hay tal mudanza, replicó el visitador. La mayor parte de los hombres es una tropa de locos. Los unos son furiosos y se huye de ellos. Los otros son graciosos, y se divierte con ellos; y el resto son disimulados y contienen sus furias por cobardes y de recelo de encontrar mayores fuerzas y perder un par de costillas a garrotazos, y así éstos, cuando se ven autorizados, son peores que los locos furiosos, porque a éstos cualquiera los contiene con la fuerza o con el arte, y para aquéllos sólo sirve una determinación criminal o una tolerancia insufrible, porque no siempre se proporciona la fuga.» No hablo por ahora de las injusticias que hacen, porque va largo este punto, o llámese número, o párrafo, que para lo del mundo todo es uno, como olivo y acituno.

En esta gran villa, así como en la imperial de Potosí, no se encuentra edificio correspondiente a los inmensos caudales que se gastaron de doscientos años a esta parte en profanidades de galas, paseos, juegos y banquetes. Si el gremio de mineros depositara un real por cada marco que funde, y lo mismo digo de los particulares, que rescatan piñas y por precisa necesidad las llevan a aquella callana, tuvieran insensiblemente todos los años quince mil pesos, y al cabo de diez se hallarían con 150.000 pesos para emprender una obra de que podía resultarles un gran beneficio, y a lo menos conseguirían dar agua competente a toda la villa, y acaso proveerla de la suficiente para lavar algunos metales, que no se costean conducidos a las riberas, o emprender otras obras útiles a la república. Potosí y Oruro no dejarán de ser poblaciones de fundamento ínterin se mantengan las minas próximas a sus riberas, que son inagotables, con más o menos ley, que de cualquier modo alienta a unos y empeña a otros. También fueran en esta villa muy útiles las cisternas o aljibes. En estos campos crece poco el pasto, porque este terreno es salitroso y que apetece mucho el ganado menor, que continuamente come en él. Sus carnes son sabrosas, pero algo duras. Toda su gordura y sustancia se acumula desde el fin

de la cola hasta el de los riñones, con tanta monstruosidad que en los principios recelamos que fuese artificio de los carniceros, porque las faldas de los carneros no parecen más que unos delgados pergaminos.

Así en esta villa como en la de Potosí han sido felices las coquetas, porque algunas se han retirado en estado de matrimonio, introduciéndose en los concursos de las matronas, que no juzgan de la vida pasada. Hemos reconocido que los vecinos de esta villa, y aún los forasteros que viven de asiento en ella, no mantienen entre sí rencor dilatado tiempo, y que son dóciles a la reconciliación, por lo que el visitador estuvo muy gustoso en ella, sin embargo de la oposición del corregidor, que despreció generosamente por lo mismo que estaba mal fundada; y aunque todos creímos que hubiese puesto fin a su visita en esta villa, por considerar que el comisionado y administrador general que había llegado a Lima hubiese reformado e instruído a los administradores de esta carrera, pero finalmente abandonó la ruta pensada a Tacna por considerarla poco útil a la renta y al público, por lo que tomamos la de La Paz por las postas siguientes.

XIV

Provincia de Poopo y Sicafica.—Paz de Chuquiapo.—Lavaderos de oro.— Producción de la coca

Poopo

De Oruro a Caracollo **8**

Sicafica

A Panduro **5**
A Sicafica **8**
A Ayayo **8**
A Caxamarca **5**
A la Ventanilla **6**
A La Paz **4**

Postas, 7; leguas **44**

La salida de Oruro se hace sobre una pampa salitrosa de más de cuatro leguas, que en tiempo de seca se caminan a trote en dos horas y media, pero en tiempo de aguas se hacen unos atolladeros arriesgados y lagunillas en los pozos que tiene. En este tiempo la gente prudente se dirige por la falda de los inmediatos collados, con rodeo de más de dos leguas, y toda aquella detención que causa la desigualdad del camino en cortas subidas y bajadas, de modo que en tiempo de seca a trote regular o paso llano se puede llegar desde Oruro a Caracollo, que dista ocho leguas, en cinco horas; y en tiempo de aguas, siguiendo las lomadas, se gastarán ocho, y si se acomete la pampa, principalmente de parte de noche, se exponen los caminantes a pasar en ella hasta el día del juicio final. El resto del camino no tiene más riesgo que el que ocasiona el ardor y la precipitación de los caminantes. Todo el camino, hasta llegar a la entrada de La Paz, es de trote y galope a excepción de algunas cortas reventazones que se forman a la entrada y salida de los pueblos, que parece que son unas divisiones o linderos que preparó la naturaleza para evitar pleitos y discusiones. En todo este país encuentran en todos tiempos mis amados caminantes: tambos sin puertas, mulas flacas y con muchas mañas, corderos y pollos flacos y huevos con pollos nonatos o helados porque las buenas indias venden siempre los añejos. Sin embargo, se puede pasar decentemente con algunas precauciones y gastos, como nos sucedió a nosotros, por la práctica y providencia del visitador.

Paz de Chuquiapo

Esta ciudad está situada en medio de la distancia que hay desde Potosí al Cuzco, en una quebrada honda de muy buen temperamento. Es antípoda de la de Toledo, porque aquélla está en alto y ésta en bajo. Ambas ocupan territorio desigual, pero las calles de La Paz son con mucho exceso, más regulares. Si en el tiempo de marras se encontraba mucho oro entre las arenas del Tajo, actualmente se coge mucho en los arroyos que entretejen la ciudad de Chuquiapo. Las indias tienen sus lavaderos a distancia de aquellas estrechas quebradas, en donde recogen algunos granos de que se mantienen, y mucho más con la esperanza de hacer una buena pesca, como sucede a los

que tratan en la de las conchas que crían las perlas. Este renglón no es considerable.

De la provincia de Lajarica y otras, se puede asegurar que entran en La Paz anualmente cinco mil marcos de oro, en tiempos regulares. Dos mil y cuatrocientos pasan a Lima por los correos de cada año, según las cuentas que reconoció el visitador de más de siete, y aunque sólo caminen por particulares otros tantos y sólo se extravíen y gasten en alhajas doscientos, tenemos completo el cálculo de cinco mil, que valen seiscientos veinticinco mil pesos, independiente de los muchos zurrones de plata que entran en la ciudad del valor de la coca, que aunque actualmente está a precio bajo, rinde muchos miles a los hacendados de la ciudad, porque hacen todos los años tres cosechas, que llaman mitas.

La coca sólo es producción de las montañas muy calientes, y es una hoja que seca se equivoca con la del olivo o laurel y se cría en unos arbolitos de corta estatura. Son muy raros los españoles, mestizos y negros que la usan, pero es grande su consumo entre los indios, y en particular cuando trabajan en las minas de plata y oro. Unos la mascan simplemente, como los marineros la hoja del tabaco, y lo que hemos podido observar es que causa los mismos efectos de atraer mucha saliva y fruncir las encías a los principiantes en este uso. Muchos indios que las tienen ya muy castradas y que no sienten su natural efecto, usan de una salsa bien extraordinaria, porque se compone de sal molida y no sé qué otro ingrediente muy picante, que llevan en un matecito de cuello que llevan colgado al suyo, y de allí sacan unos polvitos para rociar las hojas y darles un vigor extraordinario. En conclusión, los indios cuentan de su coca lo mismo que los aficionados del tabaco, por ser un equivalente, como la yerba del Paraguay al té y café.

La ciudad es una de las más ricas del reino, pero no tiene edificio particular. Su salida y entrada, sin embargo de hacerse por dos cuestas perpendiculares, están actualmente bien aderezadas, por lo que no tienen riesgo de precipicio. La catedral, que está situada en la plaza Mayor, no tiene más particularidad que la de celebrarse los divinos oficios con seriedad. Las casas particulares están tan embarazadas de muebles, de espejos y láminas, que confunden la vista. Las alhajas exquisitas están mezcladas con muchas muy ridículas. No hay casa de mediana decencia que no tenga algunas salvillas y potosinos de oro macizo. Los trajes que no son de tisúes de plata y oro, de terciopelos y de otras telas bordadas de realce del propio metal, se gradúan por ordinarios y comunes, pero en medio de un lujo tan ostentoso, no se ve decadencia en las familias, como en otros lugares de la América, verbigracia en Potosí y Oruro, a donde la riqueza es pasajera, porque no tienen otra que la de la plata que se saca de sus minerales. En conclusión, la riqueza de esta ciudad conviene con su nombre; pero la mayor que puede contar al presente es tener por prelado y pastor al ilustrísimo señor don Gregorio del Campo, persona completa y de quien se puede decir sin lisonja que en su rostro se están leyendo sus virtudes, y en particular la de la caridad.

Habiéndose fenecido el término de la escritura del arrendamiento de correos de esta ciudad, entró a administrarlos de cuenta de Su Majestad don Jacinto Antonio López Inclán, sujeto de juicio y de una exactitud y puntualidad que toca en el extremo de nimia El visitador le dió sus instrucciones por escrito y de palabra, que observó don Jacinto, y mediante ellas y la apacibilidad de su genio, se logró en aquel oficio tranquilidad y ventajas a favor de la renta. Fenecida esta diligencia, salimos para la gran ciudad del Cuzco, por el camino de las postas siguientes

XV

Provincias de Omasuyos, Pacages, Chucuito, Paucarcolla, Lampa, Tinta y Quispicanchi.—Los indios mitayos.—El trabajo de las minas.—Aventuras del obispo de Nueva Vizcaya.—Los longevos de Combapata.—El Cuzco.

Omasuyos

De la Paz a Laja	7

Pacages

A Tiay Guanaco	7
A Guaqui	4
A Cepita	7

Chucuito

A Pomata	7
A Julí	4
A Ylave	5
A Acora	5
A Chucuito	3

Paucarcolla

A Puno	4
A Paucarcolla	2

Lampa

A Juliaca	6
A Nicasio	6
A Pucará	6
A Ayaviri	6
A Chungará	9

Tinta

A Lurucachi	9
A Caccha: suprimido el de Sicuani	6

Quispichanchi

A Quiquijaca: suprimido el de Checacupi	10
A Oropesa: suprimido el de Urcos	8
Al Cuzco	5

Postas, 21; leguas 126

Se previene a los señores pasajeros que no llevan postas seguidas, que entre Paucarcolla y Juliaca hay dos riachuelos que en tiempo de aguas se atraviesan en balsas con rodeo de una legua por Atuncolla. Los que van por las postas no necesitan esta advertencia, porque los postillones los conducirán por donde más convenga, con arreglo a la estación y circunstancias del tiempo. Estos, arroyos en tiempo de secas y ríos caudalosos en el de lluvias, pasan por unas profundas madres o barrancos sin piedras con una lentitud casi imperceptible, por ser el territorio llano, de que no puede resultar accidente fatal, sino en el caso de un notable descuido.

La segunda posta está situada en un corto pueblo nombrado Tiay-Huanaco, que significa «siéntate, Huanaco», que es un animal que corre tanto como un venado. Este nombre quedó de uno de los incas, que hallándose en aquel sitio recibió un correo con tanta velocidad como si lo hubiera conducido un Huanaco. Esto mismo prueba que no siempre los correos estaban a cortas distancias, como dice el inca Garcilaso, porque los indios apostados no entendían los quipus ni se detenían a formar partes, porque en ese caso no serían tan veloces las carreras. Este, desde luego, sería algún extraordinario muy diligente. Lo cierto es que si a todos los hombres se compararan a los perros, los indios fueran los galgos, no porque en la realidad su primera partida sea muy veloz, sino por la continuación y facilidad que tienen en las subidas y bajadas de estrechas y perpendiculares veredas, en que ahorran mucho camino.

Antes de entrar en la provincia de Chucuito está el Desaguadero, nombrado así porque concluye la laguna por aquel lado, en donde se sumen las aguas sobrantes y vertientes de la gran caja. Para su tránsito hay un puente que está sostenido de uas balsas de totora, casi a la flor del agua, de paso muy fácil, pero arriesgado en cualquier caída por la mucha lama de grande profundidad en que se ahogará el hombre de más brío. En la mitad del puente se divide la provincia de Pacages de la de Chucuito, y las dos están obligadas a renovarle. En la pampa de Pacages se juntan los mitayos de aquellas provincias, que pasan a Potosí a trabajar a las minas de aquel gran cerro, y se hace en ella una feria divertida, porque los indios se despiden allí unos con alegría y otros con llanto, de sus parientes y amigos, y gastan los socorros del camino, que llaman lenguaje. Estas numerosas familias, nombradas así porque cada indio casado conduce consigo a su mujer e hijos, se dividen en cuadrillas con sus pabelloncitos, que llevan en carneros de la tierra o llamas, y otros en borriquitos, siendo muy raros los que llevan mula o caballo, a que no son inclinados los indios en sus dilatados viajes. En tan largo tránsito hace esta gente un perjuicio semejante al de la langosta, porque si ésta consume los sembrados por donde pasa, aquéllos se mantienen de los ganados, matando vacas y corderos para su alimento, sin perdonar las papas que están en sazón, a título de criados del Rey y como si fueran tropas en país enemigo. La provincia de Chucuito tiene seis postas al camino real en otros tantos pueblos numerosos. Los más de sus habitantes, que son mestizos e indios, tienen muchas mulas para sus particulares comercios, y así no faltan avíos para correos y pasajeros, y hay

abundancia de los bastimentos comunes. La que sigue se nombra Paucarcolla, con una villa al tránsito llamada Puno, a cuya falda concluye la gran laguna que llaman de Chucuito. Algunos indios tienen sus balsitas de totora y sus redes, con que pescan unos pequeños peces que llaman boguillas, bien desabridas, y de que hacen algún comercio para las provincias interiores. La villa es de mucho vecindario, la mayor parte españoles y mestizos, y hubiera excedido en doce años a Potosí si no se hubiera aguado la gran mina de la compañía y descaecido el trabajo con la muerte del magnánimo asturiano San Román. Hubo ocasión que este administrador y principal compañero, falto de moneda sellada, envió a Arequipa sesenta barras de plata, que valían más de 1.300 pesos, para que le enviasen 600, de modo que su apoderado fiaba las barras de plata a los mercaderes, que antes las compraban adelantando el dinero, y en aquella ocasión al que tenía mil pesos en moneda sellada, le daban una barra, que importaba más de dos, a pagar el resto cuando vendiese o cobrase, y así pudo juntar don Lorenzo Oyanguren los 600 pesos que le pidió San Román en plata sellada. Este gran hombre en su línea, ya fuese por su fortuna o por su talento, sacó en su tiempo tanta copia de metales, que además de pagar sus suertes a los compañeros les dió más de 500 pesos a cada uno. Dejó las canchas llenas de poderosos metales para que se aprovechasen de ellos en el caso de una escasez u obras precisas para los desagües, y dejó una magnífica iglesia de cantería labrada para que sirviese de parroquia, hasta la última cornisa, con lo que fué Dios servido acabase sus días este buen hombre, que todavía llora aquella villa.

Desde la muerte de éste fué cayendo la mina, hasta que se disolvió la compañía por falta de fondos. La iglesia se concluyó, aunque con imperfección, y no se pudo adornar a correspondencia de las líneas que había echado San Román. Tiene la villa dos tambos muy buenos en que se pueden alojar cómodamente los pasajeros, con división de caballerizas, y abunda de lo necesario para hombres y bestias. En tiempo de seca es lugar enfermizo, porque menguando mucho la laguna deja en sus orillas una hedionda lama que infesta el aire y causa muchas indigestiones, lo que no sucede en Chucuito, que está situado en más altura y terreno peñascoso. A las dos leguas de Puno, camino algo escabroso sin riesgo y de trotar, está el pueblo de Paucarcolla, que fué la capital de la provincia y que actualmente está arruinado, pero sin vestigios de haber sido de alguna consideración. En él se proveen de mulas correos y pasajeros con mucha prontitud, porque hay abundancia. A la salida, que se hace por una cuesta algo extendida y sin riesgo, se presenta a su falda un trivio en que es fácil se pierdan los pasajeros que no llevan guía, porque a la derecha hay dos caminos muy trillados que conducen a los pueblos de la provincia que están situados a las orillas de la laguna y a la izquierda hay una corta vereda que dirige y casi entra en la gran provincia de Lampa, hasta llegar al tambo o posta de Juliaca, con la diferencia que en tiempo de aguas se pasa desde Paucarcolla a Caracoto, que dista cuatro leguas, y de Caracoto a Calapuja, seis, saliendo a Pucará, que dista otras seis leguas, como se explicará con más claridad en el itinerario retrógrado.

Esta provincia tiene cinco postas. Las cuatro en grandes pueblos y la última y primera de la vuelta nombrada Chungará, está a un lado del pueblo de Santa Rosa, que el visitador mandó mudar a él, así porque se proveyesen los pasajeros de lo necesario como para evitar las recíprocas tiranías que regularmente se cometen en los despoblados, debiendo advertir, en obsequio de la verdad, que los españoles siempre en estos casos son agraviados, porque los indios, si no les pagan a satisfacción los lenguajes y sus comestibles, no dan éstos ni aprontan mulas, deteniéndolos dos y tres días con título de haberse desparramado por los cerros y quebradas. Si es español o mestizo, encarga eficazmente a los mitayos en presencia del pasajero, para que traigan las mulas antes de amanecer, e inmediatamente, como que habla de otros asuntos, les dice en su idioma que vayan a otros negocios y que no traigan los avíos hasta después de dos días o los que a él se le antoje, en cuya trampa son los indios muy hábiles y disimulados.

Me parece viene al caso un chiste que nos contó el visitador y sucedió a cierto obispo de Durango, en la Nueva Vizcaya, del virreinato de México. Este buen prelado, estando en visita llegó a una misión (así llamaban los jesuítas a las grandes haciendas administradas por un solo padre y un coadjutor), llegó, vuelvo a decir, a una de estas misiones, que administraba un padre que por lo rollizo podía serlo de una dilatada familia, y por lo diestro en todo género de comercios, prior del mayor consulado del mundo; era sujeto maduro y provecto en particular en la ciencia que llaman de corte. Divirtió mucho en una tarde y una noche al obispo y familiares, a quienes dió una competente cena sin costo alguno, y por postre presentó al obispo una docena de epigramas latinos llenos de lisonjas, que celebraron todos mucho. Al amanecer estuvo pronto el chocolate en grandes jícaras, porque el buen obispo no calentaba mucho los asientos del tránsito, por no ser gravoso; pero como al más santo no le falta un familiar, para hacer equívoca su virtud, ponderó en presencia del padre y del obispo lo fatigado de las mulas del coche, y que con dificultad llegarían al paraje adonde se iba a sestear, que era sin recurso de remudas. El buen padre, que creo no se quitaba sus grandes anteojos ni aún para dormir, se dió una palmada en la frente y al mismo tiempo mandó en presencia de todos que saliesen al campo seis diligentes jinetes y que escogiesen las mejores mulas de tiro, saliesen al encuentro del señor obispo y le presentasen en su nombre las doce mejores, para que caminase con satisfacción. El santo obispo, aunque docto, era sencillo, y dijo que solamente las aceptaba para que le sirviesen hasta tal hacienda, adonde un amigo suyo le tenía prevenido remudas. «No puede ser eso, ilustrísimo señor, replicó el padre, porque mula que sirve a V. S. I. no volverá a esta hacienda.» Viendo el buen padre que los mozos ya tenían ensillados los caballos y sus lazos prontos, se salió al corredor y les dijo en lengua mejicana que sólo llevasen al obispo dos mulas flacas e inútiles, y que dijesen que no habían podido encontrar más en la campaña, por haberse trasmontado **el ganado** gordo y de servicio.

Satisfecho el obispo de la política del padre, se despidió de él y entró en su carroza con su capellán y un pajecito, y después de haber concluído su rezo, ayudado de su capellán, y caminando a paso lento, alabó la política del padre y de toda su religión en general. El pajecillo hacía esfuerzos por contener la risa, y reparándolo el obispo le reprendió, y en lugar de dar alguna satisfacción prorumpió en fuertes cachinos, que dieron lugar al obispo a discurrir algún misterio. El muchacho se enjugó narices y ojos para satisfacer al obispo, pero la risa siempre se asomaba a las ventanas del corazón, por lo que sólo pudo decir que el buen padre era mejor chusco. Casi el obispo suelta la risa, como dijo el capellán, pero serenándose dijo al muchacho que le explicase con libertad el motivo de su risa, quien se serenó un poquito y le dijo todavía risueño y soltando lágrimas, que el buen padre había mandado en lengua a los cholos que no llevasen a su ilustrísima más que dos mulas flacas. El buen obispo le preguntó si sabía la lengua mejicana, y le respondió que no sabía ni una palabra, pero que un cholito que le servía, y de quien no hizo caso el padre, le había declarado el misterio. El obispo se armó de su autoridad y volvió a reprender al paje y a alabar al reverendo, pero como hubiese llegado al sitio de la siesta, y que no aparecía la oferta del padre, empezó a dudar, hasta que llegaron los mozos con las dos mulas flacas, a quienes despidió mandando al cholo intérprete del paje que repitiese la órden última que les dió el reverendo, la que se puso por escrito para perpetua memoria. Desengañado el buen obispo, dijo de sobremesa que le parecían más útiles para la sociedad humana los hombres rústicos que los muy hábiles, porque aquéllos descubrían al instante sus buenas o malas intenciones, y éstos las cubrían con un velo espeso, que no podía penetrar la vista más lince, y que sólo por una casualidad se llegaban a percibir, y añadió: «A todos vosotros os consta la sencillez de estos hacendados, de que sólo pondré un ejemplo en el Tío Menéndez, que siendo el único que podía hacer fe sobre la imputación de una calumnia, respondió primera, segunda y tercera vez: *Que no había tales carneros*, que fue lo mismo que decir que todo era una falsedad, de cuya expresión no hubo conjuro que le sacase. Este buen hombre ofreció remudas de mulas para toda la comitiva y equipajes hasta Talamantes, que cumplió dobladamente con los correspondientes peones, y nos dió una comida campestre, abundante y limpia, y proveyó a los criados de todo lo necesario, pero a la despedida no hizo más demostración que quitarse su sombrero, besarme la mano y decirme: «Ilustrísimo señor, en llegando a Talamantes: *quitolis*.» Yo no entendí el término, dijo el obispo, pero como tenía tan buen intérprete en el cholito del paje, le consulté y dijo que el buen viejo sólo le prestaba las mulas hasta Talamantes, y que desde allí se volverían con ellas sus criados, que era lo mismo que quitárselas. El buen obispo se volvió a reír y alabó la ingenuidad y sencillez del hacendado. No todos son tan rústicos, porque en aquella dilatada gobernación no faltan sujetos hacendados de mucho esplendor. Basta de digresión y volvamos a tomar el hilo de nuestro discurso.

Desde Chungará, o pueblo de Santa Rosa, se empiezan a notar alguos rigores de la cordillera de Vilcanota. Pucará es el pueblo más cercano a su falda y que experimenta más sus rigores de rayos y nevadas. Estas, en medio cuarto de hora, cubren todas las calles, e impiden el tránsito, aún en las mismas casas, en las oficinas independientes, como cocina, aposento de criados, patio y corral. Las tormentas no son de mucha duración, y por esta causa los habitantes no han tomado las precauciones necesarias para evitar su ruina. Luego que cesa el granizo, empieza la lluvia, y rozando sus cimientos forma unos precipitados arroyos que se llevan a sus espaldas unos formidables trozos de granizo, capaces de arrollar a cualquiera que a caballo quiere atravesar sus calles. Desde Chungará o Santa Rosa hay una corta subida y se empieza a bajar sin riesgo, pero con las incomodidades de la cordillera, que rara vez deja de arrojar granizo y agua helada, y algunos vientos tan sutiles que traspasan los cuerpos. Casi al pie de la cordillera, o por mejor decir, a la falda, pues en la realidad por ella se transita, hay unas estrechas cabañas que nos parecieron palacios, porque nos abrigaron del frío y pudimos en ellas comer con brevedad cosa caliente, de las carnes sancochadas que traíamos. Parece que aquellos ranchos se han puesto allí para granjería, pues sus pobres dueños tenían al fuego una grande olla de habas campestremente aderezadas, y en otro puchero algunos trozos de chalona, que así llaman a la salada carne de oveja, de que se hacen en estos países de todas aquéllas que por viejas o machorras no hay esperanza de que paran, porque hemos reparado que se aprovechaban de este rústico alimento los pobres transeúntes, y aun el visitador mandó dar a sus criados e indios que le acompañaban una gran fuente, para que se entretuviesen y calentasen mientras se aderezaba la comida. En este sitio, con diferencia corta, se divide la jurisdicción de Lampa de la de Tinta, pues a las cuatro leguas, poco más o menos, está situada la primera posta, nombrada Lurucachi, que corresponde a la referida provincia de Tinta. Desde Potosí a este sitio, es país frío y muy expuesto a que los rigurosos hielos aniquilen los campos de pasto, y en tiempo de muchas aguas se forman unos atolladeros peligrosos, por lo que es preciso se hagan dilatados rodeos o que no se camine de noche, y de día que se ejecute con un buen práctico del país, pues muchas veces a nosotros, que caminamos antes de la fuerza de las aguas, nos detenía un estrecho sequión medio cuarto de hora, para tentar su tránsito, habiendo advertido que las mulas prevenían el riesgo, de la repugnancia de no querer atravesarla. Esta no es regla indefectible, por la timidez y desconfianza natural de estos animales. Lo más seguro es detenerse y observar el riesgo a costa del práctico o baqueano, como se dice vulgarmente, que por lo regular elige bestia de igual destreza. Todo lo principal de la provincia de Lampa al camino real está atravesado de estos sequiones, que sirven de abrevaderos para el mucho ganado menor que mantienen aquellos llanos, que también por este medio se desahogan.

Desde Lurucachi hasta la gran ciudad del Cuzco se camina por país templado,

y en partes caliente, sin incomodidad. La provincia de Tinta tenía antes cuatro casas de postas o tambos, y el visitador tuvo por conveniente suprimir los de Sicuani y Checacupi. El primero, por estar a corta distancia de Lurucachi y ser el país, hasta Caccha, que sólo dista seis leguas, de tierra muy llana, y además de no costearse los maestros de postas en un territoria fértil de pastos y a sus regulares tiempos fecundo de rastrojos, por estar la quebrada en las planicies de la una y de la otra banda del río sembradas todo el año de trigo, maíz y cebada, y variedad de legumbres, y al mismo tiempo evitar las detenciones de los correos en una distancia tan corta y de camino muy llano y cómodo para las bestias; y el segundo, por estar mal servido y haberse obligado el maestro de postas de Caccha hasta Quiquijana, como asimismo éste hasta Caccha. El pueblo de Combapata está situado en un alto del camino real de esta jurisdicción. Aseguran todos que es el territorio más sano de todo el Perú, y que con sólo ir a tomar sus aires, sanan y convalecen hombres y mujeres en poco tiempo de todo género de enfermedades. Nos aseguró un español muy robusto, de ochenta años, que había conocido a don Simón de Herrera, de ciento cuarenta y cinco años, y a doña Tomasa Aballón, de ciento treinta y siete, aunque Herrera la acusaba de cercenarse a lo menos ocho años, y que apostaban a quién corría más. Al mismo tiempo conoció cuatro indias de la misma edad, según afirmaban los dos longevos españoles, que las conocían desde su tierna edad. El pueblo es corto y creo que no pasa de cien habitantes, entre mozos y viejos, y si en tan corto vecindario se encontraban seis individuos de a ciento cuarenta años uno con otro, podía competir en sanidad, y aún exceder, al memorable pueblo de San Juan del Poyo, en el reino de Galicia, pues los trece parroquianos de él no llegaban uno con otro a ciento dieciséis años. De la agilidad de los españoles certifican casi todos los del pueblo, pues apostaban a la carrera; esto es, a caminar a pie con velocidad y sin muletas. Nada se dice de las indias, pero es regular y sabido que ellas y ellos mantienen hasta la muerte aquel trabajo ordinario para su subsistencia, y que conservan su limitado talento. Don Lucas Luján, minero de Aporoma, de la provincia de Carabaya, de edad de ciento treinta años, camina actualmente con zuecos, y sube con ellos a su mina. Lee y escribe con bastante acierto. De estos ejemplares pudiéramos referir muchísimos en unos países que todos generalmente gradúan por insanos.

A corta distancia de este pueblo entra la provincia de Urcos, más conocida por Quispicanchi. El pueblo de Quiquijana le divide un gran río, que se pasa por un puente de sogas y palos, que llaman Oroyas, en lengua quichua. Las mulas de carga y silla pasan en pelo con mucha dificultad y trabajo por el vado, que es ancho y de rápida corriente. De la banda del Cuzco está situada la posta, y se hizo cargo de habilitar de mulas a correos y pasajeros, desde este sitio hasta Caccha, y como llevo dicho, de él a Oropesa, don Antonio Escudero García de la Vega, español acomodado, de honor y de mucha experiencia en la provincia; y siendo este sitio la garganta precisa por donde deben pasar todas las correspondencias, desde Buenos Aires hasta el Cuzco, y lo mismo a la vuelta, desde Lima, sería muy conveniente a este ramo de la real hacienda, y aún al público, dar una comisión fuerte a este maestro de postas, para que no dejase pasar correo particular ni cañari que no presentase sus licencias y manifestase el número de cartas y pliegos, para saber si convenía con los enunciados en el parte, y asimismo facultad para comisar cualesquier carta y pliegos, procesos y piezas impresas que condujesen los pasajeros, de cualquier calidad o condición que fuesen, señalándole la mitad de sus portes y pagándoselos por el administrador del Cuzco *incontinenti*, para que el premio le estimulase a la mayor diligencia, pues no es de razón que costeando el Rey una carta desde Lima al Cuzco por dos reales, y a Potosí y Chuquisaca por tres, le defrauden los vasallos un estipendio tan limitado, siendo digno de reparo que en la travesía de Potosí a Chuquisaca, desde donde hay una continua y recíproca correspondencia, no pueda costear la renta un cañari, que tiene de costo doce pesos de ida y vuelta, por la avaricia de no pagar un real por carta sencilla y doble, y dos reales por la triple y de onza, despreciando el trabajo y molestia de buscar a los pasajeros, que muchas veces interpolan las cartas entre la ropa de su uso, y las entregan tarde o nunca, a excepción de aquéllas que conducen por respeto de alguna persona distinguida o para sujeto de igual carácter o de su estimación, que llevan en sus carteras particulares.

Zurite es otra garganta, y la primera y última posta para la entrada o salida del Cuzco. El que provee actualmente es don Ventura Herrera, hombre fuerte, y el único que ha comisado algunas correspondencias sin reparo de persona, a quien se debe dar igual comisión que al de Quiquijana e imponer graves penas al maestro de postas de Limatambo, para que no dé mulas más que hasta Zurite, porque desde aquélla se suelen pasar particulares correos y pasajeros hasta el Cuzco, con perjuicio de este maestro de postas y de la real hacienda. Todas estas advertencias nos hizo el visitador, quien, considerando que el tambo de Urcos no solamente era inútil por la corta distancia desde Quiquijana, sino por los perjuicios que hacían seis u ocho indios continuamente ebrios a los pobres arrieros que pasaban por la quebrada, lo suprimió. Estos borrachos alcaldes, regidores y alguaciles, se mantenían del latrocinio, porque cuatro días antes de la llegada de los correos detenían a los míseros arrieros varias mulas, con el pretexto del real servicio. Estos, o conducían cargas de ropa de la tierra y azúcar para las provincias interiores, hasta Potosí, o regresaban a media carga, o vacías y aniquiladas de tan dilatado viaje. La detención de una estrecha quebrada en uno y otro viaje causaba a estos miserables, además de la detención, una pérdida y atraso considerable. Muchos, y éste era el fin de aquella canalla, las rescataban por dinero, y los pobrecillos pegujaleros, como he dicho adelante, y que no podían rescatar sus mulas, las sacrificaban a una violenta jornada. Esta consideración movió al visitador a suprimir esta tiránica posta.

El pueblo de Oropesa es a propósito para la primera posta al Cuzco o Quiquijana, porque tiene buenos pastos en sus contornos y dentro del mismo pueblo rastrojos de alfalfa, cebada y otros frutos, para que las mulas del maestro de postas se mantengan en aquella demora, que puede ocasionar la lentitud del despacho de los correos, y para que los pasajeros que vienen de Potosí refuercen sus particulares mulas y se desahoguen de tan continuas jornadas. Esta posta sólo dista del Cuzco cinco leguas de buen camino en tiempo de secas, y muy penoso en el de aguas, por las muchas sartenejas que se forman en sus estrechos callejones, que dividen las haciendas que están situadas a la una y otra banda, como asimismo desde la estrecha quebrada de Quiquijana. Luego que llegamos a divisar los techos y torres de la mayor ciudad que en los principios y medios tuvo el gran imperio peruano, se detuvo el visitador y me dijo: «Ahí está la capital de sus antepasados, señor Concolorcorvo, muy mejorada por los españoles»; pero como yo había salido de ella muy niño, no tenía idea fija de sus edificios, entradas y salidas, y solamente me acordé que mi padre vivía en unos cuartos bajos bien estrechos y con un dilatado corralón. Al instante se aparecieron varios amigos del comisionado, y con recíproca alegría y parabienes nos introdujeron en el lugar de mi nacimiento, nombrado la ciudad del Cuzco.

XVI

El Cuzco.—Descripción de la ciudad. Defensa del Conquistador.—Inhumanidad de los indios.—El trabajo de las minas.—Reseña de las conquistas mejicana y peruana. — Defensa del autor.—Opinión del visitador

Los criollos naturales decimos Cozco. Ignoro si la corruptela será nuestra o de los españoles. El visitador me dijo que los indios habían cooperado mucho a la corrupción de sus voces, y para esto me sacó el ejemplo del maíz, que pidiendo unos soldados de Cortés forraje para sus caballos, y viendo los indios que aquellos prodigiosos animales apetecían la yerba verde, recogieron cantidad de puntas de las plantas que hoy llamamos maíz, y otros trigo de la tierra, y al tiempo de entregar sus hacecillos dijeron: *Mabi, señor*, que

significa: «Toma, señor», de que infirieron los españoles que nombraban aquella planta y a su fruto maíz, y mientras no se hizo la cosecha, pedían siempre los soldados maíz para sus caballos, porque lo comían con gusto y vieron sus buenos efectos, y en lo sucesivo continuaron los mismos indios llamando maíz al fruto, ya en mazorca o ya desgranado, por lo que les pareció que aquel era su verdadero nombre en castellano.

Muchos críticos superficiales notan de groseros y rústicos a los primeros españoles por no haber edificado la ciudad en Andahuaylillas u otro de los muchos campos y llanos inmediatos. Otros, que piensan defender a los españoles antiguos, alegan a su favor, que aprovecharon aquel sitio alto y desigual por reservar los llanos para pastos de la mucha caballería que mantenían y sembrar trigo y maíz con otras menestras. En mi concepto, tanto erraron los unos como los otros, y solamente acertaron los antiguos, que siguieron a los indios.

Nadie duda que los sitios altos son más sanos que los bajos, y aunque el Cuzco rigurosamente no está en sitio muy elevado, domina toda la campaña, que se inunda en tiempo de lluvias. La desigualdad del sitio en una media ladera, da lugar a que desciendan las aguas y limpien la ciudad de las inmundicias de hombres y bestias, que se juntan en los guatanayes, calles y plazuelas. Los muchos materiales que tenían los indios en templos y casas, no se podían aprovechar en Andahuaylillas, sin mucho costo y perdiéndose al mismo tiempo varios cimientos y trozos considerables de paredes, como se ven en las estrechas calles, que regularmente serían así todas las de mis antepasados, como lo fueron las de todas las demás naciones del mundo antiguo. Si esta gran ciudad se hubiera establecido en Andahuaylillas u otro campo inmediato, además del sumo gasto que hubieran hecho los primeros pobladores en la conducción de materiales y diformes piedras que labraron los indios, se harían inhabitables en el espacio de diez años. El Cuzco mantiene más de dos mil bestias diariamente, con desperdicio de la mitad de lo que comen, porque caballos y mulas pisan la alfalfa y alcacer, en que son pródigos todos aquellos habitantes. Además del copioso número de almas que contiene la ciudad, que creo pasan de treinta mil, entran diariamente de las provincias cercanas con bastimentos y efectos más de mil indios, sin los arrieros de otras partes. Así hombres como bestias comen y beben, y, por consiguiente, dejan en ella las consecuencias, que se arrastran con las lluvias por medio del declive que hace esta ciudad a los huatanayes y salidas de ella.

Este término *huatanay* equivale en la lengua castellana a un gran sequión o acequias que se hacen en los lugares grandes por donde corre agua perenne o de lluvia para la limpieza de las ciudades. La de Lima tiene infinitos, aunque mal repartidos. México tiene muchos bien dispuestos, pero como está en sitio llano apenas tienen curso las aguas, y es preciso limpiarlos casi diariamente por los encarcelados por delitos, que no merecen otra pena. Madrid, además de otras providencias tiene sus sumideros, y Valladolid sus espolones, que se formaron del gran Esgueva, y así otras muchísimas ciudades populosas que necesitan estas providencias para su limpieza y sanidad. El territorio llano no puede gozar de estas comodidades, sino con unos grandísimos costos o exponiéndose por instantes a una inundación. Finalmente, la ciudad del Cuzco está situada juiciosamente en el mejor sitio que se pudo discurrir.

No hay duda que pudiera dirigirse mejor en tiempos de tranquilidad. y con preferencia de su soberano, pero aseguro que los primeros españoles que la formaron tumultuariamente, fueron unos hombres de más juicio que los presentes. La plaza mayor, a donde está erigida la catedral, templo y casa que fué de los regulares de la Compañía, es perfecta y rodeada de portales, a excepción de lo que ocupa la catedral y colegio, que son dos templos que pudieran lucir en Europa Las casas de la plaza son las peores que tiene la ciudad, como sucede en casi todo el mundo, porque los conquistadores y dueños de aquellos sitios tiraron a aprovecharlas para que sirvieran a los comerciantes establos, que son los que mejor pagan los arrendamientos. La misma idea llevaron los propietarios de la plazuela del Regocijo, nombrada plazuela para distinguirla

de la que tiene el nombre de Mayor. pues en la realidad, desde sus principios tuvo mayor extensión aquélla, en cuadrilongo, como se puede ver, quitándole la isleta que se formó para casa de moneda, y después se aplicó, no sé por qué motivo, a la religión de la Merced, que tiene un suntuoso convento enfrente de su principal puerta. Otras muchas plazas tiene el Cuzco a proporcionadas distancias, que por estar fuera del comercio público, formaron en ellas sus palacios los conquistadores.

Estos grandes hombres fueron injustamente, y lo son, perseguidos de propios y extraños. A los primeros no quiero llamarlos envidiosos, sino imprudentes, en haber declamado tanto contra unas tiranías que, en la realidad, eran imaginarias, dando lugar a los envidiosos extranjeros, para que todo el mundo se horrorice de su crueldad. El origen procede desde el primer descubrimiento que hizo Colón de la isla Española, conocida hoy por Santo Domingo. Colón no hizo otra cosa en aquellas islas que establecer un comercio y buena amistad con los príncipes y vasallos de ellas. Se hicieron varios cambios de unos efectos por otros, sin tiranía alguna porque al indio le era inútil el oro y le pareció que engañaba al español dándole una libra de este precioso metal por cien libras de hierro en palas, picos y azadones, y otros instrumentos para labrar sus campos. Formó Colón un puertecillo de madera y dejó en él un puñado de hombres para que cultivasen la amistad con los caciques más inmediatos, dejándoles algunos bastimentos y otros efectos para rescatar algunos del país para su cómoda subsistencia hasta su vuelta. Los inmensos trabajos que pasó Colón con todo su equipaje, hasta llegar a España, constan en las historias propias y extrañas. A la vuelta no halló hombre de los que había dejado, porque los indios los sacrificaron a sus manos.

Los indios, viendo a Colón que volvía con más número de gente y buenos oficiales, que eran capaces de sacrificar mil indios por cada español, publicaron que los españoles que habían dejado allí haban perecido a manos de la multitud de los indios, que justamente defendieron el honor y sus haciendas. Los españoles reconocieron la inhumanidad de los indios y desde entonces dió principio la desconfianza que tuvieron de ellos y los trataron como a unos hombres que era preciso contenerlos con alguna especie de rigor y atemorizarlos con algún castigo, aún en faltas leves, para no ser confundidos y arruinados de la multitud. A los piadosos eclesiásticos que destinó el gran Carlos I, Rey de España, les pareció que este trato era inhumano, y por lo mismo escribieron a la corte con *plumas ensangrentadas*, de cuyo contenido se aprovecharon los extranjeros para llenar sus historias de dicterios contra los españoles y primeros conquistadores. Cierto moderno francés dijo que aquéllos encerraban a los indios siete u ocho messe dentro de las minas, sin ver la luz del día, para que sacasen los metales de plata y oro, para saciar su codicia.

Es constante que los indios jamás supieron ni saben el modo de beneficiar las minas, y que solamente dirigidos de los españoles saben sacar el metal fuera de las minas, y que los barreteros mestizos e inteligentes les juntan para llenar sus tenates, capachos o zurrones, de un peso liviano. Estos no podían hacer sus faenas sin la asistencia de los españoles y mestizos; pero si con todo eso dijesen nuestros buenos vecinos que los españoles que dirigían a los indios y que se ocupaban en el trabajo más rudo, como es el de la barreta, salían de la mina a dormir a sus casas y gozar del ambiente, afirmo que fueron engañados, o que mienten sólo con el fin de tratar a los españoles de tiranos e inhumanos; pero quisiera preguntar yo a este crítico naturalista por qué influjo se convirtieron estos hombres feroces en tan humanos, pues a pocas líneas dice que los españoles actuales de la isla usan de tanta moderación con sus esclavos (habla de los negros, que compran a otras naciones) que para enviarlos a cualquier diligencia de sólo la distancia de un cuarto de legua, los hacen montar a caballo. Esto no nace de falta de crítica de los franceses, sino de sobra de malicia, y lo mismo digo de los italianos e ingleses, que son los que más disfrutan las conquistas de los españoles en el consumo de los efectos que se trabajan en sus provincias, y que las mantienen florecientes. Iba a insertar, o como dicen los vulgares españoles, a ensartar, en compendio, todo lo sustancial sobre las conquistas de los españoles en las Américas, pero el visitador, que tenía ya conocido mi genio difuso, me atajó más de setecientos pliegos que había escrito en defensa de los españoles y honor de los indios cuzqueños, por parecerle asunto impertinente a un diarista, y asimismo me previno no me excediese en los elogios de mi patria, por hallarme incapaz de desempeñarlo con todo el aire y energía que merece un lugar que fué corte principal de los incas, mis antepasados, y el más estimado de los españoles conquistadores y principales pobladores. A éstos, que desde sus principios ennoblecieron la ciudad con suntuosos edificios de iglesias y conventos, en que resplandeció su piedad y culto al verdadero Dios, y en sus palacios y obras públicas su magnanimidad, se les acusa alguna soberbia. Esta la atajaron los piadosos Monarcas de España suprimiendo las encomiendas, acaso mal informados, pero ésta es materia que no se debe disputar y en que es preciso conformarnos con el dictamen de los superiores y obedecer las leyes ciegamente. La situación de la ciudad pedía por una razón natural y sus proporciones, que fuese la corte del imperio del Perú, pero el gran Pizarro la situó en Lima, por la cercanía al mar y puerto del Callao, para comunicarse más prontamente con el reino de Chile y tierra firme.

Con licencia de usted, señor don Alonso, voy a pegar dos coscorrones a los extranjeros envidiosos de la gloria de los españoles. Luego que éstos saltaron en Veracruz, procuraron... «¿Qué procuraron, dijo el visitador, ¡cansado inca!» Solicitar, le dije, la amistad con los habitantes de aquel vasto imperio, y no pudiéndola conseguir fué preciso valerse de las armas para subsistir entre tanta multitud de bárbaros, que no tocaban a pelo de hombres y caballos. Los tlaxcaltecas, república numerosa y de tanto valor que hacía frente y contenía todo el poder de Moctezuma, fué la primera que resistió formalmente a los españoles, hasta que experimentó sus fuerzas insuperables, y a persuasión del viejo Xicotencal, se hicieron las paces sin gravamen de los indios. Desde entonces, Cortés envió su embajada a Moctezuma.

pidiéndole permiso para pasar a su corte con un corto número de españoles, y sin embargo de que este monarca se la negó, no se valió de la fuerza que tenía de sus auxiliares los tlascaltecas, y que deseaban mucho castigar la soberbia de los mejicanos. Pasó Cortés a México con solos los españoles, en donde al parecer fué urbanamente recibido, pero viéndose obligado a contener el orgullo de Pánfilo de Narváez, si no se acomodaba con él, dejó con una corta escolta en México al gran Pedro de Alvarado, y cuando volvió con doblado número de españoles, halló la corte de México sublevada. Hubo varios encuentros, pero aunque cada español matase en ellos veinte indios por uno de los nuestros, parece que de cada indio de los que morían resucitaban mil.

Ya los españoles y caballos se iban cansando con los repetidos choques, pero lo que más les hizo dudar de su subsistencia fué la desgraciada muerte de Moctezuma, de una pedrada que le tiró uno de los suyos, por lo que creció la insolencia y se aumentó el riesgo de los españoles, que resolvieron abandonar la ciudad en una noche a costa de mucho trabajo y esfuerzo, porque los indios habían cortado los puentecillos y llovían sobre ellos pedradas como granizo, que arrojaban de los terrados hombres, mujeres y niños, y aunque en Otumba desbarataron los españoles un ejército de más de ochenta mil indios, salieron tan descalabrados, que a no haber encontrado asilo en los nobles tlascaltecas hubieran perecido todos. Estos republicanos no solamente los curaron, regalaron y consolaron, sino que alistaron un poderoso ejército para vengar a los españoles y vengarse también ellos de los mejicanos. Dieron el mando a Xicotencal, el mozo, que aunque era desafecto a los españoles, se consideraba por el más valiente y arriesgado, para que pelease bajo las órdenes de Cortés, y a pocos días de haberse puesto sitio a México, con gusto de los españoles e indios, se retiró el indio mozo con un cuerpo de los suyos, hasta llegar a Tlascala. Aquellos nobles y sabios republicanos, con dictamen del justificado padre de Xicontecal, el mozo, le enviaron preso para que Cortés le castigase a usanza de guerra, y en el primer consejo, con dictamen de los

jefes principales, así españoles como indios, se condenó a muerte a este espíritu revoltoso.

Se ganó la gran ciudad, que se defendió hasta el último barrio con valor y tesón. Se declaró por monarca al Rey de España, porque ya los electores le habían nombrado Emperador, después de la muerte de Moctezuma. «En esta elección, dijo el visitador, desde luego que hubo alguna trampilla por parte de los españoles, porque las elecciones de estos imperios no se hacen sino después de la muerte de los poseedores»; pero para la legítima posesión y perpetua herencia de los Reyes de España bastó el consentimiento de los tlascaltecas, que tenían tanto derecho para conquistar como para ser conquistados de los mejicanos, como sucedió en todo el mundo. «¿Qué tiene usted que decir, señor inca, sobre el imperio del Perú?», dijo el visitador. «Reventara, le respondí, si así como hablé de la entrada de los españoles en el imperio de México, bajo de la buena fe del insigne Solís, no dijera lo mismo de la que hicieron en el Perú, como refiere el juicioso Herrera.»

Dice, pues, éste, que luego que los españoles saltaron en las tierras del Virú, supieron que se hallaba en Cajamarca un ascendiente mío bastardo, que se había levantado con la mitad del Perú y que pretendía destronar a su hermano, legítimo Emperador, que tenía su corte en el Cuzco. No le pesó a Pizarro esta discordia, y así, con toda diligencia despachó al cajamarquino, que era el más próximo, sus embajadores, quien, sin embargo de su valor y fuerzas, hizo mal concepto de los no esperados huéspedes, que consideró como enviados del cielo para hacer justicia a su hermano y legítimo señor, por lo que desamparó la ciudad y se acampó a corta distancia, y en sitio ventajoso, con todas sus riquezas y numeroso ejército. Este cobarde procedimiento infundió valor a Pizarro y a todos los españoles, que según creo no pasaban de doscientos, para marchar alegres a ocupar la ciudad. Desde ella volvió Pizarro a intimar a Cápac que se restituyese a su capital, escoltado de buena guardia, en donde experimentaría el buen trato y sumisión de los buenos españoles, dejando el grueso de su ejército en la campaña para resguardo de sus mujeres y tesoros. Después de varias contestaciones, convino el inca en parlar con Pizarro, escoltado de doce mil hombres sin armas, a que convino el español, pero habiendo tenido noticia que los indios traían armas ocultas, y por consiguiente un designio de mala fe, eligió el medio de ser antes agresor que herido. Apostó toda su gente en las entradas y salidas de la plaza mayor, y luego que entró en ella el inca con sus principales guardias, mandó acometerlos y destrozarlos, reservando la real persona, que hizo prisionera.

Mi pariente, o uno de mis parientes, carecía de destreza militar, y aún de valor, por haber abandonado la capital con un ejército de ochenta mil hombres, que podía oponer cuatrocientos a cada español; pero dejando aparte una multitud de reflexiones, que destruyen la tradición y particulares historietas, afirmo que Manco fué un hombre de mala fe, traidor y aleve, porque habiéndole propuesto Pizarro que diese orden a sus generales para que despidiesen sus tropas, y que se retirasen a sus pueblos, y ofrecido ejecutarlo, hizo todo lo contrario, como se justificó por sus quipus, y mucho más por las operaciones de los jefes; pero lo que acabó de irritar a los españoles fué la alevosa muerte que mandó ejecutar en su hermano, el verdadero inca, que desde el Cuzco había salido a tratar con Pizarro de buena fe. La promesa que hizo el tirano, como dicen los vulgares españoles, de que daría por su rescate tanto oro como el que cabía en el salón en que estaba aposentado, y tenía de largo y ancho lo mismo que tienen los actuales de los españoles, fué una entretenida fantástica. Lo que dicen los indios, de que habiendo sabido la muerte de su emperador, enterraron en los altos de Huamanga aquel inmenso tesoro, es una quimera, la más extravagante que se pueda imaginar, porque si el tirano sólo era dueño de los pueblos y tierras desde Quito a Piura, ¿cómo pasó ese oro por los altos de Huamanga? ¿Cuántos indios, vuelvo a decir, conducían el oro que ofreció Manco a los españoles? ¿En qué parte tenía estos tesoros inmensos? ¿De qué minas los sacaba? Por qué todas las estériles de este precioso metal estaban en los dominios de su hermano y legítimo

señor Si se dijera que mi buen ascendiente había pedido el oro al Chocó, provincia de Pataz, y otras de su gobernación o imperio, parecería actualmente algo fundada la promesa a los españoles, poco instruídos en la sustancia de las minas.

Aunque los conquistadores no podían estar ciertos de la promesa de Manco, la consideraron por fraudulenta, en vista de la infidelidad de las órdenes que había dado a sus generales para mantener los ejércitos y tener a todos los pueblos sublevados contra los españoles, y mucho más contra su señor legítimo y natural, a quien había sacrificado inhumanamente, por lo que los españoles tuvieron por conveniente deshacerse de un hombre capaz de turbar todo el imperio y sacrificar a su odio, no solamente a los españoles, sino a los descendientes del verdadero inca. El imperio se empezó a dividir entre varios dependientes, pero como llegase Almagro, compañero de Pizarro en la conquista, con igual número de tropas, o por más puntualmente decir, con igual número de soldados que tenía Pizarro, y se juntase con él en Cajamarca, ya compusieron un pie de ejército de quinientos hombres de infantería y caballería, capaz de pasearse por el reino, pero no de conquistarle. Reforzó este pequeño pie la tropa que introdujo en el reino el gran Pedro de Alvarado, que había salido desde Guatemala con el designio de hacer alguna conquista en estos dilatados reinos, y que por una composición amigable con Pizarro y Almagro, cedió, mediante una crecida ayuda de costas para compensar los gastos que había hecho

Con tan débiles principios se hizo una conquista de más de siete millones de indios, que todos tomaban las armas en defensa de la patria y servicio de sus incas y caciques. No debemos creer que esta prodigiosa conquista se hubiese hecho solamente por el valor de los españoles, pero si fué así, confiesen todas las naciones del mundo que fueron los más valerosos, que excedieron a los romanos, porque éstos fueron más en número cuando cercaron la ciudad y fueron venciendo poco a poco a sus vecinos divididos, más con la astucia que con las armas, valiéndose muchas veces de medios viles. Los españoles no usaron de artificios para vencer a mis paisanos, ni tuvieron tropa auxiliar fiel y constante como los conquistadores del gran imperio mejicano, ni próximo el socorro de los españoles europeos. No por esto pretendo yo igualar a Pizarro y Almagro con Cortés, porque, sin disputa, fué éste mayor hombre, y, sobre todo, los conquistadores del Perú sirvieron bajo el mando de Cortés, y aunque no pudieron seguir sus máximas, imitaron su valor y constancia, y hubieran, en igual tiempo, conquistado y pacificado todo el reino si no se hubiese suscitado una guerra civil y funesta entre los mismos españoles. Esta, verdaderamente, fué la que arruinó a los conquistadores y apagó el esplendor de la gran ciudad del Cuzco, mi patria, suprimiendo o quitándoles a los conquistadores y a sus descendientes cuarenta encomiendas, que podían mantener una grandeza que no ha tenido iguales principios en la mayor corte del mundo.

«No pase usted adelante, señor inca, me dijo el visitador, porque ésta es una materia que ya no tiene remedio. Me parece que usted con sus principios pretende probar que la conquista de los españoles fué justa y legítima, y acaso la más bien fundada de cuantas se han hecho en el mundo.- «Así lo siento, le dije, por sus resultas en ambos imperios, porque si los españoles, siguiendo el sistema de las demás naciones del mundo, hubieran ocupado los principales puertos y puestos de estos dos grandes imperios con buenas guarniciones, y tuvieran unos grandes almacenes surtidos de bagatelas, con algunos instrumentos de hierro para trabajar cómodamente las minas y los campos, y al mismo tiempo hubieran repartido algunos buenos operarios para que se les enseñasen su uso, y dejasen a los incas, caciques y señores pueblos en su libertad y ejerciendo abominables pecados, lograría la Monarquía de España sacar de las Indias más considerables intereses. Mis antepasados estarían más gustosos y los envidiosos extranjeros no tendrían tantos motivos para vituperar a los conquistadores y pobladores antiguos y modernos.» «Suspenda usted la pluma, dijo el visitador, porque a éstos me toca a mí defenderlos de las tiranías, como más práctico en ambas Américas, y que le consta a usted mi indiferencia en éste y otros asuntos.»

«Prescindo de que usted habló a no con juicio e ingenuidad sobre la conquista. No dudo que fué conveniente a los indios, porque los españoles los sacaron de muchos errores y abominaciones que repugnan a la naturaleza. En tiempo de sus incas se sacrificaban a sus inhumanos dioses a los prisioneros de guerra, y que el pueblo comía estas carnes con más gusto que las de las bestias. Los incas, caciques y demás señores y oficiales de guerra, reservaban para sí una gran multitud de mujeres, que consideradas en igual número que los hombres, resultaba que el común no tenía el suficiente para propagarse, y menos para el carnal deleite, por lo que era muy común el pecado nefando y bestial que hallaron muy propagado los españoles, y que casi extinguieron con el buen orden y establecimiento de los casamientos a tiempo oportuno, imponiendo graves penas a los delincuentes y castigándolos con proporción a su corto talento y fragilidad, y por esta misma causa y motivo dispensó el santo tribunal de la Inquisición tratarlos con la seriedad que a los españoles, mestizos y mulatos, dejando a los vicarios eclesiásticos la represión y castigo, como a las justicias ordinarias seculares castigar y encorozar a los públicos hechiceros, que no son otra cosa que unos embusteros, para que el común de los indios deteste sus engaños e insensiblemente entre en juicio.» Muchos ejemplares podía traer de estas providencias, dadas por algunos prudentes corregidores, pero las omito por no hacer dilatado este diario, que ya me tiene fastidiado, por lo que paso a defender a los buenos españoles de las injurias que publican los extranjeros de sus tiranías con los indios, en que convienen muchos de los nuestros por ignorancia, falta de práctica y conocimiento del reino. Para su clara inteligencia dividiré las acusaciones, sin otro fin que el de esclarecer a los españoles poco ilustrados en estas materias, y no den tanto crédito a los charlatanes extranjeros, y en particular a ciertos viajeros, que para hacer apacibles sus diarios andan a caza de extravagancias, fábulas y cuentos, que algunos españoles les inspiran para ridiculizar sus memorias entre los hombres sabios.

XVII

Acusaciones a los españoles.—Los reparti-
mientos de indios.—Imaginaria tiranía de
los conquistadores. — Segunda acusación.
Esclavitud de los indios.—La tiranía en el
trabajo de los obrajes.

Primera acusación o imaginaria tiranía.
Repartimientos

Desde que se fijó este imperio en la casa de los Reyes de Castilla y se establecieron jueces de provincias, con título de corregidores, se señaló a cada uno por razón de su sueldo anual mil pesos ensayados para subsistencia, con cargo de administrar justicia a los indios sin cobrarles derechos, cobrar los tributos y entregarlos en las cajas reales y responder por las faltas y moneda falsa, en que también se entiende la muy gastada o cercenada. El estado del reino en los principios, y aún ahora, no sufre los sueldos correspondientes a los muchos gastos que se impenden en unas provincias, que reguladas unas con otras no bajan de veinte pueblos, cada uno a distancias dilatadas, de caminos fragosos y peligrosos, por lo general, por lo que los primeros corregidores establecieron comercio entre los indios, con el nombre de *reparticiones,* para costearse con las utilidades, y que los indios y otras personas sin caudal ni crédito se habilitasen de lo necesario para la labor de los campos y minas, y vestuario de su persona y familia, cuya providencia se consintió por este superior gobierno y reales Audiencias por más de doscientos años; pero como este comercio no estaba más que consentido, dió lugar a infinitos pleitos y capítulos, que se ponían a los corregidores y que carecían de cierta política, que depende más del genio que del ingenio.

Estas turbaciones dieron motivo a los señores virreyes y tribunales para consultar al supremo oráculo el medio que se debía de tomar para libertar a sus vasallos de unos pleitos interminables, en que se arruinaban unos a otros, pero principalmente a los que fiaban sus caudales a los corregidores, y que no tenían parte en sus particulares utilidades, justas o usurarias. La corte de Madrid, con los infor-

mes que se dieron de Lima y otras partes, y a consulta de justicia y teólogos, declaró que en lo sucesivo fuesen lícitos los comercios de los corregidores en todos aquellos efectos necesarios para la subsistencia de las provincias, y en particular útiles a los indios, y que se hiciesen aranceles de los efectos que se debían repartir, y sus precios que redujeron con suma providencia a un ciento por ciento, que es la mitad más del valor que tienen los efectos del lugar de su compra al de donde se hace la venta. Este ciento por ciento, que entre los italianos, por ironía, se tiene por moderada ganancia, lo es en realidad en nuestro caso, porque el ciento por ciento se debe entender en el espacio de cinco años, que sale a veinte por ciento en cada año. De esta utilidad de cinco años se debe rebajar, a lo menos, un veinticinco por ciento, de cuatro por ciento que se paga de alcabalas, sueldos del teniente y cobradores, gajes de caciques y mermas en peso y vara, y pérdidas de ausentes e insolventes, de modo que el ciento por ciento, por una cuenta muy económica, viene a quedar en un setenta y cinco, que sale cada año a quince por ciento, que es una utilidad regular de un particular comerciante que vende al contado o fía con un moderado plazo, pues aunque se diga que en algunos efectos acontece perder, también en otros utiliza mucho más. Incluyo los gastos de los corregidores en los derechos precisos de justicia, y omito las negociaciones de la corte y transportes desde ella hasta estos dominios y portes de efectos hasta las provincias; pero puedo asegurar que un corregidor que entra en una provincia de *repartimiento* de cien mil pesos, procediendo arreglado a arancel y justificadamente, no puede utilizar en ella, si paga intereses de cinco por ciento de la demora de sus pagas, arriba de veinte mil pesos en siete años, considerados dos que se pasan en entrada y salida.

Dirán los extranjeros y aun muchos españoles, que los corregidores no se arreglan al arancel y que se exceden en la cantidad y precios. Esta expresión, tomada en general, es temeraria, porque me consta que muchos han rebajado del precio y no han podido expender toda la cantidad asignada, por no querer oponerse a una tibia resistencia. Don Felipe Barba de Cabrera, persona muy conocida en esta ciudad ha más de cuarenta años, fué corregidor de la provincia de Pataz, su patria, gobernando el excelentísimo señor marqués de Villagarcía. Don Felipe no hizo otro repartimiento de consideración que el de la plata sellada, con cargo a los mineros, de que le prefiriesen en la venta del oro que sacaban de sus minas, sin oponerse a los tratos que tenían algunos con los particulares, ni manifestar odio ni indignación contra ellos. Su éxito fué tan feliz como su generoso principio, por haber cobrado sin violencia todo su *repartimiento*, a excepción de una cantidad de poco más de dos mil pesos que le quedó restando un dependiente y familiar suyo a quien dió las treguas que pidió para pagar sin perjuicio. Algunos ejemplos de esta naturaleza pudiera traer, aunque pocos. *Quia apparent rari nantes in gurgite vasto.*

Si todos los hombres nos arregláramos y procediéramos exactamente conforme a las leyes, recaerían los errores sobre ellas y se verían precisados los legisladores a reformarlas o a mantener un desorden perjudicial al Estado, que parece cosa imposible, principalmente en los dominios de España, donde se procede con circunspección y seriedad. Los españoles, así europeos como americanos, son los más dóciles y sumisos a la ley que el resto de los europeos y americanos de sus insulares. Estos mantienen por dilatado tiempo sus rebeliones. Los nuestros obedecen sumisamente, representan los inconvenientes con humildad y respeto; y aunque una u otra vez se haya suscitado alguna llamarada, es como el incendio de los *petates*, que alumbra mucho y dura poco. Así como los *messieurs* se jactan del honor de su idioma, por ser el que más se extendió en este siglo en toda la Europa y se escribieron en él tantas obras excelentes, deben tolerar la crítica y agravio que hacen a los españoles los viajeros que en su idioma pretenden denigrar a unos vecinos tan inmediatos como los españoles, que no hacen memoria de ellos sino para elogio y que reciben en sus países sin repugnancia, y muchas veces con una condescendencia más que común; pero estos *messieurs*, o sean *milords* o ilustrísimos

a la francesa, inglesa o italiana, sólo piensan en abatir a los españoles, publicando primero en sus brochuras, que pasan después a sus historias generales, ignorancias y defectos que casi hacen creer a los españoles poco advertidos, y dar motivo a los sabios a un concepto injusto por falta de práctica de los ingenios americanos, que generalmente están reducidos a sus libros y particulares meditaciones.

Las provincias en que se hace el *repartimiento* para cobrar en los efectos que producen a los que se trabajan en ellas, como bayetas, pañetes, costales y otras infinitas menudencias que tienen un valor fantástico, desde la primitiva y en que los indios no dispensan, parece a primera vista y a los que miran las cosas superficialmente, que los corregidores son unos tiranos porque reparten sus efectos por un precio exorbitante, sin hacerse cargo de la especie que reciben en pago, y a lo que se reduce vendida en plata, después de muchos riesgos que corren. Todos los españoles convienen que los peores corregimientos son aquéllos que cobran en especies, aunque reporten a un precio subido; pero los señores extranjeros, de cualquier apariencia les forman una causa criminal. Tengo presente haber leído en ciertas memorias que los españoles en Chiloé vendieron una vara de bayeta de la tierra, que vale en Lima dos reales. por dos pesos, y atendiendo a la distancia solamente se podía vender en París por cincuenta libras tornesas, que darían de valor a otros tantos alfileres y en que los españoles reportarían grandes utilidades, en particular en el tiempo presente, que vale cada millar dos reales.

Segunda acusación que se hace a los españoles para probar su tiranía

Dicen que dicen y que repetidas veces oyeron decir, que los españoles se servían de los indios tratándolos como a esclavos, y aún peor, porque o no les pagan o es tan corto el estipendio que apenas se pueden sustentar con él. Lima es el lugar más caro de todo el Perú, y gana un peón de albañil, sea negro o indio, cinco reales todos los días, pudiendo comer abundantemente con dos reales, y le quedan tres libres; pero si el indio o negro quiere beber ocho reales de aguardiente y comer en la fonda, desde luego que no le alcanzará el jornal de seis días para beber y comer dos.

Es cierto que viendo los primeros españoles que los indios se contentaban y sustentaban con tantos granos de maíz como una gallina de las nuestras, y que apenas trabajaban ocho indios como dos españoles, regularon el salario de aquéllos a un ínfimo precio. Para decir todo lo que se nos ofrece sobre este asunto, sería preciso frmar un grueso volumen. En todo el reino están esparcidos extranjeros, y no hemos experimentado en ellos más equidad, y aún nos gradúan a nosotros de demasiado indulgentes.

La tercera acusación y la más horrorosa que se puede decir y pensar es la de los obrajes

Confieso que no he leído en libro alguno las tiranías que los dueños de ellos hacen a los miserables indios. Los españoles, sin práctica alguna, y aún muchos señores ministros, informados de aquellos falsos piadosos, han concebido tanto horror, que por sólo oír este nombre, que les parece más oscuro y tenebroso que la cueva de *Trofonio*, o que a lo menos tienen una semejanza a las minas de azogue que hay en España, por lo que dijo el gran Quevedo en nombre de un forzado. la siguiente copla:

Zampuzado en un banasto
me tiene Su Majestad,
en un callejón Noruega
aprendiendo a gavilán.

Los forzados de los obrajes, o que entran por fuerza en ellos, no necesitan aprender a gavilanes, porque por lo general son conducidos a ellos por diestrísimos, creyendo yo que sucede lo propio con los que van a trabajar a las minas de Guadalcanal. Nuestros obrajes están regularmente fundados en los países mejores de la circunferencia del Cuzco y provincias inmediatas, de agradable temperamento. Son unas casas de mucha extensión y des-

ahogo. Sus patios y traspatios son como unas plazuelas rodeadas de corredores, para que el sol ni la lluvia aflijan a los que trabajan fuera de las oficinas. Estas son muy proporcionadas, y entre telar y telar hay una competente distancia para poner un fogoncillo para asar o cocer la carne, que se les da de ración, y respectivamente son cómodas todas las demás oficinas de hilanderas, cardadores, tintoreros, etc.

Todos los que trabajan en estas casas tienen igual ración de comida, cuyo precio está reglado equitativamente. Quisiera preguntar a los señores europeos, asiáticos y africanos qué alimento dan a sus forzados, que trabajarán triplicadamente que éstos. Dirán, y si lo negasen dígolo yo, que aquéllos tienen una ración de bizcocho de cebada o centeno, y por mucha fortuna de pan, que llaman en España de munición, que es de un trigo mal molido mezclado con las aristas, y muchas veces con paja, de cuya masa se podía hacer una fuerte muralla mejor que la del tapín. Rara vez prueban la carne, y por menestras de gran regalo les dan una conca u hortera de habas sancochadas, sin más condimento ni salsa que la de la hambre. Su lecho, que es un tablón muy fuerte, con una cadena atravesada para sujetarles los pies, más parece potro que lugar de descanso para aliviar las fatigas del día. Nadie ha graduado esta especie de castigo por cruel y tiránico dentro de su país y con los naturales de él, por considerarse necesario para contener a los delincuentes. Tratemos de los forzados de nuestros obrajes dividiéndolos en dos clases. La una es de delincuentes de varios delitos, siendo el principal el de ladrones, y otros, que se ponen en ellos para que paguen deudas legítimas y contestadas, por no tener otro arbitrio que el del sudor de su trabajo en casa de sujeción.

A los primeros se ponen en los obrajes para la mayor seguridad, porque las cárceles de los pueblos de indios son comúnmente unos galpones o cuartos lóbregos y húmedos, de poca seguridad, y de que se huyen diariamente los que quieren, a que contribuyen mucho los indios por eximirse del trabajo de velarlos y mantenerlos, si son forasteros o no tienen parientes que les den lo necesario para su subsistencia. La seguridad de los obrajes, su extensión y sanidad, a que se agrega también la subsistencia por medio de su trabajo, suscitó a los corregidores el medio de asegurarlos en estas casas, poniéndoles su grillete, para que no se huyan, a proporción de su delito; pero el mayor se reduce a dos argollas que ciñen las piernas sobre el tobillo con una cadenilla atravesada, tan ligera y débil que cualquier muchacho puede romper sus eslabones con dos o tres golpes de una piedra del peso de una libra, por lo que esta prisión no le sirve de estorbo para huirse ni de embarazo para sus funciones. Si se aplica a algún trabajo, no teniendo de qué subsistir, se le da su ración regular de comida. Esta se reduce, por lo general, a cecina, algunas menestras, ají, maíz, con leña suficiente, agua y sal, de que estas casas están bien provistas. Si el delincuente es aplicado al trabajo y cumple su tarea, se considera ya como un trabajador voluntario, y se le paga como a tal y se le alivian las prisiones.

Los prisioneros por deudas entran luego al trabajo, porque el fin es de que las pague con él. Hay muchas faenas en los obrajes que no necesitan pericia, y son las de trabajo más rudo, pero si son los deudores inteligentes, los aplica el administrador según la necesidad de los operarios a otras tareas menos fuertes. Esta está reglada con equidad, y la mejor prueba es que muchos voluntarios sacan una y media cada semana; otros, una y cuarto, y los más lentos y desidiosos la cumplen llenando su obligación, y en que no se les culpa ni reprende; pero a los deudores que por flojos o soberbios se resisten al trabajo o lo hacen mal, les procuran alentar con la cáscara del novillo, desde la rabadilla hasta donde dan principio las carnes, o por hablar con más claridad, en el paraje a donde se azotan a los muchachos, cuya represión reciben los flojos y abandonados al ocio como un juguete, que sólo les sirve de molestia medio cuarto de hora en toda una semana, y ésta es toda la tiranía tan ponderada de los obrajes y obrajeros. Puede suceder que en la Europa, y aún en Lima, no se crea lo que voy a decir en materia de alimentos de los oficiales voluntarios y de todos los que cumplen su tarea, aunque sean

forzados. A todos éstos se les da, a lo menos, dos veces cada semana, ración competente de carnero gordo y descansado. He vista en más de cuatro obrajes de las provincias inmediatas al Cuzco unos trozos, entre telar y telar colgados, que pudieran apetercerlos los señores de mejor gusto. Acaso parecerá a algunos, así de los nuestros como de los extranjeros, que todo lo que llevo dicho es una ficción poética para vindicar a los dueños de obrajes de las tiranías que se les imputan. No necesito satisfacer a los extranjeros, y menos a los españoles que habitan este continente, porque pueden con facilidad desengañarse o culparme de lisonjero y defensor acérrimo de los señores cuzqueños. Confieso que estimo mucho a éstos por su probidad y generosidad en este género de trato con sus colonos o súbditos.

En todo hay trampa menos en la leche, que le echan agua, y algunas veces se halla un bagrecillo que la manifiesta. No negamos que los obrajeros tienen sus utilidades con los operarios, haciéndoles suplementos en efectos que no valen la mitad del precio a que éstos los venden; pero todo ello no es más que un artificio y engaño recíproco, y de que no se puede hacer juicio, y si se hace alguno prudente es a favor de los operarios y sirvientes, porque no hay ejemplar que éstos paguen estas deudas o préstamos, pues siempre el obrajero está obligado a darles sus raciones competentes de comida, vestirlos de las telas que trabajan, curarles sus enfermedades, y todos los derechos eclesiásticos, hasta enterrarlos; conque, aunque se gane con esta gente perdida, que solamente este nombre merece, es una utilidad que se queda en los libros, y por consiguiente un caudal fantástico.

Si se dijere que los dueños de obrajes son unas insensatos, manteniendo un comercio tan gravoso, satisfago diciendo que en este reino de diez hombres de esta naturaleza, apenas se cuentan dos que trabajen voluntariamente, y así los propietarios de estas fábricas, y aún los arrendatarios, sacrifican de siete a ocho mil pesos por tener el número de operarios suficiente para mantener el obraje en estado de reportar alguna utilidad. Esta apenas llega a veinte por ciento al año, en caso de que la ropa buena se pudiera vender a plata en contado a tres reales vara, que es imposible, según el estado actual del reino. Para asegurar los obrajeros la subsistencia de sus fábricas con alguna utilidad, hacen sus tratos con los comerciantes en efectos de la Europa, a pagar en la tierra a precios de provincia, que es a tres reales y medio vara. El trato regular es recibir el fabricante la mitad en efectos que comúnmente llaman de Castilla a todos los de la Europa, y la otra mitad en plata sellada. Los efectos que dan los comerciantes son generalmente aquellos que no pueden vender, por sus colores o porque no están en uso algunas piezas de tejidos, o porque ofrecen una pérdida considerable, y suponiendo, o por mejor decir, asegurando que el mercader en estos efectos gana cuarenta por ciento y que el fabricante da estos efectos al mismo precio a los operarios que piden suplementos, o para su consumo o para reducirlos a plata para mantener sus desórdenes, siempre el obrajero gana un veinte por ciento y si en su fábrica se entregan anualmente ochenta mil varas de bayetas y pañetes, con regulación a los mayores obrajes, gana cinco mil pesos, en el supuesto de que cada vara de ropa no le tiene de costo más que dos reales y medio, según el cómputo de los hombres más inteligentes.

Al presente están los obrajes del Cuzco muy atrasados, porque el comercio con la Europa es más continuo y las bayetas de Inglaterra se dan a un precio ínfimo como los demás efectos de lanas y lienzos, que con la abundancia envilecen los del país, a que se agrega que en los contornos de La Paz se aumentaron los chorrillos, que proveen mucho las provincias interiores, y todo contribuye a la decadencia de una ciudad que se pudiera contar por la mayor del reino sin disputa alguna, por su situación, terreno y producciones, y rodeada de las provincias más fértiles y más abundantes de frutos y colonos útiles, que son los indios que trabajan en el cultivo de las tierras y obras mecánicas y que atraen el oro y la plata de las provincias más distantes.

XVIII

Opinión del visitador Carrió sobre los repartimientos.—El corregidor y el indio. — La indolencia del indio — Opinión del autor.—El nombre de Concolorcorvo.—Virtudes, calidades y costumbres del indio.—El idioma castellano y el quichua

Ya ha visto usted, señor inca, y lo puede ver cuando quisiere, las dos tiranías mayores que hacen los españoles actuales con los indios, que son los que principalmente llaman la atención de los hombres piadosos. Algunos piensan que no faltarían comerciantes y tratantes en mulas que hicieran los *repartimientos* a precios equitativos, según su concepto; por ejemplo, las mulas que venden los corregidores a treinta pesos cada una, las repartirían los tucumanos a veinte, y así los demás efectos. Convengo en que algunos hombres sencillos caerían en la tentación de ganar cinco mil pesos más en mil mulas, pero renegarían de la negociación, aun cuando cobrasen en el término de cinco años, porque además de perder a lo menos otro viaje, gastarían el doble en su manutención y paga de sueldos a mozos o caciques, porque el reparto de mil mulas no se podía hacer menos que en tres o cuatro doctrinas de las regulares. Hay otros muchísimos inconvenientes que fuera prolijo explicar y que sólo pueden vencer los corregidores diligentes con bastante dificultad.

Finalmente, señor inca, me atrevo a asegurarle que los *repartimientos* con arreglo a arancel son los que mantienen a los indios en sus tierras y hogares. También me atrevo a afirmar que si absolutamente se prohibiera fiar a los indios el vestido, la mula y el hierro para los instrumentos de la labranza, se arruinarían dentro de diez años y se dejarían comer de los piojos, por su genio desidioso e inclinado solamente a la embriaguez. Estoy cansado de oír a algunos sujetos ponderar una provincia y llamarla descansada porque ha pagado el *repartimiento* a los tres años. Esto ha sucedido muchas veces con los indios serranos; pero quisiera preguntar yo: ¿Qué es lo que adelantan estos pueblos en los dos años siguientes? Pensarán acaso que los indios ahorran algún dinero o aumentan algunas yuntas de bueyes o herramientas. Si así lo piensan, están muy engañados, porque en lugar de lograr este beneficio, que resultó de haber doblado el trabajo en los tres años antecedentes, por la actividad del corregidor y sus cobradores, no tienen otro objeto que el de la embriaguez, y para mantenerla venden la mula o vaca, y muchas veces los instrumentos de la labor del campo, contentándose solamente con sembrar un poco de maíz y algunas papas, que les sirven de comida y bebida, y asegurar el tributo para que los caciques y gobernadores no los molesten ni pongan en los obrajes, que aborrecen únicamente por el encierro.

«Al contrario sucede, señor inca, cuando los indios deben al corregidor. Entonces parece cada pueblo un enjambre de abejas, y hasta las mujeres y muchachos pasan a las iglesias hilando la lana y algodón, para que sus maridos tejan telas. Todos están en movimiento, y así se percibe la abundancia. El labrador grueso encuentra operarios y el obrajero el cardón y la chamiza a moderado precio, y así de todo lo demás. Los indios son de la calidad de los mulos, a quienes aniquilan el sumo trabajo y entorpece y casi imposibilita el demasiado descanso. Para que el indio se conserve con algunos bienes, es preciso tenerle en un continuo movimiento proporcionado a sus fuerzas, por lo que yo preferiría servir una provincia en que los indios pagasen el último peso a mi antecesor el día de mi ingreso a ella, que hallarlos descansados, como dicen vulgarmente, el espacio de uno o dos años, en que los consideraría debilitados de fuerzas, acostumbrados al ocio y a los vicios que se siguen de él.

Ya el visitador iba a concluir un asunto en que conocí hablaba con repugnancia y fastidio; pero habiéndole suplicado con mucha instancia me diese solución a varios cargos que se hacen a sí mismo recíprocamente los españoles de que tiranizan a los indios quitándoles sus bienes y sirviéndose de ellos con más rigor que si fueran esclavos. «Vamos claro, señor inca, ¿cuántas preguntas de éstas me ha de hacer usted?» «Más de doscientas», le dije. «Pues váyase usted a la cárcel, a donde hay bastantes ociosos de todas castas de pájaros, que allí oirá usted mucha variedad de dictámenes, y adopte usted los que le pareciere.» «No hay tal ociosidad en la cárcel, le repliqué, porque les falta tiempo para rascarse y matarse piojos.» «Falta usted a la verdad, me dijo, porque los más comen los piojos, si son indios o mestizos. Los españoles, cansados de matar estos fastidiosos animales los encierran en un canuto estrecho, y al pasar cerca de las rejas alguno o alguna que no les da limosna, le arrojan con un solo soplo doscientos piojos por las espaldas, que en menos de un minutos se reparten por la garganta a todo el cuerpo, haciendo un estrago intolerable, porque salen hambrientos de pasto estéril a abundante. Pero, para abreviar, quisiera saber el dictamen de usted ingenuamente sobre estas tiranías y extorsiones. Hable usted como español, y no olvide el esceptismo general de los indios.»

«Poco a poco, señor don Alonso; explíqueme usted qué significa esceptismo.» «Esta voz, me dijo, significa duda universal de todas las cosas. Los indios todo lo dudan. Me explicaré con dos ejemplos muy distintos, que el primero prueba la poca fe que tienen y el segundo su poco talento o sobra de malicia. Se pregunta a un indio instruído en la fe: si Jesucristo está real, verdaderamente, en la hostia consagrada, responde: Así será. Si le preguntan si le han robado mil carneros, aunque jamás no haya tenido alguno, responde: Así será. Conciérteme usted estas medidas, señor Concolorcorvo, y responda a la primera pregunta que le hice.» «Confieso, señor, le dije, que los indios en general no tienen cosa apetecible de los españoles, porque todos sus bienes se reducen, hablando del más acomodado, a una yunta de bueyes, un arado, un corto rancho en que encierran su escasa cosecha de maíz y papas y todos sus muebles, que no valen cuatro pesos, manteniendo algunos la mula que les reparte el corregidor para alivio de sus trajines. Los indios ordinarios y desidiosos, que componen la principal parte de las provincias, no tienen la cuarta parte de estos escasos bienes, que proceden de la aplicación y trabajo. Su casa se reduce a una choza cubierta de paja, que llaman ycho, cubierta con una puerta que con dificultad se entra por ella en cuclillas, y a correspondencia sus muebles, que si se arrojaran a la calle, sólo los levantaría otro indio criado en mayores miserias, por lo que discurro que los españoles de este siglo, y de todos los siglos, dijo el visitador, no tuvieron, ni creo que tendrán que robar a los indios, y no pensando éstos, por lo general, más que en su ocio y borracheras, a que siguen otras brutalidades, afirmo que mis paisanos no son robados, sino robadores de los españoles.»

«Está muy buena la crítica», dijo el visitador, pero me advirtió que en tiempos de los monarcas y caciques estaban en peor condición los indios, porque aquellos príncipes y señores los tenían reducidos a una servidumbre de mucha fatiga, porque labraban la tierra para su escaso alimento a fuerza de sus brazos y no conocían otras carnes que las de llamas, vicuñas y alpacas, de cuya lana tejían su vestido. Los españoles sólo quitaron a estos miserables, o a lo menos disminuyeron sus abominaciones e introdujeron el útil uso del vacuno, caballar y mular, de las ovejas, herramientas para la labor de los campos y minas, con redes y anzuelos para aprovecharse de la producción y regalo de los ríos y playas de mar, con otra infinidad de artificios e instrumentos para trabajar con menos molestia.

«¿Con qué nación, le dije, compara usted a los indios, así por la configuración de su rostro, color y costumbres?» «Consigo mismo, respondió el visitador. Casi toda la Nueva España anduve y todo este reino del Perú, y no hallé otra diferencia que la que se encuentra entre los huevos de las gallinas. El que vió un indio se puede hacer juicio de que los vió todos, y sólo reparé en las pinturas de sus antepasados los incas, y aún en usted y otros que dicen descender de casa real, más deformidad y que sus rostros se acercan a los de los moros en narices y boca, aunque aquéllos tienen el color ceniciento y ustedes de ala de cuervo.» «Por eso mismo, acaso, se me puso el renombre de Concolorcorvo.» «Sí, señor», me dijo. «Pues juro por la batalla de Almansa y por la paz de Nimega, que he de perpetuar en mi casa este apellido, como lo hicieron mis antepasados con el de Carlos, que no es tan sonoro y significativo: ¡*Concolorcor-*

vo!, es un término retumbante y capaz de atronar un ejército numeroso y de competir con el de Manco-Cápac, que siempre me chocó tanto, como el de Miramamolín de Marruecos.»

«Hágame usted el gusto, señor don Alonso, de decirme alguna cosa sobre las virtudes, calidades y circunstancias de los indios.» «Esto mejor lo puede usted saber, señor inca, retratando su interior e inclinaciones; pero no porque se ponga usted pálido, ya que no puede rubicundo. *Digo que los indios son muy sospechosos en la fe y esperanza, y totalmente sin caridad,* ni aún con sus padres, mujeres e hijos. Las hembras son vengativas en sumo grado y hasta pasar a la inhumanidad; pero también las hemos visto presentar el pecho a los hombres armados para defender a sus bienhechores, y con mucha preferencia a sus compadres. En las iglesias y procesiones públicas manifiestan mucha compasión con sus lágrimas y sollozos, de modo que en estos actos exteriores se diferencian de los hombres tanto como lo sensible de lo insensible, aunque unos y otros observan en el templo mucho silencio, seriedad y circunspección, haciendo dos filas diferentes, de hombres y mujeres, con una calle competente en el medio para que entren los que quisieren y se acomoden a su arbitrio, con diferencia de sexos, y sólo a los párvulos y chiquitos permiten introducirse entre las mujeres. Todos asisten puntualmente los días festivos a la misa, que se celebra comúnmente a las once del día, dando principio el repique de las campanas a las ocho, para que se prevengan los que están distantes, que a las diez precisamente han de estar los hombres en el cementerio, con división de *ayllos,* y las mujeres dentro de la iglesia, y para unos y otros están destinados dos doctrineros indios, que les repiten toda la doctrina precisa, y al tiempo de entrar en la iglesia se van llamando a todos por su lista, y al que no concurrió sin motivo grave se le aplica una competente penitencia. A las mujeres, de la cintura para arriba, a los hombres para abajo, por manos de cualquier indio, que aunque encuentre a la madre que lo parió, a su mujer o hijos, provee en justicia, sin caridad ni diferencia. Voy a concluir este puntito para probar la exactitud de los indios. Mandó un corregidor a estos ministriles que pegasen cien azotes a un esclavo suyo, negro. Lo amarraron fuertemente en la picota, y después de haberle arrimado más de ochenta azotes se suscitó la duda sobre si le habían arrimado ochenta y cinco u ochenta y seis. El negro afirmaba con juramento que había contado ochenta y seis. Los indios fueron de parecer que sólo habían arrimado ochenta y cinco, y para descargo de sus conciencias volvieron a contar de nuevo. El negro decía de nulidad y rogaba a los indios que le pasasen en cuenta los ochenta y cinco en que estaban convencidos, pero éstos no entendieron sus lamentos y le arrimaron los cien, sobre los ochenta y cinco, que es una prueba de la gran caridad que tienen con el prójimo.

«Los niños de ambos sexos pasan al amanecer al patio de la casa del cura o ayudantes unos intérpretes, que solamente se con toda formalidad todos los días, y las repiten los más adultos con puntualidad. No creo que haya nación en el mundo en donde se enseñe la doctrina cristiana y actos exteriores de religión, con más tesón que en las Américas españolas, por lo que toca a las poblaciones unidas, porque verdaderamente en las *estancias*, así de ganado mayor como menor, es preciso que los pastores vivan en la soledad a dilatadas distancias, como asimismo algunos pobres labradores, que aprovechan algunos trozos de tierra menos estéril en laderas y quebradas, los que carecen de este pasto espiritual, y muchas veces mueren como bestias, sin culpa de los pastores, porque no les dan aviso con tiempo sus padres o compañeros, por falta de conocimiento o desidia. Este mal es casi irremediable en la sierra, por la calidad y posición de los territorios. Esta pobre gente que se ve precisada a vivir en las soledades, sin más trato que el de las bestias, es por precisa necesidad más grosera, porque además de no tener comercio con los que hablan el idioma castellano, apenas entienden los signos y procuran ocultarse de cualquier español o mestizo que no les hable en su idioma, y los consideran, como nosotros a ellos, por bárbaros. Así se explicó Ovidio desde el destierro del Ponto, confesando que era bárbaro en aquella tierra porque nadie le entendía. «*Barbarus hic ego sum quia non intelligor ulli.*»

«Parece, señor don Alonso, que usted, en el antecedente punto, hizo elogio a los señores curas.» «Es cierto, señor inca, que la mayor parte cumple con su obligación en este asunto; pero para que crea usted que no los lisonjeo ni los gradúo de hombres muy cabales en todas sus partes, voy a hacerles su causa con todo el respeto debido a su alta dignidad en un punto bastantemente delicado en lo moral y político. Es constante que los indios mantienen algunas idolatrías de la tradición y que ésta se mantiene por medio de su idioma en cuentos y cantares, como ha sucedido en todo el mundo. Los curas beneméritos se hacen regularmente de unos hombres sabios en la escritura sagrada, pero como por lo general ignoran el idioma de los indios, solicitan para sus ayudante, en donde se les repasa la doctrina ordenaron a título de leguaraces, como se dice vulgarmente, sin más principio que una tosca latinidad y algunas definiciones de escasos casos de moral y lo que la razón natural les dicta. Los curas explican mal el evangelio a los indios porque no entienden bien su idioma, y los ayudantes porque no entienden el evangelio, ni aún a la letra del latín.» «Yo he observado esto, dije al visitador, en un pueblo en donde todos los indios decían en el padre nuestro: *Hágase, Señor, tu voluntad, así en el cielo como en la tierra.* Don Miguel Sierralta y su esposa, que son los mejores lenguaraces que hay en la villa de Huancavélica, me aseguraron haber oído en un solo sermón que cierto cura predicó a los indios de su pueblo, más de veinte herejías y errores crasos. Otros muchos me dijeron lo propio.»

«El perjuicio que se sigue en lo político, es de mucha consideración, porque por medio de los cantares y cuentos conservan muchas idolatrías y fantásticas grandezas de sus antepasados, de que resulta aborrecer a los españoles, mirándolos como a unos tiranos y única causa de sus miserias, por lo que no hacen escrúpulo de robarles cuanto puedan, y en un tumulto, en que regularmente se juntan cincuenta contra uno, hacen algunos estragos lamentables en los españoles, a que suele concurrir la imprudencia de algunos necios ayudantes de los curas y de los cajeros de los corregidores. Por estas razones y otras muchas que omito, dijo el visitador, se debía poner el mayor empeño para que olvidasen enteramente su idioma natural. Esta hazaña solamente los señores curas la pueden ejecutar con gran facilidad, solamente con mandar se enseñase la doctrina a los jóvenes de ambos sexos en castellano, que la aprenderían sin repugnancia, por serles indiferente el idioma. Con esta diligencia, sin trabajo alguno, se hallarían todos los muchachos a los diez años hablando el castellano, a que se podía agregar hablarles siempre en él, y que respondiesen, celebrando sus solecismos, como lo hacemos con la jerguilla de nuestros hijos y de otros. Los indios, a excepción de muy pocos, que viven en despoblados, entienden la lengua castellana y la hablan. En el tiempo que fuí corregidor observé que cuando el intérprete me declaraba su dicho si estaba conforme, me decía: «*Ao, Señor*», que es lo mismo que decir sí, señor; y cuando bajaban mucho la cabeza, era señal de que quedaban muy satisfechos; pero cuando por malicia o ignorancia del intérprete me decían alguna cosa contraria a su dictamen, sin esperar a que concluyese el intérprete, decían *Manan*, y al mismo tiempo lo afirmaban moviendo su cabeza a la derecha y a la izquierda, como lo hacemos nosotros.

«No se piense que estas demostraciones eran de algunos indios medio instruídos. Protesto que en el más bárbaro las observé en diferentes provincias y pueblos, que es una prueba clara de que casi todos entienden el idioma castellano. Todos los alcaldes, gobernadores, caciques, mandones y demás ministriles que en una provincia -de veinticinco pueblos no bajan de doscientos individuos empleados, y de más de mil que han sido alcaldes y regidores, todos se explican competentemente en nuestro idioma, pero lo más agraciado es que cuando el vulgo se emborracha, que es un día sí y otro también, hablan el castellano en sus juntas y conciliábulos, que es una maravilla comparable a la que sucedía en el tiempo de la gentilidad a los que entraban en la cueva de Trofonio, que con los vapores sagrados salían profetas o adivinos, y puede ser suceda lo mismo,

y sin puede ser, porque verdaderamente acontece que los vapores de Baco causen el efecto de infundir el don de lenguas.

«Nadie puede dudar que los indios son mucho más hábiles que los negros para todas las obras de espíritu. Casi todos los años entran en el reino más de quinientos negros bozales, de idioma áspero y rudo, y a excepción de uno u otro bárbaro, o, por mejor decir, fatuo, todos no entienden y se dan a entender lo suficiente en el espacio de un año y sus hijos, con sólo el trato de sus amos, hablan el castellano como nuestros vulgares. Los negros no tienen intérpretes, ni hubo jamás necesidad de ellos. Los españoles los necesitaron en los principios de la conquista, para tratar con los indios e informarse de sus intenciones y designios Después no tuvieron lugar con las guerras civiles a enseñar a sus hijos el castellano, y como éstos estaban al cuidado de las madres o amas indias, salieron mesticillos hablando el idioma de ellas, y se fué extendiendo en toda la sierra con suceso, pues aunque se establecieron escuelas de la lengua castellana y latina, siempre les quedó un resabio del fuste, como a usted, a quien no pude sacar de los cascos el que deje de pronunciar y escribir *llovia* y *lluver* con otros infinitos.» «No es mucho esto, señor don Alonso, porque yo soy indio neto.» «Dejemos lo neto para que lo declare la madre que lo parió, que esto no es del caso, porque usted tuvo la misma crianza fuera de casa que el resto de los españoles comunes serranos, y siempre sirvió a Europa y no lee otros libros que los que están escritos en castellano, y aunque ve con sus ojos escrito *lluvia* y *llover*, siempre lo dice al contrario, sin darnos un convencimiento gobernado por la razón natural, porque si siguiera usted ésta, dijera de *llover*, *llovía*, y de *lluvia*, *lluver*.»

«En Chuquisaca, Potosí y Oruro, hasta las mujeres hablan el castellano muy bien en las conversaciones públicas y estrados de concurrencia. En La Paz hablan competentemente el castellano con los hombres en las conversaciones privadas, pero en sus estrados no se oye más que la lengua aymará, parecida mucho a la de los moros, en que trabaja mucho la garganta. En su pulida ciudad del Cuzco se habla la lengua quichua, que es la más suave de todas las del reino; pero las principales señores que hablan muy bien el castellano, manifiestan la pasión que tienen al primer idioma, que aprendieron de sus madres, nutrices y criadas, porque en los estrados, aunque concurran bárbaros, según la opinión de los romanos, hablan la lengua quichua entre sí, con tanta velocidad que apenas la perciben los más finos criollos. Las españolas comunes, no solamente en nacimiento y crianza, son las más disculpables en esta falta de atención o etiqueta. porque sabiendo mal el castellano les causa pudor explicarse en él, por no exponerse a la risa de los fisgones, de que abunda tanto el mundo. Cierta dama española, linda y bien vestida, estaba al balcón de su casa con una rosa en la mano, y pasando a su vista un decidor de buenas palabras, quiso lisonjearla con el adagio español siguiente: *Bien sabe la rosa en qué mano posa*; a que respondió con mucha satisfacción: *Qui rosa, quino rosa, qui no te costó to plata*. En las demás provincias, desde las vertientes del Cuzco hasta Lima, caminando por los Angaraes, Jaujinos y Huarochiríes, está la lengua general algo corrompida, pero se entienden muy bien unos y otros.

XIX

La doctrina de los indios —Errores de la enseñanza en quichua.—Vicios del indio.—Su valor e industria.—La conquista del Chaco.—Manera de gobernarle

«La primera causa que se hace a los señores curas es la de no poner todo su empeño en introducir en sus doctrinas la lengua castellana, por los medios fáciles que propuse. Sólo estos señores ministros de la doctrina pueden conseguir este triunfo, porque los corregidores, que van por cinco años a gobernar treinta pueblos, y muchas veces por dos años, no tienen tiempo ni proporciones para establecer un medio tan útil a la religión y al Estado. Los ayudantes de los señores curas, que por lo general se ordenaron a título de lengua, y que tratan más con los indios, no quieren que éstos hablen otro idioma, y algunos que quieren explicarse en castellano

los reprenden, tratándolos de bachilleres y letrados, como me confesó el actual y dignísimo obispo de La Paz. Este medio atrasa el mucho progreso del idioma castellano. Los regulares de la Compañía, que fueron en este reino por más de ciento cincuenta años los principales maestros, procuraron, por una política perjudicial al Estado, que los indios no comunicasen con los españoles, y que no supiesen otro idioma que el natural, que ellos entendían muy bien. No pretendo glosar sus máximas ni combatirlas, porque hallándose ya expatriados, sólo debo hablar de los puntos generales, que siguen sus discípulos y sucesores. Asentaban aquellos buenos padres que los indios, con el trato de los españoles y de aprender su idioma, se contagiaban y se ejercitaban en vicios enormes, que jamás habían llegado a su imaginación. No se puede dudar que estos ministros del Evangelio hablaban de mala fe sobre este artículo, porque en todas las historias que se escribieron al principio de la conquista se especifican muchas abominaciones en que no pensaron los españoles, como tengo dicho antes, por lo que a éstos sólo se les puede imputar de que les declarasen en su idioma la enormidad del pecado, y un aborrecimiento a él como la de comer carne humana, sacrificar a sus dioses a los prisioneros de guerra, adorar a unos monstruos o troncos de una figura horrenda, y muchas veces a sabandijas ponzoñosas.

«La pluridad de mujeres y los incestos permitidos en su ley, no estaban en uso entre los españoles, ni el pecado bestial y nefando que hallaron muy introducido entre los indios, como se ve actualmente entre los que no están conquistados. El sexto, séptimo y octavo mandamiento de la ley de Dios, era, y es tan común su infracción, como entre los españoles y demás naciones del mundo, de que se infiere que éstas no introdujeron pecado alguno en el reino, de que no estuviese dobladamente surtido. Si se habla de las execraciones o maldiciones, los indios sabían decir *Supaypaguagua*, que quiere decir hijo del diablo, y tanto lo entendía Dios, y le ofendían en un idioma como en otro, si no se quiere decir que Dios solamente entiende castellano y sólo castiga a los que le ofenden de palabras en él. La embriaguez se encontró entre los indios más difundida que en otra parte del mundo, y solamente los españoles parecen culpados en haberla introducido por un medio más violento que el uso del aguardiente y vino. Los señores curas harán un gran servicio a Dios, al Rey y a los indios en desterrar de sus doctrinas la lengua índica, sustituyendo la castellana, encargando esta diligencia a sus ayudantes y mandándolo a sus ministriles. Los corregidores, sus tenientes y cajeros, y todos cuantos transitaren por sus doctrinas, recibirán un notable beneficio, porque los indios, a título de que no entienden el castellano, se hacen desentendidos en muchas cosas, de que se originan pendencias, disgustos lastimosos; y basta de indios.»

«No, por amor de Dios, le dije. No se despida usted sin explicarme algo de lo que siente en cuanto a su valor e industria.» «En cuanto a lo primero, digo que son de la calidad de los galgos, que en tropa son capaces de acometer a un león, y que uno a uno apenas rinden una liebre, con la circunstancia de que lo mismo es sacar a uno una gota de sangre, que ya se reputa muerto, y en el mayor tumulto, como no sea acompañado de la embriaguez, lo mismo es ver a uno de los suyos muerto, que huyen los demás, aunque sean cincuenta para cada uno de los nuestros.» «Por eso, le repliqué yo, conquistaron los españoles, en número tan limitado, más de siete millones de indios.» «Poco entiende usted, señor inca, me dijo el visitador. Una conquista de un reino civilizado, y que tienen que perder sus habitantes, que no espera socorro de otras potencias, se conquista con ganar dos o tres batallas campales, mayormente si perecen los jefes o se hacen prisioneros. Los españoles, con la derrota del ejército de Otumba, no consiguieron otra cosa que adquirir el nombre de valientes, pero dieron a entender a los indios que eran mortales y vulnerables, como sus caballos, pero con la toma de México, ayudados de los nobles tlascaltecas, sujetaron aquel grande imperio, de más de cuarenta millones de almas, porque cada príncipe, general o cacique, prestó luego su obediencia, de temor de ser combatido y arruinado. Si Darío hubiera opuesto a Alejandro el Grande cincuenta mil hombres, con uno

o dos buenos generales, aunque fueran vencidos, pudieran en la retirada recoger los oficiales a lo menos veinte mil hombres, y Alejandro, aunque no hubiera perdido más que cuatro o cinco mil, hubiera ocupado un trozo de su ejército en la guardia de prisioneros y equipajes. Darío podría acometerle segunda, tercera, cuarta y quinta vez con igual ejército, que precisamente se habían de cansar las valerosas tropas de Alejandro y disminuírlas en los choques y precisas guarniciones de las plazas que iba ganando.

«Darío acometió a Alejandro como triunfante y no como guerrero. Le pareció que Alejandro se había de asustar de su poderoso ejército unido y de la magnitud y bramido de sus elefantes. Con esta confianza presentó la batalla, y en un día perdió con la vida un gran imperio, abandonando al vencedor sus tesoros, con su mujer e hijas. Los chilenos supieron manejarse mejor con los españoles, porque observando que habían sido siempre vencidos con cuatriplicado número de combatientes, y aún muchas veces con cien hombres contra uno, mudaron su plan y modo de combatir. Consideraron que los españoles eran más diestros y valerosos que ellos, y que peleaban con mejores armas, pero conocieron que eran mortales y sujetos a la miseria humana, y así dispusieron presentarles repetidas veces batallas, hasta cansarlos, vencerlos y retirarlos a sus trincheras, con pérdidas de algunas poblaciones. Estas reflexiones prueban que un numeroso ejército, tumultuosamente dirigido, de doscientos mil hombres, aunque sean soldados veteranos, si los oficiales generales son bisoños, puede ser derrotado y puesto en fuga por treinta mil soldados bien disciplinados, al cargo de caudillos sabios y valerosos. Pero estas materias están fuera de nuestro discurso y talento, y así diga usted, señor inca, si tiene más que hablar o preguntar tocante a sus paisanos.»

«Pregunto, pues, que ¿por qué razón, los españoles, que conquistaron y redujeron a sus costumbres y leyes a siete millones de indios, no pueden reducir y sujetar a los indios del Chaco y de las montañas?» «Esa pregunta sería más a propósito que la hiciese usted a uno de sus antepasados incas y caciques; pero ya que aquéllos han dado cuenta a Dios de sus operaciones, buenas o malas, me tomaré el trabajo de defenderlos, como asimismo de instruir a algunos españoles que piensan que con mil hombres de milicia, reglada y dirigida por buenos oficiales, se puede conquistar el Chaco, y con otros tantos la dilatada montaña. Desde luego confieso que este número de hombres, a costa de mucho gasto, se pasearán por unas y otras provincias y territorios; pero los indios bárbaros, que no tienen poblaciones formales ni sementeras, cambiarán de territorios y se burlarán de las vanas diligencias de los españoles, que no pudiendo fortalecer los sitios, los abandonarán, y los volverían a recuperar a su arbitrio y con pérdida muy considerable de nuestra parte, como usted dijo en su primera parte, juiciosamente.

«Por pueblo bárbaro tengo a aquél que no está sujeto a leyes ni a magistrados, y que finalmente vive a su arbitrio, siguiendo siempre sus pasiones. De esta naturaleza son los indios pampas y habitantes del Chaco. En la Nueva España, viendo la imposibilidad que había de reducir a los indios bárbaros que habitan en los despoblados llanos del centro de la Nueva Vizcaya, ocupando más de cien leguas al camino real para pasar al valle de San Bartolomé del Parral, se formaron cuatro presidios, con distancia de uno al otro de veinticinco leguas, con cincuenta soldados cada uno y sus oficiales correspondientes. Aquéllos precisamente casados y de edad competente para aumentarse. Esta gente escoltaba las grandes recuas hasta el presidio siguiente, cada mes, porque la que no llegaba al tercer día, en que se formaba el cordón, se esperaba en el pasaje hasta el mes siguiente, y así los arrieros tomaban sus medidas para adelantarse o detenerse en pasto fértil y seguro. Por este convoy no se exigía derecho alguno, porque los oficiales y soldados eran y lo serán bien pagados por el Rey. Los soldados de los tres primeros presidios, jamás se internaban a la derecha ni a la izquierda arriba de dos leguas, para resguardar los campos en que mantenían la caballada; pero en el valle de San Bartolomé, a donde está un pueblo grande de este nombre, muy fértil y deleitoso, se mantiene una compañía volante, que sale en pelotones a reconocer los campos, a distancias dilatadas, llevando orden de no acometer a los indios sin tener segura la victoria, porque en caso de hallar un número crecido unido, se observaba el sitio y se daba noticia a todos los presidios y milicianos, para que unidos los acometiesen y esparramasen, con pérdida de algunos.

«Rara vez hacían prisioneros, y muy pocas veces admitían en los presidios a indio alguno de estos bárbaros, porque decían los soldados que no servían más que para comerles el pan y robarles la caballada, si se hacía alguna confianza de ellos. No tenían veinte años los presidios y ya cada uno de ellos componía una gran población de mestizos y españoles de ambos sexos, con tierras cultivadas y pastos para ganados, de modo que el presidio del Pasaje se aumentó tanto que el conde de San Pedro del Álamo, que tenía unas grandes haciendas confinantes con él, pidió al gobierno que se trasplantase o extinguiese, por inútil en aquel sitio, que ya estaba libre de las incursiones de los indios, que le eran menos perjudiciales que la multitud de mestizos y españoles, que se mantenían de sus haciendas, y finalmente se obligaba con su gente a limpiar el campo y convoyar las recuas, con el ahorro a favor de la real hacienda de doce mil pesos anuales que le tenía de costo, que como S. M. había establecido y dotado aquellos presidios, bajo la condición de que al paso que se fuesen poblando aquellos países y alejando los indios, se avanzasen, consiguió el conde su pretensión, y acaso al presente no habrá presidio alguno en aquel dilatado territorio, pero sí pueblos numerosos, a proporción de la más o menos fecundidad del terreno y aguadas, de que es muy estéril la campaña de la Nueva Vizcaya. Voy a concluir este punto con un suceso público y notorio en la Nueva Vizcaya.

«Cierto capitán de la compañía volante, de cuyo nombre no me acuerdo, pero sí del apellido, Berroterán, a quien los indios bárbaros decían Perroterán, fué varias veces engañado de las promesas que le hacían éstos, atendiendo a la piadosa máxima de nuestros Reyes, que encargan repetidas veces se conceda la paz a los indios que la pidiesen, aunque sea en el medio del combate y casi derrotados. Fiados éstos en la benignidad de nuestras leyes; engañado, vuelvo a decir, repetidas veces de estos infieles, se propuso hacerles la guerra sin cuartel, y así, cuando los indios pedían paz, el buen cántabro interpretaba pan, y respondía que lo tomaría para sí y sus soldados, y cerraba con ellos con más ímpetu, hasta que llegó a aterrorizarlos y desterrarlos de todo aquel territorio, y aún aseguran que a la hora de la muerte, preguntándole el sacerdote que le ayudaba a morir bien si se arrepentía de haber muerto tantos indios, respondió que sólo sentía dejar sobre la tierra una canalla sin religión, fe ni ley, que no pensaba más que en la alevosía y el engaño y vivir a costa del trabajo de los españoles y sudor de los indios civilizados. Lo cierto es que no hay otro medio con los indios bárbaros que el de la defensiva e irlos estrechando por medio de nuestra multiplicación. En el Nuevo México, que dista de la capital ochocientas leguas, se mantienen los españoles bajo el mando de un gobernador, en corto número, entre una multitud de naciones opuestas, sin tomar más partido que el de pedir a la nación vencedora perdone las reliquias del ejército vencido, que buscó su patrocinio. Con esta máxima se hacen temidos y amados de aquellos bárbaros, menos groseros que los pampas y habitantes del Chaco.»

«De todo lo dicho infiero yo que usted tiene a los indios por gente civil.» «Si habla usted de los indios sujetos a los emperadores de México y el Perú, y a sus leyes, buenas o malas, digo que no solamente han sido y son civiles, sino que es la nación más obediente a sus superiores que hay en todo el mundo. Desde los chichas hasta los piuranos observé con notable cuidado su modo de gobernarse. Obedecen con puntualidad, desde el regidor, que hace oficio de ministril, hasta el corregidor. Viven de sus cosechas y cría de ganados, sin aspirar a ser ricos, aunque hayan tenido algunas coyunturas por medio de los descubrimientos de minas y huacas, contentándose con sacar de ellas un corto socorro para sus fiestas y bacanales. Atribuyen algunos esta nimiedad a recelo de que los españoles los despojen de aquellos tesoros, que por lo general son imaginarios o consisten, como las minas

de plata y oro, en la industria de muchos hombres y gasto inmenso. Los españoles se alegrarían mucho de que los indios fuesen ricos, para comerciar con ellos y disfrutar parte de su riqueza, pero la lástima es que en la mayor feria que tienen los indios, que es la de Cocharcas, adonde concurren de varias provincias más de dos mil indios, no se ve que compra ninguno de ellos valor de un real a español alguno, porque no se acomodan a sus mecánicas, y así ocurren a las tenderas indias, que tienen paciencia para venderles un cuartillo en una aguja de arriero, un cuartillo de pita, y así lo demás. El comercio de los españoles se hace unos con otros, incluso los mestizos y otras castas que salen de la esfera de indios, bajando o subiendo. El raro indio que se hace de algunas conveniencias es estimado de los españoles, que le ofrecen sus efectos y se los fían con generosidad, y no desdeñan tratar con ellos y ponerlos a sus mesas.

«No es capaz español alguno de engañar a un indio, y si alguno por violencia le ha quitado alguna cosa, lo persigue en justicia hasta el fin de sus días. No por esto digo, como también lo dije antes, que falten tiranías, que no se pueden reputar por tales, respecto de que son recíprocas, por el mal establecimiento de los primeros conquistadores, que se gobernaron por el uso del país.»

XX

Los negros.—Cantos, bailes y músicas.— Diferencias con las costumbres del indio. Oficios.—El mestizo.—El huamanguino.— La población indígena del Perú y México.—Causas de la disminución.—Retrato de Concolorcorvo.

«Los negros civilizados en sus reinos son infinitamente más groseros que los indios. Repare el buen inca la diferencia que hay en los bailes, canto y música de una y otra nación. Los instrumentos de los indios son las flautillas y algunos otros de cuerda, que tañen y tocan con mucha suavidad, como asimismo los tamborcillos. Su canto es suave, aunque toca siempre a fúnebre. Sus danzas son muy serias y acompasadas, y sólo tienen de ridículo para nosotros la multitud de cascabeles que se cuelgan por todo el cuerpo, hasta llegar a la planta del pie, y que suenan acompasadamente. Es cierto que los cascabeles los introdujeron los españoles en los pretales de sus caballos, para alegrar a estos generosos animales y atolondrar a los indios, que después que conocieron que aquéllos no eran espíritus maléficos, los adoptaron como tutelares de sus danzas y diversiones. Las diversiones de los negros bozales son las más bárbaras y groseras que se pueden imaginar. Su canto es un aullo. De ver sólo los instrumentos de su música se inferirá lo desagradable de su sonido. La quijada de un asno, bien descarnada, con su dentadura floja, son las cuerdas de su principal instrumento, que rascan con un hueso de carnero, asta u otro palo duro con que hacen unos altos y tiples tan fastidiosos y desagradables que provocan a tapar los oídos o a correr a los burros, que son los animales más estólidos y menos espantadizos. En lugar del agradable tamborilillo de los indios, usan los negros un tronco hueco, y a los dos extremos le ciñen un pellejo tosco. Este tambor le carga un negro, tendido sobre su cabeza, y otro va por detrás, con dos palitos en la mano, en figura de zancos, golpeando el cuero con sus puntas, sin orden y sólo con el fin de hacer ruido. Los demás instrumentos son igualmente pulidos, y sus danzas se reducen a menear la barriga y las caderas con mucha deshonestidad, a que acompañan con gestos ridículos, y que traen a la imaginación la fiesta que hacen al diablo los brujos en sus sábados, y finalmente sólo se parecen las diversiones de los negros a las de los indios, en que todas principian y finalizan en borracheras. Algo hay de esto, si hemos de hablar ingenuamente, en todas las funciones de la gente vulgar de España, y principalmente al fin de las romerías sagradas, que algunas veces rematan en palos, como los entremeses, con la diferencia que en éstos son fantásticos y en aquéllos son tan verdaderos como se ven por sus efectos, porque hay hombre que se mantiene con el garrote en la mano con un geme de cabeza abierta, arrojando más sangre que un penitente

«Los indios, como dije en otro lugar, al más leve garrotazo que se les da en la cabeza y ven colar alguna sangre, se reputan por muertos, porque temen que se les exhale el alma, que creen, mejor que Descartes, hallarse colocada en la glándula pineal; pero dejando aparte la civilización de los indios, con arreglo a sus leyes y costumbres, y ciega obediencia a sus superiores, no se les puede negar una habilidad más que ordinaria para todas las artes, y aún para las ciencias, a que se aplica un corto número, que ojalá fuera menor, porque el reino sólo necesita labradores y artesanos, porque para las letras sobran españoles criollos, a que también se debe agregar el corto número de indios de conocida nobleza. Los indios comunes se inclinan regularmente a aquellas artes en que trabaja poco el cuerpo, y así, para un herrero, por ejemplo, se encuentran veinte pintores, y para un cantero, veinte bordadores de seda, plata y oro. Esta multitud de oficiales que hay en esta ciudad para estos ejercicios, el de tejedores de pasamanería, cordoneros y demás, ataja el progreso de la perfección, porque el indio no estima más que el trabajo material, y así le parece que le es más útil sujetarse a la pintura un día por dos reales, en que comen y beben a su satisfacción, que ganar cuatro reales en el rudo trabajo de la sierra, el martillo y en todo lo que corresponde a un oficial de albañil o cantero, en que verdaderamente procedieran con juicio si estuvieran seguros de hallar en qué ejercitarse hasta los últimos instantes de su vida y no tuvieran otras obligaciones que las de mantener su cuerpo con frugalidad; pero este error no nace de su entendimiento, sino de su desidia y pusilanimidad.

«La mayor parte de estos operarios, dije al visitador, no son indios netos.» «Confieso, me respondió, que habrá algunos mesticillos contrahechos, pero me atrevo a afirmar que de ciento, los noventa son indios netos. El indio no se distingue del español en la configuración de su rostro, y así, cuando se dedica a servir a alguno de los nuestros, que le trate con caridad, la primera diligencia es enseñarle limpieza; esto es, que se laven la cara, se peinen y corten las uñas, y aunque mantenga su propio traje, con aquella providencia y una camisita limpia, aunque sea de tocuyo, pasan por cholos, que es lo mismo que tener mezcla de mestizo. Si su servicio es útil al español, ya le viste y calza, y a los dos meses es un mestizo en el nombre. Si el amo es hombre de probidad y se contenta con un corto servicio, le pregunta si quiere aprender algún oficio, y que elija el que fuere de su agrado, y como los indios, según llevo dicho, jamás se aplican voluntariamente a las obras de trabajo corporal, eligen la pintura, la escultura y todo lo que corresponde a pasamanería. Los dos primeros ejercicios, de pintor y escultor, son para los paisanos de usted los más socorridos, porque no falta gente de mal gusto que se aplique a lo más barato. Los pintores tienen un socorro pronto, como asimismo los escultores, que unos y otros se aplican a las imágenes de religiones. Sabiendo formar bien un cerquillo y una corona, con otros signos muy apetecibles y claros, como su ropaje talar, sacan a poca costa a la plaza a todos los patriarcas y santos de las religiones, poniéndoles al pie sus nombres y apellidos. Su mayor dificultad es el retrato de los vivientes, tanto racionales como irracionales, pero en pintando al gran turco y algún animal de la India, cumplen con los ignorantes, con ponerle su nombre al margen, en lugar de linterna.

«Entre tanta multitud de pintamonas, no faltan algunos razonables copistas de muy buena idea, pero son tan estrafalarios, que en cogiendo un corto socorro de tres o cuatro pesos, no dan pincelada en ocho días, y suelen venir diciendo que les robaron tabla, pincel y pinturas, para tomar nuevo empréstito. Fiados en estas trampas, no reparan en hacer unos ajustes tan bajos que parecen increíbles, por lo que algunos caballeros de esta ciudad, para lograr algunas pinturas de gusto, encierran en sus casas a estos estrafalarios, pero si se descuidan con ellos un instante, se hacen invisibles, para aparecerse en algún pueblo de la comarca en que haya alguna fiesta; y en éstos y los escultores de la legua, como comediantes, tiene usted, señor inca, otra especie diferente de gauderios de infantería. La divisa de éstos es traer la chupa sobre el hombro izquierdo, aunque este uso es más común entre los *huamanguinos*. Los bordadores tienen sus trampas peculiares, porque muchas veces se desaparecen con los hilados y telas. De

suerte que el que hizo este costo no logra, por lo regular, el aderezo del caballo, que pasa a otro por la mitad del precio de su intrínseco valor, y así andan las trampas, hasta que los últimos monos se ahogan. Todos tienen a los gitanos por sutilísimos ladrones, pero estoy cierto que si se aparecieran en el Cuzco y Huamanga tuvieran mucho que aprender, y mucho más en Quito y México, que son las dos mayores universidades que fundó Caco.

«Los indios que se han establecido en Lima y que se aplicaron al trabajo en los oficios mecánicos y puestos de mantería, son excepción de aquella regla. No piense usted sacar de la esfera de indios a muchos hombres y mujeres porque los ve usted de color más claro, porque esto proviene de la limpieza y mejor trato, ayudado de la benignidad del clima, y así sus descendientes pasan por mestizos finos, y mucho número por españoles. No he visto escrito alguno que trate de la disminución de los indios, y sólo oigo decir que el aguardiente que introdujeron los españoles es la principal causa. No puedo negar que el exceso de esta bebida sea causa de que mueran algunos centenares en este dilatado gobierno, pero suponiendo que hubiesen perecido quinientos indios cada año de este exceso, de edad de cuarenta años unos con otros, que es mucho suponer. Los indios, por lo común, se casan de quince a veinte años, cuando apenas han probado el aguardiente, y aunque cada uno de los casados no lograse más que tres hijos, debiera haber un aumento muy considerable, en una nación que no peregrina fuera de sus países ni tiene otro destino ni estado que el del matrimonio. En el imperio de México, no satisfechos los indios con el aguardiente que introdujeron los españoles, usaron y usan los *mescales* y *chinguiritos*, que son de doblada actividad que los aguardientes de este reino y causan a los españoles que prueban estos licores, fuertes dolores de cabeza y ateraciones grandes en el cuerpo, causándoles tal fastidio que sólo con su olor se indisponen. Los indios se embriagan, como lo hemos experimentado, y prorrumpen en delirios, y con todo esto los indios son cuatriplicadamente más fecundos que en este reino.

«Se asombran los estadistas de que a la

entrada del señor Toledo se hubiesen hallado en este dilatado gobierno siete millones de indios. Si se habla de tributarios, es un número casi increíble, porque correspondía a más de treinta millones de almas, inclusos los exentos por nobles, y regulado cada indio tributario casado con tres hijos, cuyo número no podía mantener el reino, contando desde los Chichas hasta el valle de Piura. Si actualmente apenas hay un millón de indios, según dicen algunos, ignoran los países en que habitaban y de qué frutos se mantenía aquella multitud. No he visto reliquias de pueblos arruinados correspondientes a la centésima parte de esta multitud de habitantes, sino que viviesen en las montañas, manteniéndose de frutos silvestres; pero suponiendo que los siete millones de indios fuesen de ambos sexos, inclusos sus hijos, siempre prueba que en la mayor parte de este reino, que se compone de punas rígidas, eran poco fecundas las mujeres. España, que apenas tiene la cuarta parte de territorio del que llevo designado en este gobierno, mantiene otros tantos españoles continuamente, sin contar con la infinidad de hombres que salen para la América, se ejercitan en las tropas y armadas y se dedican al estado eclesiástico y clausuras de monjas, que no aumentan el Estado. Este reino se regula por el más despoblado de toda la Europa, y con todo eso excede en tres partes a éste, contrayéndome a la nación de los indios, solamente conocidos por tales.

«En México, además de estar infinitamente más poblado aquel imperio de indios, no ha tenido los motivos que éste para que se corrompiese esta nación con la entrada de europeos, y mucho menos con la de negros. Esta nación solamente se conoce en poco número de Veracruz a México, porque es muy raro el que pasa a las provincias interiores, en donde no los necesitan y son inútiles para el cultivo de los campos y obrajes, por la abundancia de indios coyotes y mestizos, y algunos españoles que la necesidad los obliga a aplicarse a estos ejercicios. La proximidad a la Europa convida a muchas mujeres a pasar al imperio de México, de que proceden muchas españolas, y la abundancia hace barato el género para el abasto común de la sensualidad y proporción de casamientos. Desde Lima a Jujuy, que dista más de quinientas leguas, sólo se encuentran españolas de providencia provisional, con mucha escasez en Huancavelica, Huamanga, Cuzco, Paz, Oruro y Chuquisaca, y en todo el resto hacen sus conquistas españoles, negros, mestizos y otras castas entre las indias, como lo hicieron los primeros españoles, de que procedieron los mestizos

Estas mezclas inevitables son las que disminuyen más el número de indios netos, por tener un color muy cercano a blanco y las facciones sin deformidad, principalmente en narices y labios. Todos saben que en este reino, y en particular en los valles desde Piura hasta Nasca, están entrando, de más de ciento cincuenta años a esta parte, considerables partidas de negros puros, de ambos sexos, y, sin embargo de que los hacendados los casan, no vemos que se aumente esta casta, no obstante de su fecundidad, y esto nace de que muchos españoles se mezclan con las negras, de que nacen unos mulatillos que procuran sus padres libertar. Yo creo que si se restituyeran todos los vivientes a sus madres, ni el indio padecería decadencia ni el negro. *Intelligenti pauca*. No negamos que las minas consumen número considerable de indios, pero esto no procede del trabajo que tienen en las minas de plata y de azogue, sino del libertinaje en que viven, pernoctaciones voluntarias y otros excesos, que absolutamente se pueden remediar. El contacto del azogue, y muchísimo menos el de la piedra que lo produce, es lo mismo o hace el propio efecto que otro cualquier metal o piedra bruta; pero supongamos que con las minas se mueran todos los años dos mil indios más de los que mueren en sus hogares y ejercicio más acomodado a la naturaleza. Este número es verdaderamente muy corto, respecto de la multitud de indios que se empadronaron en tiempo del señor Toledo.

«Algunos aseguran que actualmente no hay más que un millón de indios de todos sexos y edades, hablando por lo que toca a esta gobernación, y que de este número se rebajan los novecientos mil de mujeres, niños, viejos y exentos, y que sólo haya cien mil indios casados, y que sus mujeres, como tierra de descanso, no paran más que cada dos años, siempre resultarían cincuenta mil de aumento en cada uno y, por consiguiente, en cien años, se aumentarían los indios en cinco millones, porque esta gente no se consume ni en la guerra ni se atrasa en el estado eclesiástico, ni tampoco hemos visto pestes, como en el Africa, que se llevan millones de almas en sólo una estación del año. Todas estas observaciones prueban claramente que las indias de esta gobernación nunca han sido fecundas, porque no vemos vestigios de poblaciones, ni que los ejércitos que conducían los incas, que arrastraban todo su poder, fueran muy numerosos. El temperamento rígido de las punas no produce más que un escaso pasto para el ganado menor y vacuno, con algunas papas. Las quebradas son estrechas y casi reducidas a un barranco, por donde pasa el agua que desciende de las montañas, a cuyas faldas se siembra algún maíz y cebada, con algunas menestras de poca consideración. Los valles, bien cultivados, pudieran mantener algún número más de almas en las minas de plata y oro, y la única de azogue; pero esto mismo prueba, que si en las minas no se consumieran estos efectos, se trabajaría menos en los valles, porque los propietarios aflojarían en el cultivo o recibirían nuevos colonos, pensionados en una cantidad que no pudieran entregar en plata, porque no tendrían salida de los efectos sobrantes y se aniquilarían todos los que viven en países estériles y sujetos a un solo fruto en un año en que por la injuria de los tiempos se perdiese.

«Confesamos que los españoles ocupan un trozo de territorio, el más fecundo para cañaverales y alfalfares, que no necesitaban los indios, pero la mayor parte de este terreno inculto lo han hecho fructífero los españoles, formando acequias y conduciendo aguas de dilatadas distancias, en que se han interesado e interesan muchos indios jornaleros, de modo que en el beneficio de estas tierras, en quebradas hondas y valles de arena, más ganaron que perdieron los indios. Sus caciques, curacas y mandones, son muy culpables en la disminución de los indios, porque corriendo con la cobranza de los reales tributos, se hacen cargo de pagar la tasa del que muere, por aprovecharse de los trozos de

tierras que el Rey señaló a los tributarios o agregándolos a las suyas, si están inmediatas, o vendiéndolas a algún hacendado español o mestizo y se quedan los naturales sin tierras y precisados a agregarse a las haciendas o pasar a las grandes poblaciones para buscar medios de subsistir, que regularmente son perjudiciales al Estado, porque estos vagabundos regularmente se mantienen en el del celibato, ejercitando todo género de vicios, hasta que por ellos o sus deudas se mueren en edad temprana o concluyen sus estudios en los obrajes, como en la Europa en los presidios y galeras. Otras muchas causas pudiera señalar, señor Concolorcorvo, para la disminución de los indios, en el estado en que los hallaron nuestros antepasados, pero ese más tiempo se perdería, y si usted hace ánimo de acompañarme hasta Lima, prevéngase para salir dentro de dos días, porque aunque esta ciudad es tan agradable a los forasteros, por la generosidad de sus nobles vecinos, diversiones públicas y privadas en sus hermosas haciendas, que franquean a todos los hombres de bien, me precisa dejarla, por seguir mi destino.»

«Estoy pronto, le dije, a seguir a usted hasta Lima, a donde hice mi primero y único viaje cuando salí del Cuzco con ánimo de pasar a España, en solicitud de mi tío, que aunque indio logró la dicha de morir en el honorífico empleo de gentilhombre de cámara del actual señor Carlos III, que Dios eternice, por merced del señor Fernando el VI, que goza de gloria inmortal, porque los católicos reyes de España jamás han olvidado a los descendientes de los incas, aunque por línea transversal y dudosa; y si yo, en la realidad, no seguí desde Buenos Aires mi idea de ponerme a los pies del Rey, fué por haber tenido la noticia de la muerte de mi tío, y porque muchos españoles de juicio me dijeron que mis papeles estaban tan mojados y llenos de borrones que no se podrían leer en la corte, aunque en la realidad eran tan buenos como los de mi buen tío.» «Ya eso no tiene remedio, señor inca, porque no todos los Telémacos logran la dicha de que los dirija un Mentor; y respecto de que usted está deseoso de volver a Lima a informarse mejor de su grandeza, prevéngase.» «Pero dejamos en silencio mucha de la del Cuzco.» «No le dé a usted cuidado, me dijo el visitador, porque siendo preciso detenernos en Huamanga, tiene usted lugar suficiente para escribir las grandezas de la gran fiesta del Corpus y las diversiones, desde el primer día del año hasta el último de carnestolendas.» «Acertó usted, le dije, con mi pensamiento; porque reventara y me tuviera por mal patriota si omitiera publicar estas grandezas, que no habrá observado usted ni aún en el mismo Lima.» «Pasito, como digo yo; aparte, como dicen los cómicos españoles, y tout bas, como se explican los franceses. porque si lo oyen las mulatas de Lima le han de poner en el arpa, que es lo mismo que un trato de cuerda, con que ellas castigan a lo político.» «Molatas y molas, todo es uno, porque se fingen mansas por dar una patada a su satisfacción.» «Muy bien imita usted a sus paisanos, porque no le cuesta trabajo. Vamos a dar un salto a Huamanga, me dijo el visitador por las postas siguientes; pero despídase usted primero del administrador de correos de esta gran ciudad.» «Ello es muy de justicia, le dije, como que también haga una concisa pintura de su persona y circunstancia.» «Cuidado con eso, dijo el visitador, porque si usted se desliza puede contar con un lampreado de palos, como dicen los extremeños.»

«No tengo pena por eso, porque luego se pasa la cólera.» «No se fíe usted en eso, señor Concolorcorvo, porque estos crudos tan lindamente dan los lampreados cuando están de buen humor como cuando están coléricos, y, sobre todo, haga lo que le pareciere y tome mi consejo.» «Sea en buena hora, le repliqué.» «El señor don Ignacio Fernández de la Ceval es, puntos más o menos, tan alto como yo, que mido tres varas, a saber: vara y media por delante y otro tanto por detrás. Confieso que su pelo es más fino que el mío, pero no tan poblado. En el color somos opuestos, porque el mío es de cuervo y el suyo es de cisne. Sus ojos algo dormidos son diferentes de los míos, que se parecen a los del gavilán, y sólo convenimos en el tamaño y particular gracia que tenemos en el rostro para destetar niños. Su boca es rasgada de oreja a oreja, y la mía, aunque no es tan dilatada, se adorna en

ambos labios de una jeta tan buena, que puede competir con la del rey de Monicongo. Su talento no se puede comparar con el mío, porque no tengo alguno, y don Ignacio es muy clairvoyant; y, finalmente, es persona de entereza, tesón para vencer dificultades y exponerse a fatigas y pesadumbres por llevar a debido efecto las leyes y ordenanzas de la renta de correos, como se experimentó en los principios de su ingreso a la administración; ésta es la principal de las agregadas a este virreinato, porque recibe y despacha a un mismo tiempo, en sólo tres días, los correos de la ruta general de Lima a Buenos Aires, con el gravamen de las encomiendas de oro, plata y de bulto, de que se necesita mucho cuidado, por lo que don Ignacia gana bien el sueldo de mil doscientos pesos anuales, que le señaló provisionalmente el excelentísimo señor don Manuel de Amat, actual virrey de estos reinos y subdelegado de la renta de correos.» «Estas últimas expresiones, me dijo el visitador, libran a usted del lampreado, porque procedió usted al contrario de los cirujanos, que limpian y suavizan el casco o piel antes de aplicar la lanceta o tijera.» «Todos pensamos, le dije yo al visitador, que ya estaba armado de botas y espuelas para salir, como llevo dicho.»

XXI

Provincias de Cuzco, Abancay, Andahuaylas, Huanta, Vilcahuamán y Huamanga.—El puente de Abancay.—El templo de Cocharcas.—El árbol milagroso.—La posta de Hivias.—Los murciélagos.—Huamanga.

Cuzco

Del Cuzco a Zurite   7

Abancay

A Limatambo   6
A Marcaguasi   4
A Caraguasi   6
A Tambo Urco   6

Andaguaylas

A Cochacajas   6
A Pincos   6
A Andaguaylas   6
A Uripa   8

Huanta, Vilcahuamán
y Huamanga

A Hivias   10
A Cagallo Tambo   8
A Huamanga, ciudad capital.   6

Postas, 12; leguas   79

La salida del Cuzco para Lima es penosa, porque los españoles modernos abandonaron la Calzada de los Incas, en que verdaderamente son culpables, pues aun cuando aquellas calzadas fuesen molestas para sus bajages, pudieran fácilmente formar un camino ancho y despejado, afirmándolo con cascote y las piedras de la antigua calzada.

Desde el Cuzco a Zurite, y lo propio viceversa, se pagarán dos leguas más en tiempo de aguas, por el rodeo que se hace por Guarocondo, porque la calzada real está destruída con el trajín del ganado vacuno que la atraviesa en tiempo de aguas. De la una y la otra banda se forma en tiempo de ellas una gran laguna de tan corta profundidad que se ven las yerbas que nacen en su lama, de que solamente se aprovechan bueyes y vacas, que vencen mayores atolladeros. El maestro de postas de Zurite aseguró, en presencia del cura y otros hacendados, que sería cosa fácil dar curso a las aguas por medio de un canal, sin más costo que el de que todos los hacendados inmediatos concurriessen en tiempo de secas con el caballar, mular y vacuno, por espacio de ocho días alternados, para que le firmasen sólo con su piso, dirigidos de la una y la otra banda por hombres a caballo, para que no se extraviasen, formando a la banda superior de la calzada dos o tres puentezuelos para que busquen las aguas salida sin violencia y sin perjuicio de la calzada, y se introduzcan en el cequión de la parte inferior. Con esta corta diligencia se asegura la calzada, y los hacendados aprovechan un dilatado territorio para pastos y otros usos, aún en tiempo de aguas. El maestro de postas actual de Zurite, que es un hombre constante y fuerte, asegura que sólo con que se le dé el título de alcalde de aguas, llevará al fin el proyecto.

Todo el país restante, hasta Huamanga, se compone de cuestas y barrancos, quebradas y algunos llanos, en que están los cañaverales y trapiches de la provincia de Abancay y Andahuaylas. La primera tiene una cuesta formidable, porque se forman en tiempo de aguas unos camellones, o figuras de camellos, que apenas tienen las mulas en donde fijar sus pies. Tránsito verdaderamente contemplativo, y en que los correos se atrasan, como asimismo en las sartenejas anteriores, que se forman de unos hoyos que hacen las mulas de carga en territorio barroso y flojo, en donde no se puede picar o acelerar el paso sin riesgo de una notable caída. Al fin de la bajada se presenta el gran

Puente de Abancay, o Pachachaca, con impropiedad.

Este es el tercero de arquitectura que hay desde Chuquisaca, de un solo arco, que estriba sobre dos peñas de la una y la otra banda, que dividen la provincia de Abancay de la de Andahuaylas. Este puente es de los primeros, o acaso el primero que se fabricó a los principios de la conquista, para dar tránsito al Cuzco, y de esta ciudad a las demás provincias posteriores, por atravesarle un gran río que la dividía. El puente fué fabricado con todas las reglas del arte, como lo manifiesta actualmente. Se ha hecho más célebre, y lo será de perpetua memoria, por las dos célebres batallas que cerca de él ganaron los realistas, pero es digno de admiración que un puente tan célebre se haya abandonado y casi puesto en estado de arruinarse, si se desprecia el remedio. El observantísimo don Luis de Lorenzana, actual gobernador de la provincia de Jauja, que hizo viaje a esta capital desde Buenos Aires, por el Tucumán y Potosí, presentó a este superior gobierno una relación o informe muy conciso, pero discreto y acertado en sus reparos. Algunos son irreparables, por falta de gente y de posibles. Los ridículos cercados, que llaman pilcas, para defensa de sus sembrados, son providencia para poco más de medio año en las tierras de poco migajón, o estériles y pedregosas, que no dan fruto anual. Los montones de piedras que vió este caballero en las heredades, son el mayor fruto de ellas, y se tiene por más conveniente amontonarlas y perder un corto terreno, que sacarlas al camino. La excavación que hicieron las aguas y el continuo trajín de caballerías de la banda de Pachachaca al gran puente, es digna de lamentarse, no solamente por lo molesta y riesgo de su subida y bajada, sino porque se puede recelar que creciendo la excavación hasta el sitio adonde estriba el extremo del arco, se puede caer el puente con un gran terremoto, o imposibilitarse el ascenso o bajada a las mulas cargadas. Lo cierto es que al presente se transita con riesgo, y que es fácil el remedio a costa de la mucha piedra que hay cercana y pocas hanegas de cal y arena para unirla bien, asegurar el puente y dar un tránsito correspondiente a su grandeza, que todo se puede hacer con un tenue gravamen de los provincianos, y si fuere necesario, se impone algún derecho corto a los transeúntes, como sucede hasta en las reales calzadas que necesitan continuos reparos por el mucho trajín de coches, calesas, carromatos y galeras, cuyos bagajes fueron los más beneficiados y que hacen más destrozos.

Pasando el puente se entra en la provincia de Andahuaylas, que toda se compone de eminencias, barrancos y quebradas calientes, a donde están los cañaverales y trapiches, que aprovechan algunas lomadas. Parece que los dueños de estas haciendas son personas de poca economía, o que las haciendas, en la realidad, no se costean, porque a los cañaverales llaman *engañaverales* y a los trapiches *trampiches*. Todo este país, como el de Abancay, a excepción de algunos altos, es muy caliente y frondoso, y pasando por él me dijo el visitador, señalándome un elevado cerro, que a su falda estaba el memorable templo dedicado a la Santísima Virgen en su soberana imagen nombrada de Cocharcas, cuyo origen tenía de que pasando por allí un devoto peregrino con esta efigie, como tienen de costumbre muchos paisanos míos, se le hizo tan intolerable su peso que le agobió, y dando cuenta a los eclesiásticos y hacendados de la provincia, se declaró por milagroso el excesivo peso, como que daba a entender el sagrado bulto que quería hacer allí su mansión. Desde luego que en aquella devota gente hizo una gran impresión el suceso, porque se labró en la planicie del primer descenso una magnífica iglesia, que fuera impropia en un desierto, para una simple devoción. Al mismo tiempo se formó una gran plaza rodeada de tiendas y en el medio se puso una fuente de agua, que sólo mana en tiempo de la feria, que se hace desde el día del Dulce Nombre de María hasta finalizar su octava, cuatro días antes y cuatro después, adonde concurren todos los huamanguinos, indios, cuzqueños y de las provincias circunvecinas, y muchas veces distantes. Toda esta buena gente concurre a celebrar el octavario a competencia, y además del costo de la iglesia, que es grande, hay por las noches de la víspera y el día grandes iluminaciones de fuegos naturales y artificiales.

En la octava concurrían dos regulares de la Compañía, costeados para predicar en la iglesia y en la plaza el Evangelio y exhortar la penitencia, como es costumbre en las misiones. Los comerciantes, por lo general, ponen sus tiendas en los poyos inmediatos, y algunos pegujaleros, mestizos, se plantan en medio de la plaza, y todos hacen un corto negocio, porque la feria más se reduce a fiesta que a negociación, y así sólo de Huamanga concurren algunos tenderos españoles y mestizos, fiados en lo que compran los hacendados españoles, tanto seculares como eclesiásticos de la circunferencia, porque las cortas negociaciones de los indios se quedan entre sus paisanas. Se ha divulgado que durante la octava se ve claramente el prodigio de que el árbol de la Virgen se viste de hojas, cuando los demás de las laderas están desnudos. Este prodigioso árbol está pegado a la pila de agua, que en todo el año riega las chacaritas que tienen los indios en las lomas circunvecinas; pero cuatro días antes de la feria la dirigen a la pila, para que los concurrentes se aprovechen de sus aguas. El árbol es el que con antelación chupa su jugo y, por consiguiente, retoñan sus hojas, y se halla vestido de ellas en el término de veinte días, como le sucedería a cualquier otro que lograra de igual beneficio. Solamente la gente plebeya no ve el riego de dicho árbol, ni reflexiona que entra ya la primavera en estos países. La gente racional, en lugar de este aparente milagro sustituye otro para tratar a los huamanguinos cholos de cuatreros, diciendo que la Virgen sólo hace un milagro con ellos, y es que yendo a pie a su santuario, vuelven a su casa montados.

La posta de Hivias, que siempre estuvo en Ocros, se plantó bien, porque se hizo más regular la de Uripa. Todo el camino, desde Zurite a Cangallo, es de temperamento ardiente e infectado de mosquitos, que molestan mucho, y en particular desde las nueve de la mañana hasta las cuatro de la tarde, por lo que tomarán bien sus medidas los caminantes para evitar sus molestias, y en particular en el tránsito de Apurímac y Quebrada de Pampas. En ésta hay muchas tunas, que tientan a los pasajeros golosos y causan calenturas intermitentes. Las aguas del río de Pampas, o que pasan por este sitio, son turbias y algo saladas, que más excitan la sed que la apagan. El visitador me dijo que sólo hacían daño a los que aforraban mal los estómagos, y que sólo había experimentado, en dos veces que por precisión hizo mansión en ellas, el perjuicio en sus mulas de silla de la multitud de murciélagos, que pegándose a los cogotes les chupan la sangre y dejan una herida con mucha hinchazón. Las mulas baqueanas se libertan de estos impertinentes avechuchos, porque lo propio es sentirlos que se revuelcan y pasan sus manos por encima del pescuezo, con lo que consiguen matar algunos, o a lo menos espantarlos, y así se van a las bestias chapetonas. Desde un altito divisamos la Tartaria y las Huatatas, que abrazan medio cuerpo de la gran ciudad de

Huamanga

Residencia del obispado de esta diócesis, con una competente catedral situada en la principal plaza, con varios canónigos muy observantes en los oficios divinos y culto de la iglesia, y mucho más en la generosidad con que reparten los sobrantes de sus pingües canonjías, a imitación del pastor, con los muchos pobres que hay en ella y su corto ejido. Es muy parecida a la ciudad de Chuquisaca, pero excede a ésta en la benignidad del temperamento. Su ejido es estrecho y estéril, pero algunos caballeros tienen haciendas en la provincia de Andahuaylas, de cuyo

producto se mantienen con frugalidad. De pocos años a esta parte faltaron muchos vecinos de conveniencia y lustre. La casa del marqués de Valdelirios, unida a la de Cruzate con el marquesado de Feria, se halla ausente, y tomará asiento brevemente en Lima. El marqués de Mosobamba, como asimismo el heredero de la casa de los Tellos, se pasaron a la provincia de Andahuaylas, a restablecer sus haciendas medio perdidas. Con la muerte de Oblitas y la de Boza, se repartieron sus grandes haciendas entre hijos y nietos, cuya división no resplandece, como asimismo la partición que se hizo de los grandes bienes que dejaron las señoras doña Tomasa de la Fuente y doña Isabel Maysondo, que mantenían con sus crecidas limosnas mucha parte de los habitantes de esta ciudad No por esto pretendo yo rebajar la nobleza existente ni la caridad y generosidad de ánimo. Las familias nobles y pobres, sólo interesan al público en la lástima, exponiéndose muchas veces al desprecio. Los ricos nobles son el asilo de los despreciados y miserables.

Dos días antes de haber llegado a esta ciudad falleció el administrador de correos, y nombró provisionalmente el visitador a don Pablo Verdeguer, europeo, casado con la señora Francisca Gálvez, de familia ilustre, de las muchas que hay en esta ciudad. Mientras el visitador se despide de los muchos amigos que tiene en ella, voy a cumplir con la obligación del ilustre cuzqueño, haciendo un bosquejo de las dos mayores fiestas que se celebran en el Cuzco a lo divino y humano.

XXII

La fiesta del Cuzco.—Fiesta sagrada.—Las procesiones.—Danzas de los indios.—La tarasca y los gigantones.—Fiesta profana. La corrida de toros.—Serenatas y cenas. Los carnavales.

La gran fiesta de Dios da principio en todo el mundo católico en el mes de junio y se concluye en su octava. En el pueblo más pobre de toda España y las Indias se celebran estos días con seriedad jocosa. La seriedad se observa en las iglesias, al tiempo de celebrarse los divinos oficios, y asimismo en las procesiones, que acompañan con ricos ornamentos los señores capitulares eclesiásticos, siguiendo las sagradas religiones, con los distintivos de sus grados e insignias del Santo Tribunal de la Inquisición. Sigue el Cabildo secular y toda la nobleza con sus mejores trajes. Estas tres dobladas filas llevan sus cirios encendidos, de la más rica cera, y observan una seriedad correspondiente. Carga la sagrada custodia el obispo, o deán por justo impedimento, y las varas del palio o dosel las dirigen los eclesiásticos más dignos, y en algunas partes los seculares. En el centro de estas tres filas van, a corta distancia, varios sacerdotes incensando al Señor, y las devotas damas, desde sus balcones, arrojan sahumadas flores y aguas olorosas, en obsequio del Santo de los santos. Todas las calles por donde pasa están toldadas, y los balcones, puertas y ventanas colgados de los más ricos paramentos, y las paredes llenas de pinturas y espejos los más exquisitos, y a cortos trechos unos altares suntuosos, en donde hace mansión el obispo y deposita la sagrada custodia, para que se hinquen y adoren al Señor mientras los sacerdotes cantan sus preces, las que acompaña el público, según su modo de explicarse, aunque devoto y edificante. De suerte que todo el tránsito de la procesión es un altar continuado, y hasta el fin de las primeras tres filas una seriedad y silencio en que sólo se oyen las divinas alabanzas.

La segunda parte de la procesión es verdaderamente jocosa, pero me parece que imita a la más remota antigüedad, por lo que no se puede graduar por obsequio ridículo, y mucho menos supersticioso: las danzas de los indios, que concurren de todas las parroquias y provincias inmediatas, son muy serias en la sustancia, porque esta nación lo es por su naturaleza. Sus principales adornos son de plata maciza, que alquilan a varios mestizos que tienen en este trato su utilidad, como en los lienzos, espejos, láminas y cornucopias. La tarasca y gigantones, cuando no tengan conexión con los ritos de la Iglesia católica, están aprobados con el uso común de las ciudades y villas más autorizadas de España, porque contribuyen a la alegría del pueblo, en obsequio de la gran fiesta. Esta en el Cuzco se repite por los indios en todas sus parroquias, a cuya grandeza concurren todos recíprocamente, y hasta los españoles ven con complacencia en sus barrios estas fiestas que particularmente hacen los indios, con un regocijo sobrenatural.

Fiesta profana

Da principio ésta con el año, que es cuando eligen los alcaldes y demás justicias. Con antelación se previenen damas y galanes de libreas costosas y caballos ricamente enjaezados. Los exquisitos dulces, como son de cosecha propia, en azúcar y frutas las mejores de todo el reino, es provisión de las señoras principales, como asimismo la composición de bebidas, frías y calientes. Estas las mantienen todo el año en sus frasqueras para obsequiar a los alumnos de Baco, y las frías las disponen solamente con mandar traer el día antes la nieve necesaria para helarlas, en que son muy pródigas. Las fiestas, en rigor, se reducen a corridas de toros, que duran desde el primer día del año hasta el último de carnestolendas, con intermisión de algunos días, que no son feriados. Estas corridas de toros las costean los cuatro alcaldes, a que según creo concurre también el alférez real. Su gasto pasa a profusión, porque además de enviar refrescos a todas las señoras y caballeros que están en la gran plaza del Regocijo, envían muchas salvillas de helados y grandes fuentes de dulce a los que no pudieron concurrir a los balcones de esta gran plaza, que es adonde no falta un instante toro de soga, que luego que afloja de los primeros ímpetus se suelta por las demás calles, para diversión del público, y a muchas personas distinguidas les envían toro particular para que se entretengan y gocen de sus torerías desde los balcones de sus casas. No hay toreros de profesión, y sólo se exponen inmediatamente algunos mayordomos de haciendas en ligeros caballos y muchos mozos de a pie, que por lo regular son indios, que corresponden a los chulos de España.

Salen varios toros vestidos de glasé, de plata y oro, y con muchas estrellas de plata fina clavadas superficialmente en su piel, y éstos son los más infelices, porque todos tiran a matarlos para lograr sus despojos. Toda la nobleza del Cuzco sale a la plaza en buenos caballos, ricamente enjaezados de terciopelo bordado de realce de oro y plata. Los vestidos de los caballeros son de las mejores telas que se fabrican en León (Lyon) de Francia, y en el país, pero cubren esta grandeza con un manto que llaman poncho, hecho con lana de alpaca, a listas de varios colores. Ropaje verdaderamente grosero para funciones de tanto lucimiento. Estos caballeros forman sus cuadrillas acompañando al corregidor y alcaldes, que se apostan en las bocas de las calles para ver las corridas de los toros y correr a una y otra parte para defenderse de sus acometidas y ver sus suertes, como asimismo para saludar a las damas y recoger sus favores en grajeas y aguas olorosas, que arrojan desde los balcones, a que corresponden según la pulidez de cada uno, pero lo regular es cargarse de unos grandes cartuchos de confites gruesos para arrojar a la gente del bronce, que corresponde con igual munición o metralla, que recoge del suelo la gente plebeya y vuelve a vender a la caballería. Al fin de la función, que es cuando suena la campana para la salutación angélica, sueltan dos o tres toros encohetados, y disparando varios artificios de fuego, y al mismo tiempo tremolando los pañuelos de las damas y varias banderas de los balcones, se oye un vitoreo de una confusión agradable, aunque en parte semejante al tiroteo de los gansos de la Andalucía, porque del uno y otro resultan contusiones y heridas con pocas muertes. Por las noches hay en las casas del Corregidor y alcaldes agradables serenatas, que concluyen en opíparas cenas, hasta la última noche de carnestolendas, en que todos se recogen casi al amanecer del miércoles de ceniza.

El visitador celebró mi descripción, pero no le pareció bien que yo comparara el vitoreo con el tiroteo, porque este término sólo lo usan los jaques de escalera abajo cuando echan mano a las armas cortas, que llaman títeres, y como otros dicen chamusquina, éstos dicen tiroteo, de cuyo término se valió el gran Quevedo en sus célebres *Xácaras*, porque el tal terminillo sólo lo usan los gitanos. Las contusiones, que paran en postemas, resultan

de los porrazos que reciben de los toros mochos, y mucho más de las borracheras de los indios, que se entregan ciegamente por verlos despuntados. El ruido y resplandor que causan los fuegos artificiales, el sonido de las cajas y clarines y los gritos populares, enloquecen a aquellos soberbios animales, y con su hocico y testa arrojan cholos por el alto con la misma facilidad que un huracán levanta del suelo las pajas. No sienten las contusiones hasta el día siguiente, que aparecen diez o doce en el hospital, porque la exaltación del licor en su barómetro no impide la circulación de la sangre.

Otras infinitas fiestas se celebran en esta gran ciudad, pero ninguna igual a ésta, que fuera infinitamente más lucida si se transfiriera a las octavas de San Juan y San Pedro, en que se han levantado las aguas y dos meses antes están los campos llenos de sazonados pastos, y toros y caballos gordos y lozanos, y la serenidad del cielo convidaría a los caballeros a arrojar ponchos y capas para lucir sus costosos vestidos y evitar muchos resbalones de caballos y peligrosas caídas, con otros muchísimos inconvenientes que resultan de las muchas e incesantes lluvias de los meses de enero y febrero, como he experimentado siempre que concurrí a estas fiestas; pero en los carnavales todo el mundo enloquece, por lo que es ocioso persuadir a la nobleza del Cuzco el que conserve su juicio en tales días. Ya es tiempo de salir de Huamanga para pasar a Huancavelica, por las postas siguientes.

XXIII

Ruta de Huamanga a Huancavelica.—La villa de Huancavelica.—La mina de azogue.—Ruta a Lima por Cotay.—Ruta por Tucle.—Ruta antigua de Parcos a Lima.

Huanta

De Huamanga a Huanta   6

Angaras

A Parcos 10
A Paucará   7
A Huancavelica   6
                                   ————
Postas, 4; leguas 29

A media legua de Huamanga se presenta un profundo barranco, que llaman la Quebrada Honda, que tiene media legua de bajada perpendicular y otro tanto de subida, con veredas estrechas, pero el visitador me dijo que jamás se había visto agua en su fondo. Puesto cualquiera en él y mirando al cielo daría solución al Problema de Virgilio, pues apenas se divisan las tres varas de cielo de su pensamiento. Voy a copiar los dos dísticos, con el mismo derecho que lo hicieron otros muchos:

Dic quibus interris, et eris mihi magnus Apollo, tres pateat Coeli spatium, non amplius ulnas.

Muy poco sabía Virgilio de problemas cuando propuso éste por tal, o en su Mantua o en toda la Italia no había quebradas hondas y estrechas, que son tan comunes en toda la América; pero supongamos que no las hay, o que fuese una sola, de que tuvo noticia. ¿Es posible que no haya elevadas chimeneas? A fe que si yo fuera su pastorcillo me reiría bastante de su pregunta, aunque le consta a usted muy bien que los indios apenas nos reímos tres veces en la vida. «Está bien, dijo el visitador, y prosiga usted. Toda esta jornada es de camino fastidioso, y en que no se puede picar por la mucha piedra y barrancos.»

La jornada de Huanta a Parcos, aunque no es más que de diez leguas, no se puede hacer en un día con carga doble sin remuda de mulas, porque saliendo de Huanta, país muy caliente, hasta pasado el río de Huarpa, bien sea por el puente o por el vado, se cubren de sudor y fatigan en sumo grado. Sigue *incontinenti* la perpendicular cuesta de Marcas, que tiene dos leguas de penoso y arriesgado camino para caballerías y hombres. Las mulas no pueden dar cuatro pasos sin pararse a resollar. Muchas se caen rendidas, y las más briosas apenas ponen la carga en la primera planicie cerca de la noche, en que sólo para desaparejarlas y que se seque el sudor es preciso esperar dos o tres horas, y mientras se revuelcan y buscan el escaso pasto se pasan más de seis. El resto del camino, hasta Parcos, aunque es subida, se va costeando por medias laderas, que la hacen accesible. En esta sola jornada padecen los correos más de diez horas de atraso, y el único remedio es el de situar casa de postas en Marcas, o que se pague al maestro de Huanta una remuda, que puede pasar a la ligera con aparejo hasta el pie de la cuesta, para recibir prontamente la carga, adelantándose las mulas que salieron cargadas de Huanta para subir la cuesta a la ligera y descansar en la cumbre, para concluir la jornada a Parcos. El maestro de postas de este sitio hace su jornada a Huanta con prontitud y sin molestia de sus mulas. Lo primero, porque no conduce más que la carga y carguilla de poco peso, y lo segundo, porque bajando no trabajan tanto sus mulas.

En Paucará y Huancavelica no hay postas montadas. Este tránsito, de trece leguas, es de medias laderas y barrancos, que no causan tanta fatiga a las mulas cargadas como en las empinadas cuestas. En tiempo de aguas es camino algo contemplativo, y por esta razón no se puede hacer la jornada con cargas en un día, por lo que convendrá mucho situar posta en Paucará o en los Molinos, aunque el visitador prefiere el primer sitio. La bajada a Huancavelica, por todas partes es muy enfadosa y contemplativa por la noche, que servirá de gobierno a correos y pasajeros.

Huancavelica

Esta memorable villa se fundó con bastante regularidad con el motivo de haberse descubierto por casualidad la gran mina de azogue, y entre este elevado cerro y otro de igual magnitud está fundada, con competentes calles y casas regulares. Siempre se ha gobernado por personas muy distinguidas, me dijo el visitador, que conoció al señor Sola, del Consejo de Su Majestad, y a los señores Leyva y Vega, también del Consejo. Al señor Ulloa, capitán de navío, a quien debió la villa la comodidad del tránsito de sus calles, y al presente al señor Jáuregui, que fué presidente de Chuquisaca, que a su costa hizo un puente de un arco de cantería en un barranco profundo, que da tránsito a un arroyo que pasa a juntarse con el río Grande, y que aquél con las avenidas detenía o ponía en riesgo grave a los recueros, y en particular a los de Ica, que conducen aguardientes en botijas de barro. Otras muchas obras han hecho estos señores gobernadores, particularmente en la mina, que es un gran pueblo subterráneo, con calles, estribos y bóvedas de seguridad. Sólo la descripción de esta mina ocuparía un tomo mayor que mi itinerario, y si se agregase la de dos ingenios y hornos, en que se convierte el metal en humo y éste en azogue, se gastaría un volumen de a folio.

«Muy ociosa sería, señor Concolorcorvo, esa descripción, que ya tienen hecha tantos hombres sabios. Me consta que el señor Sola presentó al Rey en plata maciza la mina de Huancavelica, con todas las obras hasta su tiempo, y cada gobernador ha dirigido a España y a este superior gobierno una delineación de la mina y haciendas por los sujetos que las trabajan, con los estados de aumento y disminución de leyes y sus causas.» «Eso no puede ser, le repliqué, porque más depende de la casualidad que del discurso humano.» «Está usted errado, me replicó, y no se hable más sobre el asunto», y añadió:

«No hay villa más pacíficamente gobernada en todo el mundo que la de Huancavelica, porque la dirige solamente un hombre sabio, con un teniente muy sujeto a sus órdenes, sin más alcaldes, letrados ni procuradores. Todos los pleitos se resuelven en el día, y así se escribe poco y se adelanta mucho en las causas civiles. Un escribano sólo, que lo es de toda la provincia, reside en esta villa, y sólo se ejercita en las causas criminales de entidad y en algunas escrituras de ventas y contratos. Todo lo demás lo compone el gobernador prudente, sin estrépito judicial, y así no se ven tantas trampas y recursos como en el resto del reino.»

Desde el Cuzco había consultado el visitador al superior gobierno la ruta de los correos por Viña, dirigiendo un derrotero que le habían propuesto varios hombres prácticos, de que se dió traslado al administrador general de correos, quien puso algunas dificultades, dictadas de sujetos sin formal conocimiento, cuyo expediente pasó a manos del actual señor gobernador Jáuregui para que con asistencia del visitador se formase una junta de prácticos para que se resolviese la ruta más segura y conveniente al Estado. Esta

se compuso de viajeros y arrieros. Todos prefirieron las dos rutas, de Viña y Tucle, a la de carrera general. El visitador tomó el arbitrio de reconocer por sí la de Viña, que sale por Lunahuaná al primer tambo de la costa, que es el nombrado Asia, y que don Francisco Mosteiro de Pedrosa, que le había acompañado desde la corte y estaba impuesto en sus observaciones, pasase por Tucle, hasta caer a Piriacaca, adonde está situada la posta de la ruta antigua, omitiendo el resto del camino antiguo, por ser notoriamente conocido. En la ruta que seguí yo con el visitador se pueden situar las postas siguientes, hasta la de Asia, de la carrera de Arequipa.

Ruta de Huancavelica a Lima, por Cotay.

De Huancavelica a Cotay	9
A Turpu	6
A Viña	8
A Llangas	7
A Lunahuaná	7
A Hualcará	6
A Asia	7
De Asia a Chilca	8
A Lurín	7
A Lima	6
Postas, 10 ; leguas	70

De suerte que por esta ruta es preciso situar seis postas, desde Huancavelica inclusive, hasta Asia exclusive, porque de ésta hasta Lima están situadas para la ruta de Arequipa.

Ruta desde Huancavelica hasta Lima, por Tucle

Desde Huancevelica hasta Tayapongo	8
A la hacienda de Tucle	3
A Inga-Huasi	5
A Atunhuasi	8
A Pariacaca	9
A Huesca-Yanga	7
A Chorrillo	7
A Sisicaya	8
A Lima	10
Postas, 9 leguas	65

Ruta antigua desde Parcos a Lima.

De Parcos a Picoy	10
A Acos	10
A Huayucachi	6
A la Concepción	6

A Atunjauja	6
A Julca	9
A Pariacaca	8
A Huarochiri, capital de la provincia de este nombre...	8
Al Chorrillo	8
A Sisicaya	8
A Lima	10

Postas, 11; leguas 88

A las dos rutas de Cotay y Tucle se deben aumentar trece leguas a cada una, que son las que hay desde Parcos a Huancavelica, de que resulta que la ruta del visitador dista, desde Parcos a Lima, ochenta y tres leguas, y la de Tucle setenta y ocho, que verdaderamente es la más recta, pero es la que no se puede seguir por lo rígido de la temperatura, y sólo se puso el itinerario para que sirva de gobierno a algunos pasajeros que necesitan entrar en la feria de mulas que se hace en Tucle, o en derechura a Huancavelica, con el ahorro de once leguas, que hay de diferencia por la carrera antigua, y seis por la de Lunahuaná. La diferencia de leguas en este tránsito no es de consideración alguna cuando median intereses en él o que el camino más dilatado es más cómodo, por los menores riesgos y otras conveniencias que se ofrecen en él. Abandonada la ruta de Tucle por la imposibilidad actual de mantener postas en ella, y supuesta la precisa entrada de los correos en Huancavelica, es muy conveniente dar una idea de la de Cotay, para que se coteje con la de la carrera actual antigua y se elija la más conveniente.

XXIV

Tránsito por Cotay a Lima.—Quebradas y laderas.—Aguas de piedra.—Las haciendas.—Puentes de maroma.—Maestros de postas.—Fin de la segunda parte.

Se sale de Huancavelica por el puentecillo que está a la parte oriental de la villa y da paso a un arroyo que se junta al río Grande. Se costea éste aguas abajo por una ladera algo pedregosa, ancha y sin riesgo. Por evitar esta leve molestia en tiempo de secas, se pasa dos o tres veces, para aprovechar la llanura y buen piso que hay en las vueltas que hace el río,

hasta que se vuelve a coger la ladera, y en espacio de dos leguas y media está el que llaman Mal Paso, que es un estrecho corto de laja, de fácil composición. Es opinión común que las aguas de este río se convierten en piedra en las cercanías de la villa. El visitador se ríe de esto y solamente me dijo que bebiendo las aguas multitud de gente, no había visto población en que se padeciese menos el mal de piedra.

A las cuatro leguas está el puente de Jáuregui, de que hablé arriba, desde donde a Cotay hay cinco leguas de buen camino, entre dos sierras nevadas, aunque en tiempo de aguas pueden hacerse algunos atolladeros de poca profundidad, por ser el terreno algo pedregoso.

El sitio nombrado Cotay es de bastante extensión y corre por en medio de un arroyo que en tiempo de avenidas detiene a los arrieros algunas horas, en particular desde las nueve del día a las cuatro de la tarde, que derrite el sol la nieve. Una leguas aguas abajo de mi tránsito hay un puente natural de dos peñas, que algunos se aprovechan, y en este caso se puede salir y entrar por el camino de Condorsenca, en el cual hay algunos atolladeros en tiempo de aguas y tiene dos cuestas en los extremos algo perpendiculares, pero sin riesgo de pérdida de carga. El río corre del este a oeste, y de esta banda de él está la regular pascana de los arrieros, en un altillo de fácil subida. También hay tres o cuatro caserones de piedra, que se techan cuando hacen noche en ellos algunos señores obispos y gobernadores, siendo éste el mejor paraje para la posta, por ser sitio abrigado y medio hecho al alojamiento.

De éste hasta el otro sitio nombrado Turpu, hay seis leguas, camino de trotar siempre entre las dos sierras nevadas, con muchos manantiales de agua, que en tiempo de avenidas causarán alguna molesta detención si no se usa del arbitrio de algunos puentecillos de palos, de poco costo. Este sitio es puna rígida, y antes y después de él hay muchas lagunas de poca profundidad, que se secan en tiempo de hielos, a excepción de la nombrada Turpu, que significa profunda. A corta distancia hay algunas estanzuelas de vecinos de Huiñac, o Viña, que residen en ellas la mayor parte del año, entre lomadas, por lo que no se ven desde el camino real.

De Turpu al pueblo de Viña hay ocho leguas, todo camino de trotar, a excepción de una cuesta de media legua, sin riesgo, y algunos estrechos que hay en la ladera, dos leguas antes de Viña, todo aguas abajo, sin riesgo de pérdida de carga, así porque el río lleva poca agua como porque tiene muchas piedras atravesadas de bastante magnitud que la detuvieran y varias mesas, que hace la ladera de mucho ancho y de fácil descenso. También hay algunos tránsitos que hacen barranco, que en tiempo de aguas pueden causar algún cuidado, pero de fácil composición, por la mucha madera que hay en la quebrada. En esta ladera, y resto, hasta Llangas, hay cinco pueblos de las jurisdicciones de Castrovirreyna y Yauyos, entre quienes se puede repartir, a proporción de la distancia, la composición de algunos malos pasos de la ladera.

El pueblo de Viña tiene doscientas cincuenta mulas dedicadas solamente al mísero trajín de llevar frutas de la quebrada de Lunahuaná a la villa de Huancavelica, en que apenas lucran en cada una ocho reales en más de quince días, y desean con ansia ejercitarlas en la conducción de correos y pasajeros. Este solo pueblo pondrá, con mucho gusto y utilidad, posta en él y en el sitio de Turpu, procurando tener la ladera de su pertenencia, por conveniencia propia, bien aderezada y libre de riesgos, hasta el sitio nombrado Llangas.

De este pueblo a aquel sitio hay siete leguas, todo quebrada cuesta abajo, con algunos estrechos y derrumbes poco peligrosos al presente, que se pueden componer con facilidad, porque hay bastantes árboles gruesos inmediatos que ofrecen las maderas suficientes. A la bajada a Llangas hay algunos saltos molestos y de algún riesgo, pero de fácil composición, por ser de tierra y piedra suelta.

En Llangas concluye la bajada, y tiene suficiente terreno para muchos alfalfares, que no riegan con el río de Viñas, no obstante tener sus acequias abiertas, por el poco consumo. Aquí se junta el río Grande, que comúnmente llaman de Cañete. A media legua tiene su puente de maromas, que está al cuidado de los indios del

pueblo de Tupe, de la provincia de Yauyos, a quienes el puentero paga veintisiete pesos al año, además del paso libre de todos sus ganados. Es de buena entrada y salida y pasan por él las mulas cargadas y los hombres montados. Todo camino bueno y de trotar, como asimismo hasta el pueblo de Lunahuaná, que dista seis leguas, todas pobladas de ranchos y pueblecitos abundantes de todo lo necesario, y, sobre todo, de indios muy racionales, que sólo hablan el idioma castellano y se distinguen de los españoles en el color solamente. Ofrecen sus casas con generosidad y venden sus comestibles al precio arreglado sin repugnancia. Tienen los puentes de la una a la otra banda bien aderezados y tiesos, para que pasen las mulas cargadas sin molestia y corto gravamen, que aplican para la fábrica de sus iglesias.

Del delicioso y fértil pueblo de Lunahuaná a Hualcará, hacienda de don Juan José de Borda y tierras del pueblo de Coillo, que lleva en arriendo don Pedro de Chaves, hay seis leguas, camino de galopar, a excepción de media legua, que llaman el Mal Paso, por algunos estrechos que tiene, sin riesgo de que se pierda carga alguna y fácil de componer. Aquí pueden poner posta con utilidad propia de los indios de Coillo, por tener muchos alfalfares para mantener las mulas necesarias para la carrera general del Cuzco.

De esta hacienda a la de Asia, tambo o posta antigua de la actual carrera, a Arequipa, hay siete leguas largas, camino de trotar, con algunos arenales enfadosos y el arriesgado paso de más de un cuarto de legua, antes de llegar al tambo, por las muchas piedras y peñas, que están mal sostenidas en las arenas del cerro, a cuya falda se pasa comúnmente por evitar la subida y bajada por el alto. Este tambo está servido por los indios del referido pueblo de Coillo, a quienes paga el tambero anualmente ciento cincuenta pesos, y por no perder esta utilidad darán gustosos los avíos para la carrera general, y la hacienda inmediata de este nombre tendrá doblada utilidad en los pastos, que hasta el presente ofrece a pasajeros y arrieros, por sus muchos alfalfares.

De este sitio a Chilca hay ocho leguas, y a las tres está el pueblo de Mala, con algunos alfalfares y pastos y un río caudaloso en tiempo de avenidas, pero hay diestros chimbadores que pasan los correos del Rey y encomiendas con seguridad y presteza, y sólo con los pasajeros usan de supercherías, ocultando y destruyendo los vados para sus utilidades. Este río, con rodeo de dos o tres leguas, tiene puente de maromas, que está algo abandonado y se puede habilitar fácilmente por los indios de Coillo, asignándoles por carga lo propio que en los de la quebrada de Lunahuaná, que es a real por cada una.

Chilca, pueblo principal de la provincia de Cañete, tiene muchas mulas, pudiendo mantenerse muy pocas cerca de él por ser terreno salitroso, escaso de agua y pocos pastos. La mayor parte de su trajín y comercio lo hacen fuera de la provincia. No obstante, con las que hay en el pueblo destinadas para los viajes a Lima son suficientes para habilitar la carrera general, para lo cual les puede ayudar mucho el pueblo de Mala, ambos compuestos de indios muy racionales y comerciantes.

De Chilca a Lurín hay siete leguas, con algunos arenales poco molestos. Aquí sobran mulas, porque hay abundancia de pastos todo el año, y por eso hay tanto trajín a Lima, que a todas horas se encuentran en la tablada nombrada la Mamacona, que es el único arenal algo molesto y ponderado de cierto informante bisoño. De este pueblo a Lima hay seis leguas, aunque los correos del Rey han pagado cinco. Hay hombres que no saben otra cosa que contradecir y oponerse a todas las ideas que no son propias. «A éstos, dijo el visitador, los llama el agudo Gracián libros verdes.» «¿Qué quiere decir libros verdes?», le repliqué; a que me respondió. «Que eran todos aquellos que piensan honrarse a sí mismos con desdoro y desprecio de otros. Las mulas, prosiguió, criadas en la sierra, en piso duro, se fatigan en los valles arenosos, y al contrario, las de estos valles se cansan mucho en la subida de empinadas cuestas, y regularmente se despean, que es lo mismo que el mal del vaso. No hay día del año que no entren en Lima mulas de las dos costas, con cargas más pesadas que las que se conducen de la sierra. Aquéllas hacen dobles jornadas y llegan más robustas; pero, ¿para qué nos cansamos?, pues los más de los arrieros gruesos que descienden del Cuzco y suben con carga doble, vienen y van por estos arenales, que pondera insuperables el rígido censor, que no conozco, ni quiero conocer.»

El administrador general de correos sabe muy bien que los de Piura y Arequipa, sin embargo de los grandes arenales y mayores distancias, llegan con más presteza que los del Cuzco, por lo que es de sentir el visitador se prefiera esta ruta a la antigua actual que se está siguiendo.

Las casas de postas, que se supone que tendría que costear la renta, es un reparo pueril o muy malicioso, porque la renta jamás ha tenido ni tiene casa alguna, y mucho menos lo necesita en esta ruta que en otras partes, porque todos los maestros tienen rancho o casa en que vivir, que franquean, no solamente a los correos, que sólo se detienen una o dos horas, sino a los pasajeros que quieren hacer mayores mansiones. El otro reparo que se puso de que carecían de correspondencias los vecinos del valle de Jauja y provincia de Tarma, es un trampantojo para espantar a ignorantes. Lo primero, porque saliendo diariamente arrieros y pasajeros de estas dos provincias para Lima, dirigen con ellos los vecinos sus correspondencias, que son de muy corta entidad; pero suponiendo como cosa precisa la correspondencia fija y determinada con estas dos provincias, no había cosa más fácil que destinar un cañari, costeado por ellas o por la renta, saliendo un indio de cada una con su paquetillo hasta la Oroya y alternándose para pasar a Lima por la quebrada de San Mateo. El comercio interior de estas dos provincias rara vez pasa de Huancavelica, que está menos distante de Lima y de camino menos fragoso, por lo que pudieran también elegir la remisión de sus correspondencias a aquella villa, para que se quedasen en ella las correspondientes, como asimismo las que pudieran dirigir para las demás provincias, y que las de Lima las condujese el correo ordinario, que pasaría con velocidad por los altos de Viña, y sólo tendrían los cañaris el viaje a Huancavelica, y con atraso de un sólo correo al año recibirían sus respuestas muy puntuales, así de Lima como de las provincias más remotas.

En conclusión, la ruta desde Lunahuaná se puede variar porque hay varias quebradas que acaso serán más accesibles que la que tira al pueblo de Viña, y aún desde éste hay otra quebrada, que llaman de Abajo o de El León, pero, sígase el camino que se destinase; siempre es más cómodo y accesible que el de los Huarochiríes y Angaraes. Los señores obispos, gobernadores y personas distinguidas siempre hacen sus viajes por la costa hasta Lunahuaná y Viña, que es una prueba de la mayor comodidad y más civilidad de sus habitantes, que en comparación de los Huarochiríes son lo mismo, aunque por distinto rumbo, que los actuales franceses, comparados con los antiguos galos, o los atenienses con los lacedemonios.

Para dar fin a este itinerario, se previene que no es regla infalible para graduar de mejor ruta la que siguen las personas distinguidas y de conveniencias, porque todos estos señores eligen las dos mejores estaciones del año. Para los correos, que caminan por precisión en días determinados, se debe elegir una ruta que no tenga impedimento grave en ninguna estación. Un derrumbe fortuito se puede evitar con un corto rodeo o una composición provisional, pero la rápida corriente de un río sin puente ni balsas, aunque no permanezca más que el espacio de dos meses al año, es suficiente para abandonar una ruta llana, expuesta a cortar el giro epistolar y ocasionar grandes atrasos en el reino. El tránsito de Lima a Arequipa tiene más de ocho ríos caudalosos, con preciso vado, y jamás se ha experimentado detención considerable en los correos, y sin embargo de que el visitador prefiere la ruta por Lunahuaná, por no vadearse más que los dos ríos de Lurín y Mala, encarga se reconozcan en tiempo riguroso de aguas las laderas hasta Viña y sus altos, y en particular la laguna grande, nombrada Turpu, y el río de Cotay, como asimismo las vertientes de las dos cordilleras, que pasó a mediados de mayo, en que ya del todo han pasado las aguas y derretídose las nieves.

El corto estipendio que se paga a los maestros de postas atrasa mucho los viajes, porque no se costean las remudas ni pueden mantener caballerías a la estaca en corrales. La conducción de encomiendas de oro y plata, y otras de bultos tan útiles al comercio y particulares, atrasan también mucho las correspondencias. El camino áspero, en rigor, es el de Lima al Cuzco, y con todo eso lo han hecho varios particulares y correos en siete días, que sale a más de veintiséis leguas por cada veinticuatro horas, con algún descanso; y aseguro que si se dividiera la carrera en Huamanga, se podía hacer el viaje en cinco días, porque cualquier hombre de mediana robustez aguanta dos días y medio sin descanso, y lo propio y a correspondencia del mejor camino, se avanzará del Cuzco hasta Buenos Aires, pagando bien las postas. Concluyo este diario con un chiste de un tucumano.

Cierto inglés apostó en Buenos Aires a poner una carta en Córdoba, que dista ciento cincuenta leguas, aunque el visitador sólo graduó ciento cuarenta y seis, en cuarenta y ocho horas, que salen por la primera regulación a setenta y cinco por veinticuatro horas, y a más de tres por hora, pero puso la talla de cuatro mil pesos. Varios comerciantes se acombraron de la proporción, sin reflexionar en los medios que podía tomar el inglés para hacer un viaje con tanta velocidad, hasta que llamaron al *Corredor Cordobés*, que era el más acreditado en aquella carrera, que jamás la había hecho en menos de tres días y medio, y habiéndose presentado éste, mandó comparecer al inglés, para aceptar en parte el desafío. Mientras llegó, picó su tabaco, torció un cigarrillo con mucha frescura y sin hablar nada esperó al inglés, llenando de humo todo el aposento. Los circunstantes estaban suspensos. El inglés, que era hombre circunstanciado, llegó prontamente, y le recibió el tucumano con una cortesía campestre y echándole dos sahumerios en las barbas le dijo que aquellos caballeros le habían dicho todo lo que pasó. El inglés se afirmó en su apuesta, creyendo que los comerciantes le afianzarían, pero el bueno del tucumano, con mucha serenidad, le dijo que ni él ni todos sus antepasados, ni todo su generación presente, tenían cuatro mil pesos, pero que si se quería apostar veinte pesillos (así se explican ellos para manifestar una corta cantidad), que estaba pronto a arriesgarlos.

El inglés, irritado, pronunció las siguientes palabras: *Sols, sols, sanibavichi canifestan!*, que es una execración o maldición de desprecio. El tucumano la entendió bien por los gestos y le respondió con frescura: «Oiga el inglesillo, ¿le parece que aquí, aunque *semos* unos *probes*, no le entendemos sus trafacías?» Esta voz, *trafacías*, no solamente significa entre ellos maldad y engaño, sino artificio y agudeza, y añadió que él con sus hijos y yernos se atrevía a hacer el mismo viaje, y aún más breve, por quinientos pesos. Los porteños entendieron el misterio y a los peruanos no hay necesidad de explicárselo.

Quia intelligentibus pauca.

APENDICE

XXV

Primera carrera de la ciudad de Lima al Cuzco.—Segunda carrera desde el Cuzco a la imperial villa de Potosí.—Tercera carrera desde Potosí a San Miguel del Tucumán.—Cuarta carrera desde Tucumán a Buenos Aires.

Después de concluído este itinerario histórico, le pareció muy del caso al visitador dar a sus lectores una sucinta idea de las provincias de su comisión, para que se dirijan las correspondencias con algún acierto. Estas advertencias se harán de modo retrógrado, para que los señores limeños no tengan la molestia que les causará el itinerario general.

La primera partencia, o llámese partenza sincopado, como actualmente está en uso, es el sitio de donde salen los correos hasta donde concluyen su carrera. En la administración general de Lima se despachan tres correos ordinarios. El que llaman de valles, que concluye en Piura, camina doscientas diecisiete leguas. Estos dos viajes están reglados según las memorias antiguas, que no queremos disputar por no ser de nuestra comisión.

De Lima al Cuzco, por la posta, se cuentan ciento ochenta y cuatro leguas, según las observaciones del visitador y dictamen de hombres prácticos. La primera provincia que se presenta en la actual y antigua carrera es la de Huarochirí,

cuya capital es el pueblo de este nombre. Toda esta provincia es de indios, por lo que solamente el corregidor, sus tenientes y familiares, como los curas, dirigen tales cuales cartas a las provincias de arriba, y mucho menos a Lima, porque el continuo trajín de los indios a esta capital les dan motivo para no necesitar del correo ordinario. Sin embargo, la persona que quisiere escribir, pondrá el nombre del pueblo o doctrina, y abajo Huarochirí, para que los dependientes de la renta sepan que han de dirigir a aquel pueblo todas las cartas de la provincia, a excepción de las de aquellos pueblos que están al tránsito, que se dicen cartas de camino.

Sigue la provincia de Jauja, que da principio con el mayor pueblo, llamado Atunjauja. El segundo es el de la Concepción, capital de la provincia, y el tercero, el de Huancayo. En estos tres pueblos hay varios españoles y mestizos, comerciantes con la capital de Lima. Tiene por conveniente el visitador que en Atunjauja se ponga la caja de correos, para que dirija los pliegos, no solamente a toda la provincia, sino al pueblo de Tarma, por su inmediación, y que de éste pasen las correspondencias a Pasco, adonde verdaderamente se debe poner un teniente de correo, porque existen en aquel asiento las cajas reales y varios mineros de consideración, y en este caso podía establecerse cañari, para que por la provincia de Canta pasase a Lima con prontitud.

La tercera provincia al tránsito de los correos es la de Angaraes. Esta no tiene comercio epistolar sino con la villa de Huancavelica, que es la residencia del gobernador, oficiales reales, mineros de azogue, comerciantes de entrada y salida a algunos tenderos. Las correspondencias del teniente general, si no tiene apoderado en Huancavelica, se le dirigirán a Parcos, para que desde esta posta se la envíen al pueblo de Acobamba, en donde tiene su regular residencia. A un lado de Parcos está la isla de Tayacaja, que corresponde al gobierno de Huanta, pero siempre ésta se sirvió por un teniente con total independencia, y acaso le tendría más cuenta a éste ocurrir a Parcos por sus correspondencias que al pueblo de Huanta.

La cuarta es la de Huanta, que no tiene más correspondencias que las del corregidor, cura y tal cual vecino, aunque es pueblo de bastante extensión.

La quinta es Huamanga, cuyas correspondencias se dirigen al casco de la ciudad. El corregidor de Vilcahuamán tiene allí su apoderado regularmente, y si por accidente no le tiene, pasarán sus correspondencias, con las de los demás provincianos, a la posta nombrada Tambo-Cangallo, que es de su jurisdicción.

La sexta se nombra Andahuaylas, pueblo numeroso y capital de la provincia. Además del corregidor y cura tienen algunas correspondencias varios vecinos. Los curas y hacendados ocurren por sus correspondencias a este pueblo, adonde se dirigirán todas las de la provincia.

La séptima se nombra Abancay, que es la capital y único pueblo de correspondencia, y si la posta, que actualmente está en Tambo-Urco, no se muda al pueblo, se dejarán las correspondencias de él en el referido tambo, para que el maestro de postas las entregue y dé cuenta de su valor a la vuelta del ordinario que pasa al Cuzco.

La octava provincia se reduce a la gran ciudad del Cuzco, que es la mayor en materia de correspondencias de toda la sierra. A esta capital se pueden dirigir las cartas de las provincias de Chilques, Masques, Calca, Urubamba, Cotabamba y Chumbivilcas, que regularmente tienen sus apoderados en ella. En esta ciudad hay cañari para la travesía de Arequipa, que servirá de gobierno a las provincias inmediatas.

Esta es de doscientas veintisiete leguas, y en ellas están situadas al camino real de postas las provincias siguientes:

La primera es la de Quispicanchi, Andahuaylillas o Urco, que todos estos tres nombres tiene, y aunque regularmente tiene el corregidor su apoderado en el Cuzco, si no ocurriere a tiempo se pueden dirigir sus correspondencias al pueblo nombrado Quiquijana, como asimismo todas las de los pueblos de travesía y las demás de los pueblos que están en la carrera, según el itinerario, las llevan los correos a la mano, para entregarlas de camino.

La segunda provincia es la de Tinta, cuyas correspondencias se pueden dirigir al pueblo de Sicuaní, adonde el corregi-

dor conserva siempre un comisionado y el cura un ayudante, por ser pueblo numeroso. Aunque se suprimió esta posta, por ser inútil, conviene que se ponga un administrador para que reparta las cartas de la travesía y pueblos inmediatos, para evitar la detención del correo.

La tercera es la de Lampa, cuyas correspondencias se dirigirán al pueblo de Ayaviri, para que el administrador las dirija al de Lampa y demás que están en las travesías. También se dirigían a este pueblo las de la provincia de Azángaro y Carabaya.

La cuarta es la de Paucarcolla. Sus correspondencias se dejan en Puno, adonde hay administrador de correos, por cuya mano se reparten. Aquí hay cañari para Arequipa, de que se aprovecharán todos los pueblos interiores, hasta Buenos Aires, y aún los de la provincia de Lampa al tránsito de los correos generales.

La quinta es la de Chucuito, cuya capital tiene este nombre. Todos los pueblos están en la carrera, a excepción de dos, que por accidente tienen correspondencia epistolar.

La sexta y séptima son las provincias de Pacajes y Omasuyos; no tienen más que tres pueblos chicos sobre la carrera general. De estas dos provincias se ocurre por las correspondencias a La Paz, que es la octava que está en la carrera.

La novena es la de Sicafica, cuya capital tiene este nombre, y aquí se dirigirán y dejarán las correspondencias para toda la provincia.

La décima es la de Oruro. De esta villa se despachan dos cañaris, para la de Cochabamba el uno y el otro para Carangas. Estos dos cañaris sirven para todo el reino.

La undécima provincia se nombra Poopó, que concurre por sus correspondencias a Oruro. Desde Cochabamba se dirigen las cartas al señor obispo de Misque y gobierno de Santa Cruz de la Sierra, Mojos y Chiquitos.

La duodécima es la de Porco, que ocurre por sus correspondencias a la décimatercia y última de esta carrera, que es Potosí. De esta villa se despacha el correo real, que viene de la ciudad de La Plata con correspondencias e intereses, por lo que el visitador situó dos postas, como consta en su itinerario, para el pronto despacho de aquella travesía y evitar las extorsiones que se hacían a los caminantes.

Carrera tercera, desde la imperial villa de Potosí hasta la ciudad de San Miguel del Tucumán

Esta consta de doscientas treinta leguas, que se pueden regular como camino de sierra, y más fragoso y difícil que el del Cuzco a Potosí, pues aunque tiene muchos llanos, de Jujuy en adelante hay varios ríos caudalosos, y en particular los de Perico y el Pasaje, que detienen la carrera. La primera provincia que se presenta es la de Porco, cuyos habitantes concurren por sus correspondencias a Potosí.

La segunda es la de Chichas, nombrada también Santiago de Cotaguayta, y Tarija. A Santiago se dirigirán todas las correspondencias de esta provincia, que llega hasta el río nombrado Quiaca, desde donde entra la gran provincia del Tucumán, y se comprenden en esta carrera las tres ciudades de Jujuy, Santiago y San Miguel.

Carrera cuarta y última, desde San Miguel a Buenos Aires

Esta consta de trescientas cinco leguas al camino real, y aunque es la mayor, no iguala a la tercera, que se puede contar por camino de sierra, pues aunque desde Jujuy a San Miguel es camino carretero, tiene muchos ríos, y en particular el de Perico y Pasaje, que en tiempo de avenidas detienen las marchas, y aunque en esta última también hay ríos caudalosos, tienen buenos vados de aguas mansas, y en los más profundos, como el Segundo y Tercero, sobran balseadores, que prontamente y sin riesgo ni pérdida de barlovento, pasan a poca costa a cualquiera a la opuesta orilla.

La provincia de Buenos Aires no tiene al camino real más que cuatro pagos cortos, que son el presidio nombrado el Pergamino, el Arrecife, Areco y Luján, pero desde la ciudad se dirigen cartas para Santa Fe, Corrientes y Paraguay. Para la otra banda del Paraná, atravesando este río, como el real de San Carlos, plazas

de Maldonado y Montevideo, como asimismo para todo el reino de Chile, de que sólo se pueden aprovechar los limeños en tiempo que está cerrada la cordillera o que haya corsarios enemigos que crucen las islas de Juan Fernández a Valparaíso.

También se pueden arriesgar algunas cartas por duplicados franqueándolas hasta Salta, para que aquel administrador las dirija con pasajeros o arrieros a Catamarca o ciudad de Todos los Santos de la Nueva Rioja, como asimismo a Coquimbo, Copiapó, El Huesco y San Juan de la Sirena, situadas en la otra banda de la cordillera. En estos casos, y por las contingencias de que lleguen las correspondencias tarde o nunca, es de sentir el visitador se exija por los administradores un porte muy equitativo; quiere decir que si desde Lima a Salta se cobran cuatro reales por carta sencilla, se exijan solamente dos de las que se dirigieran con destino a los referidos parajes, en donde la renta no puede mantener correo, para que la equidad aliente a aventurar unas cartas que muchas veces serán muy importantes al público, porque las del real servicio, en casos extraordinarios, caminarán siempre por correos que costeará la real hacienda de otros ramos, porque el de éste sólo está obligado por reales disposiciones a mantener los ordinarios de la carrera general.

XXVI

Breve comparación entre las ciudades de Lima y el Cuzco.—Particularidades características.—Limeños y mejicanos.—El traje de la limeña.—Causas de la vitalidad. Cosas singulares.—Camas nupciales, cunas y ajuares.

Pretendí hacer una descripción de Lima, pero el visitador me dijo que era una empresa que no habían podido conseguir muchos hombres gigantes, y que sería cosa irrisible que un pigmeo la emprendiese. «Pero, señor visitador, ¿es posible que yo he de concluir un itinerario tan circunstanciado sin decir algo de Lima?» «Sí, señor inca, porque a usted no le toca ni le atañe esta gran ciudad, porque en ella se da fin a mi comisión. Los señores don Jorge Juan, añadió, don Antonio de

Ulloa y el cosmógrafo mayor del reino, doctor don Cosme Bueno, escribieron con plumas de cisne todo lo más particular que hay en esta capital, a que no puede usted añadir nada sustancial con la suya, que es de ganso.» «Sin embargo, repliqué, sírvase usted decirme qué diferencia hay de esta gran ciudad a la de mi nacimiento.» «Supongo yo, señor inca, me respondió, que usted está apasionado por el Cuzco, su patria, y quisiera que dijera yo que excedía en todas sus circunstancias a la de Lima, pero está usted muy errado, porque dejando aparte la situación y ejidos, debía usted observar que en esta gran capital se mantiene un virrey con grandeza y una asignación por el Rey que equivale a todas las rentas que tienen los mayorazgos del Cuzco. Tiene asimismo tres guardias costeadas por el Rey, de caballería bien montada y pagada; infantería y alabarderos, que no sirven solamente a la ostentación y grandeza, sino al resguardo de la persona y quietud de esta gran población, a que se agrega una Audiencia completa, tribunales de contaduría mayor, Real Inquisición, universidad, teatro de comedias y paseos públicos inmediatos a la ciudad, que no tiene la del Cuzco ni otra alguna del reino.

«Esta mantiene doscientos cincuenta coches y más de mil calesas, que sólo se distinguen en que tienen dos ruedas y las arrastra una mula, y estar más sujeta a un vuelco. Nada de esto hay en su gran ciudad. En materia de trajes, tan loca es la una como la otra, con la diferencia de gustos y extensión de familias y comercio, en que excede Lima al Cuzco más que en tercio y quinto. En esta ciudad hay muchos títulos de marqueses y condes, y mucho mayor número de caballeros cruzados en las Ordenes de Santiago y Calatrava, que a excepción de uno u otro tienen suficientes rentas para mantenerse con esplendor, a que se agregan muchos mayorazgos y caballeros que se mantienen de sus haciendas y otras negociaciones decentes para vivir y dar lustre a la ciudad. No dudo que en la de su nacimiento, como en las otras de este vasto virreinato, haya familias ilustres, pero el número de todas ellas no compone el de esta capital, en donde se hace poco juicio de los conquistadores, pues aunque no faltaron algunos de esclarecidas familias, se aumentaron éstas cuando se afirmó la conquista.

«Con la elección de tribunales y otros empleos honoríficos, pasaron de España a esta capital muchos segundos de casas ilustres, unos casados y otros que tomaron estado aquí, y hasta muchos de los que fueron provistos para las provincias del interior, vinieron a establecerse aquí, como sucedió en todas las cortes del mundo. Muchos sujetos que vinieron de España sólo con el fin de hacer fortuna han tenido su nobleza oculta hasta que la consiguieron y pudieron mantener su lustre en un lugar tan costoso y en que está demasiadamente establecido el lujo. En el Cuzco y demás ciudades de la sierra, y parte de los valles, sólo es costoso el vestido y un menaje de casa, que dura con lucimiento algunos siglos. La señora más principal del Cuzco mantiene cinco o seis criadas, que la sirven puntualmente y en que apenas gasta en vestirlas tanto como aquí a una negra de mediana estimación. En esta ciudad, sin tocar en las haciendas, hay un fondo perdido de millón y medio de pesos, porque no hay esclavo, uno con otro, que ahorre al amo el gasto que hace con él. Las enfermedades, verdaderas o fingidas, no solamente son costosas a los amos, por los medicamentos, médico o cirujano, sino por su asistencia y falta de servicio. Cada negrito que nace en una casa de éstas tiene de costo al amo más de setecientos pesos hasta llegar a ponerse en estado de ser de provecho. Este mal no tiene remedio cuando estos partos son de legítimo matrimonio, pero pudieran remediarse en parte reduciendo los sirvientes a menor número, como sucede en todo el mundo.

«La multitud de criados confunde las casas, atrae cuidados, entorpece el servicio y es causa de que los hijos se apoltronen y apenas acierten a vestirse en la edad de doce años, con otros inconvenientes que omito. El actual establecimiento, con el de los costosos trajes que se introducen desde la cuna con la demasiada condescendencia que tienen algunas madres, son dos manantiales o sangrías que debilitan insensiblemente los caudales.

«No dudo, señor Concolorcorvo, que usted, como no ha visto más que las casas por fuera y los techos, o, por mejor decir, terrados, creerá que la en que yo habito es la mejor de la ciudad, porque tiene las armas de gato sobre la puerta principal, y hasta tres o cuatro piezas de bastante extensión. Esta casa, en el estado actual, la debe reputar usted por una de las que están en cuarto lugar; esto es, que hay otras muchas tres veces mejores. Los señores limeños no tienen la fantasía de adornar sus portadas con relieves y grandes escudos de armas, que hermosean las grandes ciudades. Los tejados aquí son inútiles, por la falta de lluvias, que en la realidad se pueden contar por notable falta para el despejo de su cielo y limpieza de sus calles, pues aunque las atraviesan multitud de acequias, no corren por ellas aguas puras, porque siendo de poca profundidad y el agua escasa, sólo se mantienen en ellas las aguas mayores y menores, con perjuicio de la salud y ruina de los edificios, como es público y notorio. El gran palacio del virrey, mirado por su frontispicio, parece una casa de Ayuntamiento de las que hay en las dos Castillas, pero su interior manifiesta la grandeza de la persona que la habita. Lo mismo sucede en otras casas de señores distinguidos, que usted verá con el tiempo.

«La nobleza de Lima no es disputable, o lo será toda la demás del mundo, porque todos los años estamos viendo los criollos que heredan señoríos y mayorazgos de los más antiguos de España. Omito poner ejemplos por no agraviar a aquellas familias de que no tengo noticia formal, y porque mi intento no es hacer apología. El actual virrey, excelentísimo señor don Manuel de Amat y Junient, decoró mucho esta ciudad en paseos públicos y otras muchas obras convenientes al Estado. No puedo referirlas todas porque sería preciso escribir un gran volumen de a folio, y otra pluma, pero nadie puede negar que su genio e ingenio es y ha sido superior a todos los virreyes en materia de civilización y buen gusto.

«Los ingenios de Lima parecen los más sobresalientes de todo el reino. Esto proviene de que tienen un cultivo más temprano y permanente. Un niño en esta ciudad se explica muy bien desde la edad de cuatro años, y un serrano apenas sabe explicarse en castellano puro a los ocho.

con muchos solecismos, y esto proviene de que a un mismo tiempo estudian dos idiomas, que son la lengua de los naturales, que es la más común en sus casas entre nutrices, criadas y madres, y así, cuando van a la escuela castellana, que regularmente la enseña un bárbaro, dicen en lugar de: «dame un vaso de agua fría», «un vaso de agua fría dame», que corresponde a *Uno chiri apamuy*, que reputan los ignorantes por grosería y fatuidad. Los vizcaínos (hablo de los comunes) usan de la propia colocación, y por esta razón comprenden mejor la lengua quichua.

«Protesto a usted, señor inca, que ha cerca de cuarenta años que estoy observando en ambas Américas las particularidades de los ingenios de los criollos y no encuentro diferencia, comparados en general, con los de la península. El cotejo que hasta el presente se hizo de los criollos de Lima con los que se avecindan aquí de España es injusto. Aquí raro es el mozo blanco que no se aplique a las letras desde su tierna edad, siendo muy raro el que viene de España con una escasa tintura, a excepción de los empleados para las letras. Bien notorio es que no siempre se eligen los más sobresalientes, porque además de que a éstos, fiados en sus méritos, no les puede faltar allá acomodo, no quieren arriesgar sus vidas en una dilatada navegación y mudanza de temperamentos, o no tienen protectores para colocarse aquí a su satisfacción. Si se mudara el teatro, esto es, que se proveyesen en Lima todos los empleos, se vería claramente que había en la península tantos sabios a proporción, y cualquiera ciudad de las de España comparable a ésta la igualaba en ingenios, juicio y literatura, sin traer a consideración a varios monstruos de aquéllos, tan raros que apenas en un siglo se ven dos, como el gran Peralta, limeño bien conocido en toda la Europa, a quien celebró tanto la más hermosa y crítica pluma que produjo Galicia en el presente siglo.

«Con este motivo voy a satisfacer a los señores peruanos y demás criollos del imperio mejicano, de dónde provino la opinión común de la debilidad o corta duración de juicio para la continuación de las letras a los cuarenta o cincuenta años de edad. La ciudad de México es antípoda de la de Lima. El aire de ésta es húmedo en sumo grado. El de México es muy sutil y seco. El suelo de Lima pide, por su naturaleza, ser seco, y si se experimentan perjuicios es por la humedad que introducen las acequias, que tejen las casas y calles. Para hallar agua en Lima es preciso hacer una excavación de doscientas varas. En México, a menos de una vara se encuentra agua, pero es tal la actividad de los aires, que los cuartos bajos se preservan de las humedades con un tablado de menos de una cuarta de alto. En estos almacenes se conservan muchos años los efectos sin percibir humedad, y el azúcar, que se humedece en Lima en alacenas altas, se seca tanto en México en los suelos, que se hace un pedernal. Los metales conservan muchos años su lustre, y en Lima lo pierden en corto tiempo, y así sucede con todo lo demás, que uno y otro acontece por la humedad o sequedad de los aires. Los de México están impregnados de sal, porque todos sus contornos están llenos de este ingrediente. Hay una especie de sal, que parece tierra morena, llamada *tequesquite*, que dicen los naturales que corrompe y pudre los dientes, cubriéndolos con un sarro negro, y así es muy rara la dentadura que se mantiene con lustre blanco. Casi todos los mejicanos de ambos sexos padecen esta destrucción desde edad muy tierna, a que ayudan las continuas fluxiones. Los pasmos son tan continuos, que rara vez entré en iglesia de algún concurso que no viese hombre o mujer que no le padezca, cayéndose en el suelo, como si les acometiera la gota-coral, a que se agrega torcérseles la boca y garganta, hasta llegar a besar con aquélla la oreja. El primer auxilio de los concurrentes es abrigar a los dolientes con las capas, que son capaces de sofocar a un hombre robusto, pero se ha visto y aprobado este remedio provisional.

«El gálico es tan común como las fluxiones, pero se cura con facilidad. El *matlasague*, que es un tabardillo entripado, hace un destrozo grande, principalmente en los indios. El dolor de costado es muy temible y arriesgado; pero, sobre todo, las evacuaciones a un tiempo mismo por las dos puertas principales del cuerpo, que con mucha propiedad llaman los mejicanos *miserere*, y, en conclusión, México es el lugar más enfermo que acaso habrá en todas las poblaciones del mundo. Los europeos, y aún los criollos nacidos y criados en las provincias interiores hasta edad robusta, no padecen o, por mejor decir, resisten por mucho tiempo las influencias malignas del lugar.

«Los mejicanos, sin mudar de traje se distinguen de éstos, como las mujeres de los hombres. Son, por lo general, de complexión muy delicada. Raro se encuentra con su dentadura cabal a los quince años, y casi todos traen un pañuelo blanco, que les tapa la boca, de oreja a oreja. Unos por preservarse del aire, y otros por encubrir sus bocas de tintero, como ellos se dicen unos a otros con gran propiedad, sin que se preserven de esta miseria las damas más pulidas; pero como esta imperfección es tan común, son tan apetecidas de propios y extranjeros como todas las demás del mundo, porque son muy pulidas y tan discretas como las limeñas, aunque éstas las exceden en el acento y tez, que procede de mantener hasta la senectud sus dientes y de la benignidad del aire y temperamento, propio para conservar el cutis más flexible y suave. Las señoras limeñas prefieren en sus rostros el color del jazmín al de rosa, y así son las damas del mundo que usan menos el bermellón.

«Las señoras mejicanas, desde luego que al presente se despojarán de sus naturales dientes y tendrán un buen surtimiento de marfileños, que ya son del uso, para hacer su acento más suave y sonoro y competir con las limeñas, burlándose de su *tequesquite* y ayudadas de su color rojo, dilatados cabellos, airosa marcha y y otras gracias, pueden lucir en las cuatro partes del mundo. Si México se jacta de que en cada casa hay un molino, oponen las limeñas un batán, que sirve lo mismo, a excepción de que no se muele en éstos el cacao. Si en cada casa de México (no hablo con los pobres ni pobras) hay una jeringa, aquí no faltan dos en cada casa de mediana decencia y probidad, y además tiene una botica de faltriquera para socorro de los males repentinos. Si es cierto lo que dice el formal y serio don José Ruiz de la Cámara, que conoció una vieja mejicana que sabía nueve remedios eficaces para curar las almorranas. aquí la más limitada mujer sabe más remedios que Hipócrates y Galeno juntos, para todo género de enfermedades. Esta ciencia la adquieren mejicanas y limeñas, por la necesidad que tienen de vivir en sitios enfermizos.» «A mí me parece, le repliqué al visitador, que las señoras limeñas contraen muchas enfermedades por el poco abrigo de sus pies y precisas humedades que perciben por ellos.» «Está usted engañado, señor Concolorcorvo, me respondió el visitador. Las indias y demás gentes plebeyas andan descalzas, como en otras muchas partes del mundo la gente pobre, y no por esto contraen enfermedades. Las señoritas no son de distinta naturaleza. Se crían con este calzado débil y desde muy tierna edad se visten a media porta, como cortinas imperiales, y del mismo modo se abrigan que las que están acostumbradas a manto capitular u opa de colegial. Sin embargo, sus zapatos tienen dos inconvenientes o, por mejor decir, tres. El primero es dar una figura extraordinaria a sus pies, que por ser uso patrio se les puede disimular. El segundo es lo costoso de estos zapatos, por su corta duración y exquisitos bordados, y lo tercero, por el polvo que recogen y se introduce por los grandes corredores, balcones y ventanas que abren en ellos, para la evaporación de sus encarcelados.

«Las mejicanas se calzan y visten al uso de la Europa, según me han dicho, porque en mi tiempo usaban un traje mestizo que de medio cuerpo arriba imitaba en algo al de las indias, en los guipiles y quesquémeles, tobagillas de verano y mantones de invierno, que corresponden aquí a los cotones de nueva invención entre las señoritas, voladores de verano y mantillas de bayeta frisada en tiempo de invierno. Para hacer un buen cotejo de limeñas y mejicanas sería preciso hacer un tratado difuso; pero no me puedo desentender de una particular gracia de las mejicanas. Estas se sirven mejor con pocos criados. Hablan poco con ellos, y muy pasito, y en los concursos, *loquantur arcana per digitos*, y son las más diestras pantomimas de todo el mundo, pero he reparado que sus mimos no tienen una regla general, porque he visto que algunas criadas que llegaban de nuevo a una casa confesaban que no entendían todavía las señas de sus amas, porque variaban de las antecedentes.»

«Asombrado estoy, le dije al visitador, de la habilidad y sutileza de las damas de México, que logran explicarse y ser entendidas por medio de los mimos. Confieso que no había oído semejante término desde que nací, y ahora, por lo que usted lleva dicho, vengo en conocimiento que esta voz corresponde a aquellos movimientos de rostro y manos con que se explican los recién nacidos y los mudos, a quienes entienden los que se hacen a tratar con ellos, y es lástima que las señoras limeñas no introduzcan este idioma, para libertarse de gritar tanto en sus casas.» «Las limeñas, señor inca, son tan hábiles como las mejicanas, y unas y otras tanto como todas las demás del mundo, pero éstas son servidas de la gente más soez que tiene el género humano, y en particular, por lo que toca a los varones. Los criados, en todo el mundo estudian el mejor modo de servir, y aquí, la mayor destreza es estudiar en servir poco y mal. La señora más prudente y sufrida se impacienta todos los días tres o cuatro veces, aún criándose desde la cuna entre esta gente, que además de ser grosera por naturaleza, la envilece la forzada servidumbre, mal casi irremediable, si no se toma el arbitrio de negar los muchos socorros que se hacen a españolas y mestizas por una caridad desordenada. Bien sé que las personas de juicio serán de mi dictamen, y que con poca reflexión que hicieran los petimetres adoptarían mi pensamiento y no mantendrían un número considerable de hipócritas y holgazanas, sin más título que tener la cara blanca. Ya va dilatada la digresión y es tiempo de volver a nuestro discurso.

La juventud mejicana es tan aplicada a las letras, desde su tierna edad, que excede en mucho a la de Lima. Luego que aprenden a escribir mal y a traducir el latín peor, la ponen en los muchos colegios que hay, para que se ejerciten en la ciencia del *ergo*. Todos los colegios de México asisten de mañana y tarde a la Universidad, y es gusto ver a aquellos colegiales, que van en dos filas, disputar por las calles, y a otros repasar sus lecciones. En la Universidad se convidan los chiquitos para resumir los silogismos. En los colegios no se ve otro entretenimiento que el del estudio y disputa, y hasta en las puertas de las asesorías y en las barberías no se oye otra cosa que le *concedo majorem, nego minorem, distingo consequens y contra ita argumentor*, con todas las demás jergas de que usan los lógicos, de suerte que no hay barrio de toda aquella gran ciudad en donde no se oiga este ruido, a pesar del que hacen los muchos coches y pregoneros de almanaques, novenas y otros impresos, como asimismo de los que venden dulces y otras golosinas.

«De este continuo estudio se aumentan las reumas y fluxiones, más comunes entre la gente que se dedica al estudio y meditación nocturna, y por estas razones los sujetos más aplicados se imposibilitan de continuar estas fuertes tareas, desde la edad de cincuenta años en adelante, y menos escribir asuntos de mucha importancia. Ellos mismos han publicado y publican esto, diciendo que sus cabezas están voladas. Cualquiera se lo cree al ver sus aspectos pálidos y descarnados y sus bocas desiertas de dientes y muelas, así sólo hacen composiciones que no necesitan mucha incubación, como un sermón, o la descripción de unas fiestas, con sus poesías muy chistosas y pinturas que alegran su imaginación. Este, señor inca, ha sido el principio para atribuir a los españoles americanos una debilidad de juicio que ni aún existe en los criollos de México de vida poltrona y valetudinaria. Yo comuniqué a muchos de éstos en México y los hallé de un juicio muy cabal, y muy chistosos en sus conversaciones, y al mismo tiempo advertí que aquella gran población tenía muchos abogados y médicos de trabajo continuo, y la mayor parte criollos de aquella gran ciudad. Por lo menos los abogados necesitan registrar libros, leer procesos, dictar pedimentos y hacer defensas en los reales estrados. Para todo esto necesitan fatigar el discurso, como asimismo los médicos, que son los hombres más contemplativos, o a lo menos deben serlo, por lo mismo que son señores de horca y cuchillo. De todo lo dicho se infiere que una parte considerable de los criollos de México conserva la suficiente robustez y fortaleza del cerebro para el estudio y meditaciones.»

«Esto supuesto, señor don Alonso, le repliqué, ¿qué principios tuvo la opinión de que los españoles americanos perdían el juicio a los cincuenta o sesenta años?» A que me respondió, que el mismo que tuvo el gran Quevedo para escribir la siguiente copla:

> Deseado he desde niño,
> y antes, si puede ser antes,
> ver un médico sin guantes,
> un abogado lampiño,
> un poeta con aliño
> y un criollo liberal,
> y no lo digo por mal.

«No por bien, dijo el visitador, porque en la América, contrayéndome a la sátira contra los criollos, no solamente son liberales, sino pródigos. Es cierto que los peruleros son los más económicos de todos los americanos y aun con todo eso han disipado crecidos caudales en corto tiempo, no solamente en su país, sino en España y otras partes de la Europa, como es notorio.»

«Nadie ignora el fin de las generosidades de la juventud. Los hombres de juicio, que se mantienen honestamente, son tenidos en todo el mundo por avaros y hombres que se afanan por atesorar. Por lo general, éstos, señor inca, no son aquellos avaros de que habla el Evangelio, sino unos hombres muy benéficos al Estado. Estos son los que remedian doncellas, socorren viudas y pobres de obligaciones, y que sostienen los hospitales. Los generosos, a quien celebra el mundo, no son más que unos disipadores de lo que produce, y por lo regular de la industria ajena. Toda su generosidad se reduce a aumentar su tren y a consumirse en cosas vanas, dejando a su familia y descendientes un patrimonio de viento.

«Pero, volviendo a nuestro asunto, pregunto yo: ¿Qué agravio se hace a los españoles americanos con decirles que así como se adelanta en ellos el juicio, se desvanecía a los sesenta años de edad, o a los cincuenta, como aseguraron algunos? El señor Feijóo niega que se adelante el juicio, pero concede que se adelanta en la aplicación, que es lo mismo. Asienta que se gradúan muchos criollos de doctores en ambos derechos a la edad de veinte años. Antes de graduarse es natural que hayan sido maestros en las Facultades que estudiaron, como es común en América, sin ser catedráticos. Es natural que los treinta años restantes se ocupen en la enseñanza pública y progresos de sus estudios. Si los españoles europeos, y lo mismo digo de las demás naciones, dan principio a los estudios mayores desde la edad de veinte años, en que los americanos ya están graduados, o capaces de graduarse de doctores, es natural que aquéllos, por su más lento estudio, no se puedan graduar hasta la edad de treinta y cinco, hablando de los ingenios comunes, y tampoco puedan servir al orbe literario arriba de veinticinco años, como los criollos treinta, porque de sesenta años en adelante son muy pocos los que se dedican a la enseñanza pública, o porque causa mucha molestia o porque están ocupados en el ministerio secular y eclesiástico. Si los americanos saben tanto a la edad de cincuenta años como los europeos a los sesenta, y fueron tan útiles por su doctrina y escritos, deben ser más aplaudidos, así como aquel operario que con igual perfección hace una estatua en un día, como otro en dos. Lo cierto es que hay países en que se conserva más que en otras partes la robustez del cerebro, y así entre Lima y México hay una gran diferencia. En México, la sequedad y sutilidad de los aires, y otros influjos, destemplan el cerebro y causan insomnios. Al contrario sucede en Lima, porque sus aires espesos y húmedos fortalecen los cerebros, conciliando el sueño, con que dejan las potencias ágiles para continuar la tarea de meditación. Los mejicanos no pueden dejar de debilitarse mucho con los frecuentes baños de agua caliente.

«¿Tiene usted otra cosa que preguntar, señor inca?» «Pregunto primeramente, le dije, si usted tiene por escandaloso el traje de las mujeres de Lima, y demás de este reino del Perú.» «Es usted, me dijo, un pobre diablo de los muchos que hay en este reino y en otras partes del mundo. Los trajes patrios, y de uso común no son escandalosos. Los retratos de las grandes princesas católicas nos dan una idea de los costumbres de los países. Estas grandes señoras son el modelo de la honestidad y, sin embargo, descubren sus brazos hasta el codo, y su garganta y pecho hasta manifestar el principio en que

se deposita nuestro primer alimento. El ajuste de su cintura para arriba, lo permite así en los trajes que llaman de corte, porque para los días ordinarios, en que no necesitan lucir sobre sus pechos los costosos collares, usan pañuelos de finísimas gasas, que tapan el escotado. Este mismo orden, y aún con más rigor, sigue la grandeza, y a su imitación el pueblo honesto. Las que se exceden en este ceremonial son reputadas por deshonestas y escandalosas, y vituperadas de la gente de juicio. De medio cuerpo abajo, las señoras europeas se visten hasta el tobillo, y solamente las públicas danzarinas visten a media pierna, para manifestar la destreza de sus cabriolas, pero tienen la precaución de ponerse calzones de raso liso negro, para no escandalizar al público.

«Las señoras limeñas y demás que residen desde Piura a Potosí, y lo mismo digo de la gente plebeya, a excepción de las indias y negras bozales, siguen opuesto orden a las europeas, mejicanas y porteñas, quiero decir, que así como éstas fundan su lucimiento mayor desde el cuello hasta el pecho, y adorno de sus brazos y pulseras, las limeñas ocultan este esplendor con un velo nada transparente en tiempo de calores, y en el de fríos se tapan hasta la cintura con doble embozo, que en la realidad es muy extravagante. Toda su bizarría la fundan en los bajos, desde la liga a la planta del pie. Nada se sabe con certeza del origen de este traje, pero yo creo que quisieron imitar las pinturas que se hacen de los ángeles. Las señoras más formales y honestas en este país descubren la mitad de la caña de su pierna. Las bizarras o chamberíes toman una andana de rizos, hasta descubrir el principio de la pantorrilla, y las que el público tiene por escandalosas, y que en realidad lo son, porque este concepto es suficiente, elevan sus faldellines a media porta, como cortinas imperiales. Estas tratan a las señoras de juicio como a señoras de antaño, y a las jóvenes que las imitan, como a opas. Aquéllas son celebradas de la gente sin juicio, y a éstas las aplauden las personas de honor y talento, y mucho más los hombres y mujeres de virtud.

«¿Hay más preguntas, señor inca?» «Sí, señor, le respondí, y no acabaría hasta el día del juicio, si Dios nos diera a usted y a mí tanta vida como a Elías y Enoc. Pregunto lo segundo: si en México y Lima, que usted reputa por las dos cortes más enfermizas del imperio español americano, ¿viven sus habitantes tanto como en los demás países de su dominio?» «Digo que sí.» «¿Y en qué consiste?», le repliqué yo. A que me respondió que la misma destemplanza de los países obligaba a sus habitantes a hacerlos más cautos en sus alimentos. «De México tengo poca práctica, pues aunque estuve en aquel dilatado imperio diez años, y de residencia en México más de cinco, no hice reflexión, porque no la tenía para un asunto de tanta seriedad, pero tengo presente haber comunicado muchos viejos de ambos sexos, de setenta años y de mucho juicio. Llegué a Lima el de 1746, con treinta años cumplidos, y aunque en los primeros cuatro me ocupé en ideas generales y en aquellas fantasías en que se ejercitan los mozos hasta esta edad, reconocí después que en Lima hay tantos viejos y acaso más que que en otros países que se reputan por sanos.

«He reflexionado que en la América viven más las mujeres que los hombres, en los países insanos. Las que no nacen bajo el signo del Cangrejo mueren regularmente de viejas y mantienen su juicio hasta la edad de ochenta años. Pudiera traer más de veinticuatro ejemplares de mujeres que pasan de ochenta años solamente en esta capital. La señora de quien oyó usted hablar esta mañana es de las más ilustres, y aseguran sus hijos, nietos y bisnietos, de que está rodeada, que tiene cumplidos ochenta y seis años, y tiene otra hermana mayor en la Encarnación, con fama de mucho juicio y virtud.» «Ya sé de quién habla usted, le repliqué, porque se nombró muchas veces en esta casa a la señora N. (No se puede nombrar porque las señoras limeñas, como todas las demás del mundo, no gustan de que se les cuenten sus años hasta después de su muerte.) Esta ilustre señora, en edad tan avanzada, y así como otras muchas, mantiene su juicio, lee y escribe sin anteojos, con mucho acierto, y mantiene una conversación llena de sentencias chistosas; pero como éstas se dirigen al fin de alabar las costumbres antiguas y reprender las modernas, las gradúan las jóvenes por epidemias de viejas.

«No ha muchos años que murió en esta capital un sujeto distinguido, y criollo de Lima, conocido por su antigua nobleza y literatura, y mucho más por su humor jocoso, y en el último período de su vida que discurro sería después de haber cumplido los noventa años, prorrumpió en la idea de vituperar todas las cosas del país y ensalzar las de la península, de tal suerte que un bisnieto le dijo un día que no le faltaba otra cosa que decir que la hostia consagrada de España era mejor que la que se consagraba aquí, a lo que respondió el longevo sin titubear: «Sí, bisnieto, porque aquellas hostias son de mejor harina.» Respuesta verdaderamente escandalosa si no se tomara en el estilo jocoso con que quiso reprender a su descendiente. Coetáneo al señor Bermúdez, criollo, hubo otro igual caballero de apellido Mendoza, europeo que conservó hasta los últimos instantes de su vida un humor jocoso. Al tiempo de darle la Santa Unción reparó que uno de aquellos monigotillos, que regularmente asisten a los párrocos, miraba con asombro su pálido semblante, ojos hundidos y nariz afilada, y en el mismo instante le hizo un gesto tan formidable, que el muchacho, arrojando la vela sobre la cama, corrió dando unos gritos como si le hubiera querido tragar un espectro. El padre que le ayudaba a bien morir le preguntó poco después si sentía que se moría, y respondió con su voz trémula que, como no se había muerto otra vez, no podía darle razón con formalidad. La gente de poco juicio atribuye a falta de juicio, lo que en realidad es tenerlo muy despejado hasta los últimos instantes de la vida: necedad más o menos.

«¿Hay más preguntas, seor Cangrejo, que ya me voy enfadando?» «Sí, señor, porque quiero saber si ha visto usted en esta ciudad alguna cosa singular, y que la distinga de las demás que ha visto en los dominios de nuestro Monarca.» «¡Raro ofrecimiento! Supongo yo, me dijo, que usted, el dicho Cangrejo, no querrá saber bagatelas, sino cosas de mucho peso.» «Ao, señor.» «Pues tome usted sobre sus hombros estas dos particularidades. La primera es la grandeza de las camas nupciales, y la segunda, de las cunas y ajuares de los recién nacidos en casas opulentas. Las primeras casi son *ad pompam*, y las segundas, *ad usum*.» «¿Pues de qué se componen estas camas, cunas y ajuares tan ponderados?» A que me respondió que su ropaje era el más exquisito que se tejía en la mejores fábricas de la Europa. Colgaduras y rodapiés, a lo menos son de damasco carmesí, guarnecidas de los mejores galones y flecaduras de oro que se hacen en Milán. Las sobrecamas, guarnecidas del mismo modo, son del más rico tisú que se teje en León de Francia. Las sábanas y almohadas son del más fino lienzo que se fabrica en Cambray, guarnecidas de los más delicados y anchos encajes y puntas que se tejen en Flandes, a que se agrega un paño grande, igualmente guarnecido, y tan transparente que se divisa por él la grandeza de las almohadas, que por la parte superior apenas tienen una cuarta de olán batista. La cuna y ajuares del niño son de la misma estofa, sin contar con los dijes para adorno de la criatura, que regularmente son guarnecidos de brillantes, que no regulo más que por un gasto, porque sirven a los demás hijos, a excepción de los que hacen invisibles amas y criadas; de modo que los criollos de casas de mediana opulencia pueden jactarse de que se criaron en mejores pañales que todos los príncipes de la Europa, aunque entre el Gran Señor con todo su serrallo.»

«Yo me alegrara, le dije al visitador, ver esa grandeza y palpar esos encajes y puntas.» «No será dificultoso el que usted vea, pero no le permitirán palpar con esas manos de carbonero, de recelo de una mancha o que les deje algún olor a chuño.» «Peor es negra, que huele a grajo, y la he visto hacer camas muy ricas.» «Pero no tanto como éstas, señor Concolorcorvo. Estas las hacen y deshacen señoritas que se mantienen de néctar y ambrosía.» «¿Pues cómo, le repliqué yo, he visto a muchas señoras limeñas comer chicharrones, mondongo, chupe de queso, mazamorra y otras cosas que comen mis paisanas? «Esas, señor inca, son damas de la Arcadia, que se acomodan al alimento pastoril y bailan al son de los albogues del semi-capro dios; pero éstas de que yo hablo son ninfas del Parnaso, presididas del sacro Apolo, que sólo se mantienen, como llevo dicho, de néctar y ambrosía, como los dioses. Sus entretenimientos son elevadas composiciones en prosa y verso, y cuanda alguna quiere pasear todo el orbe en una hora, monta en el Pegaso, que siempre está pronto y paciendo alrededor del sacro coro.»

XXVII

Juicio del visitador Carrió sobre el itinerario histórico del autor.—Comparación entre el Imperio peruano y el mejicano.—Anécdota de las cuatro P P P P de Lima.—Fin.

«Por la laguna Estigia, que es el mayor juramento que prorrumpían los dioses de mis antepasados, según usted me ha dicho, que no entiendo nada de la Arcadia y el Parnaso, ni de antaño y hogaño, allende y aquende, con otros muchos términos, fábulas y figuras que usted me sopló, que recelo se ha inventado de su cabeza para que estos limeños hagan burla de un pobre serrano, a que se agrega lo indio.» «No sea usted tan desconfiado, me dijo el visitador, porque estos caballeros disimulan y saben digerir otras piltrafas mayores.» «No se fíe usted mucho, señor don Alonso, le dije, porque estos genios son muy clarivoyantes y espíritus muy bellacos, que no perdonan el más leve descuido.» «Eh bien, *monsieur* Concolocorvo; supongamos que en las tertulias y estrados se critique su gran itinerario histórico, por lo que toca a esta parte, y que se falle que su trabajo fué perdido y que toda la obra no vale un comino. ¿Qué cuidado tendrá usted de ésto, después de haber vendido a buen precio sus brochuras? Reniegue usted y dé al diablo la obra o composición de que no se hable mal. Ninguna ha salido hasta ahora al gusto de todos, y hay infinidad de sujetos que no siendo capaces de concertar un período de seis líneas en octavo, que ponen un defecto en las cláusulas del hombre más hábil. Todo esto es oro molido para el autor. Si usted logra sacar el costo de su impresión (que lo dudo mucho) aunque la Robada le haga mucha gracia por mi respeto y amistad antigua, siempre gana usted mucho difundiendo su nombre y apellido por los dilatados dominios de España, con más fundamento que Guzmán de Alfarache y Estebanillo González, que celebran tantos sabios e ignorantes en distinto sentido.»

Estaba resuelto a hacer más preguntas al visitador, pero como me juró por la batalla de Almansa y por la paz de Nimega, que es lo único sobre que jura, imitando a Zerquera, que solamente me daría una respuesta, dejándome a la cuarta pregunta de este último interrogatorio, puse la mano en la testa para discurrir el medio de concluir este viaje e itinerario histórico. Mi fin era saber si esta capital del imperio peruano se podía comparar a la del mejicano. Así se lo propuse y me respondió: «Alta petis Phaeton.» Que no sé en qué idioma se explicó, porque yo sólo entiendo mal la lengua quichua y peor la castellana; pero se explicó en estos términos: «Los criollos de estas dos cortes, que son las mayores de los dos imperios de México y el Perú, compiten en grandeza. Los mejicanos dicen que de México al cielo y en el cielo una ventanilla o balcón para ver al cielo (1), que es a cuanto pueda llegar la ponderación y entusiasmo. Los limeños oponen a toda esta grandeza sus cuatro P P P P a que pudieran agregar con más fundamento la del pescado fresco, o producciones del mar, de que carecen los mejicanos por la mayor distancia, como de dos a ochenta leguas por países cálidos y húmedos, que por casualidad llegan los escabeches de Veracruz a México en estado de poderse comer sin perjuicio de la salud y sin fastidio del paladar.

«Para que usted dé fin, señor inca, a un viaje tan pesado, le concluirá usted con una burla chistosa que hizo un guatemalteco, gachupín, a ciertos chapetones limeños. Para evitar toda equivocación y sentido siniestro, es preciso advertir que fuera de Lima se dicen limeños a todos aquellos que tuvieron alguna residencia en esta capital, ya sean criollos o europeos. En la Nueva España los llaman peruleros, y en la península mantienen este nombre hasta en sus patrias, y así en Madrid, a mi cuñado y a mí y a los demás criollos nos

reputaban igualmente de peruleros o limeños. Se hallaban seis u ocho de éstos en Guatemala a tiempo que gobernaban aquel reino los ilustrísimos señores Araújo y Pardo, peruleros, a quienes hacían la corte los chapetones o gachupines, como dicen allende y aquende el mar. El gachupín guatemalteco reparó en los muchos elogios que hacían de Lima los chapetones, pero al mismo tiempo advirtió que no habían hecho mención de las cuatro principales P P P P, y una noche las mandó poner con almagre en la puerta principal del señor arzobispo, con un cartel de desafío a los chapetones para que descifrasen su significación, bajo de la pena de cien pesos para un refresco si no acertaban con su verdadero sentido, o a pagarlos él en el caso de ser convencido. Al instante llegó la noticia a los chapetones peruleros, y cada uno se ofreció a aceptar el desafío y descifrar el enigma. Los jueces que nombró para la decisión el gachupín, fueron los señores Araújo, gobernador y presidente de aquella real audiencia, y al señor arzobispo, en cuya casa se hizo la junta. Los chapetones estaban ciertos de su victoria. El gachupín fundaba en ésto la suya. El día de la asamblea se juntaron todos los chapetones en la casa del señor arzobispo con antelación. El guatemalteco se hacía de pencas, fingiendo algún temor; pero por fin entró y tomó el inferior asiento, como reo convicto. Los limeños mandaron leer el cartel de desafío y que se ratificase el gachupín, quien dijo que estaba pronto a satisfacer la pena de su animosidad, pero que los señores limeños debían ratificar también se aceptación, a que convinieron todos gustosos, y cada uno de por sí pretendía hacer el papel de oráculo. El señor presidente, como más clarivoyante, manifestaba con una falsa risa alguna desconfianza de la victoria de sus compatriotas, pero por fin mandó que el más antiguo hablase en nombre y con poder de todos.

«Este buen hombre tendría como cincuenta años. Su fisonomía manifestaba una continua abstinencia, pero el traje indicaba cosa muy distinta. En el sombrero traía una toquilla de cinta de la China con una escuadra de paraos, bajeles mercantes a la chinesca, y para asegurarla en el canto una gran hebilla de oro, guar-

---

(1) Sin duda es error de impresión, y el autor quiso decir «para verlo».

necida de brillantes. Abrigaba su cuello con un pañuelo de clarín bordado de seda negra, con unos cortados a trechos, y al aire un finísimo encaje. La capa, aunque algo raída, era de paño azul finísimo, de Carcasona, con bordados de oro, que por la injuria de los tiempos se había convertido en plata. La chaquetilla o valenciana, que le cubría las rodillas, era de terciopelo azul, con más de dos mil ojales y otros tantos botones de hilo de oro, que también tocaba en plata, según afirmó el contraste o ensayador. La chupa no llegaba al tamaño de la casaqueta, pero tenía unos bolsillos que en cada uno cabían holgadamente mil piezas regulares de encajes manchegos. Era de lampazo matizado de colores, pero no se puede decir a punto fijo su fondo. Los calzones eran de terciopelo carmesí, muy ajustados, y remataban sobre la rodilla con una charretera de tres dedos de ancho, de galón de oro, con tres botones de lo mismo, en lugar de los catorce que hoy se usan. Las medias eran carmesíes, de las mejores que se trabajan en la Laguna, y los zapatos de cordobán de lustre, a doble suela. Las hebillas eran de oro, como la caja del tabaco, que pesarían, uno y otro, un par de libras. En los dedos de la mano derecha traía siempre seis o siete tumbagas finísimas, y en un ojal de la chupa una cadena de oro con un limpiadientes, y orejas con otras guarniciones, que pudieran competir con las cadenas de los relojes que actualmente usan las damas. La camisa exterior, por su extremada blancura manifestaba ser de finísimo elefante, o socortán, y el gorro, que descubría las orejas, de olán batista, con tres andanas de trencillas de Quito, bordaduras con costosos cortados, y por remate un encarrujado encaje de Flandes, de dos dedos de ancho, que hoy día pareciera a los modernos una hermosa y costosa coraza. Los compañeros se presentaron vestidos del mismo modo, que era el uso entonces de su patria, y así eran tan conocidos en la Nueva España como los húngaros en Francia.»

«Por la laguna Estigia vuelvo a jurar, señor don Alonso, que es muy poco lo que entiendo de la pintura que usted ha hecho del traje de mis compatriotas.» «¿Y a mí qué cuidado me da esto?, me respondió. El año de cuarenta y seis de este siglo, memorable por el último gran terremoto, llegué a esta capital, en donde todavía hallé en uso estos trajes. Si al presente son ridículos, a lo menos no dejarán de confesar que fueron costosos, y que en aquel tiempo manifestaban la opulencia de sus dueños y el generoso espíritu que infundía el estelaje. Todas las naciones pulidas del mundo han variado de trajes y modas, y todas parecieran al presente extravagantes, y aún ridículas. Tiempo llegará en que las actuales se critiquen y gradúen por tales, sin embargo, que al presente los trajes de los hombres están muy reformados y sobre un pie económico, a imitación de la Casa Real del Señor Don Carlos III, que Dios eternice, y providencias que dió en este reino su virrey el excelentísimo señor don Manuel de Amat y Junient.

«El decano de los peruleros era un hombre serio y de pocas palabras. Luego que hicieron señal los dos señores gobernadores, jueces y presidentes de la asamblea, se puso en pie, y tocando con la mano derecha su gorra, arengó en el modo siguiente: «Señores: el enigma que propuso nuestra paisano el gachupín y el desafío que hizo, prueban el poco conocimiento que tienen de las cosas que pasan allende de el mar, y que reputa a los chapetones por unos hombres que sólo pensamos en nuestros particulares intereses, sin atender a las particularidades del país. De todo estamos muy bien impuestos, aunque forasteros. Bastante pudor me cuesta descifrar un enigma tan público, que hasta los muchachos de Lima lo saben. Finalmente, las cuatro P P P P que fijó el gachupín a la puerta de este palacio arzobispal no significaban otra cosa, como a V. S. Ilustrísimas les consta, que Pila, Puente, Pan y Peines, en que excede Lima a la ponderada ciudad de México.» Todo el congresó cantó victoria por los peruleros y faltó poco para que al guatemalteco le echasen de la asamblea por fatuo y le condenasen a la talla del refresco sin oírle; pero el señor arzobispo, con consulta del presidente, tocó la campanilla para oír al gachupín, y con esta señal y la de haber puesto ambos presidentes el dedo en la boca: *Conticuere omnes, intentique ora tenuerunt*, y el gachupín se defendió en estos términos:

«No dudo, señores, que si me hallara en Atenas, adonde opinaban los sabios y resolvía la plebe, se sentenciaría contra mí y me tendrían todos por un animoso insensato, como me gradúan los señores limeños; pero como me hallo en una junta en que han de decidir dos hombres sabios e imparciales, sin embargo del patriotismo, estoy cierto de alcanzar una victoria, que mis contrarios cantaron por suya, con aplauso de todos los circunstantes. No puedo negar que los señores limeños se explicaron en todo el sentido que se da en su patria mis cuatro P P P P, pero quisiera preguntar a estos señores si me tienen por tan fatuo para preguntar una cosa tan notoria. ¿No hay, por ventura, otras cuatro P P P P en el mundo? Yo hablo en Guatemala, y en esta ciudad debían estos caballeros buscarlas, y sobre todo en la misma casa del señor arzobispo, a cuya principal puerta las fijé.» Los chapetones se volvieron a alborotar y segunda vez sonó la campanilla el señor arzobispo, y el gachupín dijo que las cuatro P P P P de su enigma significaban: Pedro, Pardo, Paulino y Perulero, que eran los cuatro connotados del señor arzobispo. El presidente se tendió, con la fuerza de la risa, sobre el canapé, y el arzobispo se recostó sobre sus piernas sin poderse contener. Los chapetones se rieron igualmente y confesaron haber perdido su pleito, e hicieron homenaje de dar el refresco, con lo que se disolvió la junta y dió fin este cansado viaje histórico.

Canendo, et ludendo retuli vera.

INDICE

EL LAZARILLO DE CIEGOS CAMINANTES

PRIMERA PARTE

SEGUNDA PARTE

Páginas

Apéndice